완역 삼명통회 三命通會

총 4-4권

원문 (卷十~卷十二)

楚江易水 育吾山人 萬民英 撰

安姬省 번역

BOOKK

완역
삼명통회
三命通會

총 4-4권

원문 (卷十~卷十二)

楚江易水 育吾山人 萬民英 撰

安姬省 번역

BOOKK

완역삼명통회(4-4권)

발 행 | 2023년 9월 26일
저 자 | 만민영
역 자 | 안희성
펴낸이 | 한건희
펴낸곳 | 주식회사 부크크
출판사등록 | 2014.07.15.(제2014-16호)
주 소 | 서울특별시 금천구 가산디지털1로 119 SK트윈타워 A동 305호
전 화 | 1670-8316
이메일 | info@bookk.co.kr

ISBN | 979-11-410-4596-8

www.bookk.co.kr
ⓒ 완역삼명통회 2023
본 책은 저작자의 지적 재산으로서 무단 전재와 복제를 금합니다.

지은이 | 만민영

중국 명나라 때 사람으로 자는 여호汝豪 호는 육오育吾이다. 지금의 하북성(河北省)에서 태어났다. 우리나라에서는 명리학지로 알려졌다. 또한 지시인 삼명통회는 명리학의 백과사전이라고 불릴 만큼, 당대의 명리서를 총망라하여 청나라 견륭제 때『欽定四庫全書』수록될 정도로 그 가치를 인정받은 책이다.

편저 | 안희성

저자 안희성은
· 충남 청양 출생
· 국립공주대학교 대학원 동양학과 석사졸업
· 동대학원 박사졸업
· 前) 춘천 영산문화원 역학 강의
· 前) 대전대학교 평생교육원 역학 강의
· 現) 동방대학원 대학교 평생교육원 성명사주학 강의 중
· 現) 원광디지털대학교 성명사주학 및 육효학 강의 중
· 現) 상명대학교 경영대학원 부동산학과 풍수 강의 중
· 現) 계룡산 밑 비결원에서 후학 양성 중(문의 010-8451-6442)

譯者의 말

『삼명통회』, 『자평진전』, 『연해자평』, 『궁통보감』, 『명리정종』은 命理學의 5대 고전이라 불리운다. 그 중에서도 『삼명통회』는 방대한 내용과 깊이에서 '명리학 백과사전'이라 일컬어진다. 명리학에 입문한 지 수십 년에 여러 학설도 보고 많은 가르침도 많았다. 학설은 방대하고 해석은 다양하여 가닥을 잡기 힘들었지만, 명리의 전반은 『三命通會』를 벗어나지 않는다는 느낌을 지울 수 없었다. 그동안 배운 공부를 정리하여 玄正 申修勳 선생의 <眞如秘訣>로 학위 논문을 준비하면서 명리학 전반에 대한 틀을 다시 잡을 수 있었다. 이러한 과정에서 『삼명통회』의 방대한 학설과 풍부한 명조는 하나의 큰 '저수지' 같다는 느낌을 받았다. 여러 학설의 물줄기가 모여 다시 갈래로 나누어지는 양상을 보았으며, 무궁한 사색의 원천이 되고 있음을 확인하였다. 역자에게 삼명통회는 이처럼 늘 가까이 있으며 도움을 받았으나 하나로 집적되지 못했다. 여러 봉우리를 올라 보았으나 전체는 보여주지 않는 거대한 '산맥'처럼 느껴지기도 하였다.

그동안 삼명통회에 대하여 여러 동학들과 스터디하면서 틈틈이 옮겨 두었던 것을 다시 정리해서 역서로 출간하게 되었다. 워낙 방대한 내용이라 전문을 번역함에 있어 여러분들의 많은 도움을 받았다. 따라서 이 책은 비록 역자의 이름으로 출간하지만, 초벌 번역을 해주신 수기유행 카페지기 김균 선생님을 비롯한 많은 분들의 共譯이라 불러야 마땅할 것이다. 의문나는 구절에 자문을 구하고, 도움을 받으신 분들을 일일이 다 언급할 수는 없는 실정이다. 번역과 편집과 출판에 도움을 주신 여러분께 감사한 마음을 표한다.

최근 들어 命理에 대한 관점과 고조는 동양적 문화(판소리, 탈춤), 철학(동양철학), 의학(한의학)에 이어 생활문화로까지 확대되고 있다. 생활문화로서의 주요 영역은 무엇보다도 命理, 風水, 觀相을 들 수 있겠다. 이러한 영역들은 이미 우리 생활 깊숙이 자리 잡았으며, 정식 학제에 편입되어 많은 연구 성과들이 양산되고 있다. 가히 동양 생활철학의 르네상스 시대라고 불리어도 좋을 변화로 보여진다. 한편, 이러한 양적 확대에 상응하는 내적 성숙을 고민하는 것은 당면한 과제라 하겠다. 이런 의미에서 본 譯書가 命理에 대한 원론적 고찰의 심화라는 차원에서 명리학이 '術數'를 넘어 '學問'으로 발전해 나가는 데 일조가 되었으면 하는 바람 간절하다.

『삼명통회』의 저자 育吾山人 萬民英은 '命을 들음을 경건히 하라(敬聞命矣)'고 하였다. 이 말은 오늘날의 명리인들이 가슴 깊이 새겨야 할 잠언이 아닐 수 없으니, 나 역시 이 교훈으로 역자의 말을 마무리하고자 한다.

2023년 8월에
安姬省

추천사 (신수훈)

역이란 미래를 읽는 기술이요 천명을 아는 심오한 학문으로 그 이론이 정밀하고 광범하다. 식이 맑고 밝은 소박한 고대인들의 지혜와 노자를 비롯한 귀곡자, 낙록자, 이허중, 서거이, 공자, 장자, 정자, 주자 등의 도가나 유가를 망라한 여러 현인과 학자들이 탐구한 논리를 육오 산인 만민영 선생이 다양하게 수집하고 융합하여 일목요연하게 엮은 것이 삼명통회다.

태극에서 비롯한 음양오행과 천간 지지의 생성원리와 작용, 생극제화의 통변조화 논리전개를 상세하게 다루고 있는 삼명통회는 역리가 재관 녹마 신살 등의 명리로 변천 발전하는 과정을 누구나 쉽게 이해하고 숙지하여 응용할 수 있도록 종합편찬한 학술적인 고전이요 보물이다.

간지 오행, 육친 신살, 격국 용신의 기초 명리 법으로 유인되는 선연 악연 업연 등 인연을 가상 전제로 유추하면 명주의 성격, 직업, 애정 형성은 물론 인간사의 과거 현재 미래의 행불행을 예측하고 분석할 수 있다. 이 같은 진여 명리학을 전거로 천시, 지리, 인사까지 관통하여 피흉취길 하고 개운할 수 있는 <진여비결의 오주론적 특성과 그 사회적 의의에 관한 연구> 논문으로 박사학위를 받으시고 후학들을 위하여 그 어려운 삼명통회까지 일념으로 번역하신 안희성 교수의 박학다식과 열정에 감사와 찬사를 보낸다.

역을 배우고 추명을 하는 학인은 그 뜻을 성실히 하고, 그 마음을 바르게 한 다음에 삼명통회를 학습하여 격물하고, 거경궁리 하여 명리의 궁통 변화를 통달한다면 세상의 스승으로 존경받으며 홍익인간의 길을 갈 것이 분명하다.

옛 성인들이 명을 아는 자는 근심이 없다고 하였고, 천시를 알고 출사하면 허물이 없으며 터를 알고 머무르면 발복 한다고 하였다. 명리를 경건한 마음으로 배우고 익혀 생활에 활용할 수 있는 사람은 조상 음덕과 복이 많은 것이다.

명리에 입문한 사람은 자신의 앎에 한계 짓지 말고 명리의 기초에서부터 고등 실전이론을 겸비한 삼명통회를 학습 집중하여 터득하면 심오한 명리의 문리를 깨치고 달인의 경지에 이를 것이다. 50년 역술인의 길을 살아온 현정은 역우 여러분에게 진심으로 삼명통회 일독을 권하며 자신있게 추천한다.

2021년 7월 진여 정사에서 현정 신수훈 서

추천사 (유방현)

동양사상을 하나의 큰 강물로 비유하면 역학은 그 강물을 흐르게 하는 용천이라 할 수 있다. 맹자에 "原泉混混 不舍晝夜"라는 말이 있다. '원천이 용솟음 쳐서 밤낮을 쉬지 않는다' 라는 의미이다 역학역시 넓고 깊은 샘이어서 끊임없이 無邊廣大한 無限疾走 하는 시간을 두고 온갖 대지를 적셔주고 있다.

우리나라에서 그동안 수많은 역학서 들이 번역되고 출간되어 온 것에 대하여 이견이 없다. 먼저 역학의 성립근거는 기존의 역학의 제학습의 연구를 토대로 하여 사람들이 원하는 사상성을 도출해 내는 새로운 연구 분야이기도 하다. 그러므로 지난날의 내 삶을 거울에 비추듯 지금 반조해 본다면 미래의 길은 더욱 더 환히 열리게 된다. 연구해서 얻어낸 결과이며, 철학적 사고와 종교적 사상 또한 몰입으로부터 나왔다 해도 지나친 말이 아니다. 탐내는 것과 원하는 것은 다르다. 탐내는 것은 노력을 하지 않고 얻으려고 할 때 생기는 마음이다. 원하는 것은 노력해서 얻고자 할 때 생기는 보이지 않는 미래는 오늘에 만들어 지고, 오늘의 참되 삶은 지난날에 의해 정해진다고 할 수 있다. 안희성 선생은 명리, 주역, 육효, 풍수와 더불어 성명학에 정점을 찍고 이제 쉬어가는 인생의 종착역에 또다시 새로운 영역인 방대한 분량의 『삼명통회』의 번역 출간에 방점을 찍었다는 것에 놀라움과 경의를 표할 뿐이다.

내가 아는 안희성 선생은 근 반평생을 역학에 몸 바쳐 전국에 수많은 제자가 있는 것으로 알고 있다. 이를 단적으로 나타내는 것은 역학에서는 無不通知의 경지에 이르렀음은 많은 學人諸賢들께서 이미 알고 있고 더 나아가 음지의 학문을 양지로 끌어올린 장본이기도하다. 그 증표가 되는 것은 4년제 정규 대학에서의 직접 동양학 강의를 마다않고 몸 바쳐 제자 양성에 수고와 노력을 아끼지 않는 몇 안 되는 뛰어난 역학의 고수 중 한 사람일 것이다.

맷돌을 돌리면 깎이는 것이 보이지는 않지만, 어느 땐가 다 하고, 나무를 심고 기르면 자라는 것이 눈에 띄지는 않아도 어느새 크게 자란다. 강의와 더불어 후학을 양성하는 것은 아무나 할 수 있는 것이 아니다. 몸에 밴 겸손함과 열정을 가진 뜨거운 마음을 가진 사람만이 후학을 양성하고 그가 가진 진가를 넘겨주는 그야말로 진기를 탈진하는 하나의 여정일 것이다. 또한 기존의 『三命通會』라 명칭 되어온 수많은 도서류 중 학인들이 마땅히 받아들여 공부할 수 있는 서적이 그다지 많지 않은 중 전4권으로 600여 페이지가 넘는 방대하고 세세한 학술서로서의 출현이 더없이 반갑기 그지없다. 이번에 출간하는 『三命通會』는 뼈와 살을 깎고 인고의 시간을 투자한 역작이다. 쉽지 않은 건강에 극심한 통증의 대상포진을 격고 眼光의 빛을 발하다 얻은 백내장 등 수 없는 역경과 고통을 산고의 고통과 버금가리라 생각이 들며, 일면 안쓰럽고 일면 자랑스럽기도 한 나의 역학제자이자 동지이다. 번역 일에 치중하는가 하면 자신의 내면에 더욱 혹독하게 담금질하여 공주대학교에서 동양학 박사학위도 취득한 지성과 포용을 갖춘 보기 드문 고수이기도 하다. 이는 역학계의 또 다른 자랑이며 자긍심을 심는 기회이기도 하다. 다만 안희성 선생께서 이제는 건강도 돌보고 지켜서 오랫동안 우뚝 선 모습으로 그 자리를 지켜주기를 바랄 뿐이다.

2021년 7월.　　한국전통 과학 아카데미 유방현

『삼명통회三命通會』 서문序文

옛적에 복희황제는 하도낙서河圖洛書를 본받아 괘卦를 그리고 역易을 만들어 수數로써 이理를 강구하니 천지의 신비함이 처음으로 드러났다. 주렴계는 태극도太極圖를 만들고, 『통서通書』[1]에서는 음양오행을 천명하니 이理로서 수數가 밝혀져 성명性命의 이치는 더욱 드러나게 되었다. 이理와 수數가 합일되어 천지의 조화가 이수理數를 넘지 않았다는 말이 이것이다. 지금 성가星家들은 조화造化 중에서 인간이 처음 태어난 때의 年・月・日・時를 취하여 사주四柱라 이름하고 이를 명命이라고 불렀다. 그 학설은 낙록자珞琭子에게서 시작하여 이허중李虛中에서 넓혀지고 서거이徐居易에서 번성해졌다. 그 학설을 자세히 고찰해보면 이치가 없다고 할 수는 없다. 다만, 음양오행은 천지간에 유행하는 것이고 생극제화生剋制化일 뿐이다. 지금 생극제화에 허다한 명목을 교묘히 붙여 사람의 운명에 모두 연결지으니 애초부터 천착穿鑿하는 실수를 면하기 어려웠다. 하물며 세상의 용렬한 술수는 도리를 밝히지 못하고 조화에 통달하지 못하면서 겨우 『연원淵源』과 『연해淵海』 등의 책으로 명命을 안다고 쉽게 말해 버린다. 고인古人이 논명論命한 까닭을 물으면 망망하여 대답을 하지 못한다. 그 중에 아는 자가 있어도 역시 조잡하고 천박하고 막혀서 관통하여 궁구하지 못하니 변화를 통달함에 부족함이 없겠는가. 그저 성명星命의 담론은 맞추느냐 못 맞추느냐에 있을 뿐이었다.

나는 이를 병폐로 여겨 널리 고금의 책을 구하여 음양오행과 생극제화를 언급하여 성명星命에 관련되는 것은 반드시 그 근원과 그렇게 되는 이치를 깊이 탐구하였다. 오랜 시간이 흘러 활연히 관통하여 고인古人의 추명론推命論, 납음론納音論, 간지론干支論, 격국론格局論, 재관론財官論, 녹마론祿馬論, 그리고 신살神煞이 변화를 취하는 요체에 모두 지극한 이치가 담겨 있음을 알게 되었다. 하물며 유학儒學에서의 격물치지格物致知[2]의 학문 또한 마땅히 마음을 먼저 궁구하는데 명리命理가 작은 도리라고 어찌 버리겠는가. 어떤 이는 명命의 이치는 미묘하여 성인도 말한 바가 드물었으니[3] 어찌 쉽고 자세하게 담론하는 것이 가능하겠느냐고 한다.

그러나 명命의 이치는 쉽게 말할 수 없다는 그대의 말로써 문제가 다 해결될 수 있겠는가. 명의 이치는 미묘하여 성인이 드물게 말씀하신 것이지만 그러나 일찍이 말씀하지 않은 것은 아니다. 나는 세상에서 사람들이 천명天命을 알지 못하여 망령되이 행동하고, 또 인사人事를 다하지 못하여 죄에 얽혀지는 것을 슬퍼한다. 천명을 알지 못하는 사람은 진실로 말할 것도 없으며 죄에 얽혀지는 자도 명을 알지 못한 것이다. 어째서인가. 대개 인사人事와 천명天命은 서로 유통하므로 인사를 다할 수 있어야 천명을 다할 수 있는 것이다.

명命에는 궁통窮通이 있으므로 하지 않아도 하게 되며, 이루려 하지 않아도 이르게 된다. 반드시 이르게 되어 어찌할 수 없게 된 연후에는 이런 것을 명命이라 말할 수 있다. 그래서 공자는 "군자는 편안하게 살면서 천명을 기다린다."[4]하였다.

사생死生이 명命에 있다는 성인의 뜻은 결단코 알 수 있는 것이다. 나는 이것을 깊이 생각해

1) 주렴계의 저술. 본래 《역통易通》이라 칭하여 《태극도설太極圖說》과 표리表裏관계이나 태극도설이 우주론宇宙論을 설명한 데 반해 이 책은 오로지 윤리설倫理說을 가리키고 있다.
2) 『大學』1, "格物 致知 誠意 正心 修身 齊家 治國 平天下"
3) 『論語』9, "子 罕言利與命與仁"
4) 『中庸』14, "君子 居易以俟命, 小人 行險以徼幸"

보았다. 성인이 가르침을 내리신 뜻은 후세에 밝혀지지 못하였고, 명리의 학설이 은미했던 까닭에 그 설명은 자세하지 않았다. 자세히 말하려면 설명할 자료가 많아야 한다. 어찌 감히 명을 쉽게 말하겠는가. 그래서 자료를 널리 모으고 먼 곳에서 인용하고 근원을 거슬러 올라가 뿌리를 찾아보았다.

그리하여 음양의 요점을 찾았고, 다시 간지干支의 시초를 궁구하고, 신살神煞의 길흉을 해석하였다. 어떤 이치에 의거하여 명해名解와 격국格局의 명의名義를 얻고, 어떤 법에 의거하여 실례를 세웠는지 연구하였다. 녹마祿馬는 어떻게 다르며, 재관財官과 납음納音은 어떻게 달라지는가를 연구하였다. 오행에서 남녀의 위상이 다르고 강유剛柔와 행동이 완전히 다르다. 노유老幼는 기운이 달라서 늙어지기도 젊어지기도 하니 그 취함이 한결같지 않다. 질병은 부여받은 기운의 치우침에 의해 정해진다. 사주가 흉하면 단명한 것은 살이 중한 까닭이다.

사주는 먼저 뿌리와 기반을 살피고, 다음으로 세운歲運의 지위와 배성配星의 어둡고 밝음을 살핀다. 그런 연후에 고금古今의 인명人命은 일시日時가 중요함을 입증한다. 이것은 일日을 얻은 전일적인 이유와 시時를 얻은 단독적인 이유를 자세히 살피는 이유이다. 그러나 사람이 일시日時는 같아도 귀천은 아주 다를 수 있다. 그러므로 월령月令과 절기節氣의 심천淺深을 봐야 한다. 팔자八字에 있어서도 장수하고 요절하는 것은 같지 않은 것은 내외內外의 업연業緣이 감응하는 것이 같지 않기 때문이다. 하물며 시간의 차이와 시각에 따라 기운이 나뉘는데 유세幼世에서는 치란治亂이 나누어지고 운運은 이에 따른다. 고금의 풍수風水는 신공神工을 빼앗을 수 있고, 음즐陰騭[5]은 천명을 바꿀 수 있으니 인생에서 때를 만나는 것을 어찌 하나의 실례에서만 논의할 수 있겠는가. 참으로 깨달으면 정신이 통하고, 밝히면 조화造化와 소식消息의 이치는 나에게 있다. 수요壽夭, 궁통窮通, 빈부貧富는 스스로 도피할 수 없다. 성인도 드물게 말씀하신 것을 감히 말하려니 나의 말로 다할 수 있겠는가.

아! 공자는 대성인이다. 스스로 나이 오십에 비로소 지천명知天命하였다고 하셨다.[6] 그래서 나에게 몇 년을 더 살게 해준다면 역易을 배우겠다고 하셨다.[7] 역易이란 것은 천명天命을 아는 학문이다. 성문聖門 제현諸賢 중에서 자공子貢보다 영오穎悟한 자는 없는데 훌륭하다는 감탄을 들은 적이 없다. 그렇다면 나의 이 저술은 하나의 역易에 대한 이론이요, 천명天命을 알고자 하는 학문이다. 역을 받아들임에 있어 어찌 쉽게 말하겠는가. 옛적에 엄평은嚴平隱군이 성도시成都市에서 점을 치면서 사람들이 얻은 괘를 가지고 점술이 아닌 권선징악勸善懲惡의 교훈을 베풀었는데 군자들은 지금까지 이를 칭송한다. 나의 마음이 또한 이와 같다. 그리고 어찌 내가 역을 안다고 자세하게 말하겠는가. 혹자가 "명을 들음을 공경히 하라."고 말하였는데, 나는 이 말을 펼쳐서 『삼명통회三命通會』의 서문으로 삼는다.

만력萬曆[8] 6년 戊寅年 늦가을 길일에 前進士 楚江易水 育吾山人 萬民英 쓰다.

---

5) 조상의 음덕
6) 『論語』2, "五十而知天命"
7) 『論語』7, "子曰 加我數年 五十以學易 可以無大過矣"
8) 중국 명대明代 神宗 재위의 연호, 萬曆 6년은 1578년이다.

三命通會 序

昔者 羲皇則河圖洛書劃卦作易 乃因數窮理 而天地之秘始洩 周茂叔作太極圖 通書闡陰陽五行 乃因理明數 而性命之蘊益著 理數合一而造化不越是矣. 今聖家者流 乃就造化中於人有生之初 推年月日時 立名四柱 而謂之命 其說肇於珞琭子 衍於李虛中 盛於徐居易 細考其說 不可謂無理也. 但陰陽五行 流行天地間生剋制化而已. 今乃於生剋制化 中巧立許多名目 以盡人之命 未免已失之鑿 矧世庸術 不明道理 達造化 僅能誦淵源 淵海等書 便謂知命 及詢古人論命之所以然 茫然 無以應之間有知者 又粗淺執滯 弗能洞究 達變無怪乎 星命之談 有准與不准也. 余爲此病 乃博求古今之書凡語及陰陽五行生剋制化 有關星命者 必深探其源頭所以然之理 久則豁然通貫 乃知古人推命 論納音 論干支 論格局 論財官 論祿馬 論神煞 取用變化 要皆有至理寓焉 矧吾儒格致之學 玆亦所當究心者 惡可槩以小道棄之哉. 或曰 命之理微 聖人罕言 何談之易 而言之詳 豈命之理 盡於子之言乎. 余曰 命之理微 此聖人所以罕言然 未嘗不言也. 余悲不世人不知天命 而妄圖冥行 又悲夫人事未修而諉罪 天命不知者 固無足言 而諉罪者 則未爲得也. 何也 盡人事與天命 相爲流通 能盡人事 卽所以盡天命 而命有窮通 莫之爲而爲 莫之致而至必至 無可奈何然後 斯可以言命也. 故 孔子曰 君子居易以俟命 又曰 死生有命 聖人之意 斷可識矣. 余深念 聖人垂敎之意 後世不明 而命之理微 故其說不得不詳說之 旣詳故 其術不得不多 而何敢談之易也. 是故博搜遠引遡源求根 旣探陰陽之精 復窮干支之始 釋神煞之吉凶 據何理而得名解 格局之名義 憑何法而立例 祿馬何異乎 財官納音何殊乎. 五行男女位分 剛柔行藏頓異 老幼氣別衰嫩 取用不同 疾病由稟受之偏 凶短本受煞之重 先察根基 次詳歲運地 配星野時 看晦晴然後 証以古今人命 重以日時 參詳以日得之傳 時得之獨故也. 然人有日時同 而貴賤迥然 乃月令節氣淺深之辯 有八字等 而壽夭不齊 寔內外業緣所感之隨 矧時差刻漏 氣判正 幼世分治亂運隨 古今風水可奪神工 陰騭可改天命 人生遭際 修爲安得一例論乎 誠能會而通之神而明之 則造化消息之理在我 而壽夭窮通貴賤貧富 自莫能逃 敢謂聖人罕言 而殫於余之言乎. 嗚呼 孔子大聖人也. 自敍五十始知天命 故曰 加我數年 五十以學易 易也者 知天命之學也. 聖門諸賢 領悟莫如子貢 嘆不可得而聞 然則 予所著述 一易之理 知天命之學也. 豈容以易易言哉 昔嚴君平隱 成都市 假以賣卜 因人所得之卦 而勸善懲惡 君子至今稱之 余之心 亦猶是也. 又惡知談之易 而言之詳乎. 或曰 敬聞命矣. 遂次其言 以爲三命通會敍云.

萬曆 六年 戊寅 季秋 吉日 前進士 楚江易水 育吾山人 萬民英 書.

삼명통회三命通會(4-4권)

삼명통회 10권

삼명통회 11권

삼명통회 12권

삼명통회 10권

1. 看命口訣-1

대체로 命을 볼 때는 월지에서 財官의 유무(有無)를 본 다음에 다른 것을 보니 月令은 命이 된다. 月은 地支를 取하고, 年에서는 天干을 取하며, 日도 天干을 取하고, 유년(流年)과 歲는 天干을 取하며, 大運은 地支를 取한다. 月은 本이 되며, 日이 주인이 되는데, 가령, 月에 정관이나 편관이 있으며 時에 또 다른 格이 있다면, 단지 月에서 取하고 다른 곳의 格을 사용하지 않는다. 만일 월영에서 사용할 것이 전혀 없으면 다른 곳의 格을 살핀다. (大凡看命,先看月支有無財官,方看其他,月令爲命也.月取支神,年取天干,日取天干,流歲取天干,大運取支神.月爲本,日爲主,如月有正官及偏官,而時又入他格.只以月中取,他格無用.如月令全無可用,方看他格.)

고가(古歌)에서 이르길, 삼궁(三宮=年 月 時)에 있는 格이 혼잡(混雜)하면 자세히 알기 어렵고, 무엇이 貴한지 환하게 밝히기 못할 경우에는 삼궁의 모든 格은 제외하지 않고 단지 제강(提綱)을 사용할 수 있는 것이다. 월영은 地支를 사용하는데, 가령 관성이면 반드시 上下에 干支가 투출하여야 기묘(奇妙)하게 된다. 혹 天干에는 투출하고 地支중에서 튀어나오지[通根하지] 않아도 主는 총명하고 준수하다. 年과 時가 월지를 衝하는 것을 꺼리고, 日支 자신이 衝하는 것은 무방하지만 大運 및 세군이 와서 月支를 衝하면 禍가 된다. (古歌云,三宮帶格混難詳,不曉憑誰是貴方.一任三宮皆帶格,除非只得用提綱是也.月令用地支,假如官星,須要上下干支透出爲妙.或干透出,支中不透,主聰俊,忌年與時衝月支,日支自衝不妨,大運及歲君來衝月支則禍.)

무릇, 정관이 일위(一位)이면 君子로 貴人이고, 성실하고 인정이 두터우며 순수(純粹)하고, 강직하고 청렴하여 밝으며 年과 時에 印綬가 있으면 더욱 좋다. [정관이] 많으면 반대로 실패하고, 4位가 순수한 官이면 벼슬을 하여도 허명(虛名)뿐이다. 七煞이 일위(一位)이면, 총명(聰明)영리(伶俐)하지만, 2~3位면 먼저는 淸하지만 나중에는 濁하다. 四柱에 순전한 煞은 制가 있으면 貴하고, 制가 없으면 가난하다. (凡正官一位,乃君子貴人.篤厚純粹,剛直廉明,年時有印尤妙.多則反主成敗,四位純官,仕宦虛名.凡七煞一位,聰明伶俐,二位三位,先淸後濁.四柱純煞,有制貴,無制貧.)

대개 財가 일위(一位)면, 반드시 時에서 얻어야 富貴하고 가업을 일으키는데, 위인(爲人)은 성품이 조급하고 엄하다. 이위(二位)면 성품의 기운이 반감(半減)하고, 삼위(三位) 사위(四位)면 기운을 소모하여 身이 衰弱하다. 만약 매우 旺하면 성립(成立)하지만 弱하면 노고(勞苦)한 생활을 한다. 대체로 印綬는 一위, 二위, 四위도 괜찮으니 論하지 않고, 格중에 財가 印綬를 破하면 좋지 않다. (凡財一位,務要得時,富貴成家,爲人性燥緊急.二位性氣減半,三位四位,耗氣身衰.若身旺甚,則可成立,弱則勞苦生受.凡印,不論一位二位四位都好,格中不宜見財破印.)

대체로, 好運으로 行할 경우에, 일간이 流年이나 歲君의 干頭(간두=天干)를 손상하면 禍가 가볍고, 好運이 아닌 곳으로 行할 경우에 일간이 세군의 干頭를 손상하면 禍가 重한데, 만약 매우 過하게 일어나면 죽는다. 辰戌 丑未는 각기 세 개의 여기(餘氣)가 있다. 가령 午運에서 나아가 未에 이르면 삼분(三分)의 火氣가 있다. 子에서 行하여 丑에 이르면 삼분(三分)의 水氣가 있다는 例인데 전부 土로 論해서는 안 된다. (大凡行好運,日干傷流年歲君干頭,禍輕.行不好運,日干傷歲君干頭,禍重.若已發過則死.辰戌丑未,各有三分餘氣.如行午運至未,有三分火氣.行子至丑,有三分水氣之例,不可全作土論.)

陽刃格은, 歲運에서 衝이나 合을 가장 두려워한다. 太歲의 干이 日時의 干을 合하면 회기살(晦氣煞)이라 하고, 日時의 干支와 유년(流年)의 干支가 동일하면 전지살(轉趾煞)이라 한다. 가령 庚申일이 庚申 혹은 庚寅 太歲의 종류를 볼 경우에는 輕하면 멀리 이주하고, 重하면 가옥이 훼손되고 재물을 破한다. (凡陽刃格,歲運最怕衝合.太歲干合日時干者,爲晦氣煞.日時干支與流年干支同,爲轉趾煞.如庚申日見庚申或庚寅太歲之類,輕則遠遷,重則毁屋破財.)

年月日에 吉神이 있으면 時가 生旺한 곳이어야 하고, 凶神이 있으면 制伏하는 곳이어야 하는데, 만약 時상에 吉神 혹은 凶神이 있으면 역시 年月日상에서 吉한 것은 生하고 凶한 것은 制하여야한다. 月상에 용신이 있으면 조상의 힘을 얻고, 時상에 용신이 있으면 자손의 힘을 얻는데 이와 반대라면 그렇지 않다. (凡年月日有吉神,要時引歸生旺之處.有凶神,要時引歸制伏之鄕.若時上帶吉神或凶神,亦要年月日上,吉者生之,凶者制之.月上有用神,得祖宗之力,時上有用神,得子孫之力,反此則否.)

看命口訣(간명구결)-2

무릇 命을 볼 때 일간을 天元으로 사용하기에 干은 祿이 된다. 일지 월지를 地元으로 사용하기에 支는 命이 된다. 가령 壬 癸일이 己未월이라면 干支에 財 官이 투출한 것이다. 財 官이 원래 있고 없고를 論할 때, 地支에 財官이 있으면 天干에는 투출하지 않아도 묻지 아니한다. 만약 地支에는 재관이 없고 단지 天干에만 투출한다면, 비록 호운(好運)으로 나아갈지라도 도움이 되지 않는다. (凡看命,以日干用爲天元,是以干爲祿.日支月支用爲地元,是以支爲命.假如壬癸日,己未月,干支透出財官是也.財官論原有原無,地支原有財官,天干不露出者不問.若地支無財官,只是天干透出,雖行好運亦不濟事.)

유년(流年) 歲君을 볼 때는 단지 天元을 사용하는데, 그러나 行運에서는 비록 地支가 중요할지라도 역시 運의 天元을 보아야한다. 人命의 柱중에 혹 관성이나 편관이 있는데 制伏이 太過하면 運의 干에서 관살을 보면 발달한다. 運의 地支에 財가 없어도 運干의 財는 역시 福이 된다. 運의 地支에 煞이 없어도 運干의 煞은 역시 禍가 된다. (看流年歲君,只用天元,若行運雖重地支,亦要看

運天元.人命柱中,或有官星,或有偏官,有制伏太過,而運干見官煞可發.運支無財而運干是財,亦可爲福.運支無煞而運干是煞,亦可爲禍.)

人命에서는 生月이 運元이 되니 大運과 더불어 歲君이 [生月을] 衝하면 禍가 되니 가장 두렵다. 생월의 관성은 祿元이라 하여 衝하여 파괴되는 것이 가장 두렵다. 만일 丁일생인이라면 壬은 官인데 亥월에 生하면 亥중에는 壬이 있으니 丁의 祿이다. 만약 年과 時에 己[字]가 있으면 衝하여 祿元을 파괴한다. (人命以當生之月爲運元,最怕大運並歲君來衝爲禍.以當生官星爲祿元,最怕衝壞.如丁日生人,以壬爲官,而生亥月,亥中有壬,是丁之祿.若年與時有己字,則衝壞祿元.)

(當生) 生월의 재성은 마원(馬元)이 되는데 겁재에게 탈취되는 것을 가장 두려워한다. 가령 庚일생인은 甲乙木이 財인데, 寅卯월에 生하면 寅중의 甲목은 편재이고, 卯중의 乙목은 정재이다. 만약 年時에 辛[字]이 있으면 오히려 쟁탈(爭奪)할 근심이 있는데, 歲運도 동일하게 論한다. (以當生財星爲馬元,最怕劫奪.如庚日生人,以甲乙木爲財,而生寅卯月.寅中甲木偏財,卯中乙木正財.若年時有辛字,卻有爭奪之患,歲運同論.)

무릇, 年干상에 日의 관성이 있으면 福氣가 가장 두텁고, 日의 칠살이 있으면 종신토록 제거(除去)할 수 없다. 관성은 祿이 되고 재성은 馬인데, 관성으로 行하면 官이 발달하고, 재성으로 行하면 財가 發한다. 관성과 재성은 하나라도 빠트리면 안 되며 각자 소용(所用)이 있다. 年月상에 財官이 있으면 반드시 富貴한 가문의 태생으로 祖父의 뿌리이다. 少年시절에 官祿 運으로 行하면 대부분 유년(幼年)시절에 관직을 받아 일찍 공명(功名)을 發한다. 年月에 財官이 없고 日時에 있으면 자수성가(自手成家)한다. (凡年干上有日之官星,福氣最厚.有日之七煞,終身不可除去.官星爲祿,財星爲馬.行官星發官,行財星發財.二者不可缺一,各有所用.年月上有財官,必生富貴之家,祖父根基.少年便行官祿運,多是幼年拜命,早發功名.年月無財官,日時有之,則是自己成立.)

人命에서 財官이 근본이고, 柱중에 다만 그 하나만 얻어도 발복(發福)한다. 만약 사주 원국에 관성이 없고 다른 格에도 들지 않아도, 年月日時의 干支에 財가 많으며 또 財旺한 運으로 行하면 功名을 성취(成就)할 수 있다. 재왕하면 官을 生할 수 있으니 반드시 身旺해야 가능하다. (人命以財官爲本,柱中但得其一,亦可發福.若四柱原無官星,不入他格,年月日時干支財多,又行財旺運,亦能成就功名.以財旺自能生官,須身旺方許.)

年月에 財官이 없으며 유년(幼年)에 좋지않는 運으로 行하면 대부분 출신(出身)이 낮으며 비천하고, 祖業을 破하며 父를 손상하여 福을 이루지 못한다. 무릇 命에서 관살이 혼잡하고, 상관의 合神이 重하면 남자가 이것을 犯하면 酒色에 빠져 혼미하고, 女人이 이것을 犯하면 중매 없이 스스로 시집간다. [연애 결혼한다.] (年月無財官,幼年又行不好運,多是出身卑微.破祖傷父,無見成之福.凡命官煞混雜,傷官合神重.男子犯之,耽迷酒色,女人逢之,不媒自嫁.)

看命口訣(간명구결)-3

무릇 命을 볼 때는, 오로지 일간이 主가 되며 제강(提綱=월영)에 소용(所用)되는 物을 취하여 命이라 한다. 비유컨대, 월영에서 金木水火土를 사용하는데, 다만 한 가지 節氣의 先後를 취하여, 輕重과 深淺, 成局과 衝破를 자세히 살피고 연구를 더 해야 한다. 官, 印, 財, 煞, 食神, 傷官을 말하는 이 6法의 소식(消息)인 것이다. (凡看命,專以日干爲主,取提綱所用之物爲命.譬月令以金木水火土爲用.但有一件,取其節氣先後,輕重淺深,成局破衝,細加考究.曰官,曰印,曰財,曰煞,曰食神,曰傷官,以此六法消息之.)

官을 만나면 財를 살펴봐야 하고, 煞을 만나면 印을 살펴봐야 하며, 印을 만나면 官을 살펴봐야 한다. 사자(四字;財,官,煞,印)가 어느 쪽으로도 기울거나 치우치지 않게 하여, 生剋制化하면 上이 되고, 破害休囚하면 下가 된다. 運에서 生하거나 제거(除去)하여 福이 되기도 하고, 돕거나 傷하여 禍가 되기도 한다. 그리고 年日時의 地支를 有用하게 合하여 格局을 이루어도 모두 월영을 사용(使用)한다. 가령 月에서 金을 쓰면 단지 金을 쓰고, 火를 쓰면 단지 火를 쓴다. 18格중에 6格이 중요한데 상생(相生)으로 格과 合局을 定하지만, 그러나 年日時의 아래(地支)를 用하여 경중(輕重)과 심천(深淺)을 추리한다. (逢官看財,逢煞看印,逢印看官.取四者不偏不倚,生剋制化爲上,遇破害休囚爲下.運有生有去爲福,有助有剝爲禍.亦有用年日時支,合成格局者,然皆以月令爲用.假令月用金,只用金,用火只用火.十八格內,取六格爲重,用相生定格合局.卻用年日時下,以推輕重淺深.)

가령 官을 만나면 印綬를 용신하여 煞을 두려워하지 않는데 이것은 煞局이 印으로 印局은 身으로 돌아오니 上局이 되어 取한다. 印綬를 만나는데 煞을 볼 때는, 단지 官煞이 命에 있고 官煞運으로 行하면 貴하다고 論한다. 月令에 官이 通根하고 柱중에 財를 보면 財旺하여 官을 生하니 富貴한다. 柱중에 財를 보면 財旺한 運에 들어야 발복(發福)하는데 단 하나의 煞이라도 보면 煞이 중요하므로 財를 用神하지 않는다. 만약 財旺한 運으로 行하면 財가 煞의 무리를 生하여 빈천(貧賤)하게 된다는 말인데, 대체로 格에서 煞이 重하기 때문이다. (如逢官用印不怕煞,是煞局印,印局身還,作上局取之.逢印看煞,但有官煞在命,行官煞鄉,亦作貴論.月令通官,柱中遇財,財旺生官,乃富貴.柱中見財,要入財旺運發福.但見一煞,則以煞爲重,不可用財.若行財旺運,乃財生煞黨,作貧賤言.凡格以煞爲重.)

무릇 命은, 먼저 天干에서 制剋의 유무(有無)를 보고, 地支에서 刑衝의 유무(有無)와 干支 納音에서 전투항복(戰鬪降伏)의 유무(有無)를 살핀다. 가령 甲은 寅이 祿이 되는데 寅상에 무슨 干이 있으며, 甲은 辛이 官인데 辛이 어떤 地支를 얻었는가? 干은 支를 침범하지 않으니 天은 존귀하고, 支는 干을 犯하지 않으니 地는 낮다. 五行이 서로 상적(相賊)하지 않으면 사람이 順하다. 사맹(四孟)이 相害하지 않으면 馬가 달릴 수 있다. 만약 干이 침범하고 支가 犯하면 五行이 상적(相賊)한다. 그리고 本主에서 有氣와 無氣, 有用과 無用, 有救와 無救, 成格과 成格하지 않았는지를 분별(分別)하면, 干支가 착종(錯綜)하여 五行이 변화(變化)하니 조화(造化)가 그 속에 있는 것이리라! (凡命,先看干神有無剋制,支神有無刑衝,干支納音有無戰鬥降伏.如甲以寅爲祿,而寅上有何干,甲以辛爲官,而辛得何支?干不侵支,則天乃尊.支不犯干,則地乃卑.五行不相賊,則人乃順.四孟不相害,則馬乃能馳.若干侵支犯,五行相賊.又當分別主本有氣無氣,有用無用,有救無救,成格不成格.則干支錯綜,五行變化,造化在其中矣!)

이 순풍이 이르길, 五行이 生旺하면 福氣의 왕래(往來)를 살피고, 五行이 死絶하면 吉神의 구조(救助)가 있는가를 살펴야 한다. 만약 五行이 득지(得地)하고 納音이 相生하면 吉神의 도움이 없어도 영화롭다. 五行이 무기(無氣)하고 納音이 서로 방해하면 설령 길신이 있을지라도 불용(不用)한다. (李淳風云,五行生旺,觀福氣之往還.五行死絕,在吉神之救助.若五行得地,納音相生,吉神無助亦榮.五行無氣納音相妨,縱有吉神不用.)

무릇 命에서, 天元은 地元의 祿을 기뻐하는데, 가령 甲己는 사계(四季)를 기뻐하고, 乙庚은 申酉를 좋아하고, 丙辛은 亥子를 좋아하고, 丁壬은 寅卯를 좋아하고, 戊癸는 巳午를 좋아한다. 地元은 天元과의 合을 기뻐하는데, 가령 子丑은 戊를 좋아하고, 寅은 己를 좋아하며, 卯辰은 庚을 좋아하고, 巳는 辛癸를 좋아하며, 午未는 甲壬을 좋아하며, 申은 乙을 좋아하고, 酉戌은 丙을 좋아하며, 亥는 丁을 기뻐한다. 天元과 地元이 모두 있으면 평생토록 福氣가 숭고(崇高)하고, 모두 없으면 명리(名利)를 이룰 수 없다. (凡命天元喜地元有祿,如甲己喜四季,乙庚喜申酉,丙辛喜亥子,丁壬喜寅卯,戊癸喜巳午.地元喜天元有合,如子丑喜戊,寅喜己,卯辰喜庚,巳喜辛癸,午未喜甲壬,申喜乙,酉戌喜丙,亥喜丁.天元地元皆有,平生福氣崇高,皆無,名利無成.)

天元을 파손하면, 39歲이전에는 名利를 發하기 어렵고, 地元을 파손하면, 40歲이후의 福이 이전(以前)보다 못하다. 만약 天元의 秀氣가 祿에 坐하면, 가령 癸가 子를 얻으며 甲이 寅을 얻은 例인데, 貴하지 않으면 富하다. 地元은 天元과의 相剋하는 것을 꺼리는데, 가령 子丑은 己를 두려워하고, 寅은 庚을 두려워하며, 卯辰은 辛을 두려워하고, 巳는 甲壬을 두려워하며, 午未는 乙癸를 두려워하고, 申은 丙을 두려워하며, 酉戌은 丁을 두려워하고, 亥는 戊를 두려워한다. 그리고 喜忌가 어떠한가를 살펴보고, 일정한 것에 집착해서는 안 된다. (壞天元者,三十九歲以前名利難發.壞地元者,四十歲福不如前.若天元秀氣坐祿,如癸得子,甲得寅之例,不貴卽富.地元忌天元相剋,如子丑怕己,寅怕庚,卯辰怕辛,巳怕甲壬,午未怕乙癸.申怕丙,酉戌怕丁,亥怕戊.更看喜忌何如,不可執定.)

看命口訣(간명구결)-4

무릇 命은, 干支와 納音이 같은 종류를 取하면, 壬子 壬午는 眞木이고, 己酉 己卯는 眞土이며, 丙子 丙午는 眞水이고, 戊子 戊午는 眞火이며, 乙丑 乙未 庚辰 庚戌은 眞金이다. 만약 乙酉일에 庚辰時면 精金이 되고, 丁巳日 丙午時면 精火가 되며, 癸亥日 壬子時면 精水가 되고, 己丑日 戊

辰時면 精土가 되며, 甲寅日 丁卯時면 精木이 되는데, 이상의 것들을 만나면 모두 富貴하다. (凡命,取干支與納音同類,壬子壬午眞木,己酉己卯眞土,丙子丙午眞水,戊子戊午眞火,乙丑乙未庚辰庚戌眞金.若乙酉日庚辰時爲精金,丁巳日丙午時爲精火,癸亥日壬子時爲精水,己丑日戊辰時爲精土,甲寅日丁卯時爲精木,以上遇者,倶主富貴.)

만약 火人이 丙일 辛시나 辛일 丙시이거나, 木人이 甲일 己시나 己일 甲시이거나, 土人이 戊일 癸시나 癸일 戊시이거나, 水人이 壬일 丁시나 丁일 壬시이거나, 金人이 庚일 乙시나 乙일 庚시이면 비록 五行이 眞貴할지라도 중범(重犯)하여 福을 減한다. (若火人丙日辛時,辛日丙時,木人甲日己時,己日甲時.土人戊日癸時,癸日戊時.水人壬日丁時,丁日壬時.金人庚日乙時,乙日庚時,雖爲五行眞貴,重犯減福.)

무릇 命에서, 五行의 眞氣를 서로 교환하여 取하는데, 가령 辛亥 金인이 丁巳 土를 얻으면 丁壬이 合하여 眞木이 왕래(往來)하고, 丙辛이 合하면 眞水가 왕래(往來)한다. 丁巳 土인이 癸亥水를 얻으면 戊癸가 合하여 眞火가 왕래하고, 丁壬이 合하면 眞木이 왕래한다. [아래의 例 명조를 보라] (凡命,取五行眞氣交互,如辛亥金人,得丁巳土,有丁壬合,眞木往來,有丙辛合,眞水往來.丁巳土人,得癸亥水,有戊癸合,眞火往來,有丁壬合,眞木往來.如戊戌,癸亥,丁巳,辛亥,交互眞氣全,乃宰相命也.)

명조-1
辛 丁 癸 戊
亥 巳 亥 戌
眞氣가 전부 교환하여 재상(宰相)이 된 命이다.

戊午火가 壬子木을 얻고 丁壬의 眞木이 있으면 戊癸는 眞火이다. 丙申화가 乙酉水를 얻고 丙辛의 眞水가 있으면 乙庚은 眞金이다. 庚寅木이 己卯土를 얻고 甲己의 眞土가 있으면 乙庚은 眞金이다. [아래의 例 명조를 보라] (戊午火得壬子木,中有丁壬眞木,戊癸眞火.丙申火得乙酉水,中有丙辛眞水,乙庚眞金.庚寅得己卯土,中有甲己眞土,乙庚眞金.如庚寅,己卯,庚寅,己卯交互全,乃兩府命也.)

명조-2
己 庚 己 庚
卯 寅 卯 寅
전부 교환하여 양부(兩府;文武직을 겸임)한 命이다.

무릇 命은, 먼저 化氣를 論하는데 五運편을 살펴보니, 甲 丙 戊 庚 壬이 五陰 干을 合하면 태과(太過)하게 되고, 乙 丁 己 辛 癸가 五陽 干을 合하면 불급(不及)하게 되는데, 태과 불급할 때에 권(權;힘)이 존재하는 것이다. 天元 변화서를 살펴보면 晝夜로 나누는데, 만일 6甲이 낮에 태어나면 木이고, 밤에 태어나면 化土한다. 따라서 6戊인이 甲을 얻어 낮에 태어나면 鬼가 되고, 밤에 태어나면 官으로 사용한다. 6乙인이 낮에 태어나면 金으로 사용하고, 밤에 태어나면 木으로 사용한다. 그러므로 6己인이 乙을 보고 낮에 태어나면 官이 되고, 밤에 태어나면 鬼가 된다. 오직 6己와 6庚은 변하지 않는데, 이는 5陽干이 낮에 태어나면 木體가 되고, 밤에 태어나면 化하는 것으로 본다. 5陰干은 밤에 태어나면 本體가 되고, 낮에 태어나면 化하는 것으로 본다. (凡命, 先論化氣,考五運篇,以甲丙戊庚壬合五陰干爲太過.乙丁巳辛癸合五陽干爲不及,太過不及之間,有權存焉.考天元變化書又分晝夜,如六甲,日生木,夜生化土.故六戊人得甲,取日生爲鬼,夜生爲官用.六乙人日生用金,夜生用木.故六己人見之,日生爲官,夜生爲鬼.獨六己六庚不變,是以五陽干,晝生爲本體,夜生作化看.五陰干,夜生爲本體,晝生作化看.)

육반 陽命은 남자가 祿鬼 도식이 있으면 반드시 야생(夜生)을 取하니 도리어 凶이 吉로 작용한다. 오호, 鬼가 官이 되고 도식이 喜神이 되니 오히려 낮에 태어나면 順하게 된다. 육반 陰命은, 남자가 祿鬼 도식이 있으면 반드시 주생(晝生)을 取하니 도리어 凶이 吉로 작용한다. 나머지도 앞과 동일하니 오히려 야생(夜生)이라야 順하게 되고, 여자는 모두 이와 반대로 求한다. 이러한 晝夜의 기상(氣象)은 陰陽의 배합(配合)인데 강유(剛柔)와 체용(體用)이다. (六般陽命,男犯祿鬼倒食,須取夜生,反凶作吉.呼鬼爲官,倒食爲喜神,卻以日生爲順.六般陰命,男犯祿鬼倒食,須取日生,反凶作吉.餘並同前,卻以夜生爲順,女人皆反此求之.此晝夜氣象,是陰陽配合,剛柔體用也.)

무릇 命은, 五行이 下가 上을 生하면 조기(助氣)라 하여 일생토록 福을 자연히 누리고, 上이 下를 生하면 도기(盜氣)라 하여 일생동안 타인에게 福을 베푼다. 上에서 下를 剋하면 順이라 하여 위세(威勢)가 있어 타인을 제압(制壓)한다. 下에서 上을 剋하면 逆이라 하여 침체(沈滯)함이 많아 發하기 어렵다. 死絶하면 더욱 긴요하고, 生旺하면 거만하다. 四柱에 納音으로 鬼가 많아도 主와 本이 當令한 때이면, 이름을 관성승왕(官星乘旺)이라 한다. 納音으로 財가 많아 主와 本이 무기(無氣)하면, 이름을 재다해신(財多害身)이라 한다. (凡命,五行下生上曰助氣,主一生自享其福.上生下曰盜氣,主一生供人之福.上剋下曰順,主有威勢而制人.下剋上曰逆,主多沉滯而難發.死絕尤緊,生旺差慢.四柱納音鬼多,主本當時,名日官星乘旺.納音財多,主本無氣,名曰財多害身.)

看命口訣(간명구결)-5

무릇 命에서 五行은 陰陽이 서로 비등(比等)하면 貴한데, 가령 양금(兩金)이 양목(兩木)이나 혹 兩火 兩土 兩水를 보는 종류로 각자(各自)가 象을 이루어야 吉하다. 만약 太過하거나 不及하면, 예컨대, 3개의 水에 1개의 木이나, 1개의 水에 3개의 木인 等의 종류로 모두 福이 되지 않는다. 가령 金人이 3개의 金에 1개의 木이면 金이 木을 剋하니 財가 된다. 3개의 金이 1개의 木을 다투면 福을 쪼개고 나누어서 대부분 재물이 따르지 않는다. (凡命五行,貴陰陽相等,如兩金見兩木,或兩火兩土兩水之類,各自成象方吉.若太過不及,如三水一木,一水三木等類,俱不爲福.假令金人,三金

一木,金剋木爲財.三金爭一木,是分擘其福,多主財物不遂.)

만약 1개의 金에 3개의 火이면. 火는 많고 金이 적으니 졸이고 볶이는 것이 태과(太過)하여 一生동안 한가롭지 않다. 그리고 만일 甲人이 3개의 壬이나 3개의 己를 만나면 삼탄삼우(三呑三偶)라 하여 불길(不吉)하고, 만약 양己 양庚을 만나면 중우중상(重偶重傷)이라 하여 3개를 보면 더욱 凶하여 가난하지 않으면 요절한다. 나머지는 例로써 추리하라. (若一金三火,火多金少,煎熬太過,主一生不閑.又如甲人,逢三壬三己,謂之三呑三偶,主不吉.若逢兩己兩庚,謂之重偶重傷,視三尤凶,不貧即夭.餘以例推.)

무릇 간명할 때에, 상관견관(傷官見官)하면 일찍 죽고, 칠살이 財를 보면 요절하며, 財가 劫財를 만나도 죽게 된다. 重한 財가 印을 破하면 凶하다. 水가 盛(가득차서 넘친다는 뜻.)하여 木이 표류(漂流)하면 객사(客死)한다. 食神이 효신을 만나면 감옥(監獄)에서 죽는다. 겁재가 重한데 財를 보면 죽는 것은, 煞旺하여 뿌리를 걸어 休한 것이다. 망신인 칠살이 刑衝하면, 귀양을 가지 않으면 감옥에서 묶여 죽는다. 상관 양인이 함께 중하면, 비록 몸이 온전할지라도 핏빛으로 죽는다. 재성이 刃을 보면 재물이 흩어지고 사람이 죽는다. (凡看命,傷官見官早死.七煞見財夭亡.財逢劫盡死.重財破印凶.水盛木流,終爲外鬼.食神逢梟,死於牢獄.劫重見財死,煞旺掛根休.亡神七煞衝刑,非徙流亦亡縲絏.傷官陽刃重併,雖全體而死血光.財星見刃,財散人亡.)

生旺은 墓庫에서 死하고, 墓庫는 生旺에서 絶한다. 만년(晩年)이 吉運으로 行하고 凶運에 들지 않았는데 죽는 것을 어떻게 구분할 것인가! 凶運이 오고 있으며 吉運이 아직 오지 않았는데 발복(發福)을 어찌 論할 것인가! 마땅히 進氣와 退氣로 말미암은 것이니 궁리해야 하며, 다시 이미 發했는지 아직 發하지 않았는지 자세히 살펴야 한다. 다가올 앞 날은 신속하게 진행하고, 功을 이루었으면 처음으로 돌아간다. (生旺死於庫墓,庫墓絶於生旺.晩有吉運行凶運未入,死卒何分.有凶運來,吉運未來,發福曷論.當究進氣退氣之由,更審已發未發之義.將來而速進,功擧以先歸.)

一生의 歲運이 모두 凶하면, 어린 나이에 일찍 죽는다. 말년의 대운이 命星(수명의 星)이 得地하면 늙어도 壽命이 길다. 노년에는 生旺함이 좋지 않고, 소년은 死絶이 좋지 않다. 陽刃이 生을 만나면 대부분 惡死한다. 有根한 煞이 旺하면 凶하게 죽는다. 春절에 旺한 火가 많으면 西北이 좋은 것은 庫로 돌아감을 바라는 것이다. 夏절의 등불은 金旺하면 東南이 이로운 것은 鬼鄕이 壽命의 地支이다. 4陽刃이 거듭하면 죽음이 正財의 여하(如何)에 있다. (一生歲運皆凶,年少早死.末旬命星得地,老壽彌高.老怕生旺,少嫌死絕.陽刃逢生多惡死.有根煞旺定凶終.春旺火多宜西北,庫是歸期.夏熒金旺利東南,鬼鄕壽地.四刃星重,死在正財之下.)

하나의 貴가 옮으면 陽刃에 의해 죽는다. 四柱가 모두 손상되면 사람이 자연히 죽는다. 金神(己巳 癸酉 乙丑)이 水(물)에 빠지면 재앙이 된다. 양인도과(陽刃倒戈)는 머리 없는 귀신이 된다. 煞星에 刃이 중첩하면 몸이 반 토막이 된다. 制伏하고 中和하면 煞이 지극하여도 살기가 죽는다.

상관이 死墓에 들면 말년의 局이 가장 좋다고 본다. 陽이 生하면 陰이 죽고, 陰이 死하면 陽이 生한다. 煞이 三合하면 太過하니 반드시 기울어진다. 五行을 속속들이 자세히 살펴야 한다. (一官貴淺,終於陽刃之中.四柱俱傷人自死.金神入水溺爲災.陽刃倒戈,無頭之鬼.煞星疊刃,半體之徒.制伏中和,煞極全而氣死.生扶太過,印更旺而身終.傷官入墓死,晩局最宜觀.陽生而陰死,陰死而陽生.煞逢三合,太過必傾.五行之內,宜細消詳.)

무릇 命을 볼 때에, 五行이 太過 不及하면 진실로 福이 되지 않고, 중간(中間)도 역시 조금은 다르다. 가령 水土가 死絶하면 꺼리지 않는 것은, 天地간에 水土가 가득하여도 四時를 나누지 않으니 어찌 死絶할 이치가 있겠는가? 다만 輕重을 분별해야 하는데, 가령 작은 물방울이 土가 많으면 마르지만, 한 움큼의 土(흙)가 많은 水(물)를 막으면 흩어지니, 마땅히 많고 적음을 논(論)하고 경중(輕重)을 구분해야하는 것이다. (凡看命,五行太過不及,固不爲福,中間亦微不同.如水土不嫌死絕,以盈天地間皆水土,無分四時,豈有死絕之理.但辨輕重,如點水滴衆土之中則乾,撮土壅衆水之中則散.當論多寡,分輕重也.)

金은 土가 아니면 生하지 못하고, 木은 水가 아니면 자라지 못한다. 따라서 金木은 生旺해야하고 死絶을 싫어한다. 가령 金은 死하면 가라앉고, 木이 死하면 재(灰)가 되지만 水土는 다르다. 火는 木에 암장하며 土에게 기숙(寄宿)하므로 旺해도 안 되고, 旺하면 불사른다. 또한 死해서도 안되고, 死하면 꺼지니 오직 고르게 얻어야 아름답다. 五行에서 水土는 고르게 얻어야 하지만 대개 木金火의 命은 더욱 요구되는 것이다. (金非土不生,木非水不長.故金木欲其生旺,怕見死絕.如金死則沉,木死則灰,與水土不同.火藏於木,宿於土,故不欲旺,旺則焚.亦不欲死,死則滅,惟得其平則佳.五行水土均賴,凡木金火之命,尤爲要也.)

看命口訣(간명구결)-6

무릇 五行에서 象을 取할 경우에, 本象은 本象을 취하는데, 가령 甲乙丙丁은 木火의 象인 종류이다. 化象은 化象을 取하는데, 가령 戊癸 丁壬도 역시 木火의 象인 종류이다. 金水의 象이 土를 보는 것이 불가(不可)한 것은, 土가 섞이면 水는 혼탁(混濁)하고 金은 맑지 못하다. 歲運에서도 土를 만나면 역시 막히니 오직 金水는 섞이지 않아야 하고, 秋월에 태어나면 가장 貴하다. (凡五行取象,本象取本象,如甲乙丙丁木火象之類.化象取化象,如戊癸丁壬亦木火象之類.金水象不可見土,謂土雜水混,金自不清.歲運遇土亦滯,惟金水不雜,生於秋月最貴.)

如明神宗,癸亥辛酉癸亥辛酉,干支俱金水不雜,水生金月,金助水清,二水二金成象.所謂金白水清,別無夾雜,又合兩干不雜,所以尊爲天子.

명조)3

辛 癸 辛 癸
酉 亥 酉 亥
명나라 신종인데, 干支 모두가 金水가 섞이지 않았고, 水가 金월에 生하여 金이 水淸함을 도우며 2水 2金이 象을 이루었다. 소위 금백수청(金白水淸)하여 특히 섞인 것이 없고, 또 양간부잡(兩干不雜)하여 존숭(尊崇)한 황제가 되었다.

如癸酉癸亥庚子辛巳,金生水月,金反洩氣,沉於亥子之中,所以不免水厄.

명조)4
辛 庚 癸 癸
巳 子 亥 酉
金이 水월에 生하니 金이 도리어 설기하며 亥子중에 가라앉으므로 수액(水厄)을 피하지 못하였다.

金土의 象은 木을 보는 것이 불가(不可)하다. 木이 土를 剋하여 土가 金을 生할 수 없어 象을 이루지 못하는 것이다. 土가 쌓여 金을 이루는데, 土가 많고 金이 적어야 福이 두텁고 實하다. 金이 重하고 土가 輕하면 福을 받으려면 힘들고 고생스럽다. (金土象不可見木,謂木剋土,則土不能生金,不成象也.土積成金,土多金少,其福厚實.金重土輕,福出艱辛.)

金火의 象은 水를 보는 것이 불가(不可)하다. 水를 보면 火는 꺼지고 金은 가라앉아 그릇을 이룰 수 없다. 金이 重하고 火가 輕하면 더디게 발달하지만 수명(壽命)에는 이득이다. 金이 輕하고 火가 重하면, 일찍 發하나 빠르게 물러나고, 혹 壽命에는 손해다. (金火象不可見水,見水則火滅金沉,不能成器.金重火輕,發遲益壽.金輕火重,發早退速,或主壽虧.)

金木의 象은 火를 보는 것이 불가(不可)하다. 活木은 金을 두려워하니 火를 보면 빼어나게 된다. 死木이 金을 얻어야 비로소 조화(造化)를 이룬다. 金이 重하고 木이 輕하면 착한 사람은 골통(骨痛)이 있다. 木이 重하고 金이 輕하면 돈과 재물이 손실하고, 혹 폐(肺)질환(疾患)이 침투한다. 金木이 서로 좋으면 吉하다. (金木象不可見火,活木畏金,見火成秀.死木得金,方成造化.金重木輕,令人骨痛.木重金輕,主損錢財,或肺疾相攻.惟金木相宜則吉.)

水木의 象은 빼어나며 청고(淸高)하다. 卯 巳을 보는 것이 불가(不可)한데, 水가 死絶한다. (水木象秀而淸高,不可見卯巳,以水死絕.)

木火의 象은 수려하며 풍부(豐富)하다. 金을 보는 것이 불가(不可)한데 木이 剋을 받는다. 유년(流年)에 金을 만나도 전부 재앙이다. (木火象秀而豐富,不可見金,以木受剋.流年遇之俱災.)

水火의 象은 기제(旣濟)를 이루면 가장 기묘(奇妙)한데, 혹 미제(未濟)도 또한 얻어도 기묘하다. 土를 보는 것이 불가(不可)하고, 火가 많으면 성품이 조급하고, 水가 많으면 안질(眼疾)이 있다. 火는 死地를 두려워하고, 水는 浴地를 두려워하고, 酉에 들면 火는 死지이며 水는 浴지가 되어, 힘들게 고생만 하다가 죽는다. 歲運도 같은데, 이 象은 日時에 있는 것을 꺼린다. (水火象成旣濟最妙,或未濟亦得,不可見土,火多性燥,水多眼疾.火怕死,水怕浴,入酉火死水浴,主艱難而死.歲運同,此象日時忌之.)

水土의 象은 火를 보는 것이 불가(不可)하다. 土가 重하고 水가 輕하면 수려하지만 부실(不實)하고, 水가 重하고 土가 輕하면 오히려 급제하여 명성이 있다. (水土象不可見火,土重水輕,秀而不實,水重土輕,卻有科名.)

火土의 象은 水를 보는 것이 불가(不可)하다. 火가 虛한데 土가 모이면 物을 이루지 못하는데, 만약 같이 수류(水流)하면 부침(浮沈)한다. (火土象不可見水,火虛土聚不成物,若同水流主汩沒.如戊子戊午己丑己未,丁巳丁亥丙辰丙戌,丙丁與戊己相夾,乃火虛土聚.)

명조)5	명조)6
辛 己 戊 戊	戊 丙 丁 丁
未 丑 午 子	戌 辰 亥 巳

丙丁과 戊己가 서로 夾하니 火는 虛하고 土에 모인다.

李九萬以戊子己丑戊午己未,丙辰丁巳丙戌丁亥,皆火土夾雜之象,不可以連珠爲貴.時上逢壬癸水,土滯火滅,平生蹇薄.

명조)7	명조)8
己 戊 乙 戊	己 丙 癸 丙
未 午 丑 子	亥 戌 巳 辰

이구만은, 火土가 모두 협잡(夾雜)하는 象으로 연주(連珠)로 貴한 것이 불가(不可)하다. 時상에 壬 癸水를 만나면 土는 막히고 火가 滅하니 평생토록 순탄하지 않다.

命口訣(간명구결)-7

또 이르길, 火火는 土를 보면 어둡고, 土土가 火를 보면 虛하다. 土가 輕한데 火가 重하면 [土가] 마르는데, 己卯일이 丙寅시를 보는 이것이다. 火는 輕하고 土가 重하면 밝지 못한데, 丁酉일이 戊申시를 보는 이것이다. (又云,火火見土則暗,土土見火則虛.土輕火重則燥,己卯日見丙寅時是也.火輕土重不明,丁酉日見戊申時是也.如韓學士戊戌丁巳戊戌丁巳,火土成象,又爲鳳凰干支格,故貴.)

명조)9
丁 戊 丁 戊
巳 戌 巳 戌
한 학사의 命인데, 火土가 象을 이루고, 또 봉황간지(鳳凰干支)格이 되므로 貴하였다.

經에서 이르길, 金은 水가 많으면 淸하며, 金이 土가 많으면 厚한데, 그것은 相生하기 때문이다. 金은 火가 많으면 강(剛)하고, 金은 木이 많으면 정(正)한데, 이것은 相剋하기 때문이다. 火는 土가 많으면 독(毒)이며, 火는 木이 많으면 총명(聰明)하고, 火는 水가 많으면 매(昧=어둑어둑)하며, 火는 金이 많으면 맹렬하다. 木火는 문채(文彩)이고, 木水는 청기(淸奇)하며, 木金은 방직(方直)하고, 木土는 毒으로 害롭다. 水火는 지혜(知慧)이고, 水木은 지혜로워 어질며, 水金은 수려(秀麗)하고, 水土는 중탁(重濁)하다고 하였다. 각각의 오행(五行)으로 성정(性情)을 추리한 것이다. (經云,金水多清,金土多厚,以其相生.金火多剛,金木多正,以其相剋.火土多毒,火木多聰,火水多昧,火金多烈.木火文采,木水清奇,木金方直,木土毒害.水火智慧,水木智仁,水金秀麗,水土重濁.各以五行之性推之.)

무릇 命은, 같은 종류끼리 서로 破하는 것이 두려운데, 가령 己未가 甲辰을 보거나, 甲辰이 己丑을 보거나, 己丑이 甲戌을 보거나, 甲戌이 己未를 보는 것이다. 무릇, 衝하는 地支의 4번째 자리에 있으며 納音이 동류(同類)로써 양위(兩位)의 역수(逆數)를 따르는 것이다. 寅申 巳亥와 子午 卯酉도 역시 이것으로 取한다. 主는 평생토록 부족(不足)하게 살아가며 대부분 기물(器物)을 이루지 못한다. 도경(道經)에서 이르길, 정란호파(井欄互破)는 약과 옳은 의술이 없는데, 어쩌면 공망을 만나야 조금 낫고, 歲運에서도 역시 꺼린다. (凡命,怕同類相破,如己未見甲辰,甲辰見己丑,己丑見甲戌,甲戌見己未.凡在四衝之地,納音同類,逐兩位逆數之.寅申巳亥,子午卯酉,亦以此取.主平生不足,多不成器.道經云,井欄互破,無藥可醫,遇空亡庶幾,歲運亦忌之.)

무릇 命에서, 主와 本은 歲運에서 死地를 만나는 것이 불가(不可)하다. 가령 丙寅(노중)火는 乙卯(대계)水를 두려워하고, 辛巳(백랍)金은 丁酉(산하)火를 두려워하며, 甲申(천중)水는 己卯(성두)土를 두려워하고, 戊申(대역)土는 壬午(양류)木을 두려워하며, 己亥(평지)木은 甲子(해중)金을 두려워한다. 人生에서 죽음을 두려워하는 것과 같은 뜻이다. 主와 本이 生死가 같은 길(途)이면 꺼리지 않는다. (凡命主本,逢歲運不可遇死地.如丙寅火畏乙卯水,辛巳金畏丁酉火.甲申水畏己卯土,戊申土畏壬午木,己亥木畏甲子金.與人生怕死同義.主本生死同途,則不忌.)

무릇 命은, 鬼가 剋하는 것이 가장 두려우며 과귀(寡鬼)가 가장 毒인데, 가령 丙子(간하)水가 庚子(벽상)土를 보고, 丁丑(간하)水가 辛丑(벽상)土를 보는 종류이다. 같은 자리에서 相剋하여 나아가므로 가장 독(毒)이다. 묘중귀(墓中鬼)가 있는데, 가령 壬辰(장류)水가 丙辰(사중)土를 보고, 丙辰(사중)土가 戊辰(대림)木을 보는 종류이다. 격벽귀(隔壁鬼)가 있는데, 가령 庚子(벽상)土가 癸

丑(상자)木을 보는 종류이다. 공망귀(空亡鬼)가 있는데, 가령 甲戌(산두火)가 甲申이나 乙酉(泉中水)를 보는 종류이다. 모두 害가 된다. (凡命,最怕鬼剋,而窠鬼最毒,如丙子水見庚子土,丁丑水見辛丑土之類.窠中就位相剋,所以最毒.有墓中鬼,如壬辰水見丙辰土,丙辰土見戊辰木之類.有隔壁鬼,如庚子土見癸丑木之類.有空亡鬼,如甲戌見甲申乙酉之類.皆主爲害.)

묘귀는 과귀보다 輕하고, 벽귀는 묘귀보다 輕하며, 공귀는 벽귀보다 輕하다. 만약 木命인이 火월에 日時가 金인 종류이면 火가 金을 剋하여 金이 木을 손상하지 못하는 이것이 어귀인데, 鬼가 害가 되지 않는다. 가령 水命인이 四柱에 火土가 있으면, 土가 水를 剋하고, 火는 또 土를 生하는 이것이 조귀인데, 그 鬼는 더욱 凶하다. (內,墓鬼輕於窠鬼,壁鬼輕於墓鬼,空鬼輕於壁鬼.若木命人,得火月金日時之類.有火剋金,金不得傷木,是禦鬼也,鬼不爲害.如水命人,四柱有火土,土剋水,火又生土,是助鬼也,其鬼尤凶.)

干支가 통용(通用)하고 納音이 가장 긴요(緊要)하다. 어귀는 힘들고 어려워도 입신(立身)하고, 조귀는 골육(骨肉)이 많아도 깽판으로 살아간다. 만약 귀(鬼)중에 鬼가 있으면 귀소(鬼嘯)라고 일컫는다. 가령 土命인이 木월에 生하여 金의 日時인 종류로써, 木이 土를 剋하려면 金이 木을 剋한다. 근기(根基)가 弱하면 凶하고, 主 本이 강건하면 꺼리지 않는다. (干支通用,納音最緊.禦鬼則立身於艱難,助鬼則骨肉多生乎破鬪.若鬼中有鬼,謂之鬼嘯.如土命人,生木月金日時之類,以木剋土,金剋木.根基劣弱則凶,主本强健不忌.)

如一命,己未乙亥丙寅辛卯,逢三合生,更遇寅卯,爲己入官鄕,丙與辛合大貴.禁己陰土逢乙木作鬼,又遇辛作乙木之鬼,變寅卯之官,作己土鬼.在亥卯未三合位,通是鬼剋,犯鬼嘯也.故主惡死.

명조)10
辛 丙 乙 己
卯 寅 亥 未
三合이 生하고 다시 寅卯를 만나 己의 官이 되며 丙과 辛이 合하니 대귀(大貴)하다. 그런데, 己陰土는 乙木을 만나니 鬼가 되고, 또 辛은 乙木의 鬼가 되니, 寅卯의 官이 변하여 己土의 鬼가 되었다. 亥卯未가 三合하는 자리에 있으며 通根한 鬼가 剋하니 귀소(鬼嘯)를 犯한 것이므로 主는 惡死했다.

經에서 발하길, 五行에서 하극상(下剋上)을 절대로 꺼리고, 평생토록 하는 일이 꼬이며 부족(不足)하다. 또 이르길, 귀소(鬼嘯)는 분명히 격(格)局에 해악(害惡)인데, 다시 刑煞을 더해도 재앙에는 차이가 없고, 설령 이전(以前)에는 富貴하였더라도 日이 後에 年의 영화(榮華)를 막는 것을 알아야 한다. (經曰,五行切忌下賊上,平生不足事相縈.又曰,鬼嘯分明格局惡,更加刑煞禍不差,縱使以前逢富貴,定知日後厭年華.)

看命口訣(간명구결)-8

무릇 命을 볼 때에, 胎 生 旺 庫로써 4貴가 되며, 死 絶 病 敗는 4忌가 되고, 나머지[관대, 임관, 쇠, 양]는 4平이 된다. 太歲의 干을 위주(爲主)로 五行에 배합하여 4貴 4平 4忌의 자리로 하여 귀천(貴賤)을 나눈다. 貴를 많이 보면 貴하고, 賤을 많이 보면 賤하다. 4貴중에도 또 나누면, 生 旺 庫는 上이 되고, 胎는 차(次)가 된다. (凡看命,取胎生旺庫爲四庫[貴],死絕病敗爲四忌,餘爲四平.以太歲干爲主,配於五行,取四貴,四平,四忌之位,而分貴賤.遇貴多則貴,遇賤多則賤.四貴之中,又分四[生]旺庫爲上,胎爲次.)

만약 人命에서, 胎 月 日 時의 3곳에서 貴를 만나 모두 보필(輔弼)하고, 혹 정록 정관 정인이면 삼공(三公)의 命이다. 正天乙이 있는데, 가령 丑未생인이 月日時에서 甲戊庚을 얻는 종류이다. 本家祿이 있는데, 가령 寅생인이 月日時에 甲이 있는 종류로 복회(福會)라고 일컫는다. 혹 천을貴人과 合이 이중(二重)이면 역시 삼공(三公)의 命이다. (若人命胎月日時,遇三貴下皆有輔,或正祿正官正印,三公命也.帶正天乙,如丑未生人,月日時得甲戊庚之類.帶本家祿,如寅生人,月日時帶甲之類,謂之福會.或天乙貴合兩重者,亦三公命也.)

세 개의 貴上에서 上下가 合하거나, 혹 一官 一印 및 하나의 正天乙[貴人]이거나, 혹 一位가 本家祿인데, 2~3位의 貴人을 合하면 재상(宰相)의 命이다. 만약 日時상에서 兩貴를 만나며 위의 조건에 해당하면 역시 그렇다.[역시 재상이라는 말] 만약 一位上에서 재살, 지살, 亡劫, 양인 등의 神을 보면 병권(兵權)을 가진 사마절월(司馬節鉞)로 貴하다. (三貴上帶上下合,或一官一印,及一正天乙,或一位本家祿,三兩位貴人合者,宰輔命也.若日時上遇兩貴,而帶上件者亦然.若一位上遇災煞,地煞,亡劫,羊刃等神,兼主兵權,司馬節鉞之貴.)

만약 胎月 生月과 日時상에서 胎庫중 하나의 貴를 보면 오히려 正天乙의 上下가 合해야 한다. 혹 천을貴人이 本家祿, 正官 정인을 合하면, 本家록은 단지 有氣해야 한다. 혹 貴人상에서 또한 앞의 조건을 가진 祿干이면 역시 재상(宰相)이나 구경(九卿)의 命이다. (若胎月生月與日時上遇胎庫一貴,卻帶正天乙上下合.或天乙貴合本家祿,正官正印,本家祿,但有氣.或貴人上亦帶前件祿干者,亦宰輔九卿命也.)

만약 月에 忌神이 있으며 日에서 貴를 만나거나, 혹 日에 기신이 있으며 時에서 貴를 만나면 害가 되지 않는다. 청화시종(清華侍從)의 직책이 된다. 만약 日月에는 모두 貴가 있으며 時에서 忌神을 만나면 상조선인(常調選人)이다. (若月在忌神而日遇貴,或日在忌神而時遇貴,不害.爲清華侍從之職.若日月俱在貴,而時遇忌神,此常調選人也.)

4忌는 主가 빈천(貧賤)한데 역시 輕重은 있는데, 死 敗 絶은 重하고 病은 輕하다. 五行의 각기

三位는, 가령 寅午戌의 火는 丙丁人이 만나면 貴가 되고, 4貴와 3貴는 동일하다. 오직 궐태귀(闕胎貴) 일위(一位)만 그 主의 貴로서 福이고, 또한 4貴도 동일하다. (四忌主貧賤,亦有輕重,死敗絕爲重,病爲輕.五行各三位,如寅午戌火,丙丁人遇之爲貴,與四貴三位同.惟闕胎貴一位,其主貴之福,亦與四貴同.)

양록귀(陽祿貴)는 임관(臨官)에 있으며, 음록귀(陰祿貴)는 제왕(帝旺)에 있는데, 만약 陽祿이 [帝]旺을 만나거나 陰祿이 [臨]官을 만나면, 비록 본위(本位)가 되더라도 그 福이 반감(半減)한다. 만약 旺하면서 祿이 없으면, 가령 丙寅이 戊午의 日時를 얻고도 다시 本命을 剋하고, 또 刑煞이 있으면 음탕(淫蕩)하며 천(賤)하고 어리석다. 1~2位의 貴를 만나도, 오히려 凶煞은 刑害하게 되고, 破가 매우 심하여도 역시 祿이 없다. (陽祿貴在臨官,陰祿貴在帝旺.若陽祿遇旺,陰祿遇官,雖爲本位,其福減半.若旺而無祿,如丙寅得戊午日時,更剋本命,又帶刑煞,主淫蕩愚賤.有遇一兩位貴,卻爲凶煞刑害,破得深重,亦主無祿.)

심지가 이르길, 五行에서 生旺이 君(최고)이 되며, 臨官은 相(?)이 된다. 만약 納音으로는 木인데, 月日時에서 寅卯 兩位를 만나거나, 金이 申酉를 만나거나, 水가 亥子를 만나거나, 火가 巳午를 만나거나, 土가 辰戌 丑未를 만나게 되면, 모두 貴로 論한다. (沈芝云,五行以生旺爲君,臨官爲相.若納音是木,月日時遇寅卯兩位.金遇申酉,水遇亥子,火遇巳午,土遇辰戌丑未,皆以貴論.)

看命口訣(간명구결)-9

무릇 命을 볼 때에, 五行은 生 旺 死 絕로 나누는데, 가령 甲申(천중水), 丙寅(노중火), 己亥(평지木), 辛巳(백랍金), 戊申(대역土)의 모든 五行이 自長生한다. 사시(四時)를 論하지 않고, 초연(超然)히 자생(自生)하는 이치를 얻는다. 人命에서 이것(自長生)을 내려받으면 민첩하며 식견이 높고, 貴한 사람이 얻으면 점진(漸進)적이다. 부자(富者)가 얻으면 장차 영화롭게 되는데, 그 장생(長生)하는 것을 얻게 되는 것이다. (凡看命,分五行生旺死絕,如甲申丙寅己亥辛巳戊申,皆五行自長生.不論四時,超然得自生之理.人命稟之,敏快高明,貴者得之,其進以漸.富者得之,亦將向榮,而得其所以生也.)

丙子, 戊午, 辛卯, 癸酉, 庚子의 모든 五行은 自旺이다. 四時를 기다리지 않아도 자체적으로 旺하기에 복력(福力)이 분발(奮發)하니 비교할 것이 없다. 癸未, 壬辰, 丙辰, 甲戌, 乙丑의 모든 五行은 自墓이다. 뿌리로 다시 命이 돌아가는 때이다. (丙子,戊午,辛卯,癸酉,庚子,皆五行自旺.不待四時,而能自致其旺,福力奮發,無與比擬.癸未,壬辰,丙辰,甲戌,乙丑,皆五行自墓.乃歸根復命之時.)

무릇 庫의 소재(所在;있는 곳)에는 반드시 물(物)을 모으고자 하니 그 庫가 가득 찬다. 가령 壬辰(장류)水는 많은 水가 섞이어 돌아가고자 하니 연후(然後)에 旺하게 된다. 다시 金이 왕래하여

相生하면 마땅히 중요한 권력을 가진다. 혹시 水가 火를 制하며, 火가 金을 制하고, 다시 天中(공망)에 臨하면 印에 힘입어도 일으키지 못하여 빈천(貧賤)하다. 乙卯(대계水), 丁酉(산하火), 壬午(양류木), 甲子(해중金), 己卯(성두土)는 五行이 自死인 것이다. (凡庫之所在,必欲物聚之,則其庫充.如壬辰水,欲得衆水交歸,然後爲旺.更有金往來相生,當得重權.儻水制火,火制金,更天中臨之,是爲負印不起,主貧賤.乙卯,丁酉,壬午,甲子,己卯,此五行自死者也.)

生하면 노고(勞苦)하며, 死하면 휴식하고 멈추는데 그 이치가 자연(自然)이다. 死의 地支가 있지 않으면 스스로 돌아갈 곳이 없다. 소위 自死라는 것은 진정으로 돌아가는 이치가 되는 것이다. 命에서 自死를 만나면 영특하고 고명(高明)하며 지혜는 많으나 복은 많지 않다. 정묵(靜默)은 體가 되고, 행위는 불리(不利)하다. 담박(淡泊)하게 일하고 흥기(興起)하는 것은 不利하다. 오직 학도방선(學道訪仙)하여 生死의 門을 뛰어 넘어야하는 것이다. (生則勞,死則息,其理自然.不有死之地,其物無自而歸.所謂自死者,得其眞歸之理焉.凡命遇此,穎特高明,多慧少福.以靜默爲體,而不利有爲.以淡薄爲事,而不利興起.惟可學道訪仙,超生死之門也.)

癸巳(장류水), 乙亥(산두火), 庚申(석류木), 壬寅(금박金), 丁巳(사중土)의 五行은 自絶인 것이다. 그래도 天道는 끊김이 없을 것이고, 干支가 적절하게 모여서 이미 絶하여도 갱생(更生)한다. 自絶을 만나면 근심과 기쁨이 정해지지 않는데, 가령 癸巳이 絶水가 癸酉의 旺金을 얻어 도우면 절수봉생(絶水逢生)하여 더욱 吉한 경사가 된다. (癸巳,乙亥,庚申,壬寅,丁巳,此五行自絕者也.天之道無可絕焉,干支適會,已絕則更生.凡遇此者,憂喜未定,如癸巳絕水,得癸酉旺金扶之,是謂絕水逢生,尤爲吉慶.)

무릇 命에서 死, 絕, 生, 旺, 庫, 墓등이 있으면, 있는 것으로 就한다는 말은 불가(不可)하니 반드시 월영을 살피고 청탁(淸濁)을 구분해야 한다. 淸한 것은 制伏함을 일컫는데, 가령 水의 病인 土를 보면 濁하지만 오히려 土로 제방(堤防)하지 않으면 멈추고 쉴 수 없고, 이미 멈추고 휴식하였다면 淸함이 점진(漸進)하는 것이다. 濁한 것은 制伏함이 없는 것을 일컫는데, 가령 水는 많고 土가 없으면 범람(汎濫)하여 돌아가지 못한다. 그리고 水가 지극(至極)하면 木을 生하는데 極하면 變하고, 變하면 通하는 것이다. (凡命上帶死,絕,生,旺,庫,墓等,不可就以所帶言之,須看月令以辨淸濁.淸者有制伏之謂,如水病見土則濁,卻非土隄防,則不能止息.旣止息,則淸之有漸也.濁者無制伏之謂,如水多無土,則泛濫無歸.而水極生木,極則變,變則通也.)

대개 五行은 오히려 變하며 맡으려 하지 않고, 貴한 것은 감추어야 하고 貴하지 않는 것은 드러나야 한다. 死絶하는 데 救함이 있으면 환혼(還魂)이라 하여 대부분 貴로 論한다. 生旺한데 剋이 있으면 氣가 흩어져 도리어 福이 얕다. 만약 피아(彼我)간에 相生이 순(順)하면 本에 이익이고, 역(逆)하면 氣를 빼앗긴다. 피차(彼此)간에 相剋이 순(順)하면 세력이 强해지고, 역(逆)하면 손상이 있다. (蓋五行尚其變,而不尚其當,貴其隱,而不貴其顯.死絕有救,則謂還魂,多以貴論.生旺有剋,則爲散氣,反主福淺.若夫彼我之相生,順則益本,逆則奪氣.彼此之相剋,順則勢強,逆則有傷.)

經에서 이르길, 小가 大를 능멸하면 害를 끼치고, 弱이 强을 능가하면 재앙이 따른다. 하나의 水가 셋의 火를 剋 하는 것은 弱이 强을 능가한다. 陰이 陽을 능가하면 비록 재앙이라도 선명하지 않다. 陽이 陰을 능가하면 害가 심하지 않다. 두 陽이 서로 강경(剛勁)하면 흉화(凶禍)가 선회(旋回)한다. 두 陰이 서로 대적(對敵)하면 그 곳이 불안(不安)하다. 가령 乙巳화가 壬申금을 剋하면 陰이 陽을 이기는 것이고, 壬申금이 己巳목을 剋하면 陽이 陰을 이기는 것으로 陰陽이 유정(有情)하므로 큰 害가 없다. (經云,以小凌大,自貽其害,以弱勝強,自掇其殃.一水剋三火,是以弱勝強.以陰勝陽,雖殃不彰.以陽勝陰爲害不深.兩陽相梗,凶禍旋至.兩陰相敵,不安其處.如乙巳火剋壬申金,是以陰勝陽,壬申金剋己巳木,是以陽勝陰,陰陽有情,故無大害.)

만약 丁卯[火]가 癸酉[金]을 보면 두 陰이 서로 대적(對敵)는 것이고, 戊午[火]가 甲子[金]을 보면 두 陽이 서로 적대(敵對)하는 것이다. 陽은 剛하고 陰은 柔하여 반드시 승리한 후에 그만두므로 禍가 된다. 太乙에서 이르길, 天地간에 陰陽이 變化하는 기미는 陰이 陽을 부르고 陽이 陰을 부르지 않는 것이 없으니 곧 天地의 올바른 合이고, 五行의 氣運이 융화한다. 만약 陽이 陽을 따르고, 陰이 陰을 따르면 陰陽이 치우쳐서 동정(動靜)이 질서를 잃으므로 화복(禍福)의 두 가지 길이 생긴다. (若丁卯見癸酉,是二陰相敵,戊午見甲子,是兩陽相拒.陽剛陰柔,必勝而後已.故禍.太乙云,天地陰陽變化之機,未嘗不以陰召陽,陽召陰.則天地合正,五行氣融.若乃陽從乎陽,陰從乎陰,則陰陽偏出,動靜失序,所以禍福兩途也.)

대체로 陰陽이 한쪽으로 치우치면 造化를 이루지 못한다. 五行에서 만일 火는 많고 金이 적으면 취산(聚散)하여 形을 이루지 못한다. 火가 적고 金이 많으면 녹일 수 없고, 도리어 꺼질 근심이 있다. 나머지는 例로서 추리하라. (大抵陰陽偏出,造化不成.五行如火多金少,聚散不得成形.火少金多,既不能銷鑠,反有淹滅之患.餘例推.)

看命口訣(간명구결)-10

무릇 命을 볼 때는, 먼저 五行의 체면(體面)과 국세(局勢)를 論한다. 그런 후에 희기(喜忌)와 호악(好惡) 왕상휴수를 참고한다. 가령 金인이 庚辛 혹은 申酉를 얻으면 체면(體面)을 세우고, 巳酉丑의 三合을 얻으면 국세(局勢)가 된다. 火는 制하고 土가 부조(扶助)하니 기쁘고, 금한수냉(金寒水冷)하는 것을 꺼린다. 3秋절이나 사계(四季)에 生하면 旺相하고, 春夏절은 휴수(休囚)하게 된다. 나머지 木 火 水 土는 例로서 추리하라. (凡看命,先論五行體面局勢.然後參以喜忌好惡,旺相休囚.如金人得庚辛或申酉爲體面,得巳酉丑三合爲局勢.喜火制土扶,忌金寒水冷.生三秋四季爲旺相,春夏爲休囚.餘木火水土,以例推之.)

金인이 庚申 辛酉를 만나면 오리살(五離煞)이 되는데, 만약 秋월생이 水를 만나면 화금지독(化

金之毒)하여, 금백수청(金白水清)으로 조화롭게 된다. 火를 만나면 金의 剛함을 制하고 단련하여 예리한 기물(器物)을 이룬다. 四柱에 火가 없고 水도 없으면 완금(頑金=무딘 금)이라고 하는데, 조년(早年)에 주색(酒色)을 탐하며 폐병이나 이질로 사망한다. 만약 戊寅 日時를 얻으면 강처봉생(剛處逢生)[9]하여 富하고 장수(長壽)한다. (金人遇庚申辛酉爲五離煞,若生秋月,逢水則化金之毒,爲金白水清造化.逢火則制金之剛,爲煆成鋒利之器.柱無火無水,是謂頑金,主早年酒色,瘵痢身死.若得戊寅日時,剛處逢生,主富而壽.)

木인이, 土를 얻으면 뿌리가 자리를 잡아 재배(栽培)한다. 水를 얻으면 지엽(枝葉)이 힘을 얻어 잘 자란다. 金을 얻으면 깎고 다듬어서 재목을 이룬다. 木이 寅卯를 만나고 다시 春절이면 가장 吉하다. 만약 三合하여 木局이 온전하게 모이면 반드시 春절생이 아니어야 하며 대부분 어질고 장수(長壽)한다. 木이 金의 制를 만나면 火가 암장하여 金을 단련하면 강유(剛柔)가 상제(相制)한다. 만약 火가 매우 많으면 불살라지고, 金이 매우 많으면 손상한다. 土가 虛하면 배양(培養)하지 못하고, 水가 범람하면 윤택(潤澤)하지 못하는데, 기묘(奇妙)함은 중화(中和)를 얻어야 한다. (木人得土,則根荄藉以栽培,得水,則枝葉賴以條暢.得金斲削,便成材也.木逢寅卯,更在春生最吉.若三合會木局全,不須春生,多主仁壽.木逢金制,金煆火伏,則剛柔相制.若火太多則焚,金太多則損.土虛則不能培,水泛則不能潤,妙在得其中和.)

水인은 亥子가 근원이고, 寅卯 辰巳는 납수(納水)한다. 干의 근원은 北으로부터 황하가 수없이 꺾이어도 동쪽으로 흘러간다. 따라서 水인은 東方을 만나는 것이 기쁘니, 물결이 멈추어 파도가 평평하다. 水는 土의 제방(堤防)을 의지하는데, 만약 亥子生은 土가 많으면 吉하다. 이미 東方에 존재한다면 土를 만나도 역시 吉하다. 土가 많은 것은 좋지 않고 다시 貴人 財祿이 있으면 貴하다. 만약 日時에서 庚申 辛酉를 보면, 水가 서쪽으로 흐르는 것을 꺼리고, 壽命이 염려되며 뛰어나지 못한다. (水人以亥子爲源,以寅卯辰巳爲納.干源自北,萬折朝東,故水人喜逢東方,則浪息波平.水賴土防,若生亥子,土多則吉.旣在東方,逢土亦吉.不宜土多,更有貴人財祿則貴.若日時遇庚申辛酉,水忌西流,恐壽不高.)

秋冬절에 生하면 生旺하며 맑고 깨끗한데, 壬癸가 亥子시를 만나면 문학(文學)성이 있다. 납음(納音)으로 다시 水면 水가 태과(太過)하니 사주에 土의 제방이 없으면 자식이 적다고 단정한다. 오직 예술(藝術)과 공문(空門=승방)에 吉하고, 다시 隔角[煞]을 거듭 만나면 刑剋을 당한다. 春월은 건조하며 메마르고, 夏월은 혼탁(混濁)하여 고달프니, 사주에 水의 도움이 없으면 貴하지 않다. (生於秋冬,生旺清澄,壬癸此時而逢亥子,主有文學.納音更水,則水太過,柱無土隄,乃少子之斷.惟藝術空門則吉,更隔角重逢,定主刑剋.春月乾渴而涸,夏月渾濁而泛[乏],柱無水助則不貴.)

火는 寅卯에 居하는데, 春월에 生하면 목수화명(木秀火明)하니 부귀하고 영화롭다. 夏월에 生하면 심하게 불타오르니 사주에 水가 없으면 반드시 요절하고, 水가 있으면 젊어서 貴하다. 秋월

9) 강처봉생은 절처봉생과 유사한 말이다.

에 生하면 火는 死하나 金은 이루고, 빛을 암장하여 안으로 비추니, 日時가 미비하여 旺氣를 만나면 吉하다. 대개 水火는 死絶을 꺼리지 않는데, 명리(名利)를 탐하지 않아야 福이 된다. 冬월에 生하여 柱중에 재차 火의 도움을 얻으면 눈과 서리를 녹이고, 산하(山河)를 온난(溫暖)하게 한다. 고인이 이르길, 동(冬)절은 태양을 좋아하고, 夏절은 태양을 두려워하는데, 이것을 일컫는 것이다. (火居寅卯,生於春月,木秀火明,榮華富貴.生於夏月則太炎,柱中無水,定夭,有水早貴.生於秋月,火死金成,藏光內照,時日微逢旺氣則吉.蓋水火不嫌死絕,只宜恬淡爲福.生於冬月,柱中再得火助,則潛消霜雪,溫暖山河.古人云,冬日可愛,夏日可畏,此之謂也.)

土는 四季를 온전히 만나면 상격의 貴인데, 가령 納音으로 온전한 土이고, 四柱중에 다시 寅을 얻어야 艮山이 되는데 역시 貴하다. 土는 두터워야 萬物이 資生하고, 金 木 水 火는 모두 [土가] 없어서는 불가(不可)하다. 따라서 이 사행(四行)이 모두 의지하는 것이다. (土逢四季全,上貴,如納音全土,柱中更得寅字爲艮山,亦貴.土能厚載,萬物資生,金木水火皆不可缺.故此四行咸賴之也.)

看命口訣(간명구결)-11

대저 五行의 用[神]을 論할 경우에, 많으면 태과(太過)한 것이며, 적으면 불급(不及)한 것이다. 氣의 수효가 남거나 부족(不足)한 것은 모두 凶함을 나타낼 수 있다. 억양(抑揚)이 중화(中和)한 연후에 福이 된다. [五行이] 功을 이룬 것은 마땅히 퇴장(退藏)하여야 하고, [五行이] 앞으로 다가올 것은 영화를 떨치며 貴하다. 五行을 旺하게 내려 받으면 성공(成功)이라 하고, 旺한 것은 멈추고 휴식하는데, 이를 퇴장(退藏)이라고 한다. (夫論五行之用,多則太過,少則不及.其氣其數,有餘不足,皆能致凶.抑揚歸中,然後爲福.功成者宜於退藏,將來者貴於榮振.五行稟旺,謂之成功,旺而能止息,是謂退藏.)

五行은 관대(冠帶) 태(胎) 양(養)의 地支에 있으면 그 氣가 부족하여 가득 차지 않으니 이를 일러 장래(將來)라고 한다. 그러므로 母子가 相生하여 그 氣를 더하면 영전(榮轉)하여 떨치고 일어난다. 가령 木은 시기가 아니라서 衰하면 가지가 줄어들고, 死하면 말라 비틀어진다. 金의 旺함이 太過하면 동작(動作)하는데 凶이 많다. 염염(炎炎)한 것은 불타오름이 그쳐야 貴하고, 불타오르는 것이 그치지 않으면 스스로 불사르는 재앙이 있다. (五行在冠帶胎養之地,其氣虧而未盈,是謂將來.故欲子母相生,以益其氣.則有榮進振發之道.如木非其時,衰則梗介,死則枯槁.金旺太過,則動作多凶.炎炎者貴乎熄,不熄則有自焚之災.)

물이 도도하게 흐르는 것은 멈추어야 貴하고, 멈추지 않으면 자익(自溺;물에 빠짐)하는 재난이 있다. 火가 남쪽의 地支로 行하여 熱로 변화하고, 盛하면 세차게 불살라서 物을 害친다. 酉亥에 이르면 陰이 수렴할 수 있는데, 연후(然後)에 萬物을 온난(溫暖)하게 할 수 있다. 水가 북쪽의 地支로 行하여 寒으로 변화하고, 盛하면 冷하여서 物을 죽인다. 卯巳에 이르면 陽이 열 수 있는데,

然後에 萬物을 번식시킬 수 있다. (滔滔者貴乎止,不止有自溺之患.火行南陸而化熱,盛則焚烈而害物.至酉亥則陰能翕之,然後能溫暖萬物.水行北陸而化寒,盛則冷而殺物.至卯巳則陽能闢之,然後能滋生萬物.)

또 生이지만 生하지 못하고, 旺이지만 旺하지 못하는 이것은 凶하며 그래도 먼저는 吉한 것이다. 死이지만 死하지 않고, 絶이지만 絶하지 않는 이것은 吉하며 그래도 먼저는 凶한 것이다. 만일 水가 戊申(대역)土를 보면 이것은 生이지만 生하지 않고, 庚子(벽상)土를 보면 이것은 旺이지만 旺하지 않다. 이것을 만나면 많이 이루고도 도리어 敗하고, 기쁨으로 인하여 도리어 근심이다. 만일 水가 癸卯(금박)金을 보면 이것은 死이지만 死하지 않고, 辛巳(백랍)金을 보면 이것은 絶이지만 絶하지 않는다. (又有生而不生,旺而不旺,此爲凶乃先吉也.有死而不死,絕而不絕,此爲吉乃先凶也.如水見戊申土,此生而不生.見庚子土,此旺而不旺.遇此多成而反敗,因喜而反憂.如水見癸卯金,此死而不死.見辛巳金,此絕而不絕.)

五行의 氣가 소진(消盡)하여 父母의 德을 얻어 生함을 더하면 그 氣가 다시 소생(蘇生)한다. 만나면 위태로운 중에도 福이 있는데, 궁(窮)하면 통(通)하고, 굴(屈)하면 펴진다. 生旺이 太過하면 福중에 禍를 암장하고, 死絶이 太過하면 福은 의지할 데가 없다. 만약 死絶하는 데 生을 만나면 재앙이 변하니 피할 수 있고, 火土가 최우선이며 金水가 오히려 나중이다. (五行氣盡,而得父母之德,以生益之,則其氣復生.遇之者危中有福,窮而通,屈而伸也.生旺太過,則福中藏禍,死絕太過,則福無可托.若夫死絕逢生,殃變能逃,火土最先,金水猶後.)

火가 絶하는데 土를 얻으면 예(睿)라고 말한다. (火는 土가 자식인데, 火가 絶하는 亥에서 丁亥를 보는 이것이다.) 土가 絶하는데 金을 얻으면 死이지만 죽지 않으니 수(壽)라고 말한다. (土의 絶은 巳인데 辛巳(백랍)金을 얻는 이것이다.) 金이 絶하는데 水를 얻으면 精[神]이 다시 體를 계승한다. [金이 絶하는 寅에서 甲寅(대계)水를 얻는 이것이다.] 水가 絶하는데 木을 얻으면 혼(魂)이 다시 하늘을 떠돈다. [水가 絶하는 巳에서 己巳(대림)木을 얻는 이것이다.] 木이 絶하는데 火를 얻으면 火는 나타나고 木은 타고남아 재(灰)가 날리고 연기로 사라지므로 오히려 凶이 된다. 蛇(巳)와 馬(午)는 담(膽=쓸개)이 없는데 이곳에서 충분히 증명한다. [木이 絶하는 申에서 丙申(산하)火를 얻는 이것이다.] 蛇馬는 巳午의 자리에 있고, 木은 巳를 지나서 午에서 死하는데, 木이 5장(臟)에서는 간(肝)에 속하며, 6부(腑)에서는 담(膽)에 속하니, 증거로 木이 死하니 凶이 되는 것이다. (火絕得土曰睿,火以土爲子,火絕於亥,而見丁亥是也.土絕得金,死而不亡曰壽,土絕在巳,得辛巳金是也.金絕得水,精復繼體,金絕於寅,得甲寅水是也.水絕得木,魂復天遊,水絕於巳,得己巳木是也.木絕得火,火出木燼,灰飛湮滅,故獨爲凶.蛇馬無膽,於焉足證.木絕於申,得丙申火是也.蛇馬在位巳午,木歷巳午而死,木於臟屬肝,於腑屬膽,證木死爲凶也.)

經에서 이르길, 身인 土는 火의 生함을 만나면 점차 이롭고, 水의 命이 金을 얻으면 수명이 길다. 金이 많으면 반드시 火가 필요한데 혹 從革이면 명성을 이루고, 木이 重한데 金을 얻으면 옳고 그름을 바로잡는 책임을 맡는다. 水가 흐르는데 멈추지 않으면 반드시 土가 있어야 하고, 火가 盛하여 의지할 데가 없으면 오직 水로써 구제하여야 한다. 五行에서 用[神]이 적절함을 얻으면 비록 相剋할지라도 福이 된다. 만약 用[神]이 적절함을 잃어버리면 비록 相生할지라도 재앙이 된다. (經云,身土遇火生而漸利,命水得金,年乃優長.金多須火,或從革以成名,木重得金,揉曲直而任使.水流不止,須土以擁之,火盛無依,惟水以濟之.五行用得其宜,雖相剋而爲福.若用失其宜,雖相生而爲災.)

看命口訣(간명구결)-12

무릇 五行은 太過하여 서로 거스르는 것을 두려워한다. 가령 祿이 많으면 가난하고, 馬가 많으면 병(病)들고, 印이 많으면 고독하고, 庫가 많으면 허탈(虛脫)하다. 生旺함이 많으면 귀숙(歸宿)지가 없고, 死絶이 많으면 [감정의 기복이] 격양(激揚)됨이 없다. 五行은 크게 서로 손상하는 것이 불가(不可)하고, 심히 순수(純粹)한 것도 불가(不可)하다. 貴人(貴한사람)이 馬가 많으면 발탁되어 승차하고, 常人(平民)이 馬가 많으면 바쁘게 쫓아 다닌다. (凡五行怕太過相忤.如祿多則貧,馬多則病,印多則孤,庫多則虛.生旺多無歸宿,死絕多無激揚.五行不可太相傷,不可太純粹.貴人馬多升擢,常人馬多奔馳.)

破는 손상하여 禍를 부르고, 空[亡]은 空[亡]을 소진(消盡)해야 한다. 좋은 것을 제거해서는 안되며, 두려워하는 것이 旺해서는 안 된다. 먼저는 두렵고 후에 좋으면 福이 되고, 먼저는 좋은데 후에 두려우면 禍가 된다. 合이 많으면 발전이 없으며 아첨뿐이고, 學堂이 많으면 이루지 못한다. 貴人이 많으면 유순하고 나약하여 뜻을 세우지 못하고, 祿馬(財官)가 많이 나타나면 貴人으로 論하는 것은 불가(不可)하다. (破要傷禍,空要空盡.所愛者不可毁,所畏者不可旺.先畏後愛爲福,先愛後畏爲禍.合多不發而媚,學堂多則無成.貴人多則巽懦而無立志,祿馬太顯,不可以貴人論.)

貴人은 표리(表裏)적으로 충분하나 상인(常人)은 論해서는 안 된다. 四柱가 모두 陽이면 입은 험해도 마음은 善하고, 四柱가 모두 陰이면 성질이 몹시 사납고 표독하다. 공협(拱夾)은 공마, 공록, 공귀, 공복의 神이 필요하다. 공형, 공화, 공세, 공시는 필요치 않다. 陰陽으로 균형이 맞아야 貴하고, 病과 傷은 制剋이 있어야 한다. (貴人表裏足,不可以常人論.四柱俱陽,口惡心善,四柱俱陰,狠戾沉毒.拱要拱馬,拱祿,拱貴,拱福神.不要拱刑,拱禍,拱歲,拱時.陰陽貴在均協,病傷要有剋制.)

무릇 丙辛 壬癸가 戊戌을 보면 戊土는 진흙인데, 刃이 손상하여 좌절(挫折)한다. 壬子(상자木) 丙午(천하水), 丙午(천하水) 壬子(상자木)는 水木의 精神으로 陰陽이 순수(純粹)하다. 나머지 자리에서 도움이 없어도 역시 비상(非常)한 기물(器物)이고, 계수지기(季秀之氣)를 더한다면 세상에서 드물게 꺼릴 것이 없고, 큰 德으로 포용(包容)하는 장부(丈夫)인 것이다. (凡命丙辛壬癸見戊戌,則戊土當塗,刃傷折挫.壬子丙午,丙午壬子,水木精神,陰陽純粹.餘位無助,亦非常器,加以季秀之氣,曠世無忌,大德有容,乃丈夫也.)

卯酉는 태양이 출입(出入)하는 地支이고, 子午는 陰陽이 처음으로 나누어지는 宮이다. 이를 만나면 영인(令人)의 왕래(往來)가 일정하지 않고, 歲運 또한 그러하다. 巳亥는 양극(兩極)의 地支인데 天地를 중재한다. 寅申은 삼정지방(三停之方)[10]으로 우편(郵便)이 왕래(往來)하는데, 만일 이것을 만나는 사람이면 대부분 하나에 집착하지 않는다. (卯酉日出入之地,子午陰陽始分之宮.遇之者,令人往來不定,歲運亦然.巳亥爲兩極之地,地天斡旋.寅申爲三停之方,郵遞往來,如人遇之,多不執一.)

丑未는 지지부진(遲遲不進)하고, 辰戌은 신속하다. 이것을 만난 사람은 모가 나고 성격은 고집불통(固執不通)인데, 辰 戌은 유기(有氣)하니 오히려 대사(大事)를 건립(建立)할 수 있다. 丙子인의 四柱에 壬寅이 있으면 壬이 丙家에 들어 破하는 것은 불미(不美)하다. 庚子가 庚午를 보면 五鬼가 臨하는 門이다. (丑未遲遲,辰戌速速.遇之令人執方,性不通變,辰戌有氣,卻能建立大事.丙子人四柱有壬寅,是壬入丙家,就破不美.庚子見庚午,是五鬼臨門.)

戊寅이 甲寅을 보면 甲이 戊를 剋하고, 戊寅이 勢力을 쫓아 甲寅을 剋하여 干支의 納音이 上下가 불화(不和)하니, 제외한 별도로 福神이 있어야 비로소 福力이 된다. 癸酉가 戊寅을 보면 戊土가 癸水를 剋하고, 또 金氣가 絶鄕을 향하여 겁살 원진이 居하고, 월영 가운데 秀氣를 얻어야 비로소 用[神]이 되지만 역시 오랫동안 좋지는 못한다. (戊寅見甲寅,甲剋其戊.戊寅隨勢剋甲寅,是支干納首[音],上下不和.除別有福神,方爲福力.癸酉見戊寅,戊土剋癸水,又金氣向絕鄉,劫煞元辰居中.除得月令中秀氣,方可爲用,亦久而不佳.)

庚午와 丁酉는 旺을 교환(交換)하며 서로 破하여 旺한 가운데 破하는 것이니 온전히 福力이 되지는 않는다. 己未와 辛酉는 비록 食神을 얻었지만 오히려 死地로 돌아가니 결국 오랫동안 좋지는 않다. 乙丑 乙未 庚辰 庚戌이 戊寅을 보면 크게 좋은데, 運도 역시 그러하다. 經에서 이르길, 만일 剛한 金이 戊寅을 얻으면 絶이지만 絶하지 않으니 福力을 이룬다. 乙卯가 戊寅을 보거나, 戊寅이 乙卯를 보면 매우 좋은 命이다. (庚午丁酉,互旺互破,乃旺中破也,不可全爲福力.己未辛酉,雖得食卻歸死地,終久不佳.乙丑乙未庚辰庚戌,見戊寅大好,運亦然.經云,如得剛金濟戊寅,欲絕不絕成福力.乙卯見戊寅,戊寅見乙卯,是大好命.)

看命口訣(간명구결)-13

단양서에 이르길, 삼기를 보면 死絶중에는 오히려 허성(虛聲)이 있는데 生旺하면 더욱 그러하다. 대개 三合과 三奇는 月을 合하지 않으면 貴하지 않다. 가령 甲戊庚은 子午時라야 貴하고, 乙丙丁은 寅卯時라야 貴하다. (丹陽書云,三奇之際,尚有虛聲,死絕之中,尤存生旺.蓋三合三奇,不合月

10) 삼정지방(三停之方) ; 3陰 3陽의 방위를 말함.

分則不貴.如甲戊庚有子午時方貴,乙丙丁有寅卯時方貴.)

天元변화서에서 이르길, 乙丙丁은 酉亥를 좋아하고, 더하여 納音으로 교섭(交涉)하는 유무(有無)를 살펴본다. 또 이르길, 三奇와 三合은 월영중의 秀氣를 가지고 있어야 貴格에 들고, 또한 서출(庶出)이나 양자(養子)나 데릴사위를 면하지는 못한다. 또 이르길, 무릇 命에서 三合 三奇를 만나면 本年에 있지 않아야 하고, 사맹(四孟)의 生[地]에 있어야 하며 사중(四仲)이나 사계(四季)의 月 日 時를 얻으면 四仲이나 四季를 동일하게 論한다. 胎 月 日에서 호환(互換)하여 干合 혹은 六合하며 本命에 있지 않아야하는 데, 모두 명왈도태세(名曰掉太歲)하고, 대부분 고향을 떠나서 고립(孤立)하며 타인의 힘을 얻지 못하고 구조(救助)가 적으니, 오히려 가합(假合)하여 입신(立身)함이 마땅히 옳을 것이고, 貴命은 믿고 의지할 데가 많아 직위(職位)가 오른다. (天元變化書云,乙丙丁正愛酉亥,更看納音,有無交涉.又云,凡三奇三合,帶月令中秀氣入貴格,亦不免庶出過房作贅.又云,凡命見三合三奇,而本年不帶,在四孟生,而得四仲四季月日時,四仲四季同論.及胎月日,互換干合或六合,而本命不帶,皆名曰掉太歲,多主離祖孤立,爲人不得力,少救助.卻宜義居假合而立也,貴命則多倚仗而升進.)

무릇 四柱에 삼기와 三合하는 것이 있으면, 본신이 만약 양자나 서출(庶出)이 아니면 장래(將來)에 자손(子孫)이 반드시 양자나 서출(庶出)로써 母를 따르는 자식이 된다. 고시에 이르길, 三合과 삼기는 청수(淸秀)하고 토실토실하여 양자(養子)가 아니면 곧 母를 따르는 자식이다. (凡四柱帶三奇三合者,本身若不是過房庶出,將來子孫必有過房庶出,隨母之子.古詩云,三合與三奇,淸秀更饒肥,不爲過房子,便是隨母兒.)

무릇 命의 앞 5辰은 택사(宅舍)인데, 만약 유기(有氣)하고 吉神이 臨하면 호택(好宅)으로 문벌(門閥)의 품위가 높고 貴하며 자손(子孫)이 번성한다. 가령 甲申인이면 택사가 丑인데, 12月생이면 천을(귀인)이 宅에 臨하니 吉하게 된다. 만약 무기(無氣)한데 凶神이 臨하면 宅이 헛되이 소모하고 파괴(破壞)되어 완전하지 않아 조업(祖業)을 지키지 못한다. 가령 庚午인이면 택사가 亥인데, 甲子순에서 亥는 공망이고, 또 겁살에 해당하므로 凶하게 된다. 나머지는 이것에 준하여 추리하라. (凡命,前五辰爲宅舍,若遇有氣,及吉神臨之,主有好宅,門閥崇峻,子孫華顯.假令甲申人,宅舍在丑,十二月生,得天乙臨宅爲吉.若居無氣及凶神臨之,主其宅虛耗,破壞不完,祖業不守.假令庚午人,宅舍在亥,甲子旬亥落空亡,又遇劫煞臨之爲凶.餘准此推.)

命의 후 1辰은 파택살인데, 만약 파택살이 있으면 父나 조상의 유산(遺産)이 없고, 혹 타향에서 객사(客死)한다. 그리고 宅의 納音과 본명의 納音이 相生하면 吉하다. 宅이 身을 剋하면 好宅을 얻고, 身이 宅을 剋하면 반드시 파산(破散)한다. 가령 甲子(해중)金은 己巳(대림)木이 宅인데, 2月생이면 비록 宅이 旺하고 合하여 호택일지라도 身이 宅을 剋하니 나중에는 몰락(沒落)하게 된다. (命後一辰爲破宅煞,若在破宅煞中,主無父祖產業,或客死他鄉.又看宅納音,與本命納音相生則吉.宅剋身得好宅,身剋宅必破散.假令甲子金以己巳木爲宅,二月生,雖係宅旺,合有好宅,以身剋宅,後當破

落.)

戊午(천상)火는 癸亥(대해)水가 宅인데, 9月생은 宅이 관대이고, 10월생은 宅이 건록이고, 11월생은 宅이 [帝]旺이다. 또 宅에 生하여 身을 剋하면 반드시 好宅을 얻는다. 만약 宅이 鬼旺한 가운데 生하면 官이 있으면 吉하고, 官이 없으면 凶하다. 무릇 祿命이 비록 休旺할지라도 다시 宅을 論하여 吉凶을 분별해야 한다. (戊午火以癸亥水爲宅,九月生,宅冠帶,十月生,宅建,十一月生,宅旺.又値宅生剋身,必得好宅.若宅鬼旺中生者,有官則吉,無官則凶.凡祿命雖有休旺,更論其宅,以辨吉凶.)

심지가 이르길, 宅이 破하는 것이 두려운데, 가령 甲子인은 己巳가 宅인데, 만일 亥[字]가 있으면 宅이 破를 당하여 命元이 점점 부실하다. 太歲가 年을 衝하여도 역시 破하게 되니 반드시 서로 같지 않아도 가히 단정해야 한다. 가령 丙子인이 辛巳(백랍)金을 얻으면 宅인데, 乙亥의 流年을 만나는 종류인 것이다. 好命도 역시 동작(動作)이 다시 興하여야 비로소 應한다. (沈芝云,宅怕犯破,如甲子人,以己巳是宅,如犯亥字,其宅受破,命元稍薄.太歲衝年亦須破,須是爲長方可斷.如丙子人,得辛巳金爲宅,遇乙亥流年之類是也.命好亦更動興作方應.)

무릇 命의 후 5辰은 전원(田園)인데, 만약 有氣한 곳에 있고 또 福神이 臨하면 전원(田園)에 가득 차서 창고(倉庫)가 충실(充實)하다. 가령 甲子인은 전원이 未인데, 6월생이면 土가 旺氣를 타고 또 천을貴人을 만나니 吉하게 된다. 만약 무기(無氣)한 곳인데 또 凶神이 臨하면 전원이 척박(瘠薄)하여 창고(倉庫)가 공허(空虛)하다. 가령 戊子인은 전원이 癸未인데, 6월생이면 甲申순에서 未가 공망이 된다. 나머지도 이것에 준하여 추리하라. (凡命,後五辰爲田園,若居有氣之鄕,又福神臨之.主田園盈野,倉庫充實.假令甲子人田園在未,六月生,土乘旺氣,又逢天乙貴爲吉.若遇無氣之鄕,又凶神臨之,主田園瘠薄,倉庫空虛.假令戊子人,田園在癸未,六月生,甲申旬未落空亡.餘准此例.)

看命口訣(간명구결)-14

귀곡유문에서 이르길, 馬는 害(刑破)가 없어야한다. 祿은 鬼(鬼剋)하지 않아야한다. 食神은 空(공망)이 없어야한다. 支合에는 元(원진)이 없어야한다. 干合에는 6厄이 없어야한다. 旺하면 喪(상문)이 없어야한다. 衰하면 弔(조객)이 없어야한다. 妻[宮]에는 刃(양인)이 없어야한다. 財는 飛(비렴)이 없어야한다. 孟[地]는 孤(고진)이 없어야한다. 季에는 寡(과숙)이 없어야한다. (鬼谷遺文云,馬無害.刑破.祿無鬼.鬼剋.食無亡.空亡.支合無元.元辰.干合無厄.六厄.旺無喪.喪門.衰無弔.弔客.妻無刃.羊刃.財無飛.飛廉.孟無孤.孤辰.季無寡.寡宿.)

體가 重하면 반드시 鬼가 있어야하고, 祿이 重하면 반드시 官이 있어야한다. 夫는 적어야하고, 妻는 倍가 되어야하고, 吉은 뚜렷이 나타나야하고, 凶은 감추어져야한다. 干支가 사이가 좋지 않으면 막히게 되고, 부부(夫婦)가 실시(失時)하면 凶하다. 四柱의 主와 本은 祿馬가 왕래(往來)하여 반드시 건파(建破)를 나누어야한다. (體重須鬼,祿重須官.夫須尠,妻須倍,吉須顯然,凶須沉昧.支干失和而塞,夫婦失時而凶.四柱主本,祿馬往來,須分建破.)

천을(貴人)이 도우고, 將[星]과 [天月]德이 衝하면 다시 존비(尊卑)를 분별해야한다. 根은 있으나 묘(苗)와 실(實)이 없으면 가난하지만 오히려 음식은 맛있게 먹는다. 本氣는 絶하고 花가 번성하면 설령 자식은 생성해도 [음식] 맛은 보잘 것 없다. 만약에 貴神이 마땅한 자리이면 모든 煞이 장복(藏伏)하고, 三元이 旺相한데 어찌하여 오직 神煞뿐이겠는가? 命중에 煞을 用하면 五行이 本인데, 가령 五行이 득지(得地)하면 貴煞이 없어도 역시 貴하고, 비록 惡煞이 있을지라도 하는 일에 害가 없다. 만약 五行이 득지(得地)하지 못하면 설령 吉한 煞이 있더라도 역시 발달이 길지 않으니 겨울의 꽃과 같을 뿐이다. (天乙扶持,將德是衝,更辨尊卑.有根而無苗實,貧而尙可甘食.本氣絶而花繁,縱子成而味拙.至若貴神當位,諸煞伏藏,三元旺相,豈專神煞.命中用煞,以五行爲本,如五行得地,無貴煞而亦貴.雖有惡煞,無害于事.若五行不得地,縱有吉煞,亦發不久,如冬月中花耳.)

納音은 天地의 무수(舞數)이고, 역마와 학당은 장생하는 자리에 있다. 재능(才能)과 관직(官職)은 旺相한 곳에 있고, 문장(文章)과 부귀(富貴)는 印의 庫地에 있다. 만일 衰敗[地]를 만나면 三分의 一을 감소하고, 다시 死絶을 만나면 十分에 半을 버린다. 공망 衝剋을 절대 꺼리고, 刑害呑食은 좋지 않다. 그래서 근원이 같아 서로 이루면(順數는 上이고, 雜數는 그 다음이다.) 天地를 온전히 북돋아 기본(基本)이 건장(健壯)해진다. 동류(同類)가 서로 손상하면(丁未가 丁丑을 刑하는 종류.) 地支의 氣가 흩어져 다시 合하는 法이 없다. 관로가 말하길, 五行이 서로 旺하면 비록 衝할지라도 氣가 완전하고, 五行이 相剋하면 비록 合할지라도 氣가 흩어지는, 이것을 일컫는 것이다. (納音者,天地之舞數也,驛馬學堂,居長生之位.才能官職,在旺相之鄕,文章富貴,處印庫之地.如逢衰敗,則滅三分之一,更遇死絶,則去十分之半.切忌空亡衝剋,不宜刑害呑食.故同源相成,順數爲上,雜數次之.則天地舞全,基本強壯.同類相傷,如丁未刑丁丑之類,則支神氣散,理無復合.管輅曰,五行互旺,雖衝氣完.五行相剋,雖合氣散,此之謂也.)

看命口訣(간명구결)-15

혹 묻기를, 人生에서 시종(始終)으로 부귀공명하거나, 하루아침에 우뚝 솟아오르고 홀연히 興하거나, 시종(始終)으로 분발(奮發)하다가 중간에 추락하거나, 반평생을 절뚝거리다가 말년에 성취하는 것은, 그 이유가 무엇인가? (或問,人生有始終功名富貴,有一旦崛起,忽然驟興.有始終剝落[奮發],而中間奮發[剝落],有半世淹蹇,而晚年成就.其故何也? [참고] 원문에서 분발과 박락(추락)이 서로 바뀐듯함.)

답하기를, 命이 아닌 것이 없다. 시종(始終)으로 富貴한 것은, 四柱중에 신주가 전왕(專旺)하여 그 吉神으로 소용(所用)되고, 혹은 官印 財食神이 모두가 각각 祿을 得令하고, 한쪽으로 치우치거나 무리를 짓지 않고, 刑衝 剋害가 없고, [出門하는] 運行하는 걸음걸음이 모두 吉하면 人材가 되어 영광을 떨치고, 선친의 기업(基業)을 계승하여 당대(當代)에 공명(功名)을 세운다. 타인을 비방하지 않고 상해(傷害)를 일으키지 않고 시종(始終)으로 보호되는 이것은 命과 運이 生旺하고 體用을 함께 얻었기 때문이다. (答曰,莫非命也.其始終富貴,乃柱中身主專旺,其所用吉神,或官印財食,俱各帶祿得令,不偏不黨,無刑衝剋害.出門行運,步步皆吉,故能成材,能振耀.紹前人之基業,立當代之功名.不招譏謗,不致傷害,保其終始,是命運生旺,體用俱得故也.)

하루아침에 우뚝 솟아오르고 홀연히 興하는 것은, 四柱중에 소용(所用)된 貴神이 모두가 得位하여 승왕(乘旺)하고, 다시 또 格에 부합(符合)하기 때문이다. 日主가 무력(無力)하면 노곤(勞困)하여 휴식해야하므로 그 福을 감당할 수 없다. 갑자기 생부(生扶)하는 好運을 만나서 일간이 강건(强健)해지면 元命의 용신을 내가 사용하게 되니, 내가 호소풍생(虎嘯風生)[11]을 탈 수 있기에 크게 發하여 富貴하는 것이다. 이것은 한쪽으로 치우친 氣가 화목하게 되고, 衰가 旺을 만나기 때문에 吉을 맞이하여 發하는 것인데, 前後가 판이하게 다르다. 또한 일주가 강건하고 五行의 煞이 순수하며 섞이지 않아야 하는데, 根本인 原[局]에 제복이 없다면 富貴하지 못하니, 오로지 運이 오길 기다려서 煞을 제복하여 권력으로 변화하게 되면 공명(功名)이 현달(顯達)하여 무리들중에서 출중하고, 制하는 神의 힘이 旺하면 크게 발복(發福)하여 돌연히 興한다. 빈천(貧賤)한 것이 극품(極品)에 이르는 것은 온전히 運行에서 得地하여야 비로소 일어나는 것이고, 만일 運이 이르지 못한다면 평민일 뿐이다. (其一旦崛起,忽然驟興,繇柱中所用貴神,悉皆得位乘旺,又且合格.奈日主無力,不能勝任其福,所以勞困偃蹇.倏逢好運生扶,日干得其強健.元命用神,方爲我用.我因乘之,虎嘯風生,大發富貴.是偏氣乘和,衰以遇旺,故迎吉而發,前後迥異.亦有日主強旺,五行煞純不雜.奈根本原無制伏,富貴不成.惟待運來制伏煞神,化爲權柄,功名顯達,出類超群,制神力旺,發福非常.所以驟興.貧賤而至極品,全繇行運得地,方見其興,如運不至,即常人耳.)

시종(始終)으로 분발(奮發)하다가 중간에 추락하는 것은, 四柱에서 일주가 건왕하고 용신 역시 旺하면 각각 서로의 힘이 머물러서 부잣집의 벼슬아치와 현명한 자식이 되어, 매우 오랫동안 성립(成立)하여 좋게 비추게 되는 것이다. 만약 大運이 元命에 더할 경우에, 財를 만나서 빼앗기게 되면 그로 인해 官이 손상하고, 印이 파괴되면 食神이 효신을 만나게 된다. 이 運을 만나면 禍가 발생하므로 왕성한 나이에 기울어지고 불발(不發)하게 된다. 가령 나쁜 運이 한번 지나가고 다시 好運을 만나 돕게 되면 용신이 새롭게 된다. 만일 마른 싹이 비를 얻으면 발연히 일어나고, 가벼운 털이 바람을 만나면 표연히 날아오르니 막는 것은 불가(不可)한 것이다. (其始終奮發而中間剝落者,乃柱中日主健旺,用神亦旺,各相力停.爲富室朱門賢子,及長大成立,要逢好曜.若大運加臨元命,見其財而奪之,因其官而傷之,臨其印而壞之,逢其食而梟之.遭際此運,禍不勝言,所以盛年見傾而不發.如其惡運一去,又逢好運扶持,使用神一新.如枯苗得雨,勃然而興.鴻毛遇風,飄然而擧,不可禦也.)

---

11) 호소풍생(虎嘯風生) ; 바람을 일으키며 울부짖는 호랑이.

반평생을 절뚝거리다가 末年에 성취하는 것은, 四柱가 신강하여 양인 비견이 또 각각 旺을 다투니, 오직 財 官 煞등의 物이 가볍고 적어 헛되면 공명(功名)을 이룰 힘이 없다. 밖의 運行이 또 福이 되는 地支가 아니면 일생토록 춥고 굶주리며 노고(勞苦)하여 추락한다. 말년에 이르러 好運을 잠깐 만나면, 財官 煞神등의 物을 보충하여 가살위권(假煞爲權)으로 양인을 제복하면, 혹 權貴를 얻어 세상에 드날리거나, 혹 자본인 재물로 발복(發福)하기도 한다. 마땅히 五行의 청탁(淸濁)을 좇아 만나는 運을 나누어야 한다. 공자가 탄식하며, 窮通은 命에 있고, 富貴는 하늘에 달려 있다고 공자(孔子)가 말하였는데, 어찌 사람의 지력(智力)으로 [命을] 바꿀 수 있겠는가! (若半世淹蹇,晩年成就,乃四柱身強,陽刃比肩又各爭旺.惟財官煞神等物,虛浮輕少,無力而成功名.出門行運,又非作福之地,所以一生饑寒,勞苦剝落.直至晩年,頓逢好運,補起財官煞神等物,假煞爲權,制伏陽刃.或得權貴顯揚,或起貲財發福,當隨五行淸濁,以其所遇之運別之.嗟夫,窮通有命,富貴在天,孔子有是言也,豈人智力所能移易乎哉.)

看命口訣(간명구결)-16

혹, 흥망(興亡)과 생사(生死)를 묻는다면? (或問,興亡生死.)

답을 말하길, 무릇 人命에서 煞을 사용할 경우에, 煞神을 制하지 않으면 초라한 집의 곤궁한 사람이다. 혹 훌륭한 가문에 뛰어난 선비가 되는 것은 制伏하는 運을 만나 假煞이 興한 것이다. 절대로 제복하는 運을 벗어나서는 안 되고, 한번 財鄕에 들면 財가 능히 黨煞할 수 있는데, 다시 유년(流年)의 財煞이 旺함을 도우면 힘을 合하여 재앙이 되니, 身主는 춥고 외로우며 剋害한다. 輕하면 가세가 기울어 사류(徙流;떠돌아다니고)하고, 重하면 형벌로 自身은 죽는다. 煞神이 합병(合併)하면 凶하게 사망하니 이렇게 두려운데, 陽刃도 동일하게 論한다. (答曰,凡人命中有煞爲用,煞神未制,則爲白屋窮途之人.或作豪門卓犖之士,要逢制伏運,假煞而興.切不可脫制伏運,一入財鄕,財能黨煞,再遇流年財煞助旺,併力爲殃,身主孤寒剋害.輕則傾家徙流,重則刑棄其身.煞神併合,凶亡可畏如此,陽刃同論.)

또 四柱중의 월영에 정기관성이 있으면 一生토록 富貴하는데, 유독 財와 印을 만나면 관성에게 이롭다. 財旺하면 관성을 生하여 좋고, 印旺하면 관성을 보호한다. 따라서 사람이 어질며 德을 베풀어 나라를 다스리는데, 권세가 크고 벼슬이 높다. 後 煞神이 득위(得位)하고 歲의 煞이 아울러 臨하면 官이 鬼로 변화하니 自身이 반드시 죽을 것이다. (又有柱中月令正氣官星,爲一生富貴,惟逢財印,則利官星.喜財旺以生之,印旺以護之.故令其人能行仁布德,緯國經邦,權重爵高.後煞神得位,歲煞併臨,官化爲鬼,喪身必矣.)

煞運으로 行하지 않고, 혹 상관運으로 行하는데 印綬의 制가 없으며 상관이 得地하면 貴祿이 손상되니, 상처(喪妻)하며 자식을 剋하고 파직(罷職)되는 재앙이 발생하고, 다시 유년(流年)에 딴 무리를 만나면 반드시 자신이 참혹(慘酷)하게 죽는다. 만일 고견(高見)과 지식이 많으면, 진퇴(進退)와 존망(存亡)의 기미를 알아 자신(自身)을 보호하니, 뜻밖의 나쁜 일을 당하지 않아도, 역시 자신의 고질병으로 죽는다. (不行煞運,或行傷官運,又無印綬制之,傷官得地,貴祿遭傷.喪妻剋子,剝職生災,更遇流年黨他,必致身亡慘惡.如有高見明識,知進退存亡之機,而保其身者,不遭非橫,亦自己惡疾而終.)

또 四柱중에 오직 用神만 있고 官煞의 氣가 없는데, 유독 偏 正財만 旺하면 財神이 마땅한 법인데 은은하게 흥성(興盛)하여 재물이 쌓여 부유하지만 단지 貴가 적을 뿐이다. 다시 運行은 어떻게 보는가? 가령 官祿이 旺한 곳을 만나면 富貴가 雙全한다. 설사 불행(不幸)하다면, 財神이 탈국(脫局)하여 양인을 만나고, 다시 유년(流年)에서 衝合 陽刃을 만나면 財神의 상진(傷盡)으로 元命이 衰絶하니 陽刃이 재앙을 만들어, 반드시 敗亡할 것이다. (又有柱中所專用神,無官煞氣,惟偏正財旺.財神當道,隱隱興隆,積財聚富,但少貴耳.再看行運何如?如逢官祿旺鄉,富貴雙全.設有不幸,財神脫局,陽刃相逢,更遇流年衝合陽刃.財神盡傷,元命衰絕,陽刃生災,敗亡必矣.)

生死는 格局으로 論하는데, 가령 印綬가 財를 만나며 財運으로 行하고, 또 死絶을 겸하면 반드시 黃泉길에 들지만 四柱에 비견이 있으면 거의 풀린다. 正官이 煞 및 상관을 보고 刑 衝 破害가 歲運서로 아우르면 반드시 죽는다. 정재 편재는 비견의 分奪을 만나고, 양인 겁재가 歲運에서 衝合하면 반드시 죽는다.(生死則以格局論,如印綬見財,行財運,又兼死絕,必入黃泉.柱有比肩,庶幾有解.正官見煞及傷官,刑衝破害,歲運相併必死.正財偏財見比肩分奪,陽刃劫財,歲運衝合必死.)

상관格에서 財旺하여 身弱하면, 官煞을 많이 보아 혼잡(混雜)한데 刃을 衝하고, 歲運에서 다시 만나면 반드시 사망한다. 制하면 상잔(傷殘)한다. 拱祿 拱貴가 전실(填實)하고, 또 官煞 劫亡이 刃을 衝하고 歲運에서 거듭 보면 죽는다. 일록귀시(日祿歸時)格은 刑衝 破害하고, 칠살 관성이 공망을 만나서 刃을 衝하면 반드시 죽는다. 官 煞을 크게 꺼리는데 歲運에서 서로 아우르면 반드시 사망한다. 나머지 모든 格은 煞과 填實을 꺼리고 歲運에서 아울러 臨하면 반드시 죽는다. (傷官之格,財旺身弱,官煞重見,混雜衝刃,歲運又見,必死.制則傷殘.拱祿拱貴填實,又見官煞劫亡衝刃,歲運重見即死.日祿歸時,刑衝破害,見七煞官星,空亡衝刃必死.煞官大忌歲運相併,必死.其餘諸格,並忌煞及填實,歲運併臨必死.)

모두 흉신 악살인 구교, 원진, 망신, 겁살, 조객, 墓, 病, 死궁의 모든 煞이 모이면 구사일생(九死一生)한다. 財官이 태다(太多)하여 身弱하고, 七煞을 범하여 身이 輕한데, 만일 丙丁의 日干이 年月時가 庚 辛이며 酉運 혹은 庚辛年을 더하면 반드시 사망한다. 甲乙 일간이 庚辛의 月時에 年運이 庚 辛을 만나 협잡(挾雜)하면 반드시 죽는다. 만약 救하면 吉하고, 救함이 없으면 凶이 확실하다. (會諸凶神惡煞,勾絞,元辰,亡神,劫煞,弔客,墓,病,死宮諸煞,九死一生.財官太多身弱,元犯七煞身輕,如丙丁日干,年月時庚辛,加酉運或庚辛年,必死.甲乙日干,庚辛月時,夾雜年運見庚辛,必死.若有救則吉,無救定凶.)

看命口訣(간명구결)-17

五行의 神煞은, 金이 많으면 요절하고, 水가 盛하면 표류(漂流)하며, 木이 旺하면 요절하고, 土가 많으면 어리석으며, 火가 많으면 우둔한데, 태과(太過)하면 불급(不及)하다는 논리이다. 첫째 얽매이지 않아야하고, 둘째 반드시 과감하게 결단해서 生死를 求한다면 결정(決定)한 것을 의심하지 않아도 된다. (五行神煞,金多夭折,水盛漂流,木旺則夭,土多癡呆,火多愚頑,太過不及作此論.一不可拘,二須敢斷,求其生死,決定無疑.)

만약에 五行의 生死는, 가령 壬일이 2月에 生하여 申運으로 行하면 죽고, 7月에 生하여 卯運으로 行하면 죽는다. 生을 만나면 死가 두려우며, 이미 死하였으면 生이 두렵다. 조화(造化)와 인사(人事)는 하나이니 반드시 함께 봐야한다. (至若五行生死,如壬日生在二月,行申運即死.生在七月,行卯運即死.乃遇生怕死,旣死怕生.造化與人事一也,須並看之.)

일찍이 사람의 生死를 말하기를, 年 月 日 時는 모두 전생에 정한 것으로 아직은 한 둘을 들어서 말한다. 예컨대, 정흥의 장이금이 가희(嘉熙;南宋의 年號)2년 중추(仲秋)절에 민며느리 마목각과 분지(盆地)에 있는 영보천사의 당경神에게 빌었는데, 꿈에 금구 옥계 황우 청견이 차례대로 나타나서 따라가 붙잡으니, 용구 회왕(勇九淮王)이 태어났다. (嘗謂人之生死,年月日時俱皆前定,姑擧一二.如定興張易金,嘉熙二年仲秋,以兒婦馬睦閣臨盆,乞靈寶泉寺當境神,夢金狗玉雞,黃牛青犬,次第而至,逮生勇九淮王,則戊戌辛酉己未甲戌,八字果應.)

명조-용구 회왕
甲 己 辛 戊
戌 未 酉 戌
八字에 과연 구응(救應)하였다.

회왕의 후손(後孫)이 막힌 것을 일곱 公相(정승과 재상)이 강문통사에서 후사(後嗣)를 점쳤는데, 꿈에서, 처음에는 피로한 적견(赤犬)이 나타나고, 다음에 살찐 황구(黃狗)가 길거리에 있는 것을 보고, 백마(白馬)가 평지(平地)木 좌측에 서있고, 다시 붉은 돼지가 연이어 개꼬리를 물고 집에 들어 왔다. 공상이 스스로 미루어 짐작하건대,

명조
丁 庚 戊 丙
亥 午 戌 戌

연월일시는 세차(歲次)의 변화로 이루는데, 저물어가는 가을의 삭(朔)후 야반(夜半;밤중)에 자식이 태어났으니, 과연 증험하였다. 또 원문식 오사가 대덕(大德)을 生하니, 丁未년 정월 17일(壬午) 申시인데, 명나라 홍무(洪武) 己未 元旦[기미년 1월1일]의 꿈속에서, 황양(黃羊)이 뿔을 73회 부딪칠 즈음에 과연 죽더라. (淮王雲孫壅七公相.亦占嗣於江文通祠,夢始出疲赤犬,再見肥黃狗在路傍,及白馬立平地木左,復睹豬豬聯咬犬尾,入屋上土,公相自忖度,乃丙戌戊戌庚午丁亥,年月日時,成化歲次,暮秋朔後,夜半甫生子,果驗.又元文式五師生大德,丁未歲正月十七日壬午申時,至明洪武己未元旦,夢中得黃羊觸數七十有三,至斯際果逝.)

그 아들 식경이 六老에게 산가지로 셈하였는데, 꿈에 흰 토끼가 안으로 들어와 규방의 생강 안에 숨은 것과, 순제(順帝) 11년 중춘(仲春)절 甲辰일 새벽에 숙정(淑正)을 낳았으니, 두 가지를 四柱에서 구해보니 모두 辛卯였다. 후손이 기록하여 말하길, 역법은 고인의 마음을 두루 추억(追憶)하니, 높은 산을 지금까지 우러러보는 것이고, 퉁방울 같은 토끼 한 쌍은 꿈속의 조짐에서 생긴 것이며, 사중(四重)의 辛卯가 또 陰을 만났다. 또 백계(白雞)와 은서(銀鼠)는 辛酉와 庚子에 상응(相應)하는 조짐이고, 백계는 酉에 있으나 太歲에서 일어나지 않는 조짐이다.[12] (其子式敬籌六老,夢數白兎入內,姜沉閨懷,及順帝十一年仲春,甲辰昧爽,產淑正,求二者四柱,皆辛卯,后人有記云,曆周追憶古人心,仰止高山直到今,睆兎兩隻生夢兆,四重辛卯又逢陰.又白雞銀鼠,應辛酉庚子之祥,白雞在酉,値太歲不起之兆.)

위에서 계산한 사항(事項)으로 관찰해보니, 사람의 생사(生死)는 전생에서 정해진다는 것이 믿을 만하도다! 만약 윤자[13]는 꿈에서 항상 사달(巳達) 오액(午厄) 인멸(寅滅)이라는데, 후에 보니 뱀은 구멍에 들어가고, 말은 추락시키고, 범은 물어뜯으니 모두 부(符)가 된다. 효개경에서 3명의 노인이 꿈에 규(逵)를 만나 乙巳 對局을 만나면 변화를 이루는데, 31년의 干支를 주기로 질수(耋壽)에 오른다. 4월 보름날(望日)에 진선(進宣) 의랑(義郞)으로, 孫은 秩로 父는 幹으로 역시 앞의 꿈과 동일하다. 後에 다시 정덕 4년 乙巳[월] 仲夏절에 마침내 위후(衛侯)로 승진하였다. (由上數事觀之,人之生死,信前定矣哉.若尹子常夢巳達午厄寅滅,後見蛇入穴,墜馬虎嚙皆符.孝介經三叟,夢達逵逢乙巳對局,至成化三十一年,週是干支,登耋壽.四月望日進宣義郞,秩孫乾父亦同前夢.後復以正德四年乙巳仲夏,遂陞衛侯.)

또 고인(古人)은 꿈에서 기원하며 토지신(土地神)에게 子孫을 물어, 詩에서 말하는 것을 얻었는데, 犬羊은 父母이고 靑龍은 자식이고, 적마 황구와 백계는 손자, 虎는 증손자, 翁은 肖에 속하여 동일하고, 丙은 一氣가 應하니 융성하고 가지런함이 많다. 풀어보면, 伯子는 甲辰생이고, 仲子는 丙午생, 叔子는 戊午생, 季子는 辛酉생, 長孫은 寅생, 曾孫은 丙戌생으로 추산(推算)하니 모두 증험하였다. 이 일가(一家)의 祖 父 子 孫이 태어난 것이 모두 전생(前生)에서 정해진 것이

12) 흰 토끼는 辛卯, 생강은 매우니 매울 辛자를 나타낸다.
13) 관윤자(關尹子)는 중국의 사상 문헌(思想文獻), 신선방술(神仙方術)과 불교의 교리를 혼합한 내용으로 되어 있으며 작자는 주나라 관령(關令) 윤희(尹喜)라고 하나, 당나라 말기 오대(五代)의 두광정(杜光庭)의 위작(僞作)으로 생각되고 있다.

다. (又古人祈夢問子孫於土地神,得詩云,犬羊父母青龍子,赤馬黃駒與白雞.孫虎曾同翁屬肖,丙隆一氣應多齊.解者以其伯子生甲辰,仲子生丙午,叔子生戊午,季子生辛酉,長孫生寅,曾孫生丙戌,推算皆驗.是一家祖父子孫,其生皆前定也.)

또 고인은 자손을 토지신(土地神)과 사당(祠堂)에 빌었는데, 神이 詩로써 말하길, 좌청룡 우백호 역시 방위가 같았는데, 단지 염후(炎猴)와 목양(木羊)은 두려워하고, 38年이나 生死를 隔하여 풍운(風雲)이 제회(際會)하여 모두가 무상(無常)하니, 그 後의 生死는 연월일시로 증명하여 맞지 않음이 없었다. 古人은 마시고 먹는 것도 전생에서 정해지지 않는 것이 없다고 말하였는데, 하물며 功名이랴! 하물며 生死야! 하물며 子孫이야! 저 命을 알지 못하고 속이는 자는 귀신의 웃음거리가 되지 않을 자가 거의 드물 것이다. (又古人祈嗣社廟,神示詩云,左龍右虎亦同方,只怕炎猴及木羊,三十八年生死隔,風雲際會總無常.其後生死年月日時,無不符驗.古人謂飮啄莫非前定,況功名乎!況生死乎!況子孫乎!彼不知命而妄圖者,其不爲鬼神所笑者幾希.)

2. 무함촬요(巫咸撮要)-1

천원 신취경에서 이르길, 무릇 人命을 추리할 때는, 일하(日下)의 흥(興)쇠(衰)를 자세히 알고, 변화하는 局을 나누어 사용함으로써 天地[干支]가 비로소 조화(造化)를 이룬다. 귀천(貴賤)은 上下로 밝히고, 興衰는 干支에 있을 뿐이다. 四時에 궁통(窮通)의 묘리(妙理)가 있어 五行에서 영고(榮枯)를 저절로 내려 받는다. 그래서 春절에 甲 乙이 生하여 寅 卯에 居하면 어찌 庚 辛을 두려워하겠는가! 長夏절의 丙 丁이 巳 午를 탄다면 어찌 壬 癸를 무서워하겠는가! 庚 辛은 태(兌)로써 秋절에 生하면 離火가 침범하기 어렵다. (天元神趣經云,凡推人命,先詳日下興衰,變用分局,天地方成造化.貴賤明於上下,興衰盡在干支.四時中妙理窮通,五行內榮枯自稟.是以春生甲乙,居寅卯,豈怕庚辛.夏長丙丁,乘巳午何愁壬癸.庚辛値兌,秋生兮離火難侵.)

壬 癸가 乾[方]을 만나고 冬절에 강림(降臨)하면 戊 己가 어찌 剋하겠는가! 土가 사계(四季)에 生하고 得時하면 鬼를 만나 손상하여도 害가 없고, 설사 五行이 失地하여 剋을 만나더라도 재앙이 심하지 않다. 또 만약 化格의 象을 이루면 반드시 衰旺과 相停을 구분하여야한다. 더욱 마땅한 것은 配合하는 가운데 往來하는 진로를 알아야한다. 金은 艮 北方에서 絶하고, 火는 乾 西方에서 몰(沒)하며, 木은 坤 南方에서 떨어져 形이 없고, 水는 巽 東方에 도달하면 위(位)가 없다. (壬癸逢乾,冬降兮戊己怎剋.土生四季,得時而遇鬼,其傷無害.設使五行失地而逢剋,其災不愈.又若化格成象,須分衰旺相停.尤宜配合之中,要識往來去路.金絕艮北,火沒乾西,木落坤南而無形,水到巽東而無位.)

이것은 곧 陽干이 모두 死하는 것이니, 合을 만나서 같은 종류를 서로 따르는 것이다. 만약 妻의 形이 감추면 단지 局中에서 보고 결정한다. 陰은 사정(四正)에서 長生하니 時가 旺하면, 自身

은 貴하고 가족이 영화롭다. 死 絶 墓 衰의 종류는 천간이 손상하여 더욱 不足하게 된다. (此乃陽干皆死,遇合而以類相從.妻若潛形,但見局中而可決.陰生四正,時旺者身貴家榮.死絕墓衰.類傷干尤爲不足.)

化氣가 格에 들어 破하지 않으면 10에 8~9명이 크게 貴하다. 化氣가 失局하여 손상이 있으면 영화로운 사람이 100에 1~2명도 없다. 가장 높고 가장 貴한 것은 旺한 곳에 머무는데 3位가 반드시 서로 도와야한다. 貧賤한 것은 衰한 곳에 머무는데 四柱에서 조화(造化)를 찾아보기 어렵다. (化氣入格不破,大顯貴者,十有八九.化氣失局有傷,論顯榮者,百無一二.最高最貴者居旺處,三位須要相扶持.至賤至貧者居衰處,四柱難尋造化.)

오묘한 상(象)은 地支중에 있고, 配合은 天干에 있다. 象을 이루면 쓰임이 旺盛한데 모두 火土중에서 발생한다. 四柱에 손상이 없으면 바로 조정(朝廷)의 반열(班列)에 오른다. 地支중에 두려운 것이 있어도 역시 명성이 빈약하지 않고, 運이 衰한 곳에 이르면 반드시 재앙과 허물이 된다. 化하여 조화(造化)를 이루고 각각 衰 墓 絶한 곳에 머무르면 象이 雜局을 이루어 合을 만나도 오히려 만나지 않은 것과 같다. (玄象在地支之中,配合在天干之內.象成旺用,皆生火土之中.四柱無傷,直列朝廷之上.支中畏懼,亦須聲譽非貧.運至衰鄉,必主災咎.化成造化,各居於衰墓絕鄉.象成雜局,遇合猶如不遇.)

夫가 旺한 運으로 行하면 妻는 夫를 따르고, 妻를 돕는 運이면 夫가 妻를 따른다고 論한다. 자신이 鬼에 臨하면 반드시 天地중에서 밝혀야한다. 象이 旺하고 象이 衰한 것으로 귀천(貴賤)과 영고(榮枯)를 알게 된다. 身은 衰하고 鬼가 旺하면 지체(肢體=팔과 다리)를 심하게 다친다. 身은 旺하고 鬼가 衰하면 凶한 무리의 命이 된다. (夫行旺運,妻乃從夫.妻運扶持,夫從妻論.己身臨鬼,須明天地之中.象旺象衰,要識榮枯貴賤.身衰鬼旺,應須肢體傷殘.身旺鬼衰,定作凶徒之命.)

鬼와 身이 모두 衰하면 남자는 반드시 떠돌아다니고, 여자는 반드시 비구승이며, 身을 감추어 잠닉(潛匿)하면 자연히 고명(高名)하게 된다. 月氣를 손상하는 이것이 伏象인데 官鬼가 모두 온전하면 수명이 길지 않다. 干중에 破敗하면 기예(技藝)가 있어 身을 좇는다. 지지(地支)가 전부 生하면 육친(六親)을 의지하기 어려우며 독립(獨立)한다. (鬼身皆衰,男必飄蓬,女必師尼,伏身潛匿,自居高名.月氣相傷,此乃伏象,官鬼皆全,遐齡不遂.干中破敗,乃有技藝以隨身.支乃生全,難仗六親而獨立.)

五行이 그 象에 속하고 모두 12地支에 있다. 먼저 南北과 東西로 나누고, 다음에 三合속에 달리 인정하는 것을 본다. 六親을 자세히 보려면 從象으로 추리한다. 富貴를 살피면 官 祿으로 둘로 설명한다. 祿에 盛한 것이 있으면 홀아비나 과부로써 고독하다. 官 鬼가 있으면 잔질(殘疾)로 요절한다. 身이 만일 化를 나타내면 自身이 무기(無氣)하여 본성(本性)이 전부 이지러진다. 가(假)五行이 象을 이루면 평생토록 궁색한데, 어찌 조상의 재물을 얻고 福이 드러나고 가득하겠는가!

작은집에 父母를 두기 때문이다. (五行屬於其象,皆在十二支中.先分南北與東西,次看三合內別認.詳六親者,從象而推之.審富貴者,官祿而兩說.有祿盛者,鰥寡孤獨.有官鬼者,殘疾夭壽.身如顯化,自身無氣,本性全虧.假五行成象,平生窘迫,豈得祖宗之財.顯福顯盈,因犯別房父母.)

從象을 論하면 인용(引用)한 氣이고, 化象을 論하면 天地가 相停한다. 從[象]중에도 貴賤이 있고, 化[象]안에도 貧富가 있다. 從[象]중에는 귀현(貴顯)한데, 득시(得時)하면 지위가 조정의 반열이다. [從]化에서 局을 이루고 運이 구르면 황제 측근으로 봉작(封爵)을 받는다. 從象이 衰하면 늙어서 핍박을 받고, 化象에 굴복하면 평생토록 고생한다. (從象論引用爲氣,化象論天地相停.從中有貴有賤,化內有富有貧.從中貴顯,得時而位列朝中.化內成局,運轉而成封帝側.從象衰而至老驅驅.化象伏而平生碌碌.)

巫咸撮要(무함촬요)-2

또 말하길, 자평의 法을 보면 오직 財官을 論하고 月상의 財官이 꼭 필요하게 된다. 드러난 것이 日時에 있으면 强弱을 자세하게 밝혀야 한다. 재관을 論하면 格局을 論하지 않고, 格局을 論하면 재관을 論하지 않는다. 입격(入格)할 경우에는 富하지 않으면 貴하고, 입격(入格)하지 않을 경우에는 가난하지 않으면 요절한다. 1등格이나 2등格은 경(卿)이 아니면 재상이고, 3등格이나 4등格은 財官이 불순(不純)하여 형부(刑部)의 병졸(兵卒)이 아니면 대부분 구류(九流)이다. (又曰,看子平之法,專論財官,以月上財官爲緊要.發覺在於日時,要消詳於強弱.論財官不論格局,論格局不論財官.入格者非富即貴,不入格者非貧即夭.一格二格,非卿即相,三格四格,財官不純.非刑卒多是九流.)

官은 상관을 두려워하고, 印綬는 財을 만나면 근심이 많고 재앙이 더욱 발생한다. 상관견관이 原[局]에 있으면 重하고, 원국에 없으면 輕하다. 重하면 추방(유배)당하고, 輕하면 형벌을 받는다. 年상의 상관은 父母가 온전하지 못하고, 月상의 상관은 兄弟가 완전하지 않으며, 日상의 상관은 妻妾을 삼기 어렵고, 時상의 상관은 子孫이 전해지기 못한다. 歲 月의 상관이나 겁재는 빈천(貧賤)한 가문에 태어났거나, 혹 서출(庶出)이다. (官怕傷,財怕劫,印綬見財,愈多愈災.傷官見官,原有者重,原無者輕.重者遷徙,輕者刑責.年上傷官,父母不全.月上傷官,兄弟不完.日上傷官,難爲妻妾.時上傷官,子孫無傳.歲月傷官劫財,生於貧賤之家,或是庶出.)

日時의 상관 겁재는 자손을 손상하며 말년의 福이 없다. 관살혼잡하면 위인이 호색(好色)하며 음란함이 많고, 공교롭게도 하는 일이 적으며 가난하고 천(賤)하다. 財와 印綬가 있으면 吉하고, 財와 印綬가 없으면 凶하다. 겁재와 敗財(비견)는 마음은 높으나 하천(下賤)하며 사람이 탐욕스럽다. 월영이 정재면 근검(勤儉) 절약(節約)한다. 四柱에 劫 刃 比肩이 많으면 父母를 刑하고, 妻妾을 손상하며 재물을 모으지 못한다. 상인(商人)은 반드시 地支에 財가 있어야하고, 재상(宰相)은 반드시 正祿이 得時해야한다. (日時傷官劫財,傷損子孫,主無晚福.官煞混雜,爲人好色多淫,作事小巧

寒賤.有財印者吉,無財印者凶.劫財敗財,心高下賤,爲人貪婪.正財月令,勤儉慳吝.柱有劫刃比肩多者,刑父母,傷妻妾,不聚財.商賈須觀落地之財,宰相須看得時正祿.)

칠살과 梟[神]가 重하면 타향의 客으로 빗나가고, 상관 겁재는 양심을 속이고 억지를 부리는 무리이고, 중범(重犯)하여 거동이 기이(奇異)하면 貴하고, 망신과 겁재를 거듭 犯하면 요절한다. 칠살은 마땅히 制해야하고 독립(獨立)해도 强하다. 鬼중에 官을 만나면 핍박(逼迫)이 매우 심하다. (七殺梟重,走偏他鄕之客.傷官劫財,瞞心負賴之徒.重犯奇儀者貴.重犯亡劫者夭.七殺宜制,獨立爲強.鬼中逢官,逼迫太甚.)

명煞(투간한 煞)이 合去하면 五行의 화기(和氣)가 봄바람이고, 暗煞(암장한 煞)을 合하는데 四柱에서 刑 傷하면 자신을 해친다. 煞 刃은 제복함이 없으면 여자는 산액(產厄)이 많고, 남자는 형벌을 받는다. 二德(천월이덕)이 破가 없으면 여자는 반드시 현량(賢良)하고, 남자는 충효(忠孝)가 대단한 사람이다. 財 官 印 食神은 자상한 德을 나타낸다. 겁재 상관 비견 효신은 과부나 악인의 명성을 벗어나기 어렵다. 官을 衝하는데 合이 없으면 떠돌아다닐 무리이다. 馬가 공망이 되면 곤궁해질 무리이다. (明煞合去,五行和氣春風.暗煞合來,四柱刑傷害己.煞刃無制,女多產厄,男犯刑名.二德無破,女必賢良,男多忠孝.財官印食,定顯慈祥之德.劫傷比梟,難逃寡惡之名.衝官無合,乃漂流之徒.坐馬落空,是落魄之輩.)

월영이 衝을 만나면 입양되어 조상을 떠난다. 편관과 편인을 만나면 서출로 첩의 소생이다. 干頭가 멸렬(滅裂)하면 백우(伯牛)[14]의 질병을 감당하며 탄식한다. 日時가 刑衝하면 아들을 잃어 눈물을 면하기 어렵다. 六虛(육갑의 공망)가 乙亥에 臨하면 맹호연(당나라 시인)같은 文章가이다. 삼재(三才=재관인)가 壬辰에 모이면 석계륜(石季倫=계륜은 진나라 부호인 석숭의 자이다.)이 정(情)을 둔 금옥(金玉)을 마음대로 한다. 文[星]이 있어도 印이 없으면 가의(賈誼)[15]가 장사(長沙)[16]로 유배된 듯하다. 印이 있어도 文[星]이 없으면 이사(李斯)가 상채(上蔡)에 전념하다.[몰락을 비유한 말이다.] (月令逢衝,過房離祖.官印遇偏,庶出孽生.干頭滅烈,堪嗟伯牛之疾.時日衝刑,難免卜商之泣.六虛臨於乙亥,孟浩然徒有文章.二[三]才會於壬辰,石季倫恣情金玉.有文無印,賈誼屈於長沙.有印無文,李斯專於上蔡.)

巫咸撮要(무함촬요)-3

刑이 많으면 義롭지 못한 사람이다. 合이 많으면 소통하여 모두와 친하다. 合이 많으면 불분명하고, 衝이 많으면 凶하다. 辰이 많으면 다툼을 좋아하고, 戌이 많으면 송사(訟事)하길 좋아한다.

---

14) 백우(伯牛);공자의 제자
15) 가의(賈誼);중국 전한(前漢) 문제(文帝) 때의 학자⸱정치가. 유학과 오행설에 기초를 한 새로운 제도(制度)의 시행을 주장했으나 원로(元老) 대신들의 미움을 사 좌천되었다가 요절했음.
16) 장사(長沙);중국 호남성(湖南省)의 성도(省都)

辰 戌은 괴강으로 凶이 많고 吉은 적다. 日時가 공망이면 妻子를 두기 어렵다. 역마를 등지면 고향땅을 이별한다. 관살혼잡하면 의식(衣食)이 분주(奔走)하다. 印綬가 손상하면 명리(名利)가 성패(成敗)한다. 천주[貴神]가 梟를 만나면 식록(食祿)이 가득하여도 부족하다. 상관이 양인 겁재를 보면 온종일(終日)을 구구(區區)하게 먹는다. (刑多者,爲人不義.合多者,疏背皆親.合多主晦,衝多主凶.辰多好鬥.戌多好訟.辰戌魁罡,多凶少吉.日時空亡,難爲妻子.背駝驛馬,離別鄕土.混雜官煞,奔走衣食.印綬遭傷,名利成敗.天廚逢梟,食祿虧盈.傷官遇羊刃劫財,營食終日區區.)

정관이 칠살을 만나 손상하면 살길을 찾아 일생동안 분주하다. 財官은 上貴를 나타내고. 煞 상관은 小人에게 치욕을 안겨준다. 官이 衝破가 없으면 벼슬과 祿을 오직 나타낸다. 財가 겁재에게 손상됨이 적으면 명리(名利)쌍전(雙全)한다. 官印이 刑이나 囚하는 地支에 있으면 마음은 심란하고 몸이 바쁘다. 日時에 鬼나 墓가 있으면 근심이 많고 즐거움은 적다. 福이 福이 안 되는 것은 吉이 다시 傷함을 만나 두려운 것이다. 成이 不成한 것은 格중에 煞이 있기 때문이다. 財官이 兩旺하면 절부월(節斧鉞;관찰사나 유수가 지니는 부월)을 가진다. 煞刃이 교차(交叉)하면 병권(兵權)을 장악한다. (正官逢七煞剝傷,求生一世忙忙.財官招上貴之憐,煞傷慮小人之恥.官無衝破,爵祿獨顯.財少傷劫,名利雙全.官印在刑囚之地,心亂身忙.日時在鬼墓之鄕,憂多樂少.福不福,恐吉還遭傷.成不成,是格中帶煞.財官兩旺兮,主持節鉞.煞刃交顯兮,掌握兵權.)

官은 身을 돕는 근본인데, 官의 長生이 있으면 반드시 부유한 학자가 된다. 財는 양명(養命)의 근원으로 財가 旺한 곳을 만나면 재물이 풍족하다. 財 官 印綬의 셋은 吉하니 만나지 않는 것은 不可하다. 劫 刃 상관 煞의 四凶神은 두렵지 않을 수 없는 것이다. 印綬가 천을[貴人]이 臨하면 성세(盛世)에 작위(爵位)를 받는다. 財가 官庫에 암장하면 기이한 보물을 간직한다. 삼기 貴人이 生時에 있으면 관학(館學)으로 맑고 빛나는 세상을 바라는 사람이다. (官是扶身之本,官在長生須富學.財爲養命之源,財逢旺處足錢帛.財官印綬三吉,不可不逢.劫刃傷煞四凶,不可不畏.印臨天乙,受盛世之封.財藏官庫,蓄希異之寶.三奇貴人見生時,館學淸華世所稀.)

貴人이 만약 祿馬를 만나면, 설사 金章은 아닐지라도 풍족하게 된다. 官貴가 만약 財를 만나 官을 도우면 기이(奇異)함이 거듭하니 재상이 되거나, 봉래산의 삼도지객이 되지 않으면 반드시 궁궐의 섬돌계단을 거닐게 된다. 록(祿)馬가 같이 있으면 흑두재상이 된다. 刑破가 있으면 결국 백면서생(白面書生)이다. 印은 있고 官이 없으면 발달이 신속하지 않다. 官은 있는데 印이 없으면 영현(榮顯)한 명성을 구하기 어렵다. 財官에 印이 있으면 金과 玉이 쌓인다. 편재나 정재를 만나면 창고가 가득 찬다. 印綬는 금안륵마(錦鞍勒馬)이고, 官貴는 옥대금어(玉帶金魚)이다. (貴人若逢祿馬來,設使金章未爲足.官貴若逢財官助,重犯奇異須宰輔.不作蓬萊三島客,也須金殿玉階行.互祿互馬,共羨黑頭公相.帶刑帶破,終爲白面書生.有印無官,發不在迅速之內.有官無印,難求乎榮顯之名.財官帶印,積玉堆金.偏正逢財,倉盈庫滿.印綬錦鞍勒馬,官貴玉帶金魚.)

凶은 羊刃만한 凶이 없고, 禍는 상관만한 禍가 없다. 運에서 양인 겁재 패재(비견)를 만나면 재물이 소모되어 흩어진다. 양인이 生氣와 같으면 병마를 통솔하는 권력을 가진다. 상관이 合을 당하면 妻子에게 해롭다. 상관이 刃을 차면 아비를 剋하고 어미를 비난한다. 官은 암장하고 煞이 드러나 보이면 뜻하지 않는 재앙을 초래한다. 煞이 암장하고 官이 드러나면 토번에서 권세를 잡는다. 즐거움이 적고 근심이 많은 것은 관성이 겁재와 同柱한 것이다. 골육(骨肉)이 분리(分離)되는 것은 고란[煞]이 재차 상관이나 煞을 만났기 때문이다. (凶莫凶於羊刃,禍莫禍於傷官.運逢羊刃劫敗,財物耗散.羊刃倘同生氣,閫外持權.傷官被合,妨妻害子.傷官帶刃,剋爺損娘.官藏煞見,定招非橫之災.煞沒官明,當膺藩輔之柄.少樂多憂,官星又帶劫財.骨肉分離,孤鸞再遇傷煞.)

三刑이나 六害가 충격(衝擊)하면 높이 오르기 어렵다. 고진 격각[煞]을 거듭 보면 대부분 가난하거나 요절한다. 향용현성(享用現成)하는 것은 집을 떠나 財祿으로 나아간다. 일생이 적막한 것은 行運과 命이 분리하여 베풀기 때문이다. 官이 있는데도 食祿이 안 되는 것은 월상의 정관이 손상당한 것이다. 財가 있어도 누리지 못하는 것은 柱중에 겁재가 分奪하기 때문이다. 祿馬가 生月에서 먼저 만나면 음덕(陰德)으로 영화로운데, 만약 日時에서 다시 財官을 보면 이것은 만나도 만나지 않은 것이다. (三刑六害,衝擊者難得崢嶸.孤辰隔角,重見者多主貧夭.享用現成,出門便行財祿.一生寂寞,行運與命分張.有官而不食祿,月上正官被傷.有財而不得享,柱中劫財分奪.祿馬先逢於生月,陰德榮華.若日時再見財官,此乃遇而不遇.)

巫咸撮要(무함촬요)-4

또 이르길, 四象중에 土가 숨어서 이룬다. 五行안에서는 [天]干이 빼어나면 영화가 된다. 亥 卯 未가 자양(滋養)하여 甲 乙은 영화이고, 寅 午 戌이 모여서 丙 丁은 福이 된다. 壬 癸는 윤하(潤下)가 生하여 기쁘고, 庚 辛은 從革을 좋아하며, 戊 己는 사계(四季)를 만나면 기뻐한다. 水의 윤하는 문학(文學)으로 귀현(貴顯)하고, 土의 가색(稼穡)은 상업으로 부귀(富貴)한다. (又曰,四象之中,隱土而成.五行之內,干秀爲榮.亥卯未滋榮甲乙,寅午戌聚福丙丁.壬癸喜生潤下,庚辛愛見從革,戊己忻逢四季.水潤下兮文學貴顯,土稼穡兮富貴經商.)

甲 乙이 春절생이면 어진 德을 마음에 품는다. 丙 丁이 夏절을 만나면 가슴에 밝게 분별하는 재주를 감춘다. 秋절의 金은 성품에 강인함이 많고, 冬절의 水는 지혜로운 권모(權謀)가 충분하다. 木이 盛한데 金이 없으면, 비록 어질지라도 造化를 이루지 못한다. 火는 旺한데 木이 衰하면, 설령 학문을 할지라도 귀현(貴顯)하기 어렵다. 水가 많은데 土를 보면 제방(堤防)의 功을 이룬다. 木이 盛한데 金을 만나면 동량(棟梁)이 되는 아름다움이 있다. (春生甲乙,抱懷仁德之心.夏遇丙丁,胸藏明辨之才.秋金兮性多剛毅,冬水兮智足權謀.木盛無金,雖仁不成造化.火旺木衰,縱學難得貴顯.水多遇土,成堤岸之功.木盛逢金,作棟樑之美.)

水火가 상정(相停)하면 기제(既濟)를 이루고, 土는 木旺함을 만나면 가색(稼穡)이 된다. 금(金)

火의 氣가 고르면 단련하여 예리한 칼날을 만든다. 五行의 造化는 모두 鬼로써 功을 이룬다. 木敗하면 어질지 못하며 망령되고, 金이 衰하면 의리가 적고 또한 은혜를 모른다. 火가 滅하면 무례(無禮)한 소인배이고, 水가 濁하면 지혜를 잃은 사람이다. 土가 木의 剋을 만나면 말에 항상 신용을 잃는다. 金鬼는 煞을 좋아하고, 水가 盛하면 대부분 음란(淫亂)하다. (水火相停成既濟,土逢木旺爲稼穡.金火氣均,煉出鋒刃之器.五行造化,皆因鬼而成功.木敗不仁而妄作,金衰寡義亦無恩.火滅無禮之輩,水濁失智之人.土遭木剋,言常失信.金鬼好殺,水盛多淫.)

日이 旺하면 모름지기 자립(自立)하는데, 더구나 상하(上下)의 吉凶을 자세히 알아야한다. 歲月이 서로 도우면 조상으로 인해 發한다. 日時가 相衝하면 妻子에 功이 없다. 衰 墓는 평생을 고립(孤立)하고, 生旺하면 한동안 우뚝 솟아오른다. 上下가 서로 合하면 害가 없고, 전극(戰剋)이 오고가면 근심이 많다. (日旺仍須自立,更詳上下吉凶.歲月相扶,因祖而發.時日相衝,妻子無功.衰墓平生孤立,生旺一時崢嶸.上下相合而無害,往來剋戰乃多憂.)

祿馬인 時를 剋하고 日을 破하면 설령 직위(職位)가 끝나더라도 반드시 삭탈(削奪)된다. 日이 旺하고 時가 强하여 빼어남이 모이면 福은 없어도 또한 의외로 發한다. 月은 상해(傷害)되고 時에서 得地하면 財運에 자립(自立)할 수 있다. 月이 絶傷되어 時와 衝하면 문호(門戶)를 세 번 옮긴다. 生[年]이 衰地를 만나면 유년기에 고생하고, 月이 旺한 곳에 있으면 말년이 부족하고, 時는 衰한데 日이 배어나면 시작은 있으나 끝이 없다. (祿馬時剋日破,縱職位終須退剝.日旺時強聚秀,無福亦須橫發.月逢傷害時得地,財運自能成立,月遇絕傷時對衝,門戶定有三遷.生逢衰地,幼歲艱難.月在旺鄉,晚年不足.時衰日秀,有始無終.)

月이 弱한데 時가 强하면 말년이 영화한다. 元氣가 强旺하면 비록 미달(未達)할지라도 결국은 공명(功名)을 나타낸다. 基本이 休囚하면 설령 得地하더라도 富貴하기는 어렵다. 그런데 天元이 지나치게 弱하면 다시 되살아나지 못한다. 홀연히 本主가 休囚하면 빈한함을 헤아릴 수 없다. 旺氣가 손상되면 비록 험난할지라도 결국은 身이 구원된다. (月弱時強,晚年榮顯.元氣強旺,雖未達終顯功名.基本休囚,縱得地難成富貴.若夫天元羸弱,命不再甦.忽值本主休囚,貧寒無地.氣旺遭傷,雖遇險終身有救.)

敗한 氣가 生을 만나면, 설령 得地하더라도 일생토록 이루지 못한다. 五行이 失地하면 록마동향(祿馬同鄕)이라고 말하지 못한다. 四柱가 돌아갈 곳이 없으면 재관쌍미(財官雙美)로 論하기 어렵다. 日이 剋하는 것은 妻가 되고, 妻가 生하는 것은 자식이 된다. 生旺을 살펴서 死絶을 정한다. 時가 旺한 곳에 臨하면 반드시 자식이 많고, 時가 敗地이면 반드시 후사(後嗣)가 끊어진다. (氣敗逢生,縱得地一世無成.五行失地,休言祿馬同鄉.四柱無歸,難論財官雙美.以日剋者爲妻,妻生者爲子.考其生旺,定其死絕.時臨旺處必多兒,時在敗鄉必絕嗣.)

남자가 양위(兩位)의 財를 만나면 반드시 妾을 두고, 만약 合하는 곳에서 祿을 만나면 妻德으로 영화롭다. 財가 合을 하면 妻로 인해 입신(立身)한다. 陽干의 上下[干支]가 合을 하면 妻를 대부분 쉽게 얻는다. 合하는 가운데 다시 生氣를 만나면 妻妾이 현량(賢良)하다. (男逢兩位之財,必須置妾.若遇合處逢祿,定挾妻榮.財鄕見合,立身倚妻.陽干上下逢合,妻多易得.合中更遇生氣,妻妾賢良.)

巫咸撮要(무함촬요)-5

四柱에서 번갈아가며 서로서로 親하면 기쁜 경사가 많이 생긴다. 五行에서 害가 서로 왕래하면 모두가 義롭지 못하다. 財가 失地하면 상인의 갈림길이 된다. 身이 심히 旺하면 구류(九流)술업(術業)을 한다. 火가 모여 水의 德을 相刑하면 승려를 하다가 말다가한다. 水가 旺한 토를 만나 相殘하면 道가 끝없게 된다. 火가 밝고 木이 빼어나면 유년기에 조정에서 현달(顯達)한다. 火가 불타올라 水가 마르면 종신토록 재물을 시장가에서 求한다. (四柱遞互相親,多生喜慶.五行往來相害,皆主不義.財失地而歧路經商.身旺甚則九流術業.火聚水德相刑,爲僧反覆.水逢土旺相殘,爲道無終.火明木秀,幼年顯達朝廷.火炎水涸,終身求財市井.)

금백수청(金白水淸)하면 대부분 현달(顯達)한다. 귀(鬼)와 官이 동주하면 곤궁(困窮)하다. 財가 同柱하면 富하지만 인색하다. 양인이 煞을 차고 刑을 만나면 남자는 몸에 채찍을 맞는다. 財가 왕성하면 부모를 刑傷하고, 鬼가 旺하면 후대(後代)가 대단히 영화롭다. 從化가 本으로 돌아가 從하는 것을 꺼리면 평생토록 슬픔과 즐거움으로 편안하지 못한다. 丙 辛이 化水하여 水鄕에 이르면 조정의 자리에 배열한다. 丁 壬이 化木하여 木位에 臨하면 身은 재상이 된다. 東方의 金과 西方의 木으로 從化하지 않으면 일생동안 허명(虛名)이다. (金白水淸多顯達.鬼位逢官主困窮.財下見財,富而慳吝.羊刃帶煞被刑,男子身遭鞭配.財盛刑傷父母,鬼旺後代昌榮.從化忌從返本,平生哀樂無寧.丙辛化水到水鄕,位列朝廷.丁壬化木臨木位,身居宰輔.東金西木不從化,一世虛名.)

離宮의 壬과 坎宮의 丙이 時에서 得位하면 평생토록 업적이 높다. 용신이 敗衰한데 祿을 차면 福이 되지 않는다. 祿馬의 氣가 旺한데 貴와 合하면 높은 지위에 올라 영화롭다. 貴는 있는데 馬가 없으면 직책(벼슬)이 낮고, 馬는 있는데 官이 없으면 신분이 賤하다. 四柱가 生旺하면 비록 官祿은 없을지라도 오래 산다. 五行이 敗衰하면 설령 祿馬가 있더라도 결국에는 요절한다. 괴강이 沖剋을 만나면 대부분 형옥(刑獄)을 간다. 건록이 財가 없으면 형법으로 노비(奴婢)가 된다. (離壬坎丙得位時,平生顯跡.用神敗衰,帶祿不能爲福.祿馬氣旺,遇貴合主顯榮.有貴無馬而職微,有馬無官而身賤.四柱生旺,雖無官祿亦長年.五行敗衰,縱帶祿馬終夭折.魁罡相逢沖剋,多遭刑獄.建祿無財刑制,定爲奴婢.)

陽火가 墓 絶에서 死(氣가 끊어지면)하면 성질이 흉악하고 완고하여 대부분 혹독한 관리가 된다. 陰火는 자라는 養에서 生하니 사람이 풍후(豐厚)하여 마땅히 부호(富豪)가 된다. 五行에서 목욕이 傷을 만나는 것을 꺼리고, 四柱가 生旺하여 制煞하는 것을 기뻐한다. 害가 있으면 가까운 인척(姻戚)이 흩어지고, 다툼이 있으면 질병(疾病)이 몸을 휘감는다. 木火가 申 酉를 만나면 꺼리는데 재앙과 病으로 신음(呻吟)한다. 쇠약한 金은 왕성한 火를 만나면 두려운데 괴로운 모습으로 비탄(悲嘆)에 잠긴다. 時에 鬼地가 臨하여 制하지 못하면 대부분 가난하다. 運이 財官에 이르러 刑이 없으면 반드시 發한다. (陽火死於墓絕,性凶頑,多爲酷吏.陰火生於長養,人豐厚,當爲富豪.五行忌沐浴逢傷,四柱喜生旺制煞.有害而姻親散失,遇戰而疾病纏身.木火忌逢申酉,災病呻吟.衰金畏遇旺火,苦形悲嘆.時臨鬼地,無制多貧.運至財官,無刑必發.)

칠살과 양인은 명성과 지위가 크게 나타난다. 정인과 관성은 刑衝하면 禍가 생긴다. 임추간(壬趨艮)位를 만나면 자본인 재물이 發한다. 煞이 변하여 官이 되면 어린나이에 공명(功名)이 현달(顯達)한다. 戊일이 午월이면 火가 많아 運은 官을 좋아한다. 財官이 敗地이면 일생토록 빈한(貧寒)하다. 삼기가 손상되지 않으면 평생을 부귀(富貴)한다. 日이 비록 건록이라도 財官을 만나지 못하면 고독하고 가난하다. (七煞陽刃,名位大顯.正印官星,刑衝乃禍.壬趨艮位,遇之則發資財.變煞爲官,幼歲功名顯達.戊日午月,火多而運喜官鄉.財官敗地,一世貧寒.三奇無傷,平生富貴.日雖建祿,不逢財官主孤貧.)

일록귀시(日祿歸時)하여 財印을 만나지 못하면 發하기 어렵다. 시상편재(時上偏財)는 運이 比劫에 이르면 妻에게 재앙이 생긴다. 시상양인(時上羊刃)이 歲에서 편재나 정재를 만나면 흉한 재앙이 발생한다. 정관이 月상에서 旺하면 부귀(富貴)가 쌍전(雙全)한다. 시상편관(時上偏官)을 만나면 무정(無情)하여 재앙이 있다. 財가 歸旺地이고 破가 없으면 가도(家道)가 흥륭(興隆)한다. 印綬가 生身하고 傷함이 없으면 가문의 절개에 빛이 난다. 官이 있는데 印이 없으면 참된 官이 아니다. 印이 있는데 官이 없으면 오히려 두터운 福을 이룬다. 도화가 合을 하면 시문(詩文)을 짓고 읊조리는 풍류가(風流家)이다. 강호(江湖)를 어지럽히는 [고죽군의 아들 백이와 숙제가] 수양산의 客으로 굶주렸다는 것이다.[17] (日祿歸時,不遇財印亦難發.時上偏財,運至兄弟之位主妻災.時上羊刃,歲遇偏正之財生凶禍.正官月上旺,富貴雙全.偏官時上逢,無情有禍.財歸旺地無破,家道興隆.印綬生身無傷,門隅光采.有官無印,即非眞官.有印無官,反成厚福.桃花帶合,風流儒雅之人.五湖雲擾,餓於首陽之客.)

巫咸撮要(무함촬요)-6

干이 刑하고 支가 合하면 즐거움이 변하여 근심이 되고, 干이 合하고 支가 刑하면 기쁨가운데 불미(不美)한데, 만약 구류(九流)나 僧 道가 아니면 반드시 父母에게 거듭하여 절하게 된다. 시묘나 잡기의 局을 만나서 열면 비로소 영화로움을 나타낸다. 양인 금신이 칠살을 만나면 반드시 대귀(大貴)하게 된다. 雙辰에 隔角이 끼여 있으면 서출로 태어난다. 고진 과숙은 다른 姓의 자식과

17) 官이 없다는 것은 참으로 비참한 일이라는 말을 비유함이다.

동거(同居)한다. (干刑支合,樂變爲憂.干合支刑,喜中不美.若不九流僧道,定須重拜爺娘.墓時雜氣逢局鑰,始得顯榮.陽刃金神遇七煞,必爲大貴.雙辰夾角,偏生庶出之人.寡宿孤辰,異姓同居之子.)

임기용배가 辰을 많이 만나면 소년에 天府에 등과한다. 을목서귀가 子를 많이 보면 빨리 궁궐에 든다. 일록귀시가 관성이 없으면 금안수란(錦鞍繡巒)[18]이다. 月에서 日干을 生하고 財氣가 없으면 옥대금어(玉帶金魚)[19]한다. 육음조양이 季월을 만나면 단지 印이 되는가를 살핀다. 육임추간은 亥월을 만나면 가난하다고 論한다. 格局에 刑 破가 없으면 명리(名利)를 성취(成就)한다. 官印이 손상함이 있으면 벼슬이 기울어 머문다. 妻宮이 지나치게 弱한데 겁재를 보면 반드시 妻를 손상한다. 兄弟의 자리가 柔弱한데 强한 官을 보면 반드시 형제를 손상한다. (壬水騎龍逢辰多,少登天府.乙木捕鼠遇子多,早步蟾宮.日祿歸時沒官星,錦鞍繡巒.月生日干無財氣,玉帶金魚.六陰朝陽逢季月,只作印看.六壬趨艮逢亥月,當以貧論.格局無破無刑,名利成就.官印有傷有損,爵位虧停.妻宮羸弱犯劫財,必損其妻.兄弟位柔,見官強必傷昆季.)

天元이 심히 약하고 실시(失時)하면 장수하기 어렵고, 일주가 고강하면 귀(鬼)를 化하여 당연히 福이 厚하다. 日이 旺한데 의지할 것이 없으면 고향을 떠나 다른 곳으로 옮긴다. 만약 옮기지 않으면 外地에서 죽는다. 日이 旺한데 의지할 곳이 없으면 妻 財를 손상한다. 만약 妻를 손상하지 않으면 외가(外家)가 몰락(沒落)한다. (天元羸弱,失時難獲延年.日主高強,化鬼當膺厚福.日旺無依,離祖遷居.若不遷居,死在外地.日旺無依,損財傷妻.若不傷妻,外家冷落.)

정관이 合을 당하면, 평생토록 명리(名利)가 다 헛되고, 칠살이 合을 당하면 처세(處世)에서 凶이 오히려 吉하게 된다. 煞은 旺하고 다시 身이 衰하면 의식(衣食)이 분주(奔走)하다. 官은 유약하고 다시 煞을 만나 혼란하면 관직에 부침(浮沈)이 있다. 신강하고 財旺하면 자산인 재물이 첩첩히 쌓인다. 가령 甲辰 甲戌에 寅 亥가 있으면 금은 재물이 집안에 가득하다. 丁亥 丁卯에 酉亥가 있으면 보물이 집안에 가득하다. 六甲일이 庚 辛을 만나는데, 만약 다중(多重)하면 반드시 재액(災厄)이 있다. 六丙의 身에 亥 子가 있고 제복이 없으면 가난한 선비이다. (正官被合,平生名利皆虛.七煞被合,處世反凶爲吉.煞旺更値身衰,衣食奔走.官柔又遇煞擾,行藏汨沒.財旺身強,資財疊積.假如,甲辰甲戌落寅亥,金帛滿屋.丁亥丁卯到酉亥,珍寶盈室.六甲日遇庚辛,若重多必主災厄.六丙身居亥子,無制伏定是貧儒.)

行運에서 득실(得失)을 다시 자세히 살펴야한다. 得地하고 실시(失時)하면 밭두둑에 비를 얻은 것과 같고, 득시(得時)하고 실지(失地)하면 끌채가 진흙에 더럽혀진 것과 같다. 득시(得時)하면 발탁되어 도약할 수 있고, 실지(失地)하면 승진(昇進)하기 어렵다. 따라서 火는 南方에 이르면 영화이고, 水는 北地에 臨하면 旺盛하다. 土는 東方에 이르면 病이고, 木이 西方에 이르면 衰弱하고, 金은 北方에 들면 가라않는다. 旺處에서 生하며 死處에서 滅하고, 死處에서 生하며 旺處에서 벗어난다. (行運得失,更當詳察.得地失時,如田疇得雨.得時失地,如輗損塗泥.得時者亦能舉躍,失地者難

18) 금안수란(錦鞍繡巒):비단 안장에 난새를 수놓은 귀한모습.
19) 옥대금어(玉帶金魚):금어가 그려진 옥대를 차다.

以升遷.故火到南方而榮,水臨北地而盛.土到東而病,木至西而衰,金入北而沉.旺處生而死處滅,死處生而旺處脫.)

歲運에서 함께 日柱를 손상하면 命은 반드시 이지러져 위태하다. 運과 조상의 氣가 상잔(傷殘)하면 문호(門戶)와 父母가 모두 손해다. 運에서 歲를 剋하면 형벌과 송사(訟事)가 찾아온다. 歲에서 運을 剋하면 관재(官災)가 발생한다. 金은 칼날에 刑傷하고, 水는 강물에 넘어져 빠진다. 木은 대들보에 목을 스스로 매달고, 호교용진(虎咬龍嗔)한다. 火는 밤에 잠들어 압박(壓迫)하고, 불에 타죽거나 뱀에게 물린다. 土는 담장에 밀쳐져 흙에 함몰된다. 五行에서 煞이 重하면 이와 같으니 상세히 살펴야한다. (歲運俱傷,日主遇之,命必虧危.氣運與祖氣傷殘,門戶與父母俱損.運神剋歲,刑訟來臨.歲剋運神,官災競起.金主刀刃刑傷,水主江河覆溺.木則懸樑自縊,虎咬龍嗔.火則夜眠壓倒,焚死蛇傷.土乃牆推土陷.五行煞重,當如此詳.)

巫咸撮要(무함촬요)-7

또 말하길, 化하여도 不化하는 이유와 취(聚)하여도 불취(不聚)하는 조짐이 있다. 合하여도 不合하는 종류와, 秀하여도 不秀하는 결실이 있다. 化가 不化하면 貴를 감소하고, 聚가 不聚하면 財를 감소한다. 合이 不合하면 官을 감소하고, 秀가 不秀하면 福을 감소한다. (又曰,有化而不化之繇,聚而不聚之機.合而不合之類,秀而不秀之實.化而不化損於貴,聚而不聚損於財.合而不合損於官,秀而不秀損於福.)

또 不化하여도 化하는 이유와 不聚하여도 聚하는 조짐이 있다. 不合하여도 合하는 이치와 不秀하여도 秀를 사용함이 있다. 不化가 化하면 권귀(權貴)가 머물고, 不聚하여도 聚하면 결국에는 富가 충분하다. 不合하여도 合하면 반드시 높은 직책으로 옮기고, 不秀하여도 秀하면 반드시 祿位를 누린다. 四時의 有旺과 無旺을 정하고, 五行의 有氣와 無氣를 살핀다. (又有不化而化之因,不聚而聚之機.不合而合之理,不秀而秀之用.不化而化者,定居權貴.不聚而聚者,終於富足.不合而合者,必遷高職.不秀而秀者,須享祿位.定四時有旺無旺,察五行有氣無氣.)

物을 쫓아 物이 변화하고, 類로 인해 類를 求한다. 五行에서는 모두 중화(中和)를 필요로 하는데 한 가지 物로써 편고(偏枯)함은 불가(不可)하다. 水가 火를 이기지 못하면 세찬물결이 방탕하게 흐른다. 火가 金을 이기지 못하면 곤고(困苦)하며 당황스럽다. 세 개의 辛이 丙을 보면 돈과 재물이 파산(破散)한다. 두 개의 壬이 丁을 보면 가도(家道)가 흥륭(興隆)한다. 빼어나도 官이 없으면 다만 교묘한 기예(技藝)를 펼칠 뿐이다. 財가 의지할 데가 없으면 오직 소망이 상인(商人)에 있다. (隨物而變物,因類而求類.五行俱要中和,一物不可偏枯.水不勝火兮,奔波流蕩.火不勝金兮,困苦恓惶.三辛見丙兮,錢財破散.二壬見丁兮,家道興隆.有秀而無官者,但施巧於技藝.見財而無托者,惟遂志於經商.)

甲이 從革의 방향에 머물면 바람의 재해로 고통스럽다. 金이 윤하의 局을 이루면 부평초같이 타향을 떠돈다. 전부 旺하면 從하는 것이고, 전부 衰하면 변화하여 다른 物이 된다. 하나의 鬼가 두 개의 官을 이길 수 없고, 하나의 祿이 두 개의 鬼를 이길 수 없다. 五行이 本鄕에 해당되면 貴하지 않으면 富하다. 四柱에서 破하는 地支에 臨하면 賤하지 않으면 가난하다. 生旺은 上이 되고 德秀는 기묘(奇妙)하다. 身이 學堂에 坐하면 문예(文藝)방면에 청고(淸高)한 사람이다. 命에 鬼의 禍가 臨하면 떠돌아다니는 도적(盜賊)이다. (甲居從革之方,風災困苦.金成潤下之局,萍梗他鄕.俱旺則從之所使,俱衰則變爲他物.一鬼不能勝兩官,一祿不能勝兩鬼.五行落在本鄕,不貴則富.四柱臨於破地,非賤則貧.生旺爲上,德秀爲奇.身坐學堂,文藝淸高之客.命臨鬼禍,徙流盜賊之人.)

祿안에 刑이 숨으면 싸움터에 병졸이 창을 쥐고 있는 것이다. 빼어난 가운데 剋을 보면 반드시 대궐의 공문서와 같다. 鬼는 休하고 母가 旺하면 돈 재물 노비 말을 많이 가진다. 鬼가 旺하고 母가 衰하면 父母와 兄弟가 분산(分散)한다. 관인이 양전하면 정모(旌旄)를 장악한 무직(武職)에 머문다. 숙수전비(淑秀全備)하면 문장으로 선발하는 과거에 급제한다. (祿內隱刑,定操兵戟於戎位.秀中見剋,必主案牘於公門.鬼休母旺,錢財奴馬多招.鬼旺母衰,父母兄弟分散.官印兩全,秉旌旄而居武職.淑秀全備,應科甲而入文銓.)

祿을 암장하면 벼슬이 극품(極品)에 머문다. 참된 官을 만나면, 祿位가 비상(非常)하다. 十干이 死 絶 病 衰에 있으면, 티끌처럼 賤하다. 五行에서 삼기 墓庫가 있으면 영화롭고 지위가 높은 벼슬의 반열이다. 양위(兩位=두 곳)의 鬼가 도식을 만나면 반드시 노비가 된다. (藏暗祿者,官居極品.遇眞官者,祿位非常.十干臨死絶病衰,賤居塵土.五行在三奇庫墓,榮列縉紳.兩位鬼鄕逢倒食,必爲奴婢.)

일기(一氣)가 귀(歸=時)에 있는데 墓월을 만나면 고독하고 가난하다. 구진득위(勾陳得位)하여 辰 巳에 居하면 貴가 삼정승의 반열이다. 현무당권(玄武當權)이 亥 子를 만나면 벼슬이 一品에 봉해진다. 癸가 庚申을 보면 우직(右職;현직(現職)보다 높은 벼슬)에 있고, 辛이 戊子를 만나면 과거에 우등으로 급제한다. 陰水가 빼어나고 失地하면 자신은 승도가 된다. (一氣有歸遇墓月,定主孤貧.勾陳得位居辰巳,貴列三台.玄武當權逢亥子,官封一品.癸見庚申居右職,辛逢戊子中高科.陰水遇秀,失地者身爲僧道.)

陽火가 歸(歸宿지 또는 돌아갈 곳)가 없고 水를 만나면 凶한 무리가 된다. 金이 火鄕에 이르면 財가 모였다가 흩어짐이 많다. 旺한 水가 南方에 들면 집안 형편이 흥하여 번성한다. 庚이 三冬절에 머물면 금한수냉(金寒水冷)하여 火가 돕는다면 평범하게 되지 않는다. 祿을 破하면 죽고, 氣가 絶하면 病든다. 時가 鬼位에 臨하고 거듭 衝을 만나면 위태로워 손상함이 과장되지 않다. 官이 臨한 곳에 衰 敗地를 더하면 死絶은 의심할 필요가 없다. (陽火無歸,遇水兮定作凶徒.金到火鄕,財多聚散.旺水入南,家道盈昌.庚居三冬,水冷金寒,得火相扶,莫作等閒.破祿則亡,氣絶則病.時臨鬼

位更逢衝,傷危不誣.臨官復加衰敗地,死絶無疑.)

가장 貴한 것이 관성의 命인데, 편재 정재를 얻으면 福이 된다. 가장 凶한 것은 칠살이 身에 臨한 것인데, 천사(天赦)성 [天月]二德은 상서롭게 된다. 관성이 만일 비겁을 만나면 비록 官일지라도 貴하지 않다. 칠살을 만약 재성이 도우면 그 煞은 더욱 凶해진다. 三合이나 六合이 歲와 運이 合하면 반드시 영화롭다. 七官 八官이라도 월건이 官이라야 좋게 된다. 四合 四刑이라도 刑合은 항상 사정(邪正)을 밝혀야한다. 칠충팔격(七衝八擊)이라도 충격(衝擊)은 會合으로 감추면 좋다. (最貴者,官星爲命,財得偏正爲福.最凶者,七煞臨身,天赦二德爲祥.官星如遇比劫,雖官無貴.七煞若逢資助,其煞愈凶.三合六合,歲運合而必榮.七官八官,月建官而爲喜.四合四刑,刑合常明邪正.七衝八擊,衝擊喜得會藏.)

협귀(夾貴) 협구(夾丘)는 암회(暗會)해야 하고 財庫 官庫는 明衝을 필요하다. 관성이 生旺한 방향에 있는데 만나면 무엇을 찾아야하는가? 印綬가 孟 仲의 아래에 암장하면 보여도 노출한 形을 사용하지 않는다. 印綬가 劫財를 얻으면 貴하고, 財元은 상관을 좋아하니 뛰어나게 된다. 상관이 만약 印綬를 만나면 貴는 말이 필요 없다. (夾貴夾丘爲暗會,財庫官庫要明衝.官星在生旺之方,逢則何須發見.印綬藏孟仲之下,見而不用露形.印綬得劫財爲貴,財元喜傷官爲奇.傷官若見印綬,貴不可言.)

歸祿에 만약 식상을 만나면 福이 한없이 기묘(奇妙)하다. 年과 日에 陰陽의 二刃이 서로 있으면 형법으로 중한 범죄자다. 관살혼잡한데 천월이덕을 만나면 벼슬자리가 높은 곳으로 옮긴다. 飛刃 伏刃(양인의 복음)은 刃이 모이면 凶이 많다. 상관이 官을 傷하니 官을 보면 禍가 된다. 양인이 만약 印綬를 만나면 비록 貴하더라도 自身에게 殘疾이 있다. 칠살은 制가 없는데 官을 만나면 禍가 되며 수명이 길지 않다. (歸祿若遇食傷,福無限妙.年日互有陰陽二刃,刑法重犯.官煞混逢天月二德,祿位高遷.飛刃伏刃,會刃多凶.傷官剝官,見官爲禍.羊刃若逢印綬,雖貴而殘疾在身.七煞無制,逢官爲禍,而壽元不久.)

삼편(편재 편인 편관)이나 삼정(정재 정인 정관)이 삼기가 되면 一品의 貴한 命이 된다. 사왕[地]이나 사생[地] 四柱에 전부 있으면 중인(衆人)의 으뜸인 福이 있다. 煞이 化하여 印이 되면 일찍 발탁되어 장원으로 급제한다. 財가 旺하여 官을 生하면 소년시절에 은택을 받는다. 官煞이 함께 있으면 官을 돕는지 煞을 돕는가를 알아야한다. 偏 正이 모여 있으면 반드시 편[財]를 합하는지 정[財]를 합하는가를 알아야한다. (三偏三正遇三奇,貴居一品之尊.四旺四生全四柱,福在衆人之上.煞化爲印,早擢巍科.財旺生官,少受貽澤.官煞同來,要知扶官扶煞.偏正相會,須知合正合偏.)

귀록이 月에서 양인을 만나면 처세(處世)가 분명하지 않다. 금신은 運이 水鄕에 이르면 자신의 사체(死體)가 갈라지고 터진다. 암장된 煞은 월支에 용신이 분명하다. 보이는 곳에 財가 없으면 반드시 공중에서 재난을 받는다. 양인이 다시 겸하여(양인이 두 개가) 會合하면 천리(千里)길에 유배된다. 財를 용신하는데 겁탈(劫奪)을 당하면 일생토록 빈곤(貧困)하다. (歸祿月逢羊刃,世事不

明.金神運到水鄕,身屍分拆.暗中藏煞,須明月下用神.見處無財,必受空中禍害.羊刃更兼會合,千里徙流.用財若遇劫奪,一生貧窘.)

巫咸撮要(무함촬요)-8

사람의 생전(生前)은 정해지는데, 빈궁과 영달은 이미 나누어진 것이다. 그 흥망성쇠를 알려면 마땅히 그 시종(始終)을 연구해야한다. 혹 먼저는 가난하지만 나중에는 부유하고, 혹 잘 나가다가 가난해지고, 혹 가난한 집에서 재상이 나오고, 혹 훌륭한 가문에서 굶주리기도 한다. 혹 일생토록 행복하고, 혹 일생을 의지할 곳 없이 살아가기도 한다. 마땅히 흐르는 [大]運의 근원을 자세히 알고 행년(行年=流年)을 살펴야한다. 身弱할 때 만일 칠살을 만날 경우에는 運에서 제복하면 반드시 기울어진다. 신왕할 때 만약 福[官]이 輕한데 運이 衰 敗에 이르면 반드시 죽는다. (人生前定,窮達已分.須要識其消長,亦當究其始終.或有先貧後富,或有驟發而貧.或是白屋之公卿,或是朱門之餓餒.或一生長樂,或一世失所.當詳流運之源,要察行年之位.身弱如逢七煞,運到制伏必傾.身旺若逢福輕,運到衰敗必死.)

태세와 命이 불화(不和)하면 재앙과 질병이 있다. 四柱와 歲가 相生하면 근심과 재앙이 없다. 身弱한 무리가 格에 들면 비록 발달할지라도 일찍 죽는다. 福[官]이 輕한데 만약 休 囚를 만나면 반드시 기울거나 요절한다. 그래서 용신을 잘못 찾으면 안 되는데 자연히 그[잘못된] 흔적이 발견된다. 福이 있으면 마땅히 타인을 부리는 것이고, 때를 얻지 못하면 반드시 나를 부리는 것이다. 재앙은 五行에 있으며 福과 영화는 運氣에 있는 것이다. 福이 두터운 사람은 다 갖추고 있지만, 만일 原[局]을 손상하면 결국 곤란해진다. 이 중에 처음 묘(妙)함을 소상(消詳)히 하는 것은 나에게 있으니 이치를 밝게 통하여 추리해야한다. (太歲與命不和,有災有病.四柱與歲相生,無禍無殃.身弱徒然入格,雖發早亡.福輕若遇休囚,必然傾夭.是以用神不可妄求,形跡自然發見.有福則當用彼,無時必是用身.禍害在於五門,福榮存於運氣.福厚人所共同,如或傷原終困.此中消詳元妙,在我明通理推.)

또 이르길, 絶하면 生하는 地支의 財를 취할 수 없고, 衰하면 旺한 鬼를 대적할 수 없다. 거역하고 制하면 情이 없고, 順하고 生하면 救할 수 있다. 主(일간)는 없으며 本(年간)에 있으면 절반은 구원되고, 日時에 모두 [천월]二德이 있으면 만사에 凶이 없고, 다시 財官이 있으면 호부(豪富)가 된다. 主와 本이 힘이 있으면 鬼가 官이 된다. 主와 本이 무기(無氣)하면 官이 와도 鬼가 된다. (又曰,絕不能取生下之財.衰不能敵旺中之鬼.逆制無情,順生可救.主無而本有,可救一半,日時俱逢二德.百事無凶,更値財官,定主豪富.主本有力,鬼可爲官.主本無氣,官來作鬼.)

刑衝의 法을 자세히 알고 추리해야한다. 刑이 물러나고 刑이 들어오는 것과, 刑하여 吉하고 刑하여 凶한 것이 있다. 衝하여 動하고 衝하여 動하지 않는 것이 있고, 衝이 合하는 것과 衝이 合하지 않는 것을 분별해야한다. 천간이 衰하면 반드시 동요(動搖)하는데, 合을 하여 유정(有情)하면 富貴하게 된다. 雜氣가 암장하면 선후(先後)가 무엇인가를 정해야한다. 제강을 오로지 쓰고, 반드시 氣의 심천(深淺)을 구분해야한다. 一陽이 다시오면 木 火를 쓰며 水는 감추어진다. 一陰이 生하면 火土가 왕성하여 金은 굴복(屈伏)한다. (刑衝之法,仔細推詳.有刑出刑入,刑吉刑凶.有衝動,衝不動,衝合衝不合之辨.干衰必定動搖,來合有情,方爲富貴.雜氣藏蓄,要定誰先誰後.提綱專用,須分氣淺氣深.一陽來復,木火用而水藏.一陰如生,火土盛而金伏.)

장차 올 것은 나아가니 만나면 功이 있고, 功을 이룬 것은 물러나는데, 얻는다고 어찌 이익이 되겠는가! 월건은 財 官 印綬이고 時는 歸元의 분야(分野)가 된다. 혹 부족(不足)하면 보충하고, 혹 그 태과(太過)하면 억눌러서, 조화(造化)가 중화(中和)하여야 吉하게 된다. (將來者進,遇之有功.成功者退,得之何益.月建財官印綬,時作分野歸元.或補其不足,或抑其太過,要造化中和爲吉.)

또 말하길, 三元으로 命을 정하는데, 먼저 四柱에서 五行 成格의 유무(有無)를 자세히 알아야 하고, 다음에 命과 運의 强弱을 論한다. 만일 身弱한데 財旺하면 신왕한 곳으로 가야한다. 만약 신왕한데 祿[官]이 衰하면 절대 祿이 生하는 地支를 기뻐한다. 印이 生하여 福이 되면 財를 만나는 것이 두렵다. 煞이 四柱중에 있으면 煞이 旺한 것은 마땅하지 않다. 命에 財祿이 없는데 運에서 祿馬를 만나면 재앙이 된다. 원국에 상관이 있는데 다시 官을 만나면 재앙이 된다. (又曰,三元定命,先詳四柱有無,五行成格,次論命運強弱.如身弱財旺,須假身旺之鄉.若身旺祿衰,切喜祿生之地.印生爲福,畏見財鄉.煞在柱中,煞不宜旺.命無財祿,運逢祿馬則災.原有傷官,再遇官鄉則禍.)

가장 꺼리는 것은 일간을 衝하는 運이고, 좋아하는 것은 運의 천간이 일간을 生하는 것이다. 단지 有情 無情, 合과 不合, 凶 이 모이는지 吉이 모이는지를 소상(消詳)하게 살펴봐야 하는 것이다. 또 원국에 해로운 刃이 있으면 골육(骨肉)이 상잔(相殘)한다. 원국에 상관이나 煞이 있고, 地支가 死絶하고, 運중에 祿馬가 모두 弱함을 더한다면 재앙이 떠나지 않는다. 다시 흐르는 歲의 억양(抑揚)으로 화복(禍福)의 유무(有無)를 정하지는 않는다. 만약 건록의 地支를 만나면 이름하여 록마구절(祿馬俱絕)하니 한정된 壽命을 벗어나기 어렵다. 안으로 祿이 絶하였는데도 발달하는 것은 比肩이 소모(消耗)된 것이다. 氣에는 심천(深淺)이 있고, 格도 성패(成敗)가 있으니 하나에 집착하여 추론(推論)하면 안 된다. (最忌者,日干衝運.所喜者,運干生於日干也.但看有情無情,合與不合,凶會吉會消詳.且如原有害刃,則骨肉殘傷.原有傷煞,地支死絕.加以運中祿馬俱弱,禍不旋踵.更以流歲抑揚,禍福無有不准.若逢建祿之地,名爲祿馬俱絕,壽限難逃.內有祿絕而發,比肩而耗.氣有淺深,格有成壞,不可執一推之.)

3. 玉井奧訣(安東杜謙著안동두겸저)-1

무릇 造化의 이치로써 추리하고, 그 法은 日을 위주로 한다. (凡推就造化之理,其法以日爲主.)

해석, 단지 體를 만들어 제시하고, 主의 단서(端緖)를 알아야한다. 化氣가 되고 本體가 되니, 입문(入門)하면 편하게 통변(通變)해야 한다. 主干에서 本象인지 化象인지를 소상(消詳)하게 알아야한다. 가령 甲은 本象이 木이지만 化象은 土이다. (解..單提作體,要認爲主者之端.爲化氣,爲本體,入門便要通變.識得主干,有本象,有化象,方可消詳.如甲即本象是木,化像是土.)

좌하 地支의 그 뜻을 먼저 求한다. (坐下支神,先求其意.)

해석, 일간의 아래에 坐한 地支를 가장먼저 살펴본다. 더불어 月지의 일위, 時지의 일위, 年지의 일위. 刑 衝 破 害와 生 剋 比 和가 어떠한가를 살펴본다. 主干의 喜忌로 어떤 物을 얻었는가를 살펴본다. 평범하게 보아서는 안 되고, 돌아보아서도 안 된다. (解..乃日干坐下,首先看此地支.與月支一位,時支一位,年支一位.刑衝破害,生剋比和何如.主干喜忌何物得來.不可視爲泛常,不可顧盼.)

월기의 심천(深淺)은 어느 것이 주권(主權)을 잡는가? (月氣淺深.何者主權.)

해석..월건의 地支는 기후(氣候)의 심천(深淺)이다. 五行의 氣로 어떤 天干(神)인지, 이 日에 天時의 令이 정당한지, 5日이 一候의 氣인가를 한마디로 말하면 德秀의 유무(有無)이다. (解..月建之下,氣候淺深.五行之氣,是何干神.正當此日天時之令.五日一候之氣.一云德秀有無.)

地支에 필요한 것은 盛하고 强해야한다. (地支至切.黨盛爲強.)

해석..地支에는 4位의 支神이 필요한 것이고, 천간에 보이는 것이 더욱 중요하다. 어떤 것이 主干의 택사(宅舍)인지, 무엇이 용신의 기업(基業)이 되는지, 어느 것의 힘이 輕한지, 어느 것의 힘이 重한지를 살펴 보아야한다. 택사(宅舍)는 곧 得地하는 방향이고, 支神은 貴를 타는 곳이다. (解..地支乃四位支神,至切者,視天干爲尤切也.要看何者爲主干之宅舍,何者爲用神之基業.何者力輕,何者力重.宅舍即得地之方,支神即乘貴之所.)

첫 번째는 衝을 일으키는 勢力이 어떤 地支인지 살펴봐야한다. 두 번째는 공(拱)을 일으키는 세력이 어떤 地支인지 살펴봐야한다. 세 번째는 刑을 일으키는 세력이 어떤 地支인지 살펴봐야한다. 네 번째는 合을 일으키는 세력이 어떤 地支인지 살펴봐야한다. 다섯 번째 地支를 통솔하는 것을 살펴봐야한다. 이 法을 공중(空中)에 세울 수 있는 것이다. (一看其力勢衝起,是何支神.二看其力勢拱起,是何支神.三看其力勢刑起,是何支神.四看其力勢合起,是何支神.五看地支統攝.此法是空中立有者也.)

地支를 論할 경우에는 衝 拱 刑 合의 4件이 문정(門庭=家門)에서 지극히 필요하다. 一法은 단지 일간을 主로써 取用하여 잡는다. 중간(中間)에 혹 吉神의 刑衝이 있거나 凶煞의 拱合이 있다.

그 生 旺 休 廢가 교차(交差)하여 일치하지 않으니 하(下;地支)의 토대가 되기 어렵다. 그러나 4個의 地支를 토대로 하여 자세히 살핀 것만 못하니 五氣중에 어느 物이 가장 重한지 장래(將來)에 등급을 헤아린다. 그런데 어느 신(神)이 소모하는지, 어느 신(神)이 生扶하는지, 어느 신(神)이 衝合하는지, 어느 신(神)이 변화(變化)하는가를 살핀다. 그런 후에 일간이 어떤 五氣에 속하는지와 가장 重한 氣를 통솔하는 것이 어떠한가를 살펴봐야한다. (論地支衝拱刑合四件,極切門庭.一法只拿日干作主取用.中間或吉神有刑衝,凶煞有拱合.其生旺休廢,交差不一,難下手腳.不如只詳四個地支基址,五氣中何物最重,將來品量.卻能耗散何神,能生扶何神,能衝合何神,能變化何神.然後卻看日干屬何五氣,與其最重之氣統攝何如.)

財官등의 物을 잡아 용신의 氣가 앞의 五氣와 함께 時의 자리에 끌어와 그 物이 어느 것이 輕한지, 어느 것이 重한지를 비교하여, 의리(義理)가 고르고 순(順)하면 吉한 것을 자세히 알게 되고, 반대면 곧 사리(事理)에 어그러지게 되는 것이다. 이미 정립(定立)한 연후에 그 支氣를 살펴본다. 각기 喜忌의 단서(端緖)가 있으니 자세히 알지 않으면 안 된다. 五氣는 木 火 土 金 水인데, 다섯 개는 반드시 각각의 제목(題目)을 기억해야한다. 만약 오기(五氣)중에 어떤 무리가 많으면 重한 것이다. 만일 干支의 內外에 明暗으로 木이 많으면 木氣의 무리가 盛한 것이다. 喜忌는 앞의 五行중에서 이미 論하였다. (便拿財官等物,用神之氣,共前五氣,引於時座,參較其物何者輕,何者重,義理調順爲詳瑞,反則即爲乖戾矣.如此已立定,然後看其支氣.各有所喜所忌之端,不可不詳.五氣謂如木火土金水,五者須要各各記住題目.若五氣中何者黨多爲重.如支干內外,明暗木多,則木氣黨盛矣.其喜忌已論於前五行中.)

玉井奧訣(옥정오결)-2

오로지 用神에 매달려서, 그 喜忌를 잘 살펴야 한다. (專執用神.切詳喜忌.)

해석. 오로지 一位의 용신을 잡으면, 존장(尊長)이 되고, 권신(權神)이 되며, 호령(號令)하게 되고, 본령(本領)이 되며, 의탁(依托)하게 된다. 이는 사소하지 않으니 집착(執着)하여 추리하고, 설령 그 뜻을 구하지 못하더라도 外에서 용신을 取하고, 혹 財 官 刃 煞 食 貴 印 祿馬등으로 각각의 종류를 例로써 取하는데 원래 정해진 法이 없다. 용신은 犯하여 손상하는 것을 가장 꺼리고, 겸하여 나누어 훔쳐가는 것을 두려워하며 太過와 不及은 좋지 않다. 가령 태과(太過)한 物은 本이 좋아하지 않는다. 혹 歲 運에서 또 生扶하면 기울고 엎어져 파괴된다. 만일 木이라면 꺾이고, 水면 기울며, 土는 무너지고, 金은 부러져 손상된다. 가령 不及한 物도 本이 좋아하지 않는다. 혹 歲 運에서 剋이나 절(竊)하면 파괴되어 物을 다하니 어찌 禍만 있겠는가! 용신의 喜忌는 현묘(玄妙)하니 후편(後篇)에서 자세하게 나누고, 반드시 중화(中和)를 얻어야 貴하게 된다. (解.. 專執一位用神爲尊長,爲權神,爲號令,爲本領,爲倚托.此非小可,執而推之,未敢縱求其意.外取用神,或財,或官,或刃,或終[煞],或食,或貴,或印,或祿馬等件.各類例取,原無定法.其用神最忌損犯,兼怕分竊,不

宜太過與不及.如太過之物,本不好了.或歲運又來生扶,即是傾覆壞了.如木則折,水則傾,土則崩,火則一發而滅,金則折損.如不及之物,本不好了.或歲運又來剋竊,壞盡此物,豈獨有禍.用神喜忌,至玄至妙,後篇別詳,務要得中和爲貴.)

각각의 氣는 절대 窮하면 도리를 다하고, 각각의 物은 지극(至極)히 선회한다. (氣氣切窮盡理, 物物至極轉關.)

해석. 金 木 水 火 土의 五氣와 一陰 一陽은 열 가지 소식(消息)을 공유(共有)한다. 하나하나씩 衰旺과 輕重, 명암(明暗)과 광협(廣狹)을 살펴봐야하고, 궁(窮)하면 진력으로 사물의 이치를 연구해야한다. 어느 神이 生하고, 어느 神이 剋하며, 어느 神이 刑하고, 어느 神이 合하는 종류인가? 파괴된 物이나 生을 얻은 物이 主와 무슨 관계인가? 각각의 物을 헤아려서 장차 제거(除去)하면, 의지할 것이 있어도 하락(下落)하게 된다. 어찌할 수가 없는 곳에 이르면 곧 선회한다. 어떤 格은 고르게 들어와서 극(極)한 곳에서 일전(一轉)하면 功을 세워서 투명하게 참여하고 원만하게 살아간다. 그런데 하락(下落)하게 되면, 기물(器物)을 이루었는지 기물(器物)을 이루지 못했는지의 여하(如何)를 단정(斷定)해야 한다. (解..金木水火土五氣,一陰一陽,共有十般消息.一件件要看衰旺輕重,明晦廣狹,窮則究理盡處.生何神,剋何神,刑何神,合何神之類.被壞之物,得生之物,主系何事.物物推將去,須要有依倚下落.至無可奈何處,便是轉關.入何格調,極處一轉,即是建功,圓活參透.卻要定見下落,斷成器不成器何如.)

有氣한 것이 시급(時急)하고, 유정(有情)한 것이 적절하다. (有氣者急,有情者切.)

해석. 유기(有氣)는 당시(當時)에 팔자의 내외(內外)에서 干支를 明暗으로 살핀다. 가령 6월의 中氣이면 대서節인데 土金이 旺相하여 有氣한 종류이다. 이것은 시급(時急)한 것이 되고, 나머지는 그렇지 않다. 유정(有情)은 氣가 合하는 것인데, 가령 甲見己, 丙見辛, 丁見壬의 종류이다. 중간에 干支가 明暗으로 合하면 모두 取하는데, 이것이 가장 적절한 것이다. 일설(一說)에는 특별히 合하는 氣가 有情하지 않아도, 吉神이 나를 生하거나 나를 剋하면 역시 有情하게 된다. 공협한 貴氣가 나를 生하거나 나를 剋하고, 나를 刑하거나 나를 合하면 역시 다르지 않는 것이다.[有情한 것이다.] (解..有氣乃當時也,看八字內外明暗干支.如六月中氣,大暑節,土金旺相,有氣之類.此爲至急,餘則否.有情乃合氣也,如甲見己,丙見辛,丁見壬之類.中間干支明暗有合皆取,此爲最切也.一說非特合氣有情,吉神生我剋我,亦爲有情.虛拱貴氣,生我剋我,刑我合我.亦無異也.)

玉井奧訣(옥정오결)-3

年간은 전체를 도맡아 다스리고, 다음에 月 時를 살펴보고, 時는 권형(權衡=저울)과 같으니 가감(加減)을 세밀히 나눈다. (年干統攝,次看月時,時如權衡,分毫加減.)

해석. 年간이 어떤 地支를 탄 것이며 나를 어떻게 적절히 거느리는가를 살펴본다. 또한 有氣한 貴地에 있는 것을 끌어와야 體와 局이 크다. 그리고 용신이 오히려 歲君에서 무슨 吉凶의 神煞인지를 살핀다. 만약 용신과 세군이 화목하면 온전한 貴를 의심할 것이 없다. 다음에 月, 時 두 干의 관계(關係)를 살필 경우에 업신여기거나 어긋나서는 안 되며 어지럽혀서도 안 된다. 柱중에 象數의 變化, 五氣의 眞假, 吉凶의 神煞을 모두 時의 자리로 끌어와서 輕重을 세밀하게 나누고, 아주 작은 것까지 반드시 비교해야한다. (解..看年干所乘何支,與我如何相攝爲切.亦要引在有氣貴地,體局方大.又看用神,卻係歲君,是何吉凶神煞.若更用神與歲君和,全貴無疑.次看月時二干之關係,不可竟作差慢,不來扳攬.柱中象數變化,五氣眞假,吉凶神煞,俱當引歸時座.細分輕重,分毫必須比較.)

또 이르길, 태세는 一年의 영수(領袖)로써 모든 神을 주재(主宰)하여 중요하게 쓰이고 있다. 단지 서 자평이 日을 主로 하여 오로지 財 官을 取하였는데, 後人들이 다소(多少) 오해하여 잘못 이해하였다. 따라서 말하길, 年은 저울의 갈고리와 같아 物을 얽어 일으키고, 月은 저울의 매는 것과 같아 매인 것을 들어올리고, 日은 저울의 몸체와 같아 두 星을 차이나지 않게 하고, 時는 저울의 추와 같아 輕重을 加減하니 그 비유가 적절하다고할 수 있는 것이다. (又云,太歲,一年之領袖,諸神之主宰,極有用處.只因徐子平以日爲主,專取財官.誤了後人多少,錯會了義.故曰年如稱鈎,絽起其物.月如稱繫,提起綱紐.日如衡身,星兩不差.時如稱錘,輕重加減.其譬可謂切矣.)

合은 긴밀하게 따라야 하고, 요합(遙合)도 소홀해서는 안 된다. (隨合仍緊,遙合不閉.)

해석. 合을 쫓는 것은, 丙午의 氣가 건장할 것 같으면 辛未의 두 글자를 알게 된다. 그림자가 形을 따르는 것과 같고, 또한 辛未를 보면 다시 내 집의 은인(恩人)이 도리어 원수인 것이다. 요합(遙合)은 地支중에 소장(所藏)하는 神과 저쪽에 소장(所藏)한 氣가 合하는 것인데, 申 卯, 子 巳, 亥 午의 종류와 같다. 대개 그 氣와 같은 類가 요합(遙合)하면 일의 내용이 저절로 방치되어 버려지지는 않는다. (解..隨合如丙午氣壯,便知有辛未二字.如影隨形,亦看辛未,還是我家恩人,卻是仇人.遙合即是支中所藏之神,與彼所藏之氣合也.如申卯子巳亥午類.蓋有其氣類遙合,事意自不放閑矣.)

體가 만들어지면 반드시 광대(廣大)해진다. (體製須廣大.)

해석. 무릇 八字에서는 기상(氣象)의 규모(規模)를 살펴봐야하는데, 형세의 상황이 활달(豁達)하고, 天地가 상정(相停)하며, 웅장하며 건장(健壯)하여 견실하고, 五氣의 順과 剋이 有力하며, 도생(倒生)과 역화(逆化)가 功이 있고, 貴氣가 왕래(往來)하여 잡(雜)하지 않으면, 반드시 예사롭지 않는 격조(格調)이다. 또 八字에서 體를 구분하는 대의(大意)를 살펴보면, 淸이 지나치면 혹 한(寒)하거나 박(薄)하고, 후(厚)함이 지나치면 혹 탁(濁)하거나 체(滯)하고, 화려(華麗)함이 지나치면 혹 경(輕)하거나 부(浮)하고, 안일함이 지나치면 혹 류(流)하거나 탕(蕩)하고, 유정(有情)함이 지나치면 혹 람(濫)하거나 음란(淫亂)하고, 절개(節概)가 지나치면 독립(獨立)적인 물건(物件)일 수 없고,

굳세고 용감함이 지나치면 혹 사납거나 조(燥)하여 함양(涵養)함이 없고, 부드러워 나약함이 지나치면 혹 어리석거나 둔(鈍)하여 일부러 꾸미거나 뜻을 더하지 않고, 결과에 집착이 지나치면 국(局)을 취(取)하여 단지 자신만 알고, 헌활(軒豁)함이 지나치면 도모(圖謀)함이 넓으나 뛰어난 결과가 없다. (解..凡八字要看氣象規模,勢況豁達,天地相停,雄健壯實.五氣順剋而有力,倒生逆化而有功,貴氣往來不雜,必非尋常格調.又看八字大意體段,過於清,則或寒或薄.過於厚,則或濁或滯.過於華麗,則或輕或浮.過於肆逸,則或流或蕩.過於有情,則或濫或淫.過於孤介,則獨立不能容物.過於剛勇,則或暴或燥而無涵養.過於柔懦,則或愚或鈍而無作爲.過於執實,則拘局而只知有己.過於軒豁,則圖謀廣而秀不能實.)

자면(字面)의 선후(先後)를 구분한다. (字面分先後.)

해석. 글자의 모양을 긴요하게 사용하니 오히려 원(遠)이 후(後)에 있어 혹 다른 글자인 한신(閑神)이 먼저 차지하여 떨어진다. 만약 손상함이 없으면 歲 運에서 生扶하여야 비로소 전부 아름답게 된다. 글자의 모양을 긴요하게 사용하면 비록 가까운 것이 또 먼저일지라도 오히려 한신인 글자모양이 있고, 먼 곳이 後에 있다. 동요(動搖)가 적절하면 용신인 글자모양을 방해하지만 오히려 四柱내에서 어느 것이 제거되는지를 살펴본다. (解..緊用字樣,卻遠在後,或被別字閑神,占先隔了.若無傷犯,須得歲運生扶,方爲全美.緊用字樣,雖近且先,卻有閑神字樣,遠處在後.動搖得切,妨礙用神字樣.卻看柱內何者可以剷除得去.)

玉井奧訣(옥정오결)-4

天干은 오직 生 剋 制 化만 論한다. (天干專論生剋制化.)

해석. 生은 相生인데, 生은 生하지 않으려는 이치가 있다. 剋은 相剋인데, 剋은 剋하지 않으려는 뜻이 있다. 制는 水가 火를 剋하는데, 土가 있으면 그[水] 煞을 制하여 火가 다시 生하는 뜻이다. 化는 水가 본래 火를 剋하지만, 木을 보면 그[水의] 氣를 훔치니 火가 오히려 生을 얻는 이치이다. 나머지는 모두 이것을 모방하라. (解..生則相生,有生不欲生之理.剋則相剋,有剋不欲剋之情.制則如水剋火,而有土制其煞.火能複生之情.化則水本剋火,見木能竊其氣,火轉得生之理.餘皆倣此.)

地支는 오직 刑 衝 破 害만을 취한다. (地支專取刑衝破害.)

해석. 刑은, 가령 丑일 戌시의 종류는 刑하면 나타난다. 가령 巳일 寅시의 종류는 刑하면 돌아온다. 악물(惡物)은 刑으로 제거함이 마땅하고, 호물(好物)은 刑하여 돌아오는 것을 좋아한다. 衝은, 吉象이 凶象을 衝하는 것이 마땅하고, 貴氣가 나를 衝하는 것이 좋다. 破는, 대개 物을 파괴(破壞)하는데, 중간에 吉도 있고 凶도 있다. 가령 卯가 午를 破하면, 乙이 午중의 己土를 剋하니

破를 당한다. 만약 己土가 煞이면 地支가 힘이 있는데, 歲 運에서 하나가 투출하면 그 害는 의심할 것이 없고, 혹 투출하지 않으면 마치 범을 안고 잠자는 것과 같다. 그리고 酉(字)를 살펴보면 有氣나 無氣는, 마부가 아니라도 말을 부릴 수 있다. 또 己는 貴氣인데 투출하여 세력(勢力)이 있으면 破로 인해 福이 온다. 害는, 六害하는 곳인데, 만약 忌神 凶煞이 있으면 剋하거나 절(竊=洩)하여 참으로 害로운 원수가 된다. (解..刑者,如丑日戌時之類,則刑其出.如巳日寅時之類,則刑其歸.惡物宜刑去,好物喜刑歸.衝者,吉象宜衝凶象,貴氣宜衝我家.破者,大概破壞其物,中間有吉有凶.如卯破午,乃乙剋午家己土受破.若己土爲煞,地面有力,歲運一露,其害無疑.若或不露,亦猶抱虎而眠.又看酉字,有氣無氣,可能馭服否.又如己爲貴氣,露而有力有勢,則亦因破而來爲福.害者,六害之處,若帶忌神凶煞.來剋來竊,眞爲仇害.)

象은 일가(一家)를 이루고, 貴氣에 집착하지 않는다. (象成一家,不執貴氣.)

해석. 사람의 八字중에, 財 官등의 貴氣가 전혀 없는데도 갑자기 분발(奮發)하여 富貴하는 것은 무엇 때문인가? 대개 相生하는 氣가 자립(自立)으로 象을 이룬 것이다. 생의(生意)가 도도(滔滔)하여 다하지 않는 情이 있어 원대(遠大)하고 견실(堅實)하니 이러하다. 本象은 본래 짝을 하는데, 가령 甲 乙 丙 丁의 類이다. 化象은 化하는 짝인데, 가령 戊 癸, 丁 壬의 종류이다. 木火가 象을 이루고, 火土가 象을 이루며, 土金이 象을 이루고, 金水가 象을 이루며, 水木이 象을 이룬다. 三象의 순서(順序)도 이 法과 같은데, 가령 火土金인 象의 종류이다. 또, 四象은 화협(和協)하여 생육(生育)하는 것으로 역시 그러한데, 가령 水木火土의 종류이다. (解..人八字中,全無財官等件貴氣,有突然奮發富貴者何?蓋以相生之氣,自立成象也.生意滔滔有不盡之情,高遠堅實如此.本象配本,如甲乙丙丁之類.化象配化,如戊癸丁壬之類.木火成象,火土成象,土金成象,金水成象,水木成象.及有三象順序者,同此法.如火土金象之類.又有四象和協生育者亦然.如水木火土之類.)

근원(根源)의 일기(一氣)가 物을 生하여 가득 찬다. (根源一氣,生物滿盈.)

해석. 가령 金氣가 천시(天時)로 建[祿], [帝]旺의 차례에 臨하면 이미 그 氣를 剋 竊(洩)함이 없다. 지나가면 그 자식의 生을 의지하는 것이 水[神]이다. 水[神]이 이미 天干에 투출하고, 혹 地支에서 범람(氾濫)하면 物이 盛하여 좋지 않다. 다시 어느 정도의 火 土를 얻으면 제방(堤防)을 의지한다. 나머지는 이것을 모방하여 추리하면, 造化가 영휴(盈虧)하는 道로써, 명백한 근거가 있으니 萬에 하나라도 실수가 없는 것이다. (解..如金氣正臨天時建旺之序,既無剋竊其氣.一往擄生其子者,水神也.水神既顯露於干,或泛濫於支,物盛不祥.還得幾多火土能堤防倚賴哉.餘倣此推.則造化盈虧之道,灼然有憑,萬無一失也.)

玉井奧訣(옥정오결)-5

팔법(八法)이 관건(關鍵=핵심)이고, 오기(五氣)가 열리는 단서이다. (八法關鍵,五氣開端.)

해석. 팔법은 앞에서 이미 論하였고, 五氣는 취산(聚散)과 완결(完缺), 허실(虛實)과 심천(深淺), 적교(敵交)와 협광(狹廣), 경중(輕重)과 후박(厚薄), 한화(寒和)로서 같지 않다. 干支가 함께 힘이 있으면 剋하는 物이 보금자리로 돌아가고, 정신(精과 神)이 강건하면 모이게 된다. 吉神은 좋고, 凶煞은 싫어한다. 또한 吉神의 보좌(輔佐)가 필요하고, 衝은 의리가 없다. 刑은 돌아가지 않고 흩어지니 凶煞이 마땅하고 吉神을 꺼린다. 金 木 水 火 土가 구전(俱全)하면 순서(順序)대로 氣가 완전하게 된다. 五行의 흠(欠)이 하나면 歲 運에서 보충하기를 기다려야하니 氣가 결(缺)하게 된다. 實은 甲戌이 丙寅을 보는 종류이고, 合이 있으며 生도 있어 하나의 一象에서 局이고, 一方에서 滯한다. (解..八法已論於前,五氣有聚散完缺,實虛深淺,敵交狹廣,輕重厚薄,寒和之不同.干支俱有力,剋物歸窠,精神強健爲聚.喜吉神,忌凶煞.亦要輔佐吉神,衝而無義.刑而不歸爲散,宜凶煞,忌吉神.金木水火土俱全,順序爲氣完.五行欠一,以待歲運補足,爲氣缺.實則如甲戌見丙寅之類,有合有生,局於一象,滯於一方.)

四柱중에 만약 격양(激揚)하여 당당하지 못하는 종류라면 하나의 부옹(富翁)에 불과(不過)할 뿐이다. 體는 있고 用이 없으면 설령 貴할지라도 일은 하지 않고 자리만 차지하고 봉록을 축낸다. 가령 柱중에 土氣가 太重하면 官이 와야 貴하다. 나머지는 이것을 모방하라. 虛는 土가 酉 寅에 들고, 木이 乙巳에 임하며, 金이 辰 亥에 이르고, 水가 卯 戌을 向하며, 火가 丑 申에 머물면 氣가 虛하여 확고(確固)할 수 없는 것이다. 나머지는 이것을 모방하다. 氣深은 木의 본상과 화상이 청명節에 가깝다. 氣淺은 木의 본상과 화상이 우수節을 얻은 例이다. (柱中若無激揚昂藏之類,如此則不過一富翁而已.即有體無用,縱貴亦尸位素餐.如柱中土氣太重,略見官來即貴.餘倣此.虛則如土入酉寅,木臨乙巳,金到辰亥,水向卯戌,火居丑申.氣虛而不能確固.餘仿此.氣深如木之本象化象近清明節.氣淺如木之本象化象,方得雨水節之例.)

기적(氣敵)은 가령, 辛酉가 乙卯를 보면 대개 凶이 심하고, 만약 己未 己丑을 보면 다시 남의 힘을 빌려 의지하니 오히려 吉하다. 만일 의지할 데가 없고 또 빈주(賓主)의 强弱을 살펴보면, 主가 弱하면 鬼象이 되고, 賓이 약하면 財象이 된다. 友는, 가령 丁巳가 辛亥를 보고, 丙戌이 己丑을 보며, 庚辰이 癸未를 보는 종류인데, 어떤 것을 나눔으로 氣旺하다는 말이다. 狹은, 용신의 局(상황)은 12地支의 情이고, 狹은 또 生旺이 있는데, 그 氣를 인용(引用)하는 곳은 오히려 와도 얻지를 못한다. (氣敵如辛酉見乙卯,大概凶甚.若見己未己丑,轉有憑籍,反吉.如無憑依,又看賓主強弱,主弱則爲鬼象,賓弱則爲財象.友者如丁巳見辛亥,丙戌見己丑,庚辰見癸未之類.仍分何者氣旺而言.狹,如用神局於一二支神之情.狹亦有生旺.引用處其氣卻來不得.)

광(廣)은, 그 氣를 引用하는 곳이 오면 얻고, 근원인 곳을 生함으로 인해 정신(精과 神)이 있어 三合하는 氣를 通하고, 혹 六合을 통한다. 氣輕은, 木의 본상과 화상이 오히려 金[鄉]에 들고, 또 천시(天時)가 아닌 종류이다. 重은 가령 木의 象이 寅 卯를 만나면 本象의 地支인 종류이다. 薄

은, 가령 木의 象이 자가(自家=자기)가 사절(死絶)하는 地支를 만나므로 인해 천시(天時)가 아닌 종류이다. 厚는, 가령 木의 象이 墓庫나 長生의 地支를 만나고, 혹 천시(天時)를 얻거나, 혹 다른 天干이 와서 돕는 종류이다. (廣則引用處其氣來得,生源處仍有精神,通三合之氣,或通六合.氣輕,如木之本象化象,卻入金鄉,又非天時之類.重如木象逢寅卯,乃本象地面之類.薄如木象逢自家死絕之地面,仍非天時之類.厚如木象逢庫墓長生之地,或得天時,或他干來助之類.)

寒은, 가령 木은 마르고, 火가 흩어지며, 金이 차갑고, 水는 冷하며, 土가 얼고, 天干이 休囚하고, 地支가 死絶하는 종류이다. 和는, 合이 있고, 生이 있으며, 情이 있고, 도움이 있으며, 임관이나 제왕이 있고, 休 廢[囚] 死絶이 없으며, 혹 旺相한 神의 와서 부조(扶助)함이 있고, 혹 천시(天時)의 전후(前後)에 해당한다. 氣가 가득차고 盛하면 物이 의지하고 방어할 것이 없으니 머지않아 기울어진다. 氣가 이지러져 衰하고, 근본(根本)이 부실(不實)하며, 때를 얻지 못하고, 氣도 또한 부족(不足)하고, 또 생부(生扶)함이 없는 이런 종류의 폐물(廢物)이 어찌 이길 수 있다고 말하겠는가! (寒如木枯火散,金寒水冷土凍.天干休囚,地支死絕之類.和則有合有生,有情有助,有臨官帝旺,無休廢死絕.或有旺相之神來扶助,或當天時前後.有氣滿而盛,乃物無倚藉隄防者,不久而傾.有氣虧而衰,乃根本不實.仍未得時,氣亦不足.又無生扶,此等廢物,何可勝言.)

氣가 衰하며 오랫동안 천시(天時)를 얻지 못하고, 또 死 敗[地]에 臨하여도 오히려 암간(暗干)이 相生하면 生旺한 곳으로 돌아온다. 氣의 旺이 길지 않으면 처음에는 氣의 불빛이 분발(奮發)하여 자연스럽게 통(通)하지만, 결국에는 수렴(收斂)하여 암장으로 돌아가니 거처(去處)가 마침내 의지할 데가 없다. 산만(散漫)하기 쉽고, 두터운 정은 근원이 없다. 매우 부족하면 다시 生하고, 승세(乘勢)가 계속되지 않는다. 氣가 어리면 쉽게 꺾인다. 氣가 찾아오면 모든 사람이 旺相한 象이 되는데, 중간에 만약 두터운 氣를 만나 剋 竊[洩]하면 凶으로 말할 수 없다. (有氣衰而久不得天時,又臨死敗.卻有暗干相生,引歸生旺之鄉.有氣旺非長,始則氣燄奮發,通舒自若.終則收斂歸藏,去處竟無依靠.易於散漫,盛意無源.殊乏轉生,乘勢無續.有氣嫩易摧.方來之氣,人皆以爲旺相之象.中間若逢頑厚之氣剋竊者,凶不可言.)

氣가 지나치면 인내(忍耐)가 소원(疎遠)하고, 지나간 기후(氣候)는 모두 休 廢[囚]하다고 말하고, 또 이르길, 功을 이루면 물러난다. 특히 여기(餘氣)를 알지 못하면, 홀연히 旺한 곳이 도움을 받아 생의(生意)가 動하고, 氣가 實한 곳으로 돌아오면 더욱 歲寒을 견디고, 여기(餘氣)는 곧 休廢[囚]인데 달리 타가(他家)로 변화하기 때문이다. (有氣過耐遠.過去氣候,俱曰休廢,又云成功者退.殊不知餘氣,忽被旺處資來,綰動生意.氣返實處,愈耐歲寒.餘氣即休廢,別化他家故也.)

玉井奧訣(옥정오결)-6

조물(造物)은 원래 본체(本體)이다. (造物須原本體.)

해석. 동방은 陽이 흩어져 누설함으로써 바람(風)이 생겨나니 風은 木을 生한다. 서방은 陰이 멈추어 거두어들임으로써 건조(燥)가 생겨나니 조(燥)는 金을 生한다. 남방은 陽이 極하여 열(熱)이 생겨나니 열(熱)은 火를 生한다. 북방은 陰이 極하여 한(寒)이 생겨나니 한(寒)은 水를 生한다. 중앙은 陰陽이 교류하여 습(濕)이 생겨나니 습(濕)이 土를 生한다. 五行에서 體象의 근원은 이미 앞에서 論하였다. (解..東方陽散,以泄而生風,風生木.西方陰止,以收而生燥,燥生金.南方陽極而生熱,熱生火.北方陰極而生寒,寒生水.中央陰陽交而生濕,濕生土.五行體象淵源.已取論於前.)

완전한 기물(器物)은 근기(根基)로부터 나온다. (器完由出根基.)

해석. 무릇 象을 이루는 곳에서 기물(器物)이 완전하게 된다. 貴氣가 한번 돌아오면 역시 기물(器物)이 완전하게 된다. 무릇 육친(六親)은 일치(一致)하는데, 내가 生한 것은 자식이니 丙 辛이 木을 보는 종류인 이것이다. 일설(一說)에는 妻가 生한 것이 자식이라는 두 가지 뜻으로 활용하는 방법이 있으니 取하는데, 각각 이치적인 뜻이 있다. 나를 生하는 것은 母이고, 나를 合하는 것은 妻이며, 기물(器物)을 갖추어야 그 物象을 이루고, 역시 六親의 所生(소생)은 一致(일치)하게 이루는 것이다. 가령 運중에서 象을 이루는 것은, 대체로 원래 根基로부터 찾아오는 뜻이 있으면 이루는 것이다. 말하길, 木火는 반드시 상정(相停)하지 않으며, 각각 경중(輕重)이 있고, 木이 重하면 火가 輕하게 된다. 運상에서 火의 天干과 火의 地支를 만나면 완전히 모인 진상(眞象)이다. 만약 四柱중에 원래 火의 임관, 제왕, 장생, 墓庫등의 글자가 있으면 기물(器物)이 완전하다. 아니면 不眞, 부실(不實), 불완(不完), 부정(不正)하면 겉으로는 맞는 것 같으나 실지는 그렇지 않는 것이다. 나머지는 이것을 모방하라. (解..凡成象處,是爲器完.凡貴氣歸一,亦爲器完.凡六親致一,我生即子,丙辛見木之類是也.一說妻生者即子,兩義在活法而取,各有理趣.生我者爲母,合我者爲妻,成其物象器備.亦六親所生,致一而成者也.如運中成象,蓋由根基原有來意則成矣.謂木火必無相停,各有輕重,爲木重火輕.運上遇火干火支,湊完眞象.若四柱中,原帶火之臨官,帝旺,長生,庫墓等字,方是器完.否則不眞不實,不完不正,似是而非矣.餘倣此義.)

法은 조사하여 찾는 것과 같고, 각기 吉凶을 내려 받는다. (法如搜檢,各稟吉凶.)

해석. 時와 日, 月과 年의 干支가 八字이다. 종횡(縱橫)으로 내왕(來往)하여 구합(勾合)하고, 상호(相互)간에 취용(取用)하고, 한 곳에 있는 것은 불가(不可)하며 조금만 관련하여 비추어도 이르지 못한다. 가령 4天干이 4地支를 타고, 각자가 貴를 점령하며 煞을 점령하고, 혹 年의 천간이 月의 地支를 타거나 時의 地支에 貴를 取한다. 혹 年干이 日支를 取하고, 日干이 月支를 取하며, 月干이 年支를 取하면 貴가 있고 煞도 있다. 혹 歲 月의 2支와 日 時의 2支이면 자연히 干神의 貴氣를 取한다. 이와 같이 조사하고 찾으면 거의 그르치지 않는다. (解..時與日,月與年,干支八字.要縱橫來往勾合,互相取用,不可有一處分毫闕照不到.如四干乘四支,爲各自占貴占煞,或年干乘月支,時支取貴.或年干取日支,日干取月支,月干取年支,有貴有煞.或歲月二支,時日二支,自取干神貴氣.

如此搜檢,庶不差誤.)

物은 반드시 提[綱]과 소통해야하고, 경중(輕重)을 밝힌다. (物須提豁,方明輕重.)

해석. 일단(一段)은 먼저 四支를 먼저 살펴보고, 하나하나씩 소장(所藏)한 干氣가 제강에 소통하고 드러나야 한다. 자세히 추리하면, 어떤 무리인지, 어느 것이 힘이 적은지, 어느 것이 旺한지 약한지, 어느 것이 輕한지 重한지를 밝혀서 용신의 吉凶과 도리(道理)를 얻는다. 하나하나씩 제강에 소통하는 것을 버리지 않고, 대강(大綱)혼폐(昏蔽)하면 취사(取捨)를 헤아리기 어렵다. (解..此一段須要先看四支,一一將所藏干氣,提豁出來.細推何者黨衆,何者力寡,何旺何弱,何輕何重.方明得用神吉凶道理.不去一一提豁,大綱昏蔽,難以忖度取捨.)

玉井奧訣(옥정오결)-7

영화로워도 쉽게 시들고, 어려운 환경에서 벗어나 앞길이 트여도 잠간이다. 드러나도 드러내지 못하고 겨울에 만물을 이룬다. (榮而易枯,發身暫致.顯而不露,成物歲寒.)

해석. 취(脆) 허(虛) 부(浮) 눈(嫩)의 氣와 休 廢 敗 絕한 곳에서 干支가 도움을 얻으면 잠시 부합하여 일시(一時)적으로 發한다. 그런데 歲 運에서 만나면 찬조(贊助)하는 神이 손상하며 피괴하고, 혹 억양(抑揚)하여 무기(無氣)하면 쉽게 敗하여 오래가지 않는다. 가령 物이 겉으로 드러나지 않았지만 용신이 有氣하고, 合神이 象을 이루어 상승(相乘) 일로(一路)이고, 運중에 破가 없으면 오랫동안 견딘다. 설령 歲君이라도 逐年이 박잡(駁雜)하면 뜬구름이 해를 가리고, 나무의 그림자가 그늘을 가로지를 뿐이다. 따라서 天干에 노출되어 있지 않고 地支중에 암장하여 숨으면 生을 얻어 有氣하니 도리어 원대(遠大)한 것이다. (解..脆虛浮嫩之氣,休廢敗絕之鄉,得支干夾扶,暫合而發於一時.倘遇歲運,將贊助之神傷壞,或抑揚其無氣,則易敗而不長久.如物不顯露,用神有氣,合神成象,相乘一路,運中無破,則耐久遠.縱有歲君逐年駁雜,乃浮雲蔽日,樹影橫陰而已.故不在露其干支中隱藏,有氣得生.反遠大也.)

탈태환골(奪胎換骨)한 뜻이 자연히 나타나고, 本을 버리고 末을 쫓으나 원래의 진의(眞義)가 아니다. (奪胎換骨,意出自然,捨本逐末,原非眞義.)

해석. 본상에 가령 財 官의 貴神이 있고, 또 다른 자리에 通하는 氣가 있다. 化가 있고 象이 있으며 類가 있어 인용(引用)하면 오히려 청(淸)하다. 福의 地支를 타는 것이 마땅하고, 힘쓰지 않아도 강행(强行)하며 기류(氣類)가 감응(感應)하니, 반드시 이르는 곳이 있다. 眞象으로 化하려면, 가령 丁壬化木의 類인데, 만일(萬一)에 투합(妒合)하여 다투어 이루지 못하고, 갑자기 運중에서 이르면, 오히려 본상을 도와 體를 갖춘다. 本象이 財官등의 貴를 타면 그 本象의 眞을 버리고 말절(末節)의 氣를 좇는다. (解..本象如有財官貴神,又有別位通氣.有化有象有類.引用卻清.宜乘福地者,非勉強而行,氣類有感,必有所至也.欲化眞象,如丁壬化木之類.萬一妒合爭戰未成者,忽至運中,卻資助本象具體.乘本象財官等貴,則棄其本象之眞,逐其末節之氣.)

대기(大器)는 자기(鎡錤)가 터전이며, 자연히 惡은 막고 善을 드러낸다. (大器鎡基,自然遏惡而揚善.)

해석. 만약 體局이 크고, 본원(本源)이 重하며, 용신이 전(專)하고, 아울러 貴人 德秀가 있으면, 비록 대모, 원진, 刃 煞등의 惡이 있을지라도 도리어 위세(威勢)에 도움이 될 수 있으니, 소위 惡을 막고 그 善을 드러내는 것이다. (解..體局若大,本源若重,用神若專,兼帶貴人德秀.雖有大耗,元辰,刃煞等件爲惡,反能助威.則所謂遏惡而揚其善矣.)

재(才)가 박(薄)한 體局은, 物을 害치고 다시 사람을 손상함을 알게 된다. (薄才體局,方知害物更傷人.)

해석. 歲와 日辰의 힘이 튼튼하지 못하고 약하여 한결같지 않으면 吉凶이 神煞에게 희롱을 당하여 동요(動搖)하는 氣를 따른다. 정신(精과 神)이 지배를 당하여 자기의 주장(主張)을 定하지 못한다. 凶煞이 象내에 많은데, 刃煞, 亡劫, 金刃, 白虎의 종류가 적극적으로 작동(作動)하므로, 德 秀 純 厚의 氣와 비교가 안 된다. 사업을 건립(建立)한다면 비록 우연히 성립할지라도, 어찌 害로운 物이 사람을 손상하지 않으리오. (解..歲與日辰力虛薄不專,被吉凶神煞播弄,隨氣動盪.精神被其所役,自家主張無定.多是凶煞象內,刃煞,亡劫,金刃,白虎之類作爲,故非德秀純厚之氣比也.建業立事,雖有偶成,豈不害物損人也哉.)

귀인 록마가 교착(交錯)하고, 勾絞 元 亡이 다양하다. (貴人祿馬交錯,勾絞元亡多端.)

해석. 貴氣는 번잡(煩雜)하지 않고, 用財하면 단지 用財하고, 用官하면 단지 用官할 뿐이다. 가령 祿馬, 貴人, 食神, 印綬의 종류를 쓰면 단지 1~2개가 마땅하고, 貴氣를 마땅히 보좌(輔佐)한다. 만일 用財하면 官으로 보필하고, 官印이 서로 이어져 祿馬가 겸행(兼行)하는 종류이다. 3~4개로 범람(泛濫)하면 귀일(歸一;한 곳으로 돌아감)하지 않는다. 또 이르길, 한 가지, 貴氣는 반드시 貴人 德神이 서로 도와야, 비로소 크게 나타나게 된다. 구교(勾絞), 겁살(劫煞), 원진(元辰), 망신(亡神)등의 物이 만약 貴氣가 重하면 身을 도와 위세(威勢)를 行하고, 惡煞이 重하면 害로움이 지나치다. 일설(一說)에는 이러한 煞이 다양하면 오직 소식(消息)함이 마땅하다고 한다. (解..貴氣不欲煩雜,用財只用財,用官只用官.如用祿馬,貴人,食神,印綬之類,只宜一件二件,貴氣便當輔佐.如用財以官相輔,官印相承,祿馬兼行之類.三件四件泛濫便不歸一.又云一項貴氣,須要貴人德神相助,方可大顯.勾絞,劫煞,元辰,亡神等物,若貴氣重,則助身行威.惡煞重,則肆害酷切,一說以此等煞多端,獨宜消息.)

玉井奧訣(옥정오결)-8

吉神이 天月[이덕]의 도움에 참여하고, 凶煞이 공망에 들면 품위가 좋다. (吉神參天月扶持,凶煞入空亡品藻.)

해석. 貴神 祿 馬는 모두 吉神이며, 다시 천월二德을 만나면 더욱 吉하다. 구교, 원[진] 망[신]은 모두 凶煞인데, 만약 공망에 해당하면 반감(半減)한다고 서로가 말한다. 길신도 또한 공망을 싫어하고, 흉(凶)煞은 역시 二德이 필요하다. 구주(舊註)에서는 貴氣를 吉神이라 하였는데, 비록 귀일(歸一)하여 청(淸)할지라도, 다시 혼탁(混濁)하지 않아야하고, 혹 별격(別格)에 들면 기묘(奇妙)하다고 추리한다. 만약 天月二德, 天月二合, 월공천사(月空天赦)의 종류가 돕지 않으면 역시 분수(分數)를 감(減)하니, 복력(福力)이 완전하지 않다. (解..貴神祿馬,皆吉神也,更遇天月二德尤吉.勾絞元亡,皆凶煞也,若入空亡減半,互言之.吉神亦嫌空亡,凶煞亦要二德.舊註吉神貴氣,雖淸歸一,更無混濁,或入別格,因推其妙.若無天月二德,天月二合,月空天赦之類贊助,亦減分數,福力非全.)

공망은 生日을 근거로써 어느 旬에 소속(所屬)하였나, 가령 甲子旬이면 戌 亥의 二位가 이것(공망)이다. 공망에는 三神이 있으니, 하나는, 旬내의 後에 소장(所藏)한 干神인데, 가령 甲辰旬이면 甲 乙 두 干인 이것이다. 하나는, 순(旬) 後에 둔(遁)한 干神인데, 가령 甲辰旬이면 丙午니 곧 庚 辛인 이것이다. 하나는, 절로공망(截路空亡)은 더욱 필요한 것을 추가한 것인데, 가령 甲 己日에 申 酉時의 종류이다. 凶神은 마땅히 공망에 坐해야하고, 吉神이 공망에 坐하는 것을 싫어한다. 또 이르길, 金 火는 공망을 좋아하고, 木 土 水는 공망을 싫어한다. 또 이르길, 水도 역시 공망을 좋아한다. 또 이르길, 柱중에 凶煞이 동시에 나타나고 德神이 있으면, 험난함을 만나도 저저로 흩어져 비명(非命)으로 죽지는 않고, 日時에 있으면 요긴하다. (空亡以生日係何旬所屬,如甲子旬,即戌亥二位是也.空亡有三神,一旬內之後所藏干神,如甲辰旬,甲乙二干是也.一旬後所遁到干神,如甲辰旬,丙午即庚辛是也.一截路空亡加至愈緊,如甲己日申酉時之類.凶神宜坐空,吉神怕坐空.又云,金火宜空,木土水忌空.又云,水亦喜空.又云,柱中凶煞交併,有德神者,遇險自散,死不致非命,日時帶則緊.)

완전한 貴氣는 다시 禍星이 굴복하는지 의지하는지를 살펴보고, 一局에서 凶神도 福氣가 숨은 것을 알아야한다. (十全貴氣,還看倚伏禍星,一局凶神,要識隱藏福氣.)

해석. 貴氣가 매우 완전하게 갖추면 시종(始終)으로 파괴되지 않지만, 중간에 한 개의 화신(禍神)이 암장하여 숨으면 편안하지 않다. 凶煞이 번잡(煩雜)하게 왕래(往來)하는데, 그중에 오히려 한 개의 福神이 있으면 은은(隱隱)히 심오(深奧)하다. 혹 虛夾(공협)이나 遙合 혹 刑出이나 衝歸

하여도 역시 적절하게 뜻하는 것이 있으며 가득한 凶煞을 보아서는 안 된다. 단지 어떤 運이 도와서 局중에 福氣를 일으키면 吉하다. 禍星을 도와 貴를 破하고 用[神]을 파괴하면 凶하게 된다. (解..貴氣十分完備,始終不壞,中間寧無一件禍神隱藏.凶煞之神,往來繁雜,其中卻有一件福神,隱隱深奧.或虛夾遙合,或刑出衝歸,亦係切當有意處,不可便作滿盤凶煞看.只待何運,扶起局中福氣則吉.扶起禍星破貴壞用則凶.)

격조(格調)가 높아 고독하고, 세(勢)가 진력(盡力)하여 궁(窮)하여도 의리(義理)로써 바르게 변통(變通)해야 한다. (調峻格孤,勢窮力盡,義理正欲變通.)

해석. 그 일간의 용신을 연구하고 明暗을 찾아 조사하면 吉凶의 조화(造化)가 神煞이 隱顯하는 곳이다. 그 體가 고준(孤峻)하고 氣도 또한 末에서 궁절(窮絶)하면 취용(取用)하기에 어렵다. 이들은 극(極)에 이르면 닫힌 곳을 선회하니 자연히 궁(窮)하면 변(變)하고, 변(變)하면 通하는 이치인데, 運에서 어떠한 氣를 맞이하여 일로(一路)에 만회(挽回)하면 무슨 생의(生意)인가? 情(감정)의 근원이 기발(起發)하여도 역시 無限한 뜻이 있다. (解..究其日干用神,搜檢明暗,造化吉凶,神煞隱顯之處.其體孤峻,氣亦末爲窮絕,難於取用.此等至極轉關處,自有窮則變,變則通之理,運迎何者之氣.一路挽回,是何生意,起發情源,亦有無限之義.)

氣가 가득하면 物이 盛하고, 運과 아울러 歲가 衝하면 身主가 어찌 안정(安靜)하겠는가! (氣盈物盛,運併歲衝,身主何能恬靜.)

해석. 대략적인 뜻을 관찰해보니, 기상(氣象)은 혹 가득차고, 혹 유(流)흐르는데, 그 物의 이치를 體로 살펴보니 盛하면 또 極하여 자연히 오래 견디지 못하는 조짐이 있다. 하물며 歲 運에서 억누르면 기울어 엎어지고, 드높이면 범몰(泛沒)하고, 만약 다시 刑 衝을 아우르면 이 身主가, 마치 편안하고 안정(安靜)되어 시끄럽지 않을 것 같으나 이럴 리가 없는 것이다. (解..欲觀其大概之義,氣象或盈或流,察其物理之體,則盛且極,便自有不耐久之兆.況歲運抑則傾覆,揚則泛沒,更若衝刑併,此身之主,獨能安然恬靜不擾,無此理也.)

玉井奧訣(옥정오결)-9

年 月 日 時의 干支는 차례가 있고, 君臣과 賓主, 체격(體와 格)은 조정(朝廷)의 윤리(倫理)이다. (年月日時,干支有序,君臣賓主,體格朝倫.)

해석. 월干은 당연히 年간의 다음에 있고, 시干은 당연히 일干의 다음에 있는데, 어쩌면 순환(循環)하는 순서는 더욱 기이(奇異)하다. 가령 甲子, 乙丑, 丙寅, 丁卯의 종류로 奇格이다. 年은 君이되고, 日은 主가 되며 月 時는 빈(賓)신(臣)과 같아 貴氣를 보좌(輔佐)하는데, 앞의 法과 같다. 다음은, 조정에서 강상(綱常)[20]으로 그 순서대로 보필하여야 존엄성이 바르게 된다. 또 이르길, 陽은 홀로 조신하려하고, 陰은 무리를 따르려하니 貴煞이 더하는 곳을 살펴야한다. (解..月干宜在年干之次,時干宜在日干之次,若或循環次第又奇.如甲子,乙丑,丙寅,丁卯之類,奇格也.年爲君,日爲主,月時如賓如臣,輔佐貴氣,兼似前法,有次,朝其綱常,輔其倫序,正其尊嚴.又云,陽欲獨愼,陰欲群隨,仍察貴煞所加之處.)

일주는 처음인 干을 가장 좋아하고, 일주가 차위에 상응하는 것을 싫어한다. (日主最喜先干,日主應嫌次位.)

해석. 일주의 先干은 가령 甲일이 癸를 보는 종류로 이들은 이로움이 세 가지가 있는데, 하나는 戊財가 나를 합할 수 있는 것이 첫 번째이고, 하나는 善하게 나를 자랄 수 있게 하는 것이 두 번째이고, 하나는, 化한 그 象이 나를 生할 수 있는 것이 세 번째이다. 그러나 이미 지나간 氣는 점점 느려진다. 일주의 차위는, 가령 甲이 乙을 보는 종류로 이들은 손실이 네 가지가 있는데, 하나는 妻와 財를 겁탈하여 나를 쓸쓸하게 할 수 있고, 하나는 合煞하여 나에게 손상할 수 있고, 하나는 化象이 나의 氣를 설(泄)할 수 있고, 하나는 앞길을 막고 끊을 수 있으니, 인(刃=칼날)이 되어 나를 害치는 것이다. (解..日主先干,如甲日見癸之類,此等其益有三,一能合戊財資我,一也.一能善於長發我,二也.一能化其象生我,三也.但已往之氣稍慢.日主次位,如甲見乙之類,此等其損有四,一能劫妻財空我,一能合煞損我,一能化象以泄我氣,一能攔截前路,作刃害我.)

地支는 前이 氣이고, 地支는 後가 宮이다. (支神前氣,支神後宮.)

해석. 地支가 먼저의 氣를 많이 맞으면, 평생토록 사람은 정신이 활달하여 작은 일을 꺼리지 않는다. 가령 甲子년 혹은 子일이 丑 寅 卯 辰 巳의 종류를 보는 이것이다. 地支는 後가 宮이면, 하는 일을 후회하고, 혹 좌절(挫折)하며 진퇴(進退)가 다단(多端)하다. 가령 甲子년 혹은 子일이 亥 戌 申 未의 종류인 이것이다. 나머지는 이것을 모방하라. (解..地支迎前之氣多者,平生爲人精神磊落.如甲子年,或子日見丑寅卯辰巳之類是也.地支後宮者,主作事悔屯,或折挫,進退多端.如甲子年,或子日,見亥戌申未之類是也,餘倣此.)

다만 세군이 흔들리면 일주가 외롭고 허탈하다. (獨掉歲君,孤虛日主.)

해석. 月 日 時의 干支가 연결하여 무리를 짓고, 旺하거나 合하고, 혹 一象을 이루거나, 혹 一氣로 化하면, 홀로 태세가 외롭게 일위(一位)만 떨어져 소원(疏遠)하니, 반드시 고향을 떠나서 다른 가문을 스스로 세우고, 혹 양자가 되어 궁핍(窮乏)하며 고독(孤獨)하다. 年 月 時의 上(천간)이 같고, 日主가 홀로 孤[神] 寡[宿]에 居하는데도 자신은 合도 없고 生도 없으면, 별도로 결함(缺陷)

20) 강상(綱常):삼강(三綱)과 오상(五常). 곧 사람이 지켜야 할 도리(道理)

있는 곳에서 따로 거주하여 함께 살지 않으면, 구걸로 기생(寄生)하며 길러지고, 밖에서 처가살이 한다. (解..月日時支干,作聯作黨,作旺作合,或成一象,或化一氣.獨太歲孤另一位,似遠似疏,必然離祖別宗自立,或偏出螟蛉者有之,窮乏孤獨.年月時同上,日主獨居孤寡,仍自無合無生,另立於缺陷處者,非異居同活,則乞養寄生,贅居外立.)

合하는 무리가 둘이 다투면, 妻와 財의 두 가지 뜻이다. (黨合雙爭,妻財兩義.)

해석. 四柱중에, 만일 土의 무리는 이미 많은데, 천시(天時)가 오히려 木旺한 계통이면 억양(抑揚)의 도리로 어떻게 用[神]하는가! 두 원수가 서로 다투어서는 안 되는데, 만약 土는 虛하지 않고 두터우며, 木은 有氣하여 드러나고[투출하고] 地支가 刑 害 衝 剋하지 않으면, 오히려 木을 배양(培養)하여 빼어난 숲을 이루니 用[神]이 다시 기이(奇異)하게 된다. 내가 合하는 것은 妻가 되고, 내가 剋하는 것이 財인데, 세인(世人)들은 단지 내가 剋하는 모두가 妻 財인줄 아는데, 잘못된 것으로 바르지 않고, 또한 다시 化象이 어떠한가를 살펴야한다. (解..柱中如土黨既多,天時卻係木旺,抑揚之道,在如何用,不可便作兩讎相競.若土不虛加厚,木有氣而露,支音兼不刑害衝剋,卻能培養木秀成林,爲用更奇.我合者爲妻,我剋者爲財,世人但知我剋者,總爲妻財,紕繆未善,又還看化象如何.)

玉井奧訣(옥정오결)-10

용신은 한 글자인데 貴氣가 거듭 오면, 象이 밝고 빛나지만 氣를 손상하면 흩트려진다. (用神一字,貴氣重來,象欲晶明,氣傷懶散.)

해석. 柱중에서 평생에 오직 한 글자를 用[神]하면 格의 자면(字面)보다 못하고, 모두 合하고 모두 흩어져 각자(各自)가 마침내 무리를 이루었다. 일간 역시 다른 곳의 일자(一字)에 매달려서, 기대고 의지할 데가 없다. 따라서 이 字를 用[神]하고, 혹 두 字를 用하는데, 용신이 한 개면 정신이 엄격하여 가장 기묘(奇妙)하다. 가령 관성을 용신 했는데 또 관성이 재차 오면 건록등이 중복해야한다. 혹 財를 용신 할 경우에, 食神 貴人을 보면 모든 貴氣가 重疊하게 되니 싹이 빼어나지 못하고, 빼어나도 부실(不實)하다. (解..柱中有平生獨用一字者,謂之不如格字面,俱合俱散,各自竟成群黨去了.日干亦另處懸一字,無依無倚,故用此字,或用二字,用神一件,精神嚴切最妙,如用官星了,又見官星再來,復建祿等.或用財,又見食神貴人,皆爲貴氣重疊,苗不秀,秀不實.)

用神이 건장한 象을 이루면, 전력(專力)을 다하여 주야(晝夜)로 허(虛)하지 않고 배반하지 않는다. 가령 土 木 水가 낮에 태어나고, 金 火가 밤에 태어나는 이와 같은 四柱라면, 어찌 명리(名利)가 특별히 뛰어난 선비가 되지 않겠는가! 만약 天干地支와 내가 결국 서로 돌보지 않으면 용신이 화합하지 않으니 主는 외롭고 허탈하다. 刑 衝 剋 害하여 서로 배반하고 절(竊=泄)氣가 다시 많아 象이 돕지 않으며, 거듭 休 廢[囚]를 만나면 성립(成立)한 것이 없으니 능력이 不足한 格

이다. (用神壯健成象,意專力露,不虛不背晝夜.如土木水晝生,金火夜生,柱中如此,豈不爲名利特達之士.若地支天干,與我竟不相顧,用神不合,星主孤處,衝刑剋害,相背竊氣更多,象無贊助,疊見休廢者,無立無成,不足道之格也.)

내가 生하거나 剋하면 정(情)이 물러날 수 있고, 다른 것이 剋하거나 生하면 氣가 저절로 돌아온다. (我生我剋情能退,他剋他生氣自歸.)

해석. 무릇 내가 生하거나 剋하면 그 뜻이 자연히 흩어져 물러난다. 다른 것이 나를 生하거나 剋하면 둘은 다 같이 氣가 들어오게 된다. 地支를 生하거나 剋하는 吉神이 들어오면 이와 같이 제일(第一) 기묘(奇妙)하다. (解..凡我生我剋者,其義自然退散.他來生我剋我,二者皆爲氣入.爲支生,爲剋入吉神,如此第一妙.)

生剋이 왕래하면 主를 合하여 부지(扶持)해야 한다. (生剋來往,合主扶持.)

해석. 四柱중에 공망을 合하면 아마 돕는 神이다. 實을 合하면 아마 파괴(破壞)하는 神이다. 生을 制하고, 剋을 돕는 것이 있으면 진퇴(進退)가 내왕(來往)하여 같지 않다. 만일(萬一) 取하지 못하면 미세한 틈이 千里로 먼 차이가 난다. 그러나 會合하여 主를 돕는 어떤 神이 절실하게 필요한 급한 일이 되는 것이다. (解..柱中合空,或有贊助之神.合實,或有破壞之神.生有制者,剋有扶持者,來往進退不一.萬一失取,分毫之問,便差遠千里.卻會在合主扶佐,何神至切,爲急事也.)

善惡이 어렵고 복잡하면, 時의 중과(衆寡)를 나눈다. (善惡繁難,時分衆寡.)

해석. 선악의 두 자리가 같은 무리이고, 혹 어긋나거나 혹 섞이면 단지 時의 자리에 많은 무리가 休 旺한지 적은 무리가 休 旺한가를 살펴보아야한다. 惡한 무리면 凶과 煞이 되고, 善한 무리면 吉과 福이 모이고, 善한 힘이 적으면 겁나고, 惡이 적기를 바란다. 또 이르길, 年과 時가 서로 貴人이 生旺함을 만나면, 日과 화목(和睦)하여야 제일(第一) 묘(妙)하다. (解..善惡二位俱衆,或錯或雜,但看時座聚衆休旺,聚寡休旺.惡衆則爲攢凶聚煞,善衆則爲吉聚福集,善寡力怯,惡寡庶幾.一云年與時互見貴人生旺,與日和第一妙.)

生을 다시 生하면, 모두 의탁(依託)하는 어떤 것에서 이룬다. (生而復生,皆倚托成於何者.)

해석. 가령 丙 辛인(人)이 戊申운(運)을 만날 경우에 오히려 庚申세(歲)를 보면 전환하여 의지하고 다시 生하는 뜻이 있다. 壬水의 精神이 자연히 찾아오고, 더구나 丙辛이 化水하므로 長生을 얻으니, 의탁(依託)하는 어떤 것에서 이루는 것이, 이것이다. (解..如丙辛人見戊申運,卻見庚申歲,轉有倚靠復生之意.有壬水精神自來,況丙辛化水,故得生,倚托成於何者此也.)

玉井奧訣(옥정오결)-11

化가 다시 化하면 마침내 아득하여 무슨 地支로 돌아오는가! (化而又化,竟渺茫歸於何地.)

해석. 가령 丁壬이 化木하고 더구나 寅 卯 亥 未의 地支에 있고, 또 여신에 있으며 水木이 찬조(贊助)한다. 힘차게 잘 자라는 木이 어찌 옳을 것이며 또 水를 用하여 도운다면 묘연(渺然)한 氣가 의지할 데가 없다. 그러나 運을 살펴보면, 혹 제방(堤防)하여 제어(制御)하는 道가 있어야 비로소 福이 될 수 있다. 만약 다시 生하는 곳을 만나면 줄곧 막막하니 도리어 일어서지 못하는 것이다. (解..如丁壬化木,況有寅卯亥未地面,又有餘神,水木贊助.騰騰頑養之木,安可又用水來滋助,渺茫之氣無倚.卻看運引,或有隄防馭制之道,方能爲福.若遇轉生處,一向汗漫,反不立矣.)

五象이 상승(相乘)하여 상서로움이 있고, 순탄치 않다. 五氣가 교전(交戰)하면, 혹 상잔하거나 혹 분발(奮發)한다. (五象相乘,有祥瑞,有乖蹇.五氣交戰,或傷殘,或奮發.)

해석. 상서(祥瑞)란, 가령 木火, 火土, 土金, 金水, 水木으로 象을 이룬 것이다. 得時는 천시(天時)를 얻은 것을 일컫는다. 득위는 생왕한 위(位)를 얻은 것을 말하고, 혹 건록 등의 氣를 탄 것이다. 득권은 財 官 貴人 등을 탄 것을 일컫는데, 가령 權이 있고, 勢가 있으며, 집사(執事)가 있다. 괴건(乖蹇)은, 이 三者와 반대인데, 만약 좌하가 貴氣면 설령 貴地를 타더라도 地支가 오히려 刑 衝 剋 害인 이것이다. (解..祥瑞,如木火,火土,土金,金水,水木,成象.得時謂得天時.得位謂得生旺位,或乘建祿等氣.得權謂乘財官貴人等,如有權有勢有執事者.乖蹇,反是三者,若坐下貴氣,縱乘貴地,地支卻又刑衝剋害是也.)

교전은, 體의 힘이 균정(均停)란 것을 일컫는데, 가령 一物은 천시(天時)를 믿고, 一物은 많은 무리를 믿는다. 혹 一物은 得地하고, 혹 一物은 得權하여 水火 土水로 교전(交戰)하는 종류이다. 상잔은, 용신이 剋을 당하는 것을 일컫는데, 主干이 害를 당하고, 혹 財도 또한 손상당하며, 官도 역시 剋을 당한다. 혹 一物의 무리가 化를 이루는데 오히려 剋神이 파괴시키니 가령 丙辛이 化水하는데 홀연히 一土가 剋하는 종류이다. 분발은, 物과 내가 서로 사이가 좋으니 賓主가 화합하고, 내가 旺을 타서 犯하며 다른 것이 得地하여 맞이하고, 나의 세력이 强하여 적을 제거하며 다른 것이 有氣하면 조정에 든다. (交戰,謂體均力停,如一物恃天時,一物恃其黨衆.或一物得地,或一物得權,水火土水交戰之類.傷殘,謂用神被剋,主干被害,或財亦被傷,官亦被剋.或一物有黨成化,卻見剋神來壞.如丙辛化水,忽見一土來剋之類.奮發,物我相安,賓主和協.我乘旺而相犯,他得地而相迎,我勢強而敵去,他有氣而來朝.)

財 官이 참되려면 妙한 것이 化氣의 이치이다. (財官欲眞,致妙兮須理化氣.)

해석. 가령 丙辛이 戊癸를 만나면 財가 되고, 甲己는 官이 되어 이것이 참된 造化이고, 秀氣는 말할 필요가 없다. 나머지는 모두 이 방법으로 추리하라. (解..如丙辛見戊癸爲財,甲己爲官,此爲眞造化,秀氣不可言.餘皆類此推之.)

財官의 象이 있으면 精한 것이 局神에 의지해야한다. (財官有象,致精兮要倚局神.)

해석. 가령 丙辛이 戊癸를 만나 財가 되어 火局을 얻고, 甲己는 官으로 土局을 얻어야 비로소 그 器物이 완전하고 또 청순(淸純)함을 견줄 수 없는 것이다. 나머지는 이 예(例)로써 추리하라. (解..如丙辛見戊癸爲財,得火局,甲己爲官,得土局.方就其器完,而且清純無比矣,餘例此推.)

雜氣의 財官은 吉하면 庫가 되고 凶하면 墓가 된다. (財官雜氣,吉爲庫,凶爲墓.)

해석. 財 官의 氣가 균정(均停)하여 마주하고, 다시 貴氣를 上에 더하면 吉한 庫가 된다. 庫중에 雜氣가 세 개 있는데, 만약 당연히 旺相하면 貴가 되어 나에게 이로운 것으로 묘(妙)하다. 만약 官이 鬼로 化하여 墓에 들고, 財神이 休 囚하여 墓에 들어 凶이 되면 庫가 되지 않는다. 만약 吉神이 庫에 들고 休 廢[囚]한데 刑하면 또 내가 剋하는 것 역시 庫가 아니다. (解..財官之氣,均停有拱,更加貴氣於上,爲吉爲庫.庫中雜氣有三件,若當旺相爲貴,益我者妙.若官化鬼入墓,財神休囚入墓爲凶,則不爲庫.若吉神入庫,仍帶休廢來刑,且剋我者亦非庫.)

玉井奧訣(옥정오결)-12

善惡으로 衝하는 神이 剋하면 들고, 生하면 通한다. (善惡衝神,剋則入,生則通.)

해석. 地支의 貴氣가 衝하여 오면 그 吉을 말할 수 없고, 惡神이면 그 凶을 말할 수 없다. 모름지기 干支가 함께 剋해야 비로소 剋이 들어와 吉凶이 된다. 혹 한번 生하면 한번은 剋하고, 한번 和하면 한번은 制하니, 이것 또한 변화에 달통하여 그 중에 있는 것이다. (解..地支貴氣來衝,未可便言其吉,惡神未可便言其凶.須是支干同剋,方爲吉凶剋入.或一生一剋,一和一制,此亦變化通達在其中矣.)

上이 下를 生하면 탈기(脫氣)가 되어 자왕모쇠(子旺母衰)를 근심할 수 있다. 셋이 하나를 절(竊=洩)하여 용신을 生하면 도리어 자쇠모왕(子衰母旺)으로 기뻐한다. (上生下,成脫氣,可憂子旺母衰.三竊一,生用神,翻喜子衰母旺.)

해석. 上에서 下를 生하면, 예컨대 干이 支를 生하고 支는 音을 生하는 것이 첫째이다. 歲가

月을 生하고, 月이 日을 生하며, 日이 時를 生하는 것이 둘째이다. 生한 것은 이미 자식이 되고, 閑神에 매인 것이 셋째이다. 가령 木이 火를 生하는데 夏正이면 자왕모쇠(子旺母衰)가 된다. 나머지는 이것을 모방하라. 셋이 하나를 절(竊=洩)하는 것은, 가령 金이 3~4개의 水를 生하면 母가 子를 널리 生하여 母는 이미 당연히 허탈해졌으니, 子는 衰가 좋으며 母는 旺[鄕]에 있어야 吉하게 된다. 만일 木이 火를 生하는데 亥에 있으면, 바로 자왕모쇠(子旺母衰)가 된다. 나머지도 이런 종류이다. (解..上生下,如干生支,支生音,一也.歲生月,月生日,日生時,二也.得生者既爲子,若係閑神,三也.如木生火,在夏正爲子旺母衰,餘倣此.三竊一,如金生三水四水,母生子廣,母既當虛.即喜子衰而母在旺鄕爲吉.如木生火在亥,正爲子衰母旺.餘類此.)

앞에서 부르면 뒤에서 상응(相應)하고, 生하면 이어지고, 剋하면 다스린다. (前呼後應,生則繼,剋則治.)

해석. 무릇 格局의 一辰 一干에는 체용(體用)이 있고, 본말(本末)이 있으며, 호응(呼應)이 있으니 어려운 것이다. 生하면 계속(繼續)하고 끊이지 않고, 완전(婉轉)하며 유정(有情)하다. 만약 剋하면 깎고 다듬어 하련(煆煉), 기제(既濟), 제방(堤防), 소통(疏通), 조물(造物)하여 확실히 다스린다. 이와 같은 국면(局面)은 生剋하는 소절(小節)로 잡는 것이므로 꿰뚫어 연구할 수 없는 현기(玄機)[21]일 뿐이다. (解..凡格局一辰一干,有體用,有本末,有呼應,難矣.生則繼續而無絕,婉轉有情.若剋則削朴煆煉,既濟,堤防,疏通,造物之切治也.如是局面,拘於生剋小節,所以不能洞究玄機耳.)

左에서 감싸며 右에서 계승하고, 거두면 돌아가고, 흩어지면 虛하다. (左包右承,收則歸,散則虛.)

해석. 무릇 一干 一支가 柱중에서 뛰어나면 左右에서 계승하려는 조짐이 있다. 포라(包羅)가 있고, 귀향(歸向)이 있으며, 산만(散漫)이 있고, 탈퇴(脫退)가 있으며, 경중교량(輕重較量)하여 득실(得失)을 가감(加減)한다. 마땅한 곳이 당연한 의(義)이니, 작은 것을 구하려다 큰 것을 잃어버리니 本을 버리고 末을 쫓아서는 안 된다. (解..凡一干一支,挺立於柱中者,類有左右相承之兆.有包羅,有歸向,有散漫,有退脫,輕重較量,得失加減.宜處當然之義,不可務小棄大,捨本逐末.)

局[神]에 取할 것이 없으면 한가한 일파(一派)의 청냉(淸冷)함이 찾아온다. (局神無取,閑來一派淸冷.)

해석. 柱중에 일주의 財 官을 取하여 용신 등으로 하는데, 혹 雜하며 혹 濁하고, 혹 번성하며 혹 혼잡하고, 승부(勝負)에 지고, 제강(制降)이 부족하면 우열(優劣)을 구분할 수 없다. 홀연히 하나의 한가한 天干이 主도 아니고 用도 아닌데, 오히려 原[局]의 左右에 오면 하나의 貴氣를 탈 수 있다. 그러나 그 干을 취하여 일주의 神이 어떤 숨은 神을 별도로 사용하여 虛한 곳에 象을 만든다. 혹 官을 合하거나 財등을 合한 항목으로 이룬 局을 취하여 적절히 사용하는 것인데, 처

21) 현기(玄機);깊고 묘한 이치(理致)

음에 비록 한가하여 用하지 않더라도 이미 閑神이 때에 이르렀으니 기물(器物)을 이루었다. 用하여 만날 즈음이면 天干의 기물(器物)을 버리지 않는 것을 일컫는다. 하물며 조화(造化)야! (解..柱中取其日主財官用神等件,或雜或濁,或繁或混,或欠勝負,或欠制降,無分優劣.忽一閑干,非主非用,卻來左右逢原,能乘一貴氣.卻取其干,係日主之神,何等遁神,以別其用,虛處造象.或合官合財等項,取其成局有切用者,始雖閑而無用.既而閑神時至,閒得成器,際遇有用,則天下無棄物之謂.況造化乎.)

玉井奥訣(옥정오결)-13

혼탁한 官氣를 구원해야하고, 묘(妙)함은 각 地支의 배필(配匹)에 있다. (官氣混求,妙在各支匹配.)

해석. 중범(重犯)하여 奇儀한 格의 일체(一體)이다. 관살혼잡한 것과 같은 것을 일컫는데, 하나는 짝이 있으며 하나는 귀승(歸乘)한 것이 아니니, 마땅히 歲運에서 다시 미귀우(未歸偶)가 짝을 얻어야 吉하게 된다. 혹 柱중에 官煞이 각각 合이나 制하는 것을 찾으면 아름답고, 과불급(過不及)이 있다. 또 소식(消息)이 있으니 極히 중요한 일이 되고, 또 두 개의 官에 하나의 煞이나, 두 개의 煞에 하나의 官이 있는 모두 이런 종류인 것이다. 가령 土가 日主이면 투출한 甲 乙이 官煞인데, 地支중에 申 酉[字]나 혹 辰 巳[字]가 있으면 이것이 合이나 制하는 것이 된다. (解..既重犯奇儀之格一體也.謂如官煞混紊,一有所配,一有未歸乘者,須得歲運,更配其未歸偶者吉.或官煞柱中,各尋所合所制則佳,有過不及.又有消息,極爲切事,又有兩官一煞,兩煞一官,皆此類矣.如用土爲日主,露甲乙爲官煞,支中有申酉字,或辰巳字,此爲所合所制也.)

서로 교류하는 뜻이 있으면 누가 돕는지 살펴봐야하고, 공협이 비록 참될지라도 마땅히 드러나 손상되는 것을 막아야한다. (交互有意,要審扶誰,拱夾雖眞,當防損露.)

해석. 서료 교류하는 뜻이 있는 경우는, 가령 丙午(天河水)가 壬子(상자木)를 보면 각각 德을 입는 것인데, 丙은 癸의 官을 用하며, 壬은 丁의 財와 己의 官을 用하니 나머지 神은 어느 것이 빠르게 돕고 어느 것이 빠르지 않게 돕는가를 살펴봐야한다. 공협이 참될 경우는, 가령 乙인이 癸未 乙酉의 二位를 보면 분명히 甲申의 眞官인 공협을 만난 것이니 貴氣는 의심할 것이 없다. 혹 여신(餘神)의 火神이 암장하여 혹시 歲運에서 火를 보는데 庚을 만나고, 혹 그 位를 전실(塡實)하게 되면 禍가 발생하여도 이길 수 있다는 말이다. (解..交互有意,如丙午見壬子,各有所賴,丙用癸官,壬用丁財己官,看餘神扶何者爲急,何者非急.拱夾雖眞,如乙人遇癸未乙酉二位,明見拱夾甲申之眞官,貴氣無疑.或餘神埋藏火神,倘遇歲運見火見庚,或見塡實其位,發禍可勝言哉.)

合이 일어나 힘이 드러나면 등한시해서는 안 되고, 정영(精英)을 벗어나 廢하여도 다시 時를 더하여 用한다. (合起力露,莫作等閑,脫廢精英,轉加時用.)

해석. 天干이 서로 合하면 地支의 吉凶을 살펴보는 것이 필요하고, 地支가 유력(有力)하면 자연히 뛰어나다. 地支가 서로 合하여 화목하면, 타고 있는 天干의 힘을 살펴보고 힘이 重하면 정신(精神)이 뛰어나다. 또 이르길, 上下가 함께 合하여 眞合煞이 있는 경우, 가령 己亥가 甲寅의 類를 보고, 또 合煞은 甲子가 己丑을 보는 類와 같다. 또 이르길, 煞神은 合을 꺼리며 刑 衝 破 害를 기뻐하고, 天干 地支에 한가한 것이 하나라도 있으면 歲運에서 合하여야 정신(精神)이 충만하다. (解..天干相合,看支神吉凶爲要,支神有力,則自然非常.和地支相合,看所乘之干力,力重愈精神也.一云,上下俱合,有眞合煞,如己亥見甲寅之類,又合煞如甲子見己丑之類.一云,煞神忌合,喜衝刑破害,干神支神一有閑慢,歲運合者,精神百倍.)

또 이르길, 祿馬는 마땅히 六合해야하고 刑 破를 꺼리고, 더구나 柱중에서 合을 만나면 힘이 드러나니 가벼이 여겨서는 안 된다. 정신(精神)이 벗어나 폐(廢=囚)할 경우, 가령 내가 生하거나 내가 剋하는 精은 본래 나의 氣를 흩어지게 하는데, 만약 時상의 用神이 凶을 더하면 제어(制御)해야 하는데, 오히려 다시 主本을 生助하면 생의(生意)를 만회(挽回)하여 妙한 것이다. (一云,祿馬宜六合,忌刑破,況柱中見合,力露,不等閑也.脫廢精神,如我生我剋之精,本散我氣,若加時上用神凶,則制馭,卻轉來生助主本,則挽回生意之妙矣.)

구분한 무리에서 일주의 전행(專行)이 있으니, 日辰의 임무가 吉凶의 위치에 존재한다. (群分有日主專行,日辰務在吉凶之位.)

해석. 吉神은, 재원, 관貴, 인수, 식신, 일덕, 월덕, 일록, 귀인, 덕신, 천월덕합, 천사, 월공, 시록, 시상, 기보학당이다. 凶神은, 금신, 양인, 칠살, 공망, 육해, 고과, 격각, 삼형, 충신, 사신, 사절, 구교인데, 일설(一說)에는 年을 존재[사용]하고, 망신은 위와 같이 설명하고, 원진도 위와 동일하다. (解..吉神,,財元,官貴,印綬,食神,日德,月德,日祿,貴人,德神,天月德合,天赦,月空,時祿,時象,奇寶學堂.凶神,,金神,羊刃,七煞,空亡,六害,孤寡,隔角,三刑,沖神,死神,死絕,勾絞,一說在年,亡神同上說,元辰同上.)

玉井奥訣(옥정오결)-14

무리가 모이면 年神이 통솔하여 쓰임이 있고, 太歲가 宅을 吉凶의 宮으로 참조한다. (類聚有年神領用,太歲參宅吉凶之宮.)

해석. 吉神은, 건록, 역마, 택신, 천의, 복덕, 궐문, 진신, 생왕位, 화개, 삼기이다. 凶煞은, 쇄살, 적살, 함지, 목욕, 망겁, 백호, 양인, 비인, 파택, 대모, 구교, 상조, 관부, 병부, 사절이다. (解..吉神,,建祿,驛馬,宅神,天醫,福德,闕門,進神,生旺位,華蓋,三奇.凶煞,,碎煞,的煞,咸池,沐浴,亡劫,

白虎,羊刃,飛刃,破宅,大耗,勾絞,喪弔,官符,病符,死絕.)

時의 자리를 소상하게 하려면 다섯 가지 이치의 당연함이 있다. (時座消詳,有五理之當然.)

해석. 하나는, 時상의 망겁, 인살, 공망, 원진, 고과, 사패, 금신, 백호 등의 항목과 같이, 惡氣가 꿰어 모여 日로 거꾸로 돌아와서 刑 沖 剋을 犯하는 것이 있으면 상서롭지 않다. 만약 貴氣가 이것에 모이면 상서롭게 되는 것이다. 하나는, 年 月 日의 세 항목에 貴氣와 삼원 福祿의 神을 끌어들여 어느 것이 重한지 어느 것이 輕한가를 자세하고 확실히 구분한다. 어떤 것은 안온(安穩)함을 얻으며 어떤 것은 머무르지 않고, 다시 자가(自家)에 도리어 실어도 일으키지 않으며, 혹 선차(船車)와 같고, 또 屋宅을 더한다. (解..一如時上之亡劫,刃煞,空亡,元辰,孤寡,死敗,金神,白虎等項.惡氣貫聚,倒歸於日,有所刑沖剋犯者不祥.若貴氣聚此,則爲祥瑞矣.一年月日三項貴氣,三元福祿神引入,何者重,何者輕,分詳端確.何者來得安穩,何者不得停住,更自家還載得起否,或如船車,又加屋宅.)

또 이르길, 時에 家가 있는데, 오히려 年 月 日상에서 서로 의지하고 있어도 호응(呼應)하는지 아니한가를 살펴본다. 또 이르길, 時의 자리에 一位는 결국 主體의 단서가 된다. 나의 견해는 굳이 이와 같지는 않지만, 또한 분명히 吉凶을 분별하고 묘리(妙理)가 일치하면 體는 造化의 精을 적절히 얻는 것이다. 年 月 日안의 一位와 時가 화목하면 보통이고, 二位와 時가 화목하면 작은 富貴를 누리고, 三位가 함께 時와 화목하면 대발(大發)하여 富貴를 이루고, 그렇지만 日은 요긴하고 年은 엷고 月은 느리다. (又云時之有家,卻於年月日上之處,又看有相依倚呼應否.又云時座一位,竟作主體之端.余見未敢如此,亦係辨明吉凶,妙理一致,體得造化精切也.年月日內,有一位與時和者平.二位與時和者,小享富貴.三位共與時和者,大發見成富貴,但日緊年淺月緩.)

하나는, 時에 剋 破 衝 害 和 助 勾 引 空亡 死 敗등이 있으면 가장 사태의 요점을 골라서 취하게 된다. 가령 庚寅시에 乙亥를 用하면 生扶하여 旺相하며 得氣 得地한 것이다. 남의 힘을 빌려서 의지하는 것이 옳은지 그른지는 歲運을 참고(參考)하여 그 吉凶이 發하는지 廢하는 까닭을 비교한다. (一時有剋破衝害和助勾引空亡死敗等件,最爲撮要事體.如庚寅時,取乙亥爲用,旺相生扶,得氣得地.可否以憑藉,參考歲運,較其吉凶發廢之由.)

하나는, 時가 旺相하고 有氣하려면 休 囚 無情하지 않아야한다. 또 말하길, 초 중 말에 삼차의 정의(情義)가 있는데, 예컨대, 寅時 初는 土에 속하고, 中은 火에 속하며, 末은 木에 속한다. 하나는, 時와 서로 刑 衝하면 절대적으로 필요한 일인데 物을 실어도 미덥지 못하고, 時의 자리에 다섯 가지 긴요한 순서는 절실하고 필요한 道가 된다. (一時欲旺相有氣,勿使休囚無情.又云有初中末三次之情義,如寅時初屬土,中屬火,末屬木.一時相衝刑,是切緊事也,載物不牢,時座五緊之序,爲至切至要之道.)

대개 이 날에 태어나면 천하에 보편적으로 중인(衆人)이 함께하는 대체적인 조화이다. 단지 시각(時刻)은 조금이라도 어긋나는 의혹이 있어서는 안 되므로 사실을 증명할 근거에 준(准)하는데, 하물며 교환하는 사이는 刻이 日의 궤도에 버금간다. 본래 未時의 一刻에 버금가는 것은 구리병 물시계의 눈금으로 아는데, 오히려 刻은 午時의 4刻 8刻이니 마치 산골촌락의 밤에 태어난 것 같지 않은가! (蓋此日生辰,普遍天下,衆人所共大綱造化也.唯時之刻,分毫不可差忒有惑,故爲准則憑據,況交換之間,刻次日軌.本是未時一刻之次,其銅壺漏箭,卻刻午時之四刻八刻,況有山僻村落夜誕者乎.)

玉井奧訣(옥정오결)-15

虛한 辰을 감추는 法에는 삼술(三術)의 미묘한 뜻이 있다. (虛辰遁法,有三術之妙趣.)

해석. 하나의 록마 귀인 등은 吉하고, 刃 煞 死 敗등은 凶한데 하나하나 모두 성해진 사리가 있다. 五虎(5寅)이 둔원(遁元=甲丙戊庚壬)하여 머무는 干支를 用하면 그 官의 일을 맡을 수 있으니 지극히 응험(應驗)하게 된다. 또 이르길, 太歲는 12宮의 善惡이 임한 곳에서 달아나도 단지 歲神의 干에서 달아나 吉한 곳은 福이 되고, 凶한 곳은 재앙을 일으킨다. 그러나 일주의 財官등을 取하여 用[神]하면 歲나 日干의 二位를 바르게 살펴보아야하고, 확실히 달아나는 것을 마땅히 生해야하며 어떠한 吉凶의 神煞도 主에서 경중(輕重)을 나누는데, 가령 사람은 출신(出身)처에서 원류(源流)와 자격(資格)이 무엇인지 나눈다. (解..一祿馬貴人等吉,刃煞死敗等凶,一一俱有定位.乃用五虎遁元住干支,能司其官之事,極爲應驗.又云,太歲所臨十二官之善惡,遁亦只遁歲神之干,吉處作福,凶處興禍者.卻用日主取財官等件,正要看歲日干之二位,的係當生所遁,何等吉凶神煞,所主亦分輕重,如人出身處,係何派源流資格也.)

用神은 生時에서 旺해야하고, 마땅히 制剋을 막아야한다. (用神生時旺之方,當防剋制.)

해석. 가령 水를 용신하여 官이 되면 土가 申 子 辰등의 곳에 이르는 것을 꺼린다. 木을 용신하여 官이 되면, 金이 亥 卯 未등의 곳에 이르는 것을 꺼린다. 이허중은 용신과 가택을 破傷한다고 하였는데, 나는 단지 용신이 발기(發起)하는 곳이 먼저 파괴당하면 용신이 돌아갈 데가 없는 것을 나타내는 것뿐이다. (解..如用水爲官,忌土到申子辰等處.用木爲官,忌金到亥卯未等處.李虛中所謂傷破用神家宅,予獨以爲用神起發之處,先被傷壞,即用神無歸著矣.)

忌神이 令(제강)의 旺한 곳에 坐하면, 도리어 刑傷을 좋아한다. (忌神坐令旺之所,反喜刑傷.)

해석. 기신은, 가령 金을 용신하여 財가 되면, 火는 곧 기신인데, 단지 制剋하는 神을 좋아하고 土를 차지하면 묘(妙)하게 된다. 그러나 水가 寅 午 戌 巳등으로 오면 기신을 滅하기에 기택

(基宅)이 發旺한다. (解..忌神者,如用金爲財,火即忌神,唯喜剋制之神,占土爲妙.卻要水來寅午戌巳等處,以減忌神發旺之基宅也.)

용신이 鬼의 墓를 얻으면 재앙이 된다. 용신이 貴한 情으로 도우면 정정하다. (用神之鬼墓,得之爲殃.用神之貴情,亭亭贊助.)

해석. 용신이 스스로 鬼의 墓에 있어 吉하면 官庫라 한다. 가령 凶煞을 차고 刑 剋 衝 절(竊=설洩)하면 그 용신이 꺼리며 일주는 더욱 꺼린다. 용신이 財 官의 貴氣가 있어도 本家의 財官은 아니다. 순수하게 生扶하여 合하면 정신(精神)이 넘치고, 일주가 만나면 더욱 좋다. (解..用神自有鬼墓,吉則謂之官庫.如帶凶煞來刑剋衝竊者,其用神自忌之,日主尤忌之.用神自有財官貴氣,非本家之財官也.來意順生扶合,精神百倍,用神自喜之,日主尤宜見之.)

墓絶과 아울러 煞刃이 刑하면 재앙의 형상이 惡하게 모인다. 공망으로 사면하고 財官이 體가 되면 祿이 모여 福을 더한다. (墓絕併煞刃來刑,禍形惡會.空赦領財官爲體,祿集福加.)

해석. 墓 絶 死 敗는 死하니 道가 不足한데, 만약 刃煞, 망겁, 구원 등이 있는데 일주와 용신을 刑 衝 剋 竊(洩)하면 화환(禍患)이 침입하게 된다. 월공 천사의 두 神은 吉善한 것이고, 천월덕, 천월합의 四神은 결단이 동일하고, 각자가 主事의 직책을 맡는데, 만약 財官등의 貴를 主가 거느리면 더욱 아름답고, 그 영화로운 福氣가 늘어져 틀림없이 넓게 모일 것이다. (解..墓絕死敗,死不足道,若帶有刃煞,亡劫,勾元等,來衝刑剋竊日主併用神者,禍患立侵矣.月空,天赦二神,至吉善者,天月德,天月合,四神同斷,各司乃職主事,若又係財官等貴主領者,更美,其榮耀之福氣,駢駢然廣集矣.)

玉井奧訣(옥정오결)-16

상관 墓神의 무리가 있으면 柱중에 특히 나쁘다. 겁재 庫鬼를 암장하고 있으면 命에 흉악함을 구분한다. (類有傷官墓神,柱中尤惡.暗有劫財庫鬼,命分至凶.)

해석. 상관이 墓庫에 있을 경우, 가령 丙인은 土가 상관인데, 辰을 만나면 자가(自家-상관자신)이 墓神이다. 만약 凶煞을 지니며 일주와 아울러 용신을 剋 竊[洩] 刑 衝하면 틀림없이 惡氣가 된다. 겁재가 墓庫일 경우, 가령 丙인이 戌에 자리하면 상에서 丁이 旺한데, 凶煞이 와서 그 일주 용신을 剋 竊 刑 衝하면 凶하게 된다. (解..傷官自有墓庫,如丙人土爲傷官,遇辰自家墓神.若帶凶煞,剋竊刑衝日主併用神,至爲緊切惡氣,劫財之庫基.如丙人戌位,兼丁旺於上,帶凶煞前來,剋竊刑衝其用日主,至凶.)

印綬가 生하면 마땅히 윤택(潤澤)하다. 악신이 死地이면 刑傷하는 것을 두려워한다. (印綬生鄉,

宜乎潤澤.惡神死地,怕作刑傷.)

해석. 印綬는 본래 나를 生하는 神인데, 만약 印綬 자신이 生旺한 곳에 있으며 또 生合하는 神을 만나면 전화위복(轉禍爲福)이 되고, [印綬]자신의 대의(大義)가 끊임없이 이어져 좋다. 혹 차거나 혹 넘치면 火가 나와서 木을 불사르고, 水가 범람하여 木이 뜨고, 土가 重하여 金이 매몰하고, 火가 重하여 土가 허탈하고, 水가 흘러서 金이 가라앉으니 도리어 심히 가득차면 기울고, 매우 盛하면 꺾어지는 재앙인 것이다. 凶惡한 神의 자신(自家)이 이미 死絶하는 곳에 있으며 上에서 또 惡氣를 타서 용신과 일주를 剋 竊 刑 衝하면 낭패(狼狽)하지만, 만약 死 絶 墓 敗상의 宮主가 惡을 파괴하면 앞에서 사용한 뜻풀이로 단정한다. (解..印綬本爲生我之神,若値印綬自家生旺之所,又見生合之神,轉禍爲福,自家大義,綿綿不絕則可.或滿或溢,火出木焚,木浮水泛,土重金埋,火重土虛,水流金沉.反有太滿則傾,太盛則折之禍矣.凶惡之神,自家已在死絕之處,於上又乘惡氣,剋竊刑衝用神日主者狼狽,若死絕墓敗上宮主,爲惡來壞者,用前註斷.)

용신이 惡한 곳이면 地支를 어찌 확실히 밝히려는가! 納音이 生旺한 방향이면 용신이 평탄하여 꺼릴 것이 없다. (用神惡沒之所,地支豈欲全彰.納音生旺之方,用神坦然無忌.)

해석. 무릇 용신이 敗 絶 惡등의 자리에 빠지면, 柱중에 노출된 것을 꺼리며 대부분 비천(卑賤)한 下格이고, 거듭 凶煞이 있으면 옳겠는가? 혹시 1~2位를 보면 오히려 옳을 것 같으나, 만약 歲運상에서 惡한 氣를 도와 일어나고 겸하여 煞局이 모이면, 곧 침륜, 상패, 회린, 파실하는 氣의 무리가 된다. 심하면 죽어서 몸을 장사지낼 곳이 없으니 반드시 공망과 아울러 煞로 단정해야 한다. 무릇 命의 納音으로 항상 生하고 항상 旺해야 四貴의 地支가 용신을 生한다. 자연히 기쁘고 즐거우면 모두 꺼림이 없고, 태연하여 저절로 편안하다. (解..凡用神之敗絕惡陷等位,柱中忌露,多是卑賤下格.更帶凶煞之神,可乎?倘見一二位猶可,若歲運上扶起惡陷之氣,兼會煞局者,即爲沉淪喪敗,悔吝破失之氣類也.甚則死無葬身之地,須空亡併煞方斷.凡命之納音,常生常旺,四貴之地,用神來生.自然喜悅者,皆無忌憚,恬然自安.)

火土의 根源이 중화를 잃으면, 진몽(塵濛)[22]의 象으로 변화한다. (火土之源失中,易化塵濛之象.)

해석. 만약 火土가 造化하여 중화(中和)의 氣를 얻지 못하고, 혹 조(燥)하거나 혹 한(寒)하고, 혹 편고(偏枯)하면 회물(晦物)한 氣로 바뀌어 체암혼몽(滯暗昏濛;어둠에 드리운 가랑비처럼 흐릿함.)한 象으로 빛나지 못하는데, [체암혼몽을] 만나면 이루지 못하는 것이다. (解..若火土不得造化中和之氣者,或燥或寒,或偏或枯,易於晦物之氣,乃滯暗昏濛之象,不能煥發,遇而不成者矣.)

死敗한 象의 무리가 있으나 生旺한 神을 손상하지 못한다. (死敗之象有黨,莫傷生旺之神.)

22) 진몽(塵濛);가랑비 오는데 티끌 같으니, 흔적이 사라진다는 의미일 것 같음.

해석. 가령 死 敗한 象의 무리가 있어도, 도리어 生旺한 神을 刑 衝하거나 竊[洩]하면 형통(亨通)한 조짐이 크지는 않다. 가령 水人이 卯의 木을 보고, 酉金이 辰土 巳火등의 종류이면 오히려 일주가 生旺한 宮主이고, 용신도 生旺한 宮主인데, 서로 相剋하여 허물이 적지 않으니 마땅히 자세히 알아야한다. (解..如死敗之象有黨,反來刑衝犯竊生旺之神,大不亨通之兆.如水人見卯家之木,酉金辰土巳火等神之類,卻將日主生旺宮主,用神生旺宮主,相犯相剋,爲咎不小,宜詳之.)

玉井奧訣(옥정오결)-17

五氣는 東西에 분포(分布)하여 정해지고, 지리(地理)에서 능히 배양되어 고갈된다. (五氣布定東西,地理能培能竭.)

해석. 亥 子는 水, 寅 卯는 木, 巳 午는 火, 申 酉는 金, 辰 戌 丑 未는 土이다. 가령 金은 亥子에 이르면, 氣가 洩하여 고갈되고, 木이 亥 子에 이르면 배양(培養)된다. 나머지는 이 추리를 모방하고, 지극히 중요한 일이 된다. (解..亥子水,寅卯木,巳午火,申酉金,辰戌丑未土.如金到亥子,則氣泄而竭.木到亥子,則受養得培.餘倣此推,極爲切事.)

하나의 辰에 貴煞이 모여 암장하고, 納音으로 自旺하며 自生한다.(一辰聚藏貴煞,納音自旺自生.)

해석. 가령 하나의 辰에 貴가 모이고, 長生이 煞을 차며 日時에 있으면 같은 길로 煞을 생하게 된다. 또 이르길, 煞이 貴를 차면, 自장생하여 有用하게 되니, 이것이 貴가 自장생을 찬 것이 되고, 또 煞중에 貴를 암장하게 된다. 또 이르길, 年중의 干과 [納]音은 장생을 따르고, 같은 神煞이 日時에 있으면 眞장생이 된다. 年 月 日 時에 모인 氣가 또 하나는 强하지만 넷은 弱하게 된다. 또 이르길, 四柱에서 단지 一位의 장생이 필요할 뿐이며 오로지 그 旺氣는 정신(精神)을 취렴(聚斂)하게 된다. (解..如一辰貴聚,長生帶煞,在日時爲生煞同途.一云煞帶貴,自長生,爲有用,此爲貴帶自生,又爲煞中藏貴.一云年中干音隨生長,同神煞在日時者,爲眞長生.乃聚年月日時之氣,又爲一強四弱.又云,四柱只要一位長生,專其旺氣,爲聚斂精神.)

공망은 소식(消息)에서 數의 끝인데, 어찌하여 十干의 부족한 곳에서 멈추는가! (空亡消息數端,豈止十干缺處.)

해석. 이 煞은 가장 긴요(緊要)한데, 중간에 경중(輕重)과 진가(眞假)를 마땅히 자세히 살펴야한다. 일순(一旬)의 공망은 10일을 상하의 소관(所管)으로 나누는데, 가령 甲子순중에 5陽干은 戌공을 사용하여 절(切)이 되고, 5陰干은 亥공을 사용하여 절(切)하게 된다. 一氣도 輕重을 나누는데, 甲子가 壬戌을 보면 眞공이고 戊戌을 보면 輕하다. 또 이르길, 上에서 一位로 太重함을 견디는데, 가령 甲인이 癸를 보고, 乙인이 甲을 보는 종류이다. 십악대패는 一旬중에서 後에 祿이 공망을 만나는데, 가령 甲子순에서 壬申, 甲戌순에서 庚辰의 종류이다. 하나는, 5氣가 공망에 해당되는데, 가령 甲子순은 水土이고, 甲戌순은 金이며, 甲申순은 火土의 종류이다. (解..此煞最爲要緊,中間輕重眞假,宜仔細詳審.一旬空亡,十日分上下所管,如甲子旬中,五陽干用戌空爲切.五陰干用亥空爲切.一氣分輕重,甲子見壬戌眞空,見戊戌輕.一云,上肩一位太重,如甲人見癸,乙人見甲之類.卽十惡大敗,一旬中,後祿遇空亡.如甲子旬壬申,甲戌旬庚辰之類.一五氣落空,如甲子旬水土,甲戌旬金,甲申旬火土之類.)

官貴의 抑扶가 양립(兩立)하면 정일로자기(停一路磁基)라 부른다. (官貴抑扶兩立,稱停一路磁基.)

해석. 관성은 一身의 貴氣로서 福의 근원이 되니 제일 중요하고, 財神이 다음이다. 만약 일부일억(一扶一抑)이 있으면 그 뜻이 양립(兩立)하여 승부(勝負)를 분간하지 못하는데, 가령 陰陽의 氣가 오르내리지 못하여 한 방향의 運중에 마땅히 그 배속(配屬)한 强弱의 情이 머무는 섯을 칭(稱)하며 흥폐(興廢=흥망)을 옳게 살펴야한다. (解..官星爲一身之貴氣福源,第一切事,財神次之.若有一扶一抑,兩立其義,不分勝負,如陰陽氣不升降.一路運中,當稱停其配屬強弱之情,以察興廢可也.)

煞은 보이고 官이 숨으면 情에 의지하고, 官이 드러나고 煞이 암장하면 뜻을 세운다. (煞見官隱以託情,官顯煞藏而立義.)

해석. 煞이 보일 경우에 투출한 神이 制合하여 균배(均配)하고, 官이 숨을 경우에 印이 없고 다시 숨으면 겉으로는 지략으로 권력을 잡지만, 안으로는 간교한 계략을 품는다. 만약 煞이 重한데 통제가 없고 官[神]이 무정(無情)하면 이것과 반대이다. 官이 드러나고 煞이 암장하면, 안으로는 성질이 惡하며 무정(無情)하고, 겉으로는 의롭고 화목하며 절개가 있고, 대의(大義)가 이와 같은데, 마땅히 격물(格物)을 소상하게 살펴야한다. (解..煞見,有露神制合均配,官隱,無印更隱者,主外有權謀操略,內懷奸宄奇計,若煞重而無馭,官神無情者反是.官顯煞藏,內則性惡無情,外則義和謹節,大義如此,又當格物以消詳之.)

玉井奧訣(옥정오결)-18

오로지 煞氣와 용신의 情이 거짓된 것을 꺼린다. 용신의 힘이 중요하고, 煞이 지나치게 달리는 것을 꺼린다. (忌煞氣專,用神情假.用神力切,忌煞外馳.)

해석..煞을 生扶하고 혹 生旺한 곳에 坐하고, 돕고 合하는 神이 있으면 전일(專一)한 뜻인데, 말로서는 不可하다. 柱중에 용신이 虛하여 生合하면 거짓된 情 노출한 形이 有氣하고, 혹 천중

(공망)에 해당하면, 비록 旺할지라도 地支가 없으면 거짓된 情은 힘이 흩어지므로 자연히 전일(專一)한 氣와 같지 않다. 만약 용신을 도와 合하여 生扶함이 있고, 혹 힘이 오직 生旺한 자리이며 生助하는 神이 있고, 유정(有情) 혹은 유력(有力)하면 구분하여 알아야한다. 忌신과 煞신의 둘이 비록 柱중에서 방해할지라도 힘이 오히려 치우쳐 歲運에서 剋 竊[洩]하면 자연히 柱중에 머물러서 氣가 흩어지며 지나치게 달리지 못하는 것이다. (解..忌煞有生有扶,或坐生旺處,及有贊合之神,其專之意,不可言也.柱中乃見用神虛來生合,情假露形有氣,或落天中,雖旺亦無地面,情假力散,故自不若氣專者.若用神贊合,有扶有生,或力專生旺之位,亦有生助之神,有情或有力,切要分曉.忌神煞神二者,雖柱中作梗,力卻自偏,歲運兼有剋竊,自然柱中停住,不得氣散而外馳也.)

부족함은 納音을 사용하면 氣를 보충하여 온전하게 된다. (缺用納音,全爲補氣.)

해석. 대요[씨]가 納音의 法을 만들어 八을 隔하여 사용하는 것으로 갖추었는데, 결국은 어떻게 物을 버리고, 氣가 부족한 곳은 納音을 빌려 보충하는데, 가령 부족한 土가 納音에 土가 있으면 그 不足함을 보충하고, 休 囚하여도 차츰 느슨하다. (解..大撓造納音之法,隔八有用之具,如何竟爲棄物,缺氣處仍要納音補借,如欠土納音有土,則補其不足,休囚稍慢.)

모든 物은 뜻이 妙하여 身이 감당할 수 없다. (物皆妙意,身不能任.)

해석. 貴氣가 혹 많거나 혹 重하고 自身이 無氣하면 어찌 감당할 수 있겠는가! 가령 그 무리를 따르거나, 그 化를 쫓고, 혹 그 象을 쫓으면 그 氣에 應하니 이 논리는 존재하지 않는다. 一說에는 身이 감당할 수 없는데, 가령 아프면 먹을 수 없고, 꽃은 열매를 맺지 못한다. (解..貴氣或多或重,自身無氣,豈能勝任.如隨其類,逐其化,或從其象,應其氣,不在此論.一說身不能任,如病不能食,花不結實.)

정세(情勢)가 충만하면 기쁘고, 시(時)에서 旺하여야 발달한다. 象의 뜻이 空寒하면 은밀하게 머물며 세월을 보낸다. (勢情充悅,發旺以時.象意空寒,幽棲度日.)

해석. 八子에서 氣候와 형세는 감정과 생각과 體의 부분인데, 가령 사람의 氣가 당당하고 충만하면 온화하여 기쁜 색을 띤 것과 같고, 젊어서 소통할 수 있으면 이로운 物이 끊이지 않게 일어나고, 혹 歲 運에서 돕는다면 다시 어찌 말하리오! 만약 팔자의 체제가 孤虛하며 氣象이 냉락(冷落)하고, 공망 休 囚를 겸하면 지혜와 재능과 용감할 수 있으나 펼칠 곳이 없으니 헛된 세월만 보낼 뿐이다. (解..八字氣候勢況,情思體段,如人氣壯氣滿,似和煖喜悅之色,少能達時通濟,利物發軔,或歲運扶持,更何言哉.若八字體制孤虛,氣象冷落,兼帶空亡休囚者,任有智才勇,無所施展,歲月空間而已.)

功을 이룬 氣는 변화가 따른다. 서로 교류하는 神이 왕래(往來)하면 모두 貴하다. (成功之氣,變

化歸尊.交互之神,往來俱貴.)

해석. 功을 이루면 변화하는데, 가령 壬水가 12월이면 氣가 본래 쇠잔하여 廢한다. 木象의 干支가 化를 일으켜 제일 妙한 일이고, 서로 교류하여 모두 貴한데, 가령 丁巳가 辛亥, 혹 庚寅 己卯의 종류를 보는 것이다. 地支가 비록 衝하여 不和하는 곳이라도, 두 地支에서 한신과 貴氣가 서로 往來함이 있다. 그 나머지는 이것을 모방하다. (解..成功變化,如壬水十二月,氣本殘廢.有木象支干引化,第一妙事,交互俱貴.如丁巳見辛亥,或庚寅己卯之類.地支雖衝,不和處,二支互有閑神貴氣來往,其餘倣此.)

玉井奧訣(옥정오결)-19

休囚한데 다시 공망이 되어 이지러질 때에 하는 일에서 물러난다. 旺相한데 아울러 生合하면 권력이 모여든다. (休囚更入空亡,時乖事退.旺相若兼生合,輻輳權行.)

해석. 무릇 휴수한 物은 본래 좋지 않는데 다시 공망이 되면 어찌 때를 만나지 못하고 태어날 것이며, 설령 때를 탈지라도 하는 일도 물러나고 성취하지 못한다. 만약 五象이 旺相하면 공망이라도 오히려 옳고, 金은 旺한 火가 공망에 들면 오히려 좋다. 旺相한 神은 본래 그때인데, 生과 같고 合과 같아 정신(精과神)을 만날수록 권력으로 변한다. 福이 모여들면 가히 그 뜻을 行하고, 거취(去就)는 모두 질서를 잃지 않는다. (解..凡休囚之物,本不好了,更入空亡,豈惟生不遇時.縱使乘時,事亦退散不濟.若五象旺相,到空猶可,金火旺入空卻好.夫旺相之神,本自當時,若生若合,愈見精神權變.福能騈集,可行其志,去就皆不失序.)

氣가 이미 지나쳐 퇴장(退藏)하면 도리어 묘(墓)絶의 地支가 마땅하다. 物이 오는 것은 장차 진취(進取)적이고, 원국은 生旺한 宮을 기뻐한다. (氣已過者欲退藏,翻宜墓絶之地.物方來者將進取,原喜生旺之宮.)

해석. 가령 3월의 甲木은 氣가 지나쳐 당연히 퇴장(退藏)하여 오직 墓絶의 地支가 마땅하니 道에 자연히 부합한다. 만약 生旺한 곳에 臨하면 도리어 괴려(乖戾)하게 된다. 生旺한 방향이 오는 경우, 가령 12월의 甲木은 진기(進氣)하고, 정월의 乙木도 진기(進氣)하니 장차 진기가 도래한다. 마땅히 生旺한 地支를 설립하면 禍福으로 더욱 절실하다. (解..如三月甲木氣過,理合退藏,惟宜於墓絶之地,乃道合自然也.若臨生旺之鄉,反爲乖戾.方來生旺者,如十二月甲木進氣,正月乙木進氣,將進方來.宜立生旺之地,爲禍爲福尤切.)

휴수를 用하면 발월(發越)이 느리고, 旺相한데 무정(無情)하면 악(惡)이 가장 빠르게 된다. (休囚有用,發越仍遲,旺相無情,爲惡最速.)

해석. 용신이 비록 貴하게 쓰일지라도, 나를 生助하고 혹시 또 천월이덕이나 천을의 무리에 臨하여도 만약 天時가 旺相하게 임하지 않으면, 설령 有用하여도 발월(發越)이 몹시 더디다. 柱중에 비록 旺相한 神이 있더라도 나와 무의미(無意味)하면 반길반흉(半吉半凶)하다. 같은 歲 運에 이르러, 단지 그 凶煞을 도우면 재앙으로 매우 빠르게 된다. (解..用神雖貴有用,生我助我,或又臨天月二德天乙之類.若不臨天時旺相,縱有用,發越遲遲.柱中雖帶旺相之神,與我無意,如半吉半凶.一至歲運,只扶其凶煞,爲禍最爲猛速.)

進神이 집권(執權)하면 정(精)이 지당(至當)하고, 納音에 貴를 실으면 마땅히 剋하거나 生해야 한다. (進神執權,至精至當,納音載貴,宜剋宜生.)

해석. 진신이 貴氣를 지니고 있으면 柱중에 제일 妙하다. 煞이 안으로 들어오면 제일 凶하다. 貴氣가 柱중에서 비록 吉할지라도 情은 절대적이지 않다. 納音이 마땅히 나를 剋하거나 나를 生하여야 비로소 뜻이 있어 그 貴의 아름다움이 온전하다. 만약 納音이 生剋하지 않으면 공망은 그 貴가 부담되어 나의 계통이 없다. (解..進神帶貴氣,柱中第一妙.引煞入內,第一凶.貴氣柱中雖吉,情若未切.納音宜來剋我生我,則方爲有意,以全其貴之美.若納音不生剋者,空負其貴,與我無統也.)

旺神이 氣를 衝하고, 투출한 용신이 마르고, 惡煞이 권력을 잡으면 本旬이 절박하다. (旺神衝氣,透用凋枯,惡煞任權,本旬急切.)

해석. 가령 丁未가 혹 夏월에 生하여 得時하면 刑出한 丑중에 辛 癸가 투출하여 柱중에 用하게 되는데, 그 福氣가 엷으며 禍도 輕하지만 惡煞이 旺相하면 본래 凶하다. 만약 日辰이 같은 旬안에서 동일하면, 재앙이 빠르고 重하다. 貴神이 本旬이면 吉함에 요긴하다. (解..如丁未或生夏月得時之際,刑出丑中辛癸,透在柱中爲用者.其福氣薄,爲禍亦輕,惡煞旺相本凶.若同日辰一旬之內,禍速至重也.貴神本旬,至吉至緊.)

玉井奧訣(옥정오결)-20

금신이 세력을 얻으면 凶하고, 공망이 衝을 만나면 반드시 發한다. (金神得勢至凶,空亡遇衝必發.)

해석. 금신은 본래 凶한데, 만약 火[鄕]의 制가 없고, 또 다른 곳에서 도와주어 혹 旺相하면 모두 득세(得勢)하게 된다. 폭(暴)강(剛)에 이르러 凶이 매우 甚하고, 공망이 되면 用하지 않고 物을 버린다. 衝하는 神을 만나면 반드시 발달을 일으키니 有用한 것이다. 가령 寅이 공망인데 申을 보는 종류가 이것이다. (解..金神本凶,若無火鄉制之,又被別處扶起,或旺相,皆爲得勢.至暴至剛,爲凶特甚,空亡陷沒無用,乃棄物也.遇衝神必然起發,即有用矣,如寅空見申之類是也.)

刃과 아울러 원진 망신 금신이 만국(滿局)하면 전부 火神을 의지한다. 旺相한 凶煞의 火가 공연히 불사르면 반드시 水象을 의지해야한다. (刃併元亡金滿局,全賴火神.旺相凶煞火焚空,須憑水象.)

해석. 金[神]이 物을 살해(殺害)하는 命의 象은, 金氣가 만국(滿局)하고 凶煞등의 神을 겸하여 刑剋하면 내가 타인을 살해(殺害)하지는 않지만 반드시 사람을 [칼로] 찌르는데, 火의 制가 없으면 반드시 경험한다. 만약 火가 불사르는 象이 盛하면 이들은 대부분 화재(火災)를 당하는데, 하물며 歲 運에서 그 氣에 부합(符合)하면 반드시 水의 象으로 기제(旣濟)하여야 한다. (解..金乃殺害物命之象,滿局金氣,兼帶凶煞等神刑剋者,我不殺害他人,必被人所刺,無火制必驗.火若焚炎之象盛者,此等多值火災,況歲運符合其氣,須藉水象旣濟.)

木이 土氣에게 의탁하면 발명(發明)을 기대하고, 剋 衝하는 힘이 머무르면 승부(勝負)를 가늠하지 못한다. (木土氣託,以待發明,剋衝力停,未分勝負.)

해석. 木은 土가 아니면 재배할 수 없고, 土는 木이 아니면 소통(疏通)할 수 없으니, 歲 運을 기다려서 그 부족함을 도와야 그 氣를 빛내고 發하여 자연적으로 견고함을 더한다. 윤택(潤澤)하여 衝 剋하면 승부(勝負)가 있고, 힘이 머무르면 승부(勝負)를 가늠하지 못하니 반드시 그 氣와 소식(消息)을 관찰하여야 비로소 단정할 수 있다. (解..木非土則不能栽養,土非木則不能疏通,以待歲運,扶其不足,煥發其氣,自然益堅.至於潤澤衝剋,有勝有負,力停則勝負未分,須觀其氣而消息之,方可斷也.)

돕고 生助하면 다시 배양(培養)하는 神을 살피고, 전투(戰鬪)하고 衝하여 다투면 완전히 파괴하는 氣를 살핀다. (扶持生助,察轉養之神,戰鬥衝爭,觀壞盡之氣.)

해석. 生助가 끊임없이 이어지면 오직 배양(培養)하는 神을 살펴보는데, 어떤 곳이 體用의 터전으로 吉凶의 조짐을 결정하게 되는가! 전투(戰鬪)하여 衝하며 다투어 완전히 파괴하는 氣를 살펴보면 이는 곧 한가하게 물러나 쓸모없는 사람이 된다. (解..生助滔滔者,看專養之神,何處爲體用之基,爲吉凶之兆而決之.戰鬥衝爭,觀壞盡之氣,卽此爲閑退無用之人也.)

陰干은 刃을 분명하게 取해야하고, 地支의 힘이 권력을 잡으면 暗으로 犯하는 것을 방비해야 한다. (陰干取刃欲分明,支力當權防暗犯.)

해석. 지력(支力)은 또 귀력(貴力)이라 말하고, 陰干이 刃을 취할 경우, 가령 丁 己가 未를 보고, 辛인이 戌을 보면 刃이 되는 종류다. 지력이 권력을 잡을 경우, 가령 未가 貴神이고 혹 힘이 重하면 午를 合하고, 午가 子를 衝하여 未를 犯한다. 또 가령 未가 힘이 重하면 衝을 일으킬 수 있어 丑[字]중의 癸 己의 物이 나온다. (解..支力,一云貴力,陰干取刃,如丁己見未,辛人見戌爲刃之類.支力當權,如未係貴神或力重,則合午,午衝子來犯未.又如未有力重,能衝起丑字中癸己之物出來.)

旺神이 정립(挺立)하지만 物이 당전(當前)에 없고 惡煞이 가득차면 干이 머물 곳이 없다. (旺神挺立,物莫當前,惡煞滿盈,干無停處.)

해석. 가령 一位의 [天]干이 天時에서 旺氣에 이르면 탁월하게 柱중의 권력을 마음대로 부리고, 나머지는 끌어와 얽매는 것이 없으면 剋을 당하는 神이 어찌 감히 나타나겠는가! 설령 암장(暗藏)할지라도 감히 일을 감당하지 못한다. 歲干이나 日干이 만국(滿局)한 煞 刃등의 惡을 만나면 자가(自家=자체)인 干의 主는 결국 머무를 곳이 없으며 결코 主가 상서롭지 못하여 가난하거나 惡死로 요절한다. (解..如一位之干,有天時至旺之氣,卓然柱中擅權,餘無牽絡者.其被剋之神,何敢現露,縱使藏伏,亦莫敢執事也.歲干日干,遇滿局煞刃等惡,自家干主,竟無住處,決主不祥,貧夭惡死.)

玉井奧訣(옥정오결)-21

鬼중에 鬼를 만나면 거취(去就=별다른 행동이나 움직임)가 없고, 衝이 衝을 만나면 기대고 의지하기에 부족하다. (鬼中逢鬼無去就,衝而遇衝欠倚憑.)

해석. 나를 剋 害하는 것은 鬼인데, 만일 鬼가 또한 鬼를 만나서 相害하여 되돌아 剋傷하면 지극한 氣가 나를 핍박한다. 만약 다시 制함이 없으면 갑자기 죽을 조짐이 있다. 地支가 衝을 당하면 天干의 貴氣가 편안하지 못한데, 衝하는 神이 또 충격(衝擊)을 만나면 어찌하겠는가! 내 집에서 또한 의지할 터전이 없고, 象을 세우지 못하며 物도 역시 이루지 못하니 재앙이 아니면 요절한다. (解..剋害我者爲鬼,倘鬼亦遇鬼來相害,展轉傷剋,氣極逼我.若更無轉制,猝死之兆.支神被衝,干神貴氣便不安穩,奈何衝神又遇衝激.我家更無倚賴之基,象不立,物亦不成,非禍則夭.)

병탄(倂呑) 重剋은 모두 재앙을 이루고, 이격(二激) 雙衝도 전부 상서롭지 않다. (倂呑重剋皆成禍,二激雙衝總不祥.)

해석. 甲이 두 개의 壬을 보면 중탄(重呑)이 되고, 두 개의 庚을 보면 쌍극(雙剋)이 된다. 柱중에서 衝하는 神을 거듭 보거나, 혹 合하는 곳에서 刑 害 剋 破가 있으면 모두 상서롭지 못한 조짐이다. (解..如甲見二壬爲重呑,見二庚爲雙剋.柱中疊見衝神,或合處有刑有害,有剋有破,皆不祥之兆也.)

五行은 반드시 균정(均停)해야 하고, 치우치면 제물(濟物)하기 어렵다. 四柱에서 온전히 배필(配匹)이 되어야하는데 興衰로 功을 이루지 못할까 두렵다. (五行務要均停,偏倚難能濟物.四柱全

宜匹配,興衰恐不成功.)

해석. 균정은 다섯 가지 說이 있다. 하나는, 일주와 용신이 부드럽게 조화하여 상제(相濟)하면 서로가 각각 의지하며 치우치지 않는다. 하나는, 용신의 氣를 손상하여 制하는 物이 있으면 저해(沮害)를 일으키지 않는다. 하나는, 干支에서 上下글자의 모양을 이어받고 얻으면 지나침이 없으며 모자라지 않는다. 하나는, 死氣가 혹 활물(活物)을 상대하면 적은 무리가 많은 무리를 이길 수 없다. 하나는, 변화(變化)하려해도 투기와 破함이 있고, 안정(安靜)하려해도 범(犯)하고 과격한 것이 있다. (解..停均,其說有五,一日主用神沖和相濟,彼此各有倚賴,不偏.一損用神之氣者,有物以制之,不致作梗.一干支上下字樣,相承得所,無過不及.一死氣或對活物,黨寡不能勝黨衆.一欲變欲化,有妒有破,欲靜欲安,有犯有激者.)

배필(配匹)은 여섯 가지 說이 있다. 하나는, 衰神이 유용(有用)하면 반드시 運에서 衰神을 도우는 방향이 좋다. 하나는, 善惡을 비록 고르게 나눌지라도 運에서 어떤 것을 돕는지 살펴보고 吉凶을 나눈다. 하나는, 비록 用神이 있더라도 한 번은 興하고 한 번은 衰하니 편고(偏枯)하면 소용이 없다. 하나는, 서로 편안하고 도우며 응(應)하고 구(求)하여 각기 의지하여야한다. 하나는, 왕(旺)하면 그 物을 이루려하고, 쇠하면 온전히 이루지 못한다. 하나는, 干支는 각각 貴氣를 짝하는 것이 있고, 혹 어긋나고 용렬한 것도 있다. (匹配,其說有六,一衰神有用,須運扶衰者方可.一善惡雖能均配,看運扶何者,以別吉凶.一雖有用神,一興一衰,偏枯不濟.一相安相濟,所應所求,各有倚賴.一旺欲成其物,一衰不可成全.一干支各有所配貴氣者,或有所乖劣者.)

평생토록 福德은 化物이 연결되어 있는 것을 알지 못한다. 다음의 자리에 神이 오면 暗으로 막고 손상함을 알아야한다. (平生福德,不知化物連綿.次位來神,要識暗傷攔截.)

해석. 地支안에 己 乙 辛 丁의 종류가 있으면 모두 칠살로 惡하게 말하고, 특히 己土가 乙(乙庚)金을 生하고, 辛(丙辛)水가 丁[壬丁]木을 生하는 것을 알지 못하며 연이어서 끊이지 않는데, 하물며 분명하게 드러나겠는가! 虛로 공협한 곳에 혹 甲 丙 壬 庚이 암합(暗合)하여 완전한 氣가 있으면 大富貴한 格이다. 天干에서 未來의 이전 一位나, 地支에서 未來의 이전 一位는 모두 凶惡하게 되는 것을 반드시 알아야한다. 가령 乙이 丙을 보면 [丙이]辛을 合하여 暗으로 손상하고, 그리고 刃의 종류가 있는데 子가 丑을 보고, 丑이 寅을 보며, 寅이 卯를 보는 종류로 刃이 있고 煞도 있으며, 함지(咸池) 비견(比肩)으로 惡氣가 다양하다. (解..支內有己乙辛丁之類,皆言七煞惡之,殊不知己土生乙金,乙金生辛水,辛水生丁火[木],續續不絕,況明露乎,虛拱處或有甲丙壬庚,暗合完氣者,大富貴格.天干未來前一位,地支未來前一位,皆爲凶惡,不可不知.如乙見丙,合辛暗損.及有刃類,子見丑,丑見寅,寅見卯之類,有刃有煞,咸池比肩,惡氣.)

十干에서 眞氣가 서로 능멸하는 것을 돌아보면, 칠살은 剋하는 神으로 지극히 중요하다. (十干顧眞氣相凌,七煞犯剋神極切.)

해석. 가령 乙酉가 戊戌을 보면 戊(戊癸)火가 乙(乙庚)金을 손상하고, 六害하는 火의 墓로서 그 旺金의 氣를 發한다. 나머지는 이것을 모방하라. 七殺이 剋을 犯할 경우, 가령 원국에서 用[神]乙木이 酉運으로 行하면 丑의 歲가 衝으로 손상하는 것은, 乙未(사중)金局은 본래 그 乙木 용신을 파괴하고 아울러 丑이 그 虛[字]의 未를 衝하니, 장래 소장(所藏)하는 神을 도리어 파괴하는 地支이다. 이것은 하나의 例를 든 것이니 나머지 局은 상세히 살펴보라. 이 부분으로 설명을 그치는데, 칠살이 衝을 만나면 不吉하고, 金局이 乙木 용신을 파괴한다고 論할 수 없다. (解..如乙酉見戊戌,即戊火傷乙金,又六害之墓火,發其旺金之氣.餘倣此.七煞犯剋,如原用乙木行酉運,丑歲衝損,乙未金局,本壞其乙木用神,兼丑衝其虛未,將所藏之神碎壞倒地也.舉此一例,餘局細詳.此段止可言,七煞逢衝者不吉,不可論金局壞乙木用神.)

玉井奧訣(옥정오결)-22

八子에서 煞 刑이 胎에 있으면 의외(意外)로 반드시 알아야한다. 四印에서 어느 干이 氣를 타는가와 取하는 무리를 자세히 알아야한다. (八字帶煞刑胎,意外須識.四印何干乘氣,類取其詳.)

해석. 胎神이 소식(消息)을 전하는 것은 각각 다른 종류가 있고, 금인(今人)은 다만 전부 10개월로 헤아려서 많고 적음이 없으니 차질이 있다. 일법(一法)은 10개월의 좌우(左右)에 태어난 일진(日辰)을 대조하는 것이 옳은데, 가령 丙午일은 어느 節月안에 있는가! 혹 11月(달) 혹은 9月(달)에 숨어서 사용된다. 만약 刑을 지니면 일찍 父母를 꺼리고, 空 陷 衝 刑의 四煞은 가장 나쁘다. 四印은 고가에서 이르길, 辰 戌 丑 未가 四印인데, 戊 己가 얻으면 믿음이 기울고, 甲 乙이 만나면 비루(鄙陋)하고 또 탐욕스러우며, 丙 丁이 혹시 만나면 가난과 질병이 많고, 庚 辛의 格은 모생아(母生兒)라 부르며, 丑宮에 煞이 모이면 대부분 단명(短命)하고, 壬 癸는 자세하지 않다. (解..胎神所傳消息,各有異類,今人但總約十個月之位,故無淺深,以致差池.一法十個月左右間,其所生日辰對者是,如丙午日在何月節內.或十一月,或九月,遁而用之.若帶刑,主早妨父母,空陷衝刑,四煞最惡.四印,古歌云,辰戌丑未爲四印,戊己得之偏主信,甲乙若逢鄙且貪,丙丁或遇多貧病,庚辛格號母生兒,聚煞丑宮多短命,壬癸未詳.)

五行은 방우(方隅)에 분포하고, 死水와 生金은 쓰임이 다르다. (五行分布方隅,死水生金而異用.)

해석. 火는 寅에서 장생하고, 卯에서 敗하며, 午에서 旺하고, 金은 巳에서 長生하고, 午에서 敗하며, 丑에서 墓의 종류이다. 가령 甲子인이 巳를 만나면 金을 生하고, 生金하여 甲을 剋하며, 絶水는 甲을 生하고, 임관한 火는 甲을 竊[洩]하는 무리이다. 卯를 만나면 死水가 甲을 生하고, 旺木은 같은 무리이며, 敗火는 甲을 소모(消耗)한다. 자리마다 각각 맡은 바가 있으니 그 나머지

局을 살펴보고, 차제(次第)에 억부(抑扶)로 論하니, 나머지 干은 모방하여 추리하라. (解..謂火生寅,敗卯,旺午,金生巳,敗午,墓丑之類.如甲子人遇巳,即爲生金,生金剋甲,絕水生甲,臨官火竊甲之類.遇卯即爲死水生甲,旺木同黨,敗火耗甲.位位各有所司,看其餘局,次第扶抑而論之,餘干倣推.)

하나의 한신이 좌우에 머물고, 상관은 본래 竊[洩]하기에 때를 기다려야한다. (一神閑停左右,傷官竊本以待時.)

해석. 한신이 좌우에 있는 것이 月 時 歲의 干인데, 대부분 취용(取用)하지 않는다. 따라서 줄곧 느리고 어긋나며, 囚에 머무르면 지혜를 기르고, 養 病은 身을 喪하고, 혹 상관의 神이 무기(無氣)하면 일에 얽매이지 않는다. 홀연히 세(歲) 運에서 이러한 神을 도우면 나의 氣를 소모하고 나의 用[神]을 손상하니 반진반가(半眞半假)이다. 실제로 마부들이 득세(得勢)하면 소인이 영화를 만나 권세가 있으나, 이것이 머무르면 화근(禍根)인데, 어찌 갑작스럽다 하겠는가! (解..閑停之神在左右者,即月時歲干,多是不取用,故一向差慢.而至停囚長智,養病喪身,或係傷官之神無氣,不係爲事.忽歲運助起此等之神,耗我之氣,傷我之用,半眞半假.其實則圉圉得勢,小人逢寵有權,留此禍根,豈可忽哉.)

干神은 피차가 서로 편안하여야 비로소 祿을 갖춘다. 地支에 충격(衝擊)이 왕래(往來)하면 어찌 馬가 달리지 않겠는가! (干神彼此相安,方爲祿備.地支來往衝激,不奈馬馳.)

해석. 가령 甲인의 祿은 寅에 있으며 壬寅을 보면 자가(自家)에 절로공망을 지니고 있어 승(僧)道로서 福이 있다. 庚寅은 破祿이 되어 반길반흉(半吉半凶)하다. 그리고 丁이 戊를 보면 刃이 되어 단지 祿을 말하기는 어려우나 貴가 된다. 辛의 祿은 酉에 있으며 癸酉를 보면 火水가 서로 犯하게 되고, 丁은 酉가 공망貴가 된다. 丁[壬丁]木이 氣를 받고, 辛[丙辛]水가 목욕(沐浴)이면 간음(奸淫)한다. 祿상의 遁干은 眞祿이라 하는데, 저락(著落)하면 어느 방향이 유용(有用)한가! (解..如甲人祿在寅,見壬寅,則自家帶截路空亡,爲僧道有福.庚寅爲破祿,半吉半凶.又如丁見戊爲刃,難只言祿爲貴.辛祿在酉,見癸酉爲火水相犯,丁爲酉空亡貴.丁木受氣,辛水沐浴,主奸淫.祿上遁干,號爲眞祿,著落何方有用.)

그 干이 천을귀인을 보며, 그 貴상의 明干이 다시 貴祿에 坐한다. 가령 丁인의 祿은 午에 있고 年에 숨어있으며 丙[字]를 얻고, 丙의 貴人은 酉 亥인데, 辛酉 辛亥를 만나면 辛의 貴人이 다시 午에서 보면 입격(入格)하여 극품(極品)인데, 이것을 이허중은 천록호귀(天祿互貴)라 한다. 一馬는 衝을 좋아하지 않으며, 衝하면 動하고, 馬상의 干神이 貴를 타면 吉하고, 馬상의 遁干이 유정(有情)하면 吉하다. 가령 丁丑인이 辛亥를 만나면 貴處에서 유용(有用)하게 된다. 馬상의 干神이 凶煞 공망을 차면 惡하고, 주체(主體) 및 용신을 剋하면 惡하다. 혹 地支의 神이 격렬(激烈)하게 刑衝하여 떠돌면 그 馬가 어찌 편안하겠는가! (其干見天乙貴人,其貴上之明干,復坐貴祿.如丁人祿在午,遁至年,得丙字.丙貴酉亥,而逢辛酉辛亥.則辛貴復見於午,入格極品,此李虛中爲天祿互貴.一馬不喜

衝,衝則動,馬上干神乘貴者吉,馬上遁干有情者吉.如丁丑人逢辛亥,是要貴處有用.馬上干神,自帶凶煞空亡者惡,來剋主體及用神者惡.或支神激烈刑衝轉轉,其馬豈得安休耶.)

玉井奧訣(옥정오결)-23

관성이 손상을 다하면 用祿함을 알게 된다. 祿위를 衝 破하면 비로소 用官해야한다. (傷盡官星,方知用祿.衝破祿位,始得用官.)

해석. 柱내에 상관이 있으면 관성은 분명히 剋 害를 당하는데, 그러나 日祿이 있어서 祿을 用[神]하면 오히려 온당(穩當)하고, 둘을 用[神]하지 않으면 귀일(歸一)하지 않는다. 祿위가 만일 파괴되면 도리어 관성을 用[神]하여 體를 정한다. 대개 일단(一端) 貴를 用[神]하여야 가장 妙하고, 많으면 정신(精神)이 산만하다. (解..柱內有傷官之神,官星明被剋害,卻有日祿者,用祿卻穩當,不致兩用,不歸一也.祿位如被破壞,卻只用官星爲定體,蓋貴用一端最妙,多則散了精神.)

祿위는 비록 분명할지라도 化氣를 꺼리며 두려워하고, 역마를 이미 만났으면 日辰 역시 重하다. (祿位雖明,化氣恐忌,驛馬旣見,日辰又重.)

해석. 관성 건록等이 분명히 破하지 않았으면 반드시 吉과 福이 되는 것이다. 만약 體用이 化를 이루는데 도리어 그 位에서 투기와 탈취가 있으면 化할 수 없고 物을 이루지 못한다. 또한 묘(苗)가 빼어나지 않으며 貴가 공망되어 官이 없으면 혹 福이 있어도 재물이 쌓이거나 福이 두터운 것은 아니다. 역마가 本인 태세宮에 숨으면 用[神]을 타야하는데, 만약 日宮에 다시 馬가 나타나 중첩하면 도리어 賤局이 된다. 일설(一說)에는 日辰의 馬와 아울러 歲의 馬가 비록 중첩할지라도 馬는 유용(有用)하고 貴氣가 편안하여 더욱 좋다. 그러나 거듭 보면 적합하지 않는 것이다. (解..官星建祿等件,旣明無破,爲吉爲福必矣.若體用成化,卻於其位有妒有奪,化來不得者,爲物不成.則亦苗而不秀,空貴無官,或有福,而非財積福厚者.驛馬本埋於太歲宮,要來乘用.若日宮又有馬出重疊者,反爲賤局.一說日辰馬併歲馬雖重,馬若有用,貴氣相安者愈好.再見則不中矣.)

록빈(祿賓)을 取하여 用하는 것을 기억하고, 馬가 장차 元이 되는 것을 자세히 살펴보아야한다. (記取祿賓爲用,細觀馬將爲元.)

해석. 遁祿상의 干은 명칭이 祿賓인데, 가령 年祿이 없으면 반드시 遁이 祿宮에 이르는가를 살펴본다. 干神을 用하면 主祿이 가장 중요한데, 오히려 日辰의 用[神]이 어떤 神인가를 살펴본다. 馬는 또한 祿法과 같은데, 비유하면 丁巳세에 丙일은 馬는 亥이고, 遁한 辛을 보면 丙일의 妻가 되며, 主는 속세를 떠난 道의 길로서 아내를 얻는다. 그런데 貴祿 財官 凶煞의 輕重을 나누라는 말이다. (解..遁祿上之干,名爲祿賓,如無年祿,須看遁至祿宮.干神爲用,主祿最切,卻看日辰用爲何神

也.馬將亦如祿法,譬如丁巳歲丙日,馬在亥.遁見辛,爲丙日之妻,主道途方外所娶.卻分貴祿財官凶煞輕重言之.)

象을 쓰면 틀림없이 맞는데 쟁투(爭妒)를 막아야하고, 貴氣가 서로 소통하면 분탈(分奪)을 반드시 살펴봐야한다. (用象契合,要防妒爭,貴氣交通,切觀分奪.)

해석. 용신은 日干과 본래 合하여야하며 유정(有情)하고 유기(有氣)하여 짝을 얻고, 혹 그 明暗중에서 비견이 있어 쟁투(爭妒)를 만나지 않아야한다. 용신이 자기의 神과 쟁투하면 일체(一體) 단정하는 法으로 歲 運도 동일하다. 무릇 貴氣는 하나를 用[神]하면 옳고, 두 세 곳에서 用[神]을 나누면 중인(衆人)의 物이 되어, 평생토록 분쟁(分爭)으로 소송을 많이 일으킬 뿐만이 아니라 자신의 재산(財産) 또한 비견이 나누게 된다. 그것이 중(重)하고 내가 경(輕)하면 더욱 심하다. (解..用神本與日干作合,有情有氣得侶.或其明暗中有比肩,一爭一妒,不遇.用神自家之神爭妒者,一體斷法,歲運同.凡貴氣專用則可,兩處三處分用,便是衆人之物.不惟平生多起分爭之訟,自家財產,亦爲比肩所擘.彼重我輕更甚.)

財官은 日辰을 다만 의지하고, 亡[身] 劫[煞]은 반드시 太歲를 참조해야한다. (財官只倚日辰,亡劫須參太歲.)

해석. 日辰은 財官을 단지 取하여 용신하고, 가장 친절(親切)하게 興 衰 旺 絕과 相生 相剋하게 된다. 그러나 歲와 家를 어떻게 통치하고, 그 행적과 禍福을 지극히 경험하겠는가! 亡 劫의 두 神은 一年에서 重한 惡煞인데 반드시 歲君을 참작하여 추리하고, 각각 吉凶이 16단계로 進退가 있는데, 행적을 취사(取捨)선택하는 道인 소치(所致)이고, 이미 전(前)에 기록하였다. (解..日辰只取財官爲用,最爲親切,興衰旺絕,相生相剋.卻與歲家如何統攝,其行藏禍福極驗.亡劫二神,一年至重之惡煞也.須准歲君推參,各有進退吉凶一十六般,所致行藏取舍之道,已錄於前.)

玉井奧訣(옥정오결)-24

貴는 등급에 강명과 경중(輕重)이 있고, 富는 고저(高低)가 있으며 후박(厚薄)으로 나눈다. (貴有等降明重輕,富有高低分厚薄.)

해석. 첫째, 格局의 체제(體制)를 살필 경우, 가령 세력이 맹렬(猛烈)한 뜻은 主本이 웅건(雄健)하고, 貴氣가 호환(互換)하여 왕래(往來)한다. 凶煞이 보좌(輔佐)를 얻으면 氣가 차지 않아 거취(去就)가 없는데, 제일(第一) 옳은 것이다. 둘째, 용신은 참된 정(情)이 필요하고, 파괴(破壞)가 없으며, 格局의 근량(무게)이 서로 비슷하여야 順하다. 셋째, 福神이 유정(有情)하면 化象이 體를 얻는다. 넷째, 本等에 財官이 유용(有用)하고, 運에서 도움을 만나면 絶하지 않는다. 다섯째, 物

이 좋은 것은 時상과 運중에서 도와야한다. 物이 나쁜 것은 時상과 運중에서 제어(制御)한다. 凶處에서 德神을 겸하고 있으면 吉處에서는 항상 빛을 發함이 있다. (解..一察格局體制,如勢意猛烈,主本雄健,貴氣互換往來.凶煞輔佐得所,不致氣滿無去就.第一義也.二用神至切至情,無破無壞,格局斤兩,相等而順.三福神有情,化象得體.四本等財官有用,運遇扶持不絕.五所喜之物,時上與運中扶持.所惡之物,時上與運中制馭.凶處兼有德神,吉處每有煥發.)

첫째, 大富는 財神의 경중에 있지 않고, 대체로 貴氣가 완전히 갖춘 것에 있다. 氣가 두텁고 건장함을 보는데 불과(不過)하며 다만 중간(中間)에 부족하면 청순(淸純)한 象이다. 둘째, 정신(精과神)에 도움이 있고, 한신이 파다(頗多)하며, 일주가 의지함이 있고, 印 食 財神의 삼자(三者)가 꼭 필요하다. 셋째, 祿馬가 身을 돕고, 일주가 胞 胎 絶처에서 氣를 받으면 財官이 유용(有用)하다. 혹 生氣를 만나서 멀리 흘러도 象에 모인 氣가 많지 않다. 넷째, 財庫가 拱협하고 혹 드러나면 氣가 두터워야하고, 刑 衝을 얻으면 財 印 食 三位에서 一位를 用[神]한다. 日辰이 단지 구절자전(拘切自專)하면 貴氣가 산만(散漫)하고, 각각을 상세히 알면 고하(高下)가 분명하게 있는 것이다. 다섯째, 刑 剋이 있으면, 혹 나를 剋하는 物은 재성의 生旺한 氣이거나 혹은 財神 祿馬 貴人의 氣이다. (一大富不在財神之輕重,大概亦有貴氣俱全者.不過看氣厚氣壯,但中間欠淸純之象.二精神有助,閑神頗多,日主有倚,印食財神三者至切.三祿馬扶身,日主受氣胞胎絶處,財官有用.或遇生氣但流遠,聚象之氣.四庫財有拱,或露則要氣厚,得衝得刑.財印食神,三位一位有用.日辰但拘切自專,貴氣散漫,詳之各有高下明矣.五帶刑剋,或剋我之物,係財星生旺之氣,或財神祿馬貴人之氣.)

빈천하지만 수명이 연장되고, 富貴하지만 요절한다. (貧賤而壽延,富貴而年夭.)

해석. 하나, 용신이 戰 剋하여 의지할 데가 없으며 또 休 囚하여 쓰임이 없고, 혹 死絶 박잡(駁雜)한 곳에 임(臨)한다. 오직 身이 中和의 氣를 얻고 運에서 치우치지 않아야한다. 하나, 胞胎 死 絶한 氣를 받는 곳에 臨하며 福神을 지니지 않아도 運이 通하면 害가 되지 않는다. 혹 공망 파쇄 원진 대모 육해 鬼묘 금신 백호 死氣 刃煞이 서로 아울러서 局에 돌아오는데, 오직 하나의 印綬만 있거나, 혹 하나의 食神이 유력(有力)하고 運에서 소통하면 박잡(駁雜)한 곳에서 부절(不絶)하는 것인데, 앞의 문장에 준(准)한다. (解..一應用神剋戰無倚,又兼休囚無用,或臨死絶駁雜.獨身得中和之氣,運引而不偏.一身臨胞胎死絶受氣之方,不帶福神,運通不能害者.或空亡破碎,元辰大耗,六害鬼墓,金神白虎,死氣刃煞.交併歸局,獨有一印綬,或一食神有力,運通引而駁雜處不絶者,准前文.)

하나, 복신이 왕래하여 득세하고, 자신이 旺相하면 歲 運에서 명성을 드날린다. 심히 가득차서 기운 것을 用하고, 혹 부족하여 다시 生하는 神이고, 혹 나를 剋하는 곳이면 거취(去就)할 뜻이 없다. 혹 하나의 공(空) 함(陷)하는 物은 나의 氣가 모이는 곳을 刑 衝한다. 하나, 본상과 화상은 모두 용신을 얻으면 福이 되고, 좌우에서 그 근원을 만나면 그 身이 오히려 化가 不化하여 근본(根本)이 편안하지 못한 것이다. 하나, 貴氣가 滿局한데 身弱하면 감당하지 못하고, 歲 運에서 일주를 戰 剋하면 위의 문장에 준(准)한다. (一福神往來得勢,自身旺相,歲運顯揚.太滿用傾者,或欠轉生之神,或剋我處竟無去就.或一空陷之物,刑衝我聚氣之所.一本象與化象,皆得用神爲福,左右逢其源.其身卻化而不化,根本不穩者.一滿局貴氣,身弱不任,歲運剋戰日主,准上文.)

성곽이 견실한 것도 역시 火 土로 말미암은 것이다. (闔實亦由於火土.)

해석. 火生土는 뜻이 가장 좋고 가장 견실하며, 氣象이 자연히 굳건하게 모이니 반드시 돈후(敦厚)하여 本에 힘쓰고, 명리(名利)를 편안하게 누리며 처세(處世)가 편안하게 잘 지내지만, 그러나 건공입업(建功立業)이 헛되지 아니한다. (解..火生土,意最良最實,氣象自然固聚,必是敦厚務本,利名安享,處世優游,卻非駕空建功立業者.)

유행(流行)은 모두 근원(根源)에서 비롯한다. (流行俱藉於根源.)

해석. 대체로 유년(流年)은 運에 한정되게 받아들여 따르고, 풍파(風波)와 성패(成敗)를 겪지 않는다. 대개 으뜸인 근기(根基)로 말미암아 貴氣를 얻는 힘이 있고, 세(歲) 運으로 行하여 돕고 파괴하지 않으면 남의 힘을 빌려 의지할 곳이 있다. (解..大凡流年運限從容,不經風波成敗者.蓋繇根基元有得力貴氣,引行歲運,贊助不壞,有所憑藉也.)

玉井奧訣(옥정오결)-25

총명(聰明)함은 덕수(德秀)가 아닌 것이 없고, 어리석고 나태함은 모두 休 囚한 것이다. (聰明無非德秀,晦懶總爲休囚.)

해석. 덕수(德秀)는, 가령 申 子 辰월에 壬 癸 德이 되며 丙 辛은 秀가 된다. 이것이 있으면, 대부분 문학상의 업적에 달통(達通)하고, 총명하며 사리에 밝은 사람이다. 나머지 국(局)은 이것을 例를 하라. 休 囚 廢 死는 天時이고, 死 敗 墓 絶은 五行이다. 滿局에 모두 이런 종류의 氣數가 있으면 일생토록 일을 도모하여도 이룰 수 없다. 어둠이 물러나고 어리석음을 감추는데, 만약 孤氣를 겸하면 세속을 벗어난 자연인이다. (解..德秀,如申子辰月,壬癸爲德,丙辛爲秀.帶此,多是文業通達,聰明曉事之人,餘局例此.休囚廢死者,天時也.死敗墓絕者,五行也.如滿局俱帶此等氣數,一生謀望無成.退晦藏拙,若兼孤氣,出俗作林泉人也.)

偏氣가 모두 강하면 저속하고, 본원(本源)이 의탁할 데를 잃으면 표류(漂流)한다. (偏氣俱強而鄙俗,本源失托則漂流.)

해석. 가령 八字가 순음순양(純陰純陽)인데, 柱중에 合神 財官등의 貴가 부족함에 따라 용신이

치우치며 또한 强하다. 또 刑으로 나오며 衝으로 날아올라 物이 올수 있으니 모두 偏氣의 소치(所致)이고, 비록 호걸일지라도 속(俗)되며 준수(俊秀)한 재능과 기량은 아닌 것이다. 일주는, 象이면 따르는 무리가 없고, 氣이면 貴할 것이 없다. 柱중에 대부분이 한신과 煞인데, 겸하여 刑 剋 衝 竊[洩]하여 산만(散漫)한 氣가 있으면 이러한 종류는 게으르기에 지략은 많아도 세우는 것은 많지 않다. (解..如八字純陰純陽,柱中因欠合神財官等貴,用神既偏且強.又能刑出衝飛之物來者,皆爲偏氣所致,雖豪亦俗,非俊秀才器矣.日主,象則無黨可就,氣則無貴可乘.柱中多係閑神慢煞,兼有刑剋衝竊散漫之氣,此等懶散馳逐,多謀少立.)

氣가 맹렬하면 物을 害치며 사람을 傷하고, 象이 순화(純和)하면 장악하는 자취가 없다. (氣如猛烈,害物傷人,象若純和,無操無縱.)

해석. 세(勢)는 天時의 氣가 담당하며 용맹(勇猛) 강강(剛强)하다. 만약 다시 금신 백호 인 살害의 神이 있으면 강도가 되어 강탈하고, 善하면 백정이나 장사꾼으로 살아가나, 결국에는 살인과 물건을 害치며 사람에게 살육(殺戮)을 당하는 것이 또한 두렵다. 하는 일에 임(臨)하면 결단력이 있어 때에 따라 변화가 통하니 모두 凶煞의 神으로 말미암은 것인데, 체색(滯塞)하지 않는 것은 용신을 보좌(輔佐)하는 것이 있음으로서 그러한 것이다. 만약 柱중에 象數가 순화(純和)하여 부드러우며 善하고 氣가 實하면 사람이 지켜야 할 도리와 차례의 능력이 없다. 비록 용신이 있더라도 어려울 뿐이다. (解..勢當天時之氣,勇猛剛強.若更帶金神白虎,刃煞刑害之神.因則爲強盜劫掠,善則屠僧活計,終亦殺人害物.恐亦被人殺戮也.臨事有斷,機變通利,皆由凶煞之神,不滯不塞.輔佐用神,有以使之然也.若柱中象數純和,柔善氣實,則無綱常倫序之能.雖有用神,亦難也矣.)

풍채가 좋고 의기가 당당함은 刃煞의 위엄에 근거하고, 악착(齷齪=끈기 있게)하게 財가 풍부한 것은 墓庫의 氣가 있어야 최고에 달한다. (軒昂呼應,原憑刃煞之威.齷齪財豐,盡帶庫墓之氣.)

해석. 貴氣가 있고 刃煞의 보좌(輔佐)가 없으면 홀로 일을 하지 못하며 위엄이 없고, 서로 상응하고 맞는 것이 특히 부족하게 된다. 刃煞이 貴를 도우면 반드시 사업을 세워 경영할 수 있고 결정하는 결단력이 있다. 사람이 명목(名目)에 미비(卑微)함이 있어도 오히려 재(財)祿을 發하는 것은, 墓庫중에 잡기재관인수와 친분이 두터워 일주에게 유익(有益)하고, 게다가 세(歲) 運에서 다시 서로 돕고 合하는 것이다. (解..有貴氣,無刃煞輔佐,不獨臨事無威勇,作爲殊欠相應合也.有此刃煞扶貴,必能做事立業,果決有斷.有人名目卑微,卻發財祿,乃庫墓中雜氣財官印綬親厚.有益於日主,況歲運更相扶合也.)

신강한데 刃이 드러나면 도리어 경영하여 거두어들인다. 干合의 치우침이 많으면 오히려 정신(精神)이 어지럽고 아득하다. (身強露刃,翻宜聚斂營營.干合多偏,倒亂精神渺渺.)

해석. 신강하여 힘이 건장하고, 柱중에 暗으로 財源의 뜻이 있는데, 만약 刃이 드러나면 본래 겁재가 되고, 단지 나에게 힘이 있을뿐더러 財神이 유정(有情)하면 도리어 刃이 노출되어야한다. 대개 내가 수렴하고 돌아온 그 物을 잡을 수 있는 것이다. 이러한 종류의 격조(格調)는 몸의 기생충같이 간린(慳吝)하고, 善하면 財를 모을 수 있다. 만약 柱중과 歲 運에서 刃旺한 地支가 있으면 함부로 이렇게 논단하지 않고, 반드시 구분하여 자세히 알아야한다. 干合하여 치우침이 많은 경우, 가령 乙이 2~3개의 庚과 合하는 것을 보면 어찌 氣가 적중하지 않을 것이며 또한 자연히 편고(偏枯)하니 도리어 어지럽고, 설령 化하여 象을 이루더라도 완전한 아름다움을 이루지 못한다. 불과(不過) 三姓과 동거(同居)하고 兩姓을 만나 생활하니, 마치 자두나무를 접붙여 복숭아나무로 바꿀 사람이다. (解..身強力健,柱中暗有財源之意.若見刃露,本爲劫財,但我力既專,財神有情,反宜刃露.蓋我能執奪歸斂其物也.此等格調,慳吝幹蠱,善能聚財.若柱中歲運,有刃旺之地,未敢如此議斷,須別詳之.干合多偏,如乙見三庚二庚合者,豈惟氣不得中,亦自偏枯倒亂,縱化得成象,亦未成全美.不過三姓同居,兩姓合活,接李換桃人也.)

玉井奧訣(옥정오결)-26

다만 煞의 무리인 성신(星辰)을 펼치면 허장성세(虛張聲勢)한다. 한 종류의 貴가 세 곳이면 영령(英靈)이 분산한다. (獨爲煞布眾辰,虛張聲勢.一種貴由三處,分散英靈.)

해석. 煞은 본래 모이지 않는데, 단지 一位의 煞이면 모든 곳을 향해 펼치니 힘이 자연히 가볍게 분산된다. 꾀가 많아 이루는 것이 적지 않고, 입이 있어도 무심(無心)하며 지나친 욕망과 높은 절개로 힘은 적어나 책임이 막중하다. 일건(一件)의 貴氣는 오로지 精으로 기이한데, 만약 두 세 곳에 모두 있다면, 가령 먹구름은 비는 아니다. 빼어나도 부실(不實)하고, 혹 貴가 공망이면 官이 없으니 배움이 많아도 이루는 것은 많지 않다. (解..煞本不聚,若只一位之煞,布向諸處,力自輕疏.不至謀多遂少,有口無心,過望大節,力小任重.一件貴氣,精專爲奇,若二三處皆有,如密雲不雨.秀而不實,或空貴無官,多學少成.)

평두가 현침 刃을 대동하는데 어찌 상잔(傷殘)하지 않겠는가! 구교와 아울러 亡 劫이면 평온하여도 단지 교활(狡猾)하다. (平頭帶來針刃,豈無傷殘.勾絞併至亡劫,寧惟狡猾.)

해석. 평두는, 甲 丙 丁등 글자의 모양에 현침 양인 형해의 日辰이다. 또 이르길, 日중에 煞 화개를 지니고 있으면 첫째 시집온 妻가 혹 잔질(殘疾)이나 혹 우둔(愚鈍)하다. 또 이르길, 대체적으로 하는 일로인하여 결혼하고, 혹 미모는 있지만 반드시 음란하다. 가령 己인의 未일인데 己亥 己卯 己未이다. 또 이르길, 日時가 양인으로 身에 刃이 붙어 妻와 생이별(生離別)이나 사별(死別)하게 된다. 또 이르길, 현침을 호환(互換)하여 질병을 지니고 官의 형벌을 받고, 惡煞이 아우르고 自刑을 만나면 女人도 역시 그렇다. 구교의 두 神은 교활(狡猾)하여 破敗하고, 吉하면 권위를 세우는데, 만약 亡 劫이 臨하면 반드시 凶한데, 하물며 일주에 대해서는 불화(不和)하겠는가!　(解..平頭,乃甲丙丁等字樣,引懸針羊刃刑害日辰.一云日中帶煞帶華蓋,主妻先嫁人,或殘疾,或愚鈍.一云,率因事而結婚,或有貌必淫,如己人未日,或己亥,己卯,己未.一云,日時羊刃,爲貼身刃,妻有生離死別.一云,互換懸針,主帶疾及官刑,併惡煞,自刑立見,女人亦然.勾絞二神,主狡猾破敗,吉則立威.若臨亡劫必凶,況不和於日主者乎.)

財가 庫地에 머물며 身이 衰鄕에 들면 성품이 비루하며 인색하고 氣도 역시 게으르고 추하다. (財居庫地,身入衰鄕,性能鄙吝,氣亦猥慵.)

해석. 財神이 닫힌 庫에 암장된 것을 만나면 부족한 것을 刑 衝을 일으켜 열어야하고, 게다가 身弱한 이런 종류의 사람은 도량(度量)이 적어 인색하고, 기량(器量)이 활달(豁達)하기 어렵다. (解..財神遇庫閉藏,既欠刑衝開激,況身弱者.此等之人,度量慳鄙,器宇少豁達也.)

木이 학당을 만나고, 火가 生地에 臨하면, 학문은 정화(精華)하였으나 뜻은 더욱 오만하다. (木遇學堂,火臨生地,文既精華,志尤倨傲.)

해석. 木火는 문명의 象이다. 生旺한 자리에 居하면 학문이 소통(疏通)하고, 재능(才能)은 웅건(雄健)하다. 단지 木火로 염상(炎上)한 氣는 사람이 절개가 미미하여 돌보지 않고, 아래로 굽히질 못하고 거만하며 느닷없이 교만하다. (解..木火,文明之象.居生旺之位,主文學疏通,才能雄健.但木火炎上之氣,爲人不顧細節,不能屈下,倨傲驕忽.)

덕망(德望)과 명성(名聲)이 널리 퍼지고, 지모(智謀)의 재능과 책략이 민첩하다. (播德望之聲名,敏智謀之才略.)

해석. 貴氣가 돕고, 干에 힘이 있으며, 천월덕의 성신(星辰) 및 천을이 호환(互換)하여 왕래하면 主는 총명(聰明)하며 희망이 올바르고, 아울러 공망 刑 衝을 바탕으로 득용(得用)한다. 위의 문장에 준(准)한다. 煞 刃이 貴象을 돕고, 제복(制伏)이 있으면 적당하고, 일간에 항복하여 부림으로써 가능하고, 그런데 上文에서 또 이르길, 水가 貴氣를 대동하고, 돕는 것이 있으며, 제방(堤防)이 있으면 재능과 책략으로 임기응변(臨機應變)에 지모(智謀)가 뛰어난 사람이다. (解..貴氣有助,干有力,天月德辰,及天乙互換來往.主聰明雅望,兼藉空亡刑衝得用.准上文.煞刃扶貴象,有制伏,得中,日干可以馭伏,惟上文又云水帶貴氣,有扶助,有隄防,才略機變,智謀過人.)

玉井奧訣(옥정오결)-27

財가 근원인 局이 되면 길거리에서 점포를 열어 경영한다. 竊[洩]氣하여 의지할 데가 없으면 외지나 강호(江湖)를 떠돌며 분주하다. (財源拘局,街頭鋪店經營.竊氣無憑,化外江湖奔走.)

해석. 格局이 크지 않고 기량이 충분하지 못한데, 다만 재원(財源)이 身을 돕고 한 두 개의 地支가 生扶하면 영리(伶俐)하다. 그리고 순수한 局으로 庫神이 得用을 겸하고 택신이 有情한 것인데, 상문(上文)에 준(准)하라. 또 이르길, 食神 혹은 印도 이 例와 동일하게 결단한다. 무릇 泄氣하는 神이 질편하고 도도(滔滔)한 세력이 멀리까지 유력(有力)하고, 모여도 의지할 데가 없는데, 상문(上文)에 준(准)한다. (解..格局不廣,器宇不充,但有財源助身,一二支伶俐生扶.而局於純粹之器,兼庫神得用,宅神有情者,准上文.又云,食神或印,此例同斷,凡泄氣之神,汗漫滔滔之勢.遠而有力,聚而無依,准上文.)

강호(江湖)는 범람하여 떠돌아다니며 고생스러운 생활을 한다.[23] 라망(羅網)이 몽몽(濛濛;먼지、비、안개、연기 따위가 자욱함)하여 이로움이 잠기고 명성은 속박한다. (江湖泛泛兮,風餐雨宿.羅網濛濛兮,利鎖名韁.)

해석. 亥 子는 강호(江湖)가 되니, 만약 財官인 祿馬가 용신이면 그 氣가 범람(汎濫)하는 것이다. 대부분 살아갈 길을 따라 피성대월(披星戴月;새벽부터 밤늦게까지 부지런히 일하다.)하고, 그 水가 범람하니 그 馬가 刑 衝하는 방향으로 결단한다. 辰 巳는 지망이 되고, 戌 亥는 천라가 된다. 온전한 용신이 그 上에서 실지(失地)하여 오기(五氣)가 象을 이룰 수 없으면 명리(名利)가 보잘 것 없고 이루지 못한다. 가령 통발에 티끌이 쌓이듯, 어두운 안개 속을 헤매는 것과 같은데, 세(歲) 運이 함께 臨하고 일간이 剋 害하면 요절한다. (解..亥子爲江湖,若係財官祿馬用神,其氣泛溢者.多致道途生計,披星戴月,其水泛泛,其馬刑衝方斷.辰巳爲地網,戌亥爲天羅.全者用神其上失地,五氣不能成象,則利名碌碌無成.如塵埃所罩,昏霧所迷,歲運併臨,仍與日干剋害者,夭亡.)

水火가 동요(動搖)하면 무리 속에서 시비(是非)하여 입신(立身)한다. 木金이 화협(和協)하면 예의(禮義)있고 집안은 財를 發한다. (水火動搖,是非林裏立身.木金和協,義禮門庭發財.)

해석. 水火는 곧 인간과 동물인데, 이 格을 犯하면 대부분 시비(是非)를 입술로 불러일으킨다. 무릇 입신(立身)하면 하는 일이 늘 시끄러운 내부에서 출두(出頭)하여, 쪼고 싸우는 중에 지위를 나타낸다. 만약 吉하면 계책을 결정하는 기미가 있고, 凶하면 바르지 않는 이름이 있다. 金木은 기울어짐이 없고 氣가 中和를 얻어 陰陽이 서로 짝하여 상제(相濟)하면 반드시 본실(本實)에 힘쓴다. 내가 만약 저것을 剋하면 마땅히 도의(道義)적인 財를 얻는다. 만약 서로 뒤섞여 무정(無情)하면 주(主)는 의인(義人)이 아니고, 나를 손상하면 마음속의 財가 없고, 혹 불의(不義)한 일에 원통하게 굽혀서 굴욕을 당한다. (解..水火乃人間之動物,犯此格多惹是非唇吻.凡立身爲事,每於鬧裡出頭,鬥喋之中著腳.若吉則有決策之機,凶則有不雅之號.金木無偏倚,氣和得中,陰陽相配相濟者,必務本實.我若剋彼專,當獲道義之財.若交錯無情,主被客凌者,主不義人,損我無意中之財,或被不義事冤屈折辱.)

23) 풍찬우숙(風餐雨宿);바람에 불리면서 먹고, 비를 맞으면서 잔다. 떠돌아다니며 고생스러운 생활을 한다.

역마는 내가 剋하여 他가 生을 얻으면 외방(外邦)에서 祿을 發한다. 공망에서 物이 밝은 氣를 만나면 항상 가슴에 뜻 없는 이름뿐이다. (驛馬得我剋他生,盡發外邦之祿.空亡有物明氣見,每膺無意之名.)

해석. 馬상의 干을 만나면 일주가 剋할 수 있고, 혹 馬位에 物이 나를 生하면 대부분 먼 외지에서 財가 일어나고, 혹 변경(邊境)인 외지로 가서 財祿을 얻는다. 공망은 凶敗한 곳인데, 그러나 좋은 象이 모이는 것이 있다. 가령 金은 火가 乘旺하면 공망을 좋아하여 官貴등이 유정(有情)한 것이 되니 이 格局에 부합한다. (解..遇馬上之干,日主能剋,或馬位有物生我者,多是遠方外財發越,或出外於邊境得財祿.空亡爲凶敗之所,若有喜象集來.如金火喜空乘旺,爲官貴等神有情者,合此格局.)

身이 비록 食祿이 있더라도 가계(家計)가 빈한(貧寒)하고, 庫에 여재(餘財)가 있어도 명목(名目)상 비천(卑賤)하다. (身雖食祿,家計貧寒.庫有餘財,名目卑賤.)

해석. 팔자는 체(體)의 부분에서 가볍고 맑으면 官[神]이 貴를 타고, 地支가 혹 그 象을 파하면 그 財를 休 廢(囚)한다. 그러나 또, 死絶등의 곳에 들면 墓庫 택신의 貴을 지니지 못하고, 택신이 衝 破하는 것도 상문(上文)에 준(准)한다. 貴氣가 공망이고 용신이 死 敗한 곳에 들면 생의(生意)가 없다. 그 함지 목욕 백호 공망이 오히려 보호한다. 柱중에 오직 財庫이고, 혹 財神이 전왕(專旺)하며 일주를 도와 극(剋) 조(助)로 유정(有情)하면, 상문(上文)에 준(准)한다. (解..八字體段輕清,官神乘貴,地支或破其象,休廢其財.卻又入死絕等處,不帶墓庫宅神之貴,宅神仍衝破者,准上文.貴氣落空亡,用神入死敗處,乃無生意.其咸池沐浴白虎空亡,卻有拱護.柱中惟財庫,或財神專旺,輔日主有情剋助者,准上文.)

玉井奥訣(옥정오결)-28

歲는 궐문을 바라고, 마땅히 조정의 직책에 가깝다. 氣가 제택을 衝하면 가업의 터전을 기대하기 어렵다. (歲望闕門,當近朝堂之職.氣衝第宅,難依祖業之基.)

해석. 태세는 궐문이 되고 공(拱)하여 입격(入格)하면 食祿이 있고, 맡은 직책은 모두 조정의 요직에 가깝다. 歲 앞의 제 5位가 만약 衝 破하고 다시 일주와 貴氣를 生扶하여 거느리지 아니하면 결코 조상의 기업(基業)을 파하고 떠나니 거주(居住)하지 못한다. 만약 관부와 함께 망신을 타면 主는 官(관직, 벼슬)이 끊어지거나 막히게 되고, 파쇄 劫 刃을 犯하면 반드시 과거에 급제하지 못하는 것이다. (解..太歲對爲闕門,有拱入格,決主食祿,職任皆近於朝堂要路之處.歲前第五位,若是破衝,更與日主非貴氣生扶統攝者,決主祖上基業離破,不能居住.若乘官符並亡神,主爲官斷沒抄封,犯破碎劫刃,毀售必矣.)

두 자리에 亡 劫은 마땅하지 않아 집을 뜯고 밭을 판다. 사중(四仲)이 만약 함지를 犯하면 財를 탐하지만 아름다운 얼굴이다. (二位不宜亡劫,拆屋售田.四仲若犯咸池,貪財美貌.)

해석. 歲 앞의 제 5位는 명택(命宅)이 되고, 뒤의 제 5位는 록택(祿宅)이 된다. 명택은 제댁가사(第宅家舍)가 되고, 록택은 전답 무덤이 된다. 만약 亡 劫을 대동하면 평생토록 재물을 많이 소비하여, 집을 짓고 밭을 마련하지만, 오히려 主가 파괴하는데, 하물며 日家와 刑 衝 害 劫 破 剋하겠는가! 子 午 卯 酉가 완전하면 예로부터 편야도화(遍野桃花)하 하였고, 또 이름이 염정목욕(廉貞沐浴), 또 폭패도화(暴敗桃花)가 된다. 이것을 동반하면, 풍류와 예술을 좋아하고, 성정(性情)이 영민하고 조급하여 시비(是非)중에 입신(立身)하고, 일(日)과 刑 衝 剋 竊하는 방향에 준(准)한다. 水를 꺼리며 主가 음란하고, 겸하여 貴煞의 輕重을 말하자면 함지는 빠르고 목욕은 느리다. (解..歲前第五位爲命宅,後第五位爲祿宅.命宅爲第宅家舍,祿宅爲田庄丘墓.若帶亡劫,主平生多費財,造屋置田,卻主破壞,況與日家刑衝害劫破剋乎.子午卯酉全,古謂遍野桃花,又名廉貞沐浴,又爲暴敗桃花.帶此,主愛風流藝術,性巧情急,是非中立身,與日刑衝剋竊方准.忌水,主淫,兼貴煞輕重言之,咸池緊,沐浴慢.)

馬상의 공망은 늘 다른 길로 돈과 재물을 만난다. 천중의 록위는 항상 싫어하는 명성(名聲)을 초래한다. (馬上空亡,每遇異路之財帛.天中祿位,常招憎號之聲名.)

해석. 馬상의 遁간을 得用하면, 馬상의 명간[透干]이 나를 돕고, 혹 財元을 짓고, 혹 馬가 財의 生旺한 地支에 坐한다. 그러나 공망에 [마음이 있어]坐하면 외지(外地)의 출입이 많아 외지(外地)에서 財祿을 얻고, 혹은 항상 다른 방도를 구하고 利祿에 무심(無心)하다. 이로(異路)는, 본래의 財가 아니라는 말이다. 천중은 곧 공망으로 祿을 대동하며 만약 衰敗하면 상문(上文)에 준(准)한다. 더하면, 백호가 일(日)에 꼭 필요한 것이 존재하여 혹 세인들에게 악명(惡名)을 전하는데 하물며 水火의 象과 함지도화만 하겠는가! (解..馬上遁干得用,遇馬上明干助我,或作財元,或馬坐財生旺之地.卻坐空亡有意,多外方出入,獲外方財祿,或常招別門無心利祿.異路,言非本等之財也.天中即空亡,帶祿,若衰敗者,准上文.加白虎在日緊切,或招人傳惡名,況水火象並咸池桃花乎.)

卯 酉는 문호(門戶)가 옮기고 바뀌는 것을 좋아하고, 巳 午는 마땅히 태몽에 감응하여 태(胎)가 생긴다. (卯酉好遷移門戶,巳午當感夢生胎.)

卯 酉의 글자가 日時에 있으면 집과 정자를 꾸미길 좋아하고, 門戶를 바꾸며, 馬를 대동하면 머무는 곳을 자주 옮긴다. 胎 時에 巳 午가 臨하여 年祿을 동반하고 그 일주를 화합하면, 主는 父母로써 [자식을] 생산하는 꿈을 이룬다. (解..犯卯酉字,在日時,好粧飾堂亭,遷改門戶,帶馬則常移居止.胎時加臨巳午,帶年祿,和諧其日主者,主應父母得夢生產.)

旺刃이 餘煞을 얻지 못하면 이단(異端)을 특히 좋아한다. 망劫이 다시 다른 神 이끌면 단지 음식을 호기롭게 먹는다. (旺刃不兼餘煞,偏好異端.亡劫更引他神,只圖豪飮.)

해석. 旺氣인 양인이 달리 餘煞이 없으면 강직 정직 무용 청렴하다. 소중한 새를 잡아 새장이 기르고, 火의 종류가 모여 일어나는데, 학당 官貴를 대동하면 특히 자세히 살펴야한다. 망신 겁살 양인이 많이 모이고, 다시 日과 화협(和協)하지 않으면 이리의 먹이와 고래가 물마시듯 일(日)을 따르면 배불리 취하고, 풍파(風波)를 일임(一任)하여 실의에 빠져 이루지 못하는 것이다. (解..旺氣陽刃,別無餘煞者,剛廉正直武勇.愛籠養打捕,起扮社火之類,帶學堂官貴別詳.亡神劫煞羊刃多聚,更與日不和協,狼餐鯨飮,逐日醉飽.一任風波,落魄無成矣.)

玉井奧訣(옥정오결)-29

도화잠주는 풍치나 풍정이 방자하고, 파쇄조원은 마땅히 실의에 빠진다. (桃花簪主恣風情,破碎朝元宜落魄.)

해석. 도화잠주는, 가령 卯인이 寅 午 戌을 보고, 酉인이 申 子 辰을 보는 종류인데 또 도삽도화라 일컫는다. 위인이 풍류(風流)로 기개가 빼어난데, 그러나 어질기도 하고 어질지 않는 것이 있으니, 일(日)을 剋 竊하는 방편에 준(准)한다. 파쇄조원은, 가령 酉인이 寅 中 巳 亥를 보고, 丑인이 辰 戌 丑 未를 보는 종류인데, 또한 회두파쇄라 일컫는다. 日辰을 剋 竊 刑 害하면 교활(狡猾)하며 요절하고, 輕하면 발기(發起)하지 못하며 가난하다. (解..桃花簪主,如卯人見寅午戌,酉人見申子辰之類,又謂倒插桃花.爲人風流倜儻,卻有賢而有不賢也,與日剋竊方准.破碎朝元,如酉人見寅申巳亥,丑人見辰戌丑未之類,亦謂回頭破碎.剋竊刑害日辰,主狡猾命夭,輕則不能起發而貧.)

관부가 천중(공망)이 되면 말에 터무니없는 거짓이 많다. 공망은 오히려 천을이 臨하면 성품은 시문(詩文)을 읊조리는 것을 좋아한다. (官符落在天中,語多妄誕.空亡卻臨天乙,性好謳吟.)

해석. 관부는 곧 망신인데, 공망중에 있으면 일(日)과 剋 竊한다. 천을貴人이 공망중에 있으며 일(日)과 剋 竊하면 각각 상문(上文)에 준(准)한다. (解..官符,即亡神也.在空亡中,與日剋竊.天乙貴人在空亡中,與日剋竊,各准上文.)

재능이 손상된 氣를 用하면 원망을 품고 탄식한다. 重함을 타서 신강하면 망령되고 방탕하여 원통하게 된다. (纔傷用氣,抱怨嗟吁.重駕身強,妄爲枉蕩.)

용신이 당연히 生하면, 설령 손상이 없을지라도 動하고, 만약 歲 運이 剋하면 반드시 의중(意中)에 뜻을 이루지 못하기 때문에 탄식하고 원망하게 되는 것이다. 무릇 신왕한 사람은 가령 음주(飮酒)에 현혹되어 빠진 것인데, 그래도 사납지는 않으나 얻을 수는 없다. 혹 세(歲) 運에서 거듭하여 氣가 强하면 자연히 음탕(淫蕩)하며 안하무인(眼下無人)이 되고, 아울러 재산(財産)과 가업(家業)을 破한다. 함부로 행동하며, 柱에서 제어가 있고, 의탁(依託)이 있으면 구별하여 자세히 알아야한다. (解..用神當生,縱無傷動,倘若歲運來剋,必須得意中反成失意,故嗟吁生怨矣.凡身旺之人,即如飮酒醉眩者,欲其無狂不可得也.或又遇歲運重駕氣強,自然所爲淫蕩狂妄,兼破財産家業.胡做胡爲,柱有馭制,有倚托,別詳.)

백호(白虎)가 刃을 겸하면 욕설로 싸우는 사람이다. 화개가 自墓면 한가롭고 편안한 생활을 누린다. (白虎兼刃,罵殺時人.華蓋自墓,享於清福.)

해석. 백호가 刃을 동반하면, 백호가 비인 양인과 同宮하여 일(日)과 刑 衝 剋 竊(절)하는 것은 이와 같다. 또 이르길, 만약 日時상에서 年을 剋하면 갑자기 妻를 맞이하고, 그렇지 않으면 妻가 다른 증상이 있는데, 송사하여 핍박하기에 친분을 맺으면 옳으나 그 妻도 역시 욕을 얻어먹을 사람이다. (解..白虎同刃,乃白虎與飛刃陽刃同宮,與日刑衝剋竊者如此.一云若在日時上剋年者,娶妻鶻突,不然妻有異證.因服訟促逼結親則可,其妻亦受罵人也.)

해석. 화개 자묘가 만약 生旺하고 또 歲 運과 日이 화합(和合)하여 局을 이루면, 지극히 청고(淸高)한 福을 받는다. 아니면 승도나 구류술업을 하는데, 가령 庚辰은 自墓라 할 수 없으니, 단지 시골무당(박수)이고, 혹 노동을 하는 사람이다. 또 이르길, 화개가 墓를 지니고 유기(有氣)하면 수복(壽福)을 누리는데, 단지 봉작(封爵)의 貴를 누리지는 못하고, 혹 승도로 명망(名望)있는 사람이 된다. 만약 鬼 함지를 동반하면, 예능인이 아니면 시골무당이다. (華蓋自墓,若自生旺,又遇歲運與日和合成局,極受清高之福.否則爲僧道九流,如庚辰不能自墓,只是村巫,或爲粗魯工作人.一云,華蓋帶墓有氣,主福壽.但不至封爵之貴,或爲僧道名望人.若帶鬼咸池,非藝人即村巫也.)

祿과 命이 서로 부딪히면 고무(鼓舞)적인 행동을 한다. 貴煞의 사위(四位)가 서로 계승하면 돌아와 모인 것을 취용(取用)한다. (祿命二神相激,鼓舞作爲.貴煞四位相承,聚歸取用.)

해석. 앞의 法에서 祿 命 두 宅이 만약 刑 衝 破 害가 심하게 되면 吉凶의 뜻이 어떠한가를 살펴보니 일(日)과 불화(不和)하는 이와 같은 징조가 나타난다. 대개 祿 命의 두 神은 실제로 命을 衝하면 좌측에서 북을 치고 우측에서 춤추는 氣인데 그렇게 하도록 시킨다. 혹 貴煞이 이중삼중이며 겸하여 一辰상에 아우르는데, 하물며 柱중의 四位에 각각 吉凶의 神이 있으면 모인 것을 구분하여 어떤 자리에 가장 많이 있는지 장단(長短)을 비교한다. 寅 申 巳 亥가 長生이 안 되면 凶하다. (解..前法祿命二宅,若犯激作刑衝剋害,看吉凶之意何如,與日不和,應驗如此.蓋祿命二神,實係衝命,左鼓右舞之氣使然也.或貴或煞,二重三重,兼併一辰上者.況柱中四位,各有吉凶之神,要分聚在何位最多,以較長短.寅申巳亥無長生,則凶.)

玉井奧訣(옥정오결)-30

水火의 象이 경청(輕淸)하면 문장에서 재주가 특별하고, 刑 衝하면 道 德 禪의 방향이다. (水火之象,輕淸則文章異術.刑衝則道德禪門.)

水火는 坎離의 神인데 기제(旣濟)하는 조화(造化)가 있고, 그중에 氣가 淸하면 문장으로 무리에 우두머리이다. 輕하면 술업(術業)에 특별하고, 공망이면 선풍(仙風)의 자질이 뛰어나고, 刑하면 도법(道法)이나 부적에 귀신같고, 剋하면 선종(禪宗=禪의 종주)으로 공적(空寂)하여 지난 세상에 맺은 인연으로 자신을 낮추며 참선으로 진리를 연구하여 도리를 깨닫는다. 오직 日辰에서 格象 경중(輕重)을 논(論)한다는 말이다. (解..水火乃坎離之神,有旣濟之造化,其中氣淸則文章魁衆.輕則術業異常,空則仙風異質,刑則道法鬼符,剋則禪宗空寂,野衲宿緣,參究覺悟.專論日辰格象輕重而言.)

金土의 근원인 氣가 늙으면 財庫의 누대(樓臺)이고, 여리면 장사나 수예(手藝)를 한다. (金土之源,氣老則財庫樓臺,殘嫩則經商手藝.)

해석. 金土의 뜻은, 천(賤)하게 태어나 貴한 功이 있고, 氣가 늙으면 그 物을 성취(成就)한다. 대개 마땅히 富를 감추어 장원(牆垣) 제택(第宅) 장영(莊營)의 장관(壯觀)인데, 이로 인하여 이르고, 혹 衰氣가 殘絶하고, 혹 처음에 새로운 氣가 여린데, 만약 장시로 메매(買賣)하지 아니하면 수예(手藝)나 장인(匠人)이 된다. (解..金土之義,有以賤生貴之功,氣老則成就其物.蓋宜於富藏,牆垣第宅莊營之壯觀,由此而致也.或衰氣殘絶,或初新氣嫩,若非經商買賣,則手藝工作之人.)

화개 묘신이 천월덕을 合하면 천석(泉石)의 가풍(家風)이고, 休 囚 日德이 死 絶 敗를 生하면 보잘 것 없는 서출의 선비이다. (華蓋墓神,天月德合,泉石家風.休囚日德,死絶敗生,塵埃庶士.)

해석. 화개 묘신이 천월덕을 合한 3개가 柱중에 순환(循環)하면 반드시 수변석상에 숙연(宿緣; 지난 세상에 맺은 인연)이 있고, 道를 구하고 신선의 뜻을 찾는다. 일덕이 만약 休 廢하면 헛된 그 德名이 있는 것이다. 게다가 또 干音이 死 敗등의 자리에 있고, 惡氣 공망이 生助하면 보잘 것 없으며 한미(寒微)한 선비에 지나지 않을 뿐이다. (解..華蓋墓神,天月德合,三件循環於柱中者,必有水邊石上宿緣,訪道求仙志意.日德若休廢,虛有其德名矣.況又干音有死敗等位,惡氣空亡來生助者,不過碌碌一寒士耳.)

십악대패가 만약 참으로 貴하면 장수가 되고, 賤하면 도적이 된다. 囚 死 공망이 만약 모여 生하면 道이고 衰하면 승(僧)이다. (十惡大敗若眞,貴爲將,賤爲寇.囚死空亡若聚,生者道,衰者僧.)

해석. 십악은 道에 감추어진 經으로써 실려 있는 것에 준(准)한다. 貴氣가 서로도와 맑고 두터운 格에 들면 반드시 병권(兵權)을 장악한다. 만약 흉살이 모여서 柱중에 나란히 교류하여 용신과 身主를 싸우고 해치면 흉악하다. 일주의 용신이 休 廢한 때에 공망이고 겸하여 孤寡 六害인데, 만약 장생 임관 旺지에 臨하면 황관(黃冠;평민, 벼슬하지 못한 사람)이 된다. 만약 敗 絶 墓 死처의 방향이면 승복(僧服)을 입게 된다. (解..十惡以道藏經所載爲准,貴氣相扶,清厚入格,必掌兵權.若凶煞湊集,交併柱中,戰害用神身主則兇.日主用神,當休廢之時,落空亡兼爲孤寡六害.若臨長生臨官旺地,則爲黃冠.若處敗絶墓死之方,爲緇衣.)

괴강은 권세가 대단하고 그러나 육친을 해(害)치고, 겁(劫)과 寡[숙]이 비록 고독할지라도 완전한 三貴를 좋아한다. (魁罡權重,卻害六親.劫寡雖孤,喜全三貴.)

해석. 辰은 천강이 되고, 戌은 천괴인데 가장 권위(權威)와 역량(力量)이 있다. 그런데 孤剋한 氣가 태중하면 반드시 육친(六親)을 방해하게 된다. 겁살 과숙이 만약 장생 貴人을 차고 祿이 있는 3건(件)은 福氣인데, 日과 화협(和協)하면 반드시 부귀(富貴)하고, 이 3건(件)이 없으면 설령 發하더라도 머지않아 가난하다. (解..辰爲天罡,戌爲天魁,最有權威力量.但孤剋之氣太重,未免妨害六親.劫煞寡宿,若帶長生貴人有祿,乃三件之福氣也.與日和協,必主富貴,無此三件,縱發不久而貧.)

집어삼켜서 번성한 세력은 편방(偏房;측실, 첩)이 아니면 부족한 젖으로 길러지고, 孤寡가 아우르면 [母를 따라서] 다른 姓과 동거(同居)한다. (吞啖勢繁,非偏房定乏乳哺.孤寡來併,由異姓假合同居.)

해석. 집어삼키는 것은 도식의 神인데, 대부분 힘과 세력과 권세가 있고, 혹 生旺한 곳에 臨하면 太切한다. 상문(上文)에 준(准)한다. 孤寡 六害가 함께 아우르는데 오히려 印綬 食神에서 하나를 用하는 것이 있으면 택신 衝破를 보는 것인데, 상문(上文)에 준(准)한다. (解..吞啖乃倒食之神,倘多有力有勢有權,或臨生旺之鄉太切.准上文.孤寡六害同併,卻有印綬食神一有用者,仍見宅神衝破.准上文.)

玉井奧訣(옥정오결)-31

중배(中拜;부모를 거듭 모심)하고 쌍둥이를 낳는 것은 巳 亥에 干支가 같은 종류를 동반하고, 무당 의술 주색(酒色)은 망(亡)劫이 함지 貴人을 犯한 것이다. (重拜雙生,巳亥帶支干同類.巫醫酒色,亡劫犯咸池貴人.)

해석. 命에 巳 亥의 二位를 차고, 다른 地支와 다른 天干에 한 종류로 함께하는 것이 있고, 二三位가 있는 것인데, 가령 甲이 甲을 보고, 子가 子를 보면 반드시 쌍둥이를 낳거나, 혹 父母에게 거듭 절한다.[父母를 거듭 모신다는 뜻] 모름지기 干支가 모두 서로 같은 것이고, 다시 劫 孤

역시 그러하다. 스승 무당 의술 거간꾼 등의 무리로써 경중(輕重)과 고하(高下)를 구분하고, 망신 함지 이(二)位를 모두 主가 거느린다. 겸하여 양인 파쇄 묘귀 백호의 종류면 터무니없는 사기꾼이나 주색(酒色)에 미혹되며 구류술업에 재능이 없는 사람이다. 만약 귀인 덕신 재관을 얻으면 生旺한 것을 바란다. (解..命帶巳亥二位,又有別支別干一類同者,有二三位者.如甲見甲,子見子,必是雙生,或重拜父母.須是干支俱有相同力的,更劫孤亦然.師巫藥術牙儈等輩,仍分輕重高下,皆亡神咸池二位主領.兼羊刃破碎,墓鬼白虎之類者,狂妄詭詐,迷花戀酒,九流不才之人.若得貴人德神財官生旺者庶幾.)

坎離가 서로 만나면 늙도록 망루에서 술에 취해 있고, 象이 아름답고 그윽하면 어려서 선부(仙府)에 나아간다. (坎離交會,老醉秦樓.象類清幽,幼登仙府.)

해석. 子 午상의 干神에 合이 있는데, 가령 壬子 戊午의 종류로, 戊가 子의 癸를 合하고, 壬이 午의 丁을 合하고, 혹 丁이 壬을 合하고, 癸가 戊를 合하여 水火가 유정(有情)하니 늙도록 주색(酒色)을 그리워하며 미혹된다. 淸하면 풍류(風流)가이고, 탁하면 비천(卑賤)하다. 五行이 合하여 淸한 象을 이루며 더구나 고요하고 깨끗한 地支에 이끌린다. 貴神이 귀일(歸一)하여 섞이지 않으며 氣가 순수하고 청원(淸遠)하여 달리 死絶등의 惡神이 서로 범하지 않으면 상문(上文)에 준(准)한다. (解..子午上有干神鉤合,如壬子戊午之類,戊合子癸,壬合午丁,或丁合壬,癸合戊,水火有情,至老迷戀花酒.清則風流,濁則卑賤.五行之合至清成象,況引於幽潔之地.貴神歸一不雜,氣純清遠,別無死絕等件惡神相犯.准上文.)

文學하는 業이 특별히 정영(精英)함을 論하면, 長生의 德이 빼어나고, 주색(酒色)에 빠져 넋을 놓으면 신왕한데 함지인 것이다. (論文學業特精英,長生德秀.殢酒惜花偏落魄,身旺咸池.)

해석. 장생 제왕 四貴등의 곳에서 德秀의 二神은, 문학 재능 예술에 특별히 재주가 뛰어나 무리들 중에 출중한 사람으로 드러난다. 주색(酒色)에 빠지는 경우, 일간이 함지의 上에서 旺한 것이 첫 번째이고, 본신이 自旺하여 목욕의 神 에게 剋을 당하는 것이 두 번째이고, 본신이 태왕하고 목욕이 다시 많아 福氣가 산만(散漫)하여 모이지 않는 것이 세 번째이다. (解..長生帝旺四貴等處,德秀二神.文學才能藝術,特達精專,出類拔萃人也.殢酒惜花,日干旺於咸池之上,一也.本身自旺,受沐浴之神剋者,二也.本身太旺,沐浴更多,福氣散漫不聚,三也.)

妻는 비견의 旺함을 만나 빼앗기면 어진사람이 아니고, 財는 목욕이 強하여 다투면 음탕(淫湯)하다고 말하기 어렵다. (妻遇比肩旺奪,非是良人.財因沐浴強爭,難辭淫濁.)

해석. 처(妻)의 干이 혹 숨고 혹 나타나서 안타깝게도 비견을 만나 서로 가까이하여 서로 친하면 그 자리를 점령당하여 빼앗긴다. 또 혹 비견이 승왕하면 그 妻가 반드시 외인(外人)과 사통(私通)하고, 그렇지 않으면 비첩(婢妾)이나 창기(娼妓)를 妻로 맞아 장가들어야 이 추악한 것을 免한다. 五行에서 敗處가 목욕이며, 또 이름이 도화 咸池살인데 일례(一例)로 같이 단정한다. 그 神이 만약 세력을 타서 쟁재(爭財)하거나, 혹 財가 그 上에 세워져 他神에게 절(竊)전(戰)을 당하면 我身과 더불어 용신의 氣가 모이지 않고 수렴하지 못하니 정신(精神)이 산만(散漫)한데, 상문(上文)에 준(准)한다. (解..妻干或隱或顯,而切切遇比肩相近相親,其位被占奪.又或比肩乘旺,其妻必與外人私通,不然,娶婢妾娼妓爲妻.方免此醜.五行敗處爲沐浴,又名桃花咸池煞,一例同斷.其神若來乘勢爭財,或財立其上,被他神所竊戰者.我身兼與用神之氣,不聚不斂,精神散漫,准上文.)

玉井奧訣(옥정오결)-32

妻를 얻어 장가들면 도리어 소송을 맡으며 종류별로 六干을 밝히고, 자식을 낳으면 현우(賢愚)를 구별해야하는데 체(體)에는 5法이 있다. (娶妻卻因服訟,類明六干.生子欲別賢愚,體有五法.)

해석. 日辰이 丙子,丁丑,戊寅,辛卯,壬辰,癸巳,丙午,丁未,戊申,辛酉,壬戌,癸亥인 이 日을 범하면 상복(喪服)을 입거나 官송사(訟事)의 두 일들이 많으며, 강제로 결혼(結婚)을 하고, 혹 결혼한 후 100일안에 친가(親家)의 두 곳에서 갑자기 상복(喪服)이나 송사(訟事)를 부른다. 혹 主는 외가(外家)에 힘이 없어 외삼촌과 불화(不和)하거나, 혹 외가(外家)가 없다. 이중(二重)의 父母이고, 혹 妻와 財가 없다. 혹 女命은 시부모가 이중으로 반(半)은 참이고 반은 거짓이다. 도화(桃花)를 合神하면 화촉을 밝히지 못하고, 혹 어진부인이 아니고, 사나운 침실을 포기한다. 이 六干이 柱중에 많으면 우긴우람(尤緊尤濫)하니 즉 음착양차(陰錯陽差)이다. 도화에 帝旺이 있으면 대부분 부인이 官의 송사(訟事)에 휘말리고, 혹 호가(豪家)도 역시 妻와 비첩(婢妾)들로 인해 다툼을 부르고, 아니라면 아녀자(兒女子)의 소송이다. (解..日辰丙子,丁丑,戊寅,辛卯,壬辰,癸巳,丙午,丁未,戊申,辛酉,壬戌,癸亥.犯此日,多因孝服官訟二事,臨逼結婚,或成親百日內,決主兩處親家,忽招訟服.或主無外家力,舅氏不諧,或無外家.或兩重父母,或無妻財.或女命兩重翁姑,半眞半假.帶合神桃花,花燭不明,或非良婦,或殘房入舍.此六干柱中多者尤緊尤濫,即陰錯陽差也.帶桃花在帝旺,多惹婦人官訟,或豪家亦因妻黨婢妾致爭.否則兒女官司也.)

별도로 자식의 현우(賢愚)에 5法이 있다. 하나는, 妻가 生하며 나를 剋하는 것은 자식이 되고, 남자는 편관이 아들이고, 여자는 정관이 아들이다. 하나, 여자는 내가 生하는 것이 자식으로 時상인데, 生旺하면 좋고, 나머지 神은 會合하여 유정(有情)함으로써 貴하다. 하나, 나와 妻가 함께 化하는 것은, 가령 甲인은 土가 자식이 된다면, 時상을 자세히 살피고 연구해야한다. 하나는, 化氣로 소생(所生)하는 것은 자식인데, 가령 甲인은 金이 자식이 된다면, 時상에서 취용(取用)해야 한다. 하나는, 나의 本氣에서 소생(所生)하는 것이 곧 자식인데, 가령 甲인은 火가 자식이고 時상에서 자세하게 연구해야한다. 하나는, 단지 편관 정관 유정(有情)하며 時상에서 化를 얻어 象을 이루면 자식이 좋다. 納音에서 長生하는 氣가 도우면 심히 妙하다. 하나, 가령 내가 生하는 것이 자식인데, 종류로 水는 하나, 火는 둘, 木은 셋, 金은 넷, 土는 다섯으로 取한다. (別子賢愚五法.

一以妻生而剋我者爲子,男以偏官爲子,女以正官爲子.一云女以我生爲子,引至時上,逢生旺則好.仍以餘神會合有情方貴.一云我與妻同化者,如甲人以土爲子,引至時上考究.一化氣所生者爲子,如甲人以金爲子,引至時上取用.一我之本氣所生者即子,如甲人以火爲子,引至時上詳究.一但是偏官正官有情,引至時上化得成象,即好子.納音長生之氣,贊助妙甚.一云如以我生爲子.類以水一,火二,木三,金四,土五取之.)

惡이 日時에 모여 輕하면 자식이 반항하며 妻가 어리석고, 重하면 과부나 홀아비이다. (惡攢時日,輕則子拗妻愚,重則空房隻影.)

해석. 망겁 고과 삼형은 만약 三煞이 함께하고 구조(救助)하는 것이 있으면 時상에서 자식이 많아도 불효(不孝)한다. 日상에서 妻가 어리석고 못나며 혹 불화(不和)하는데, 만약 중범(重犯)하여 힘이 사나워 救함이 없으면 고독하고 가난하며 일생을 독수공방(獨守空房)한다. (解..亡劫孤寡三刑,若三煞併而有救者,時上子多不孝.日上妻愚拙或不和,若重犯力猛無救,孤獨貧寒,一生自守空房.)

刃에 墓刑이 있어 吉하면 장수하며 福이 두텁고, 凶하면 모자와 의복이 파손된다. (刃帶墓刑,吉而壽彌福厚,凶而破帽單衣.)

해석. 양인 비인이 墓 刑의 이位를 범하면 반드시 화개가 있어야 비로소 吉하다. 丑 未의 干頭가 貴하면 福을 누리지 못히는 것은 이니고, 日괴 미땅히 회목해야힌다. 민약 화개가 잆고 공망死絶을 차면 고독하며 한미하여 破敗한 사람인데, 日과 불화(不和)하여도 역시 이와 같다. (解..羊刃飛刃,犯墓刑二位,須有華蓋始吉.及丑未干頭貴者,未有不享福也,與日宜和.若無華蓋,帶空亡死絕,孤寒破敗人也,與日不和,亦如此.)

玉井奧訣(옥정오결)-33

日에 惡神을 犯하여 도움이 있으면 재혼(再婚)녀가 妻이고, 時에 凶殺이 臨하고 공망이면 반드시 의붓아들을 들이게 된다. (日犯惡神有助,再婚女妻.時臨凶煞仍空,須招義子.)

해석. 日이 年家에서 망겁 대패 파쇄 임관 제왕을 犯하면 妻를 剋한다. 그러나 干音이 일주를 生助하면 반드시 소년(少年)에 처녀에게 거듭하여 장가들고, 혹 어린 첩(妾)을 妻로 삼는다. 만약 祿貴가 공협하고 도우면 아름다운 얼굴에 어질고 재능이 있다. 또 이르길, 만약 年의 祿 馬 貴食이 日에 六合을 하면 다만 妻가 빼어나지 않아도 主가 妻와 財를 얻는다. 時상에 凶煞을 차고 공망이면 반드시 자식이 없다. 만약 食神을 生助하고, 혹 日에서 衝 剋하는 것을 제거하면 반드시 양아들이다. (解..日犯年家,亡劫,大敗破碎,臨官帝旺者,剋妻.卻有干音生助日主,必是再娶少年室女,或幼妾爲妻.若帶祿貴拱助者,美貌賢能.一云,若年之祿馬貴食,六合在日,不獨妻秀,更主得妻財.時上

帶凶煞,落空亡,必主無子.若生助食神,或日去衝剋者,必是螟蛉之子.)

日時에 함지가 煞을 동반하면 父의 命은 나쁘게 사망한다. 休囚 大敗가 공망에 臨하면 처가(妻家)는 宅이 없다. (時日咸池帶煞,父命惡亡.休囚大敗臨空,妻家無宅.)

해석. 함지가 日時에 있으면 歲 煞이 되며, 나머지는 主의 父가 惡死하는데 다시 惡煞을 더한다면 의심할 필요가 없다. 가령 金主는 도병(刀兵)이고, 火主는 화액(火厄)이며, 水主는 수액(水厄)이고, 土主는 온역(瘟疫=돌림병)이며, 木主는 장가(杖枷=형틀과 장형)인데, 五象으로 추리한다. 또 이르길, 함지가 있는데 만약 旺하고 화개 파쇄 음착양차를 犯하면 妻로인해 치욕을 당하고, 혹 다른 이론도 있다. 만약 貴한 호걸(豪傑) 가문(家門)이면 妻, 부모, 형제, 친족의 내란(內亂)이 생긴다. 또 이르길, 함지 양인은 다산다능(多算多能=계산하는 능력이 뛰어나다.)하여도, 또한 숙질(宿疾=고질병)이 있다. 日時에 꼭 필요한 것이 호환(互換)하여 있고, 일주의 택신은 妻의 氣를 함몰하고 겸하여 煞이 십악대패日에 해당하며 休 廢하고 또 공망이 되는데, 가령 甲寅旬이면 癸祿은 子에 居하여 공망이 되니, 主의 처가(妻家)는 "생활의 터전이 기와조각 하나 없다"[망한다는 뜻을 비유한 말] (解..咸池在日時爲歲煞,餘主父惡死,更加惡煞無疑.如金主刀兵,火主火厄,水主水厄,土主瘟疫,木主杖枷,以五象推之.一云,帶咸池若旺,犯華蓋破碎,陰錯陽差,因妻醜辱,或立異.若貴豪之家,妻父母兄弟親屬內亂.一云,咸池陽刃,多算多能,亦有宿疾.互換在日時緊切,日主宅神,陷妻之氣,兼的煞十惡大敗之日,休廢又落空亡,如甲寅旬,癸祿居子爲空神,主妻家無瓦片根基.)

胎신이 剋 竊하면 횡사(橫死)하고, 衝하는 局중의 글자를 꺼린다. 파쇄 공망 고진은 고향을 떠나는데 祿後의 神을 犯하기 때문이다. (胎神剋竊橫亡,忌衝局中之字.破碎空孤離祖,因犯祿後之神.)

해석. 胎신은 백호煞로 水午 金卯의 종류이다. 衝하는 局중의 글자인데, 가령 申 子 辰으로 地支가 水命이면 午[字]의 胎신을 두려워하고, 백호가 일주와 용신을 剋 竊하면 主는 핏빛으로 비명횡사(非命橫死)하는데 五象으로 추리한다. 祿後의 一辰이 만약 공망 고과 파쇄 등의 煞에 해당하면 主가 고향을 떠나게 되고, 旺相하면 별도로 수립한다. (解..胎神,白虎煞也.水午金卯之類.衝局中字,如申子辰,支係水命.怕午字之胎神,白虎來剋竊日主併用神,主血光橫死.以五象推之.祿後一辰,若係空亡孤寡破碎等煞,定主出祖,旺相別立.)

地支에서 合衝하는 두 곳을 차단하는 이 格은 대부분 목매어 자살한다. 合과 하정(河井)을 겸한 양위(兩位)를 犯하면 익사(溺死)하지 않을 수 없다. (支隔合衝二方,此格多應自縊.合兼河井兩位,犯者無不溺亡.)

자액煞은 戌인은 巳, 巳인은 戌의 例이다. 만약 금신, 백호, 망겁, 鬼墓, 공망, 관부, 대모, 刃煞이 있고, 死絶하는 地支가 되면 그 身廢와 그 용신을 剋하고, 그 太歲를 犯하며, 그 大運을 刑하는데, 상문(上文)에 준(准)한다. 丙子(간하水)旺水, 癸未(양류木)東井, 癸丑(상자木)三河가 함지,

금신, 양인, 망신을 동반하면 대부분 수중(水中)에서 사망한다. 또 이르길, 망신을 동반하게 되면 주색(酒色)으로 일을 그르친다. (解..自隘煞,乃戌人巳,巳人戌之例.若帶金神,白虎,亡劫,鬼墓,空亡,官符,大耗,刃煞.領其死絕之地,來剋其身廢,其用神,犯其太歲,刑其大運,准上文.丙子旺水,癸未東井,癸丑三河.帶咸池,金神,羊刃,亡神,多主死於水中.一云帶亡神起端,因花酒惹事.)

귀머거리와 소경은 용신이 모두 함몰하며 사(死)敗하여 身을 剋한다. 곱사와 절름발이는 福氣가 衰하여 무너지고, 刃煞이 主를 刑한다. (耳聵目盲,用神陷切,而死敗剋身.腰駝足跛,福氣衰頹,而刃煞刑主.)

해석. 용신이 死 敗등의 物에게 剋 竊을 당하고, 또 休 廢에 臨하여 시령(時令)에서 또 惡氣에게 身이 剋 竊되면 상문(上文)에 준(准)한다. 貴氣가 休 囚하고, 또 惡神에게 本體가 制 剋당하며 겸하여 또 死絕하게 되면 惡氣가 출현(出現)하여 용신의 吉함이 침몰하고, 刃煞이 나의 일주를 刑하면 상문에 准한다. (解..用神被死敗等物剋竊,又臨休廢,時令又被惡氣剋竊身者.准上文.貴氣休囚,又被惡神剋制本體,兼又倚托死絕.惡氣出現,沈淪用神之吉,刃煞仍刑我日主者,准上文.)

玉井奧訣(옥정오결)-34

귀소(鬼嘯)에 응(應)하면 惡하게 요절함을 알아야하고, 본휴(本虧)하면 빈한(貧寒)힘이 멈추시 아니한다. (鬼嘯應知惡夭,本虧非止貧寒.)

해석. 귀소는, 가령 甲인이 庚을 만나고, 庚이 丙을 만나며 전전(轉轉)하여 相剋하는 종류인데, 辛이 그 丙을 合하면 탐합망극(貪合忘剋)할 수 있다. 또 이르길, 먼저 日을 묻고 나중에 年을 묻는데, 이 格이 가장 요긴하다. 본휴는, 凶神이 떼를 지어 日家의 氣를 剋하고 年의 [天]干을 害치니 가난을 물리치거나 소년시절에 요절함을 免하지 못한다. (解..鬼嘯如甲人遇庚,庚遇丙,轉轉相剋之類.有辛合其丙,方可貪合忘剋.一云,先問日,後問年,此格最緊.本虧,乃凶神作黨.剋日家之氣,害年之干,所以貧難少亡不免.)

天地가 포장(包藏)하는 德을 갖추면, 풍뢰(風雷)의 격렬(激烈)한 소리가 멀어진다. (天地具包藏之德,風雷遙激烈之聲.)

해석. 申 亥의 두 글자는 분명히 역량(力量)이 있으니 酉 戌이 용신을 얻는 것은 이 格에 正合한다. 또 이르길, 申 亥는 地支의 神이 드러나지 않아도 二位를 공협(拱挾)하여 貴氣가 있으면 체국(體局)이 비범하다. 卯 巳의 二位안에는 貴氣가 있는데, 柱중에서 공협하고, 歲 運에서 衝을 하면 공협한 곳이 반드시 변화하여 발월(發越)할 수 있다. 또 이르길, 공협은 숨은 곳이고, 또 刑衝으로 심하게 핍박함을 두려워하는데, 貴氣를 달아나게 한다. (解..申亥二字,明有力量,酉戌用神

得所,正合此格.一云,申亥不露支神,虛夾二位,有貴氣者,體局不凡.卯巳二位,內有貴氣.柱中虛拱,歲運對衝,空處必能變化發越.一云,拱夾穩處,又恐刑衝太迫,走了貴氣.)

공장(拱將) 공좌(拱座)와 아울러 공인(拱印)하면 반드시 貴人이다. 고자(顧子) 고모(顧母)하고 더욱 고신(顧身)하면 자연히 속객(俗客)은 아니다. (拱將拱座並拱印,必是貴人.顧子顧母尤顧身,自非俗客.)

해석. 공장은, 본지(本支)에서 三合을 말하는데, 가령 子인이 申 辰을 만나는 例이다. 공좌는, 대궁(對宮)을 말하는데, 가령 子인이면 午의 例이다. 공인은, 印綬의 정위를 말하는데, 가령 甲인이 子 丑의 例이다. 일설에는 印은 庫라고 한다. 또 이르길, 印은 干庫인데 만약 財官의 貴氣를 겸하여 유용(有用)하고, 혹 財官이 生旺한 곳이면 모두 富貴할 造化이다. 생아자는 母가 되고, 我생자는 자식(子息)인데, 자신과 더불어 삼위(三位)가 모두 손괴(損壞)하지 않으며, 往來하여 돌아보고, 福을 더하면 유복(有福)한 사람이 되는 것이다. (解..拱將,謂本支三合,如子人見申辰之例.拱座,謂對宮,如子人即午之例.拱印,謂印綬正位,如甲人子丑之例.一說,印乃庫也.又云,印即干庫,兼若財官貴氣有用,或財官生旺之鄉,皆富貴造化.生我者爲母,我生者爲子,兼自身三位,俱無損壞,往來顧盼,有福益者,爲有福人也.)

삼위의 기보(奇寶)에서 官[神]을 用하면 용맹하고 강직한 명성을 후세에 남긴다. 四干의 천을이 화개에 臨하면 세상에서 보기 드물게 청고(淸高)하다. (三位奇寶用官神,流芳英烈.四干天乙臨華蓋,曠世淸高.)

해석. 時에 三合이 자리하면 기보(奇寶)라 일컫는다. 만약 관성이 上에 居하고 무파(無破)무기(無忌)하면 세대(世代)에 부절(不絶)하여 좋은 명성으로 공로를 세운 사람이다. 고법(古法)에서는 歲 日의 干을 다만 論하지 않고, 천을의 貴를 타야 吉하고, 月 時의 干에서 貴人을 타면 더욱 묘(妙)하다. 더구나 本命에 화개가 臨하면, 일생토록 凶이 없고, 또한 청고(淸高)하며 뛰어난 貴人이다. (解..時座三合,謂之奇寶.若官星居上,無破無忌,世代不絶,芳名勳業人也.古法不獨論歲日之干,乘天乙之貴爲吉,月時干有貴人乘者更妙.況臨本命華蓋,生平不止無凶,亦淸高奇貴人也.)

사면(四面)에서 旺相함이 선명(宣明)하면 궁궐안의 식록(食祿)이고, 二煞이 만약 공협하면 변방의 사막까지 세력을 떨친다. (四面宣明旺相,內廷食祿.二煞若臨夾拱,沙塞揚威.)

해석. 청룡, 현무, 주작, 구진은 사면(四面)이 되고, 干祿이 귀원(歸元)하여 각각 방위(方位)를 점령하면 旺相하다. 가령 甲 乙이 寅 卯에 임하면 청룡이 되고, 丙 丁이 巳 午에 임하면 주작이 되는 종류인데, 상문(上文)에 准한다. 망신 겁살은 二位가 모두 공한(空閑)하고, 그러나 각각 공협(拱夾)하면 상문에 준한다. (解..青龍,玄武,朱雀,勾陳爲四面,干祿歸元,各占方位,旺相.如甲乙臨寅卯爲青龍,丙丁臨巳午爲朱雀之類,准上文.亡神劫煞,二位俱空閑,而卻各有拱夾者.准上文.)

玉井奧訣(옥정오결)-35

金水는 문장이 빛나며 발췌(拔萃)되고, 土金은 富가 풍부하여 크게 이룬다. (金水文華而拔萃,土金阜富以成高.)

해석. 金水의 두 象이 만약 淸하여 그 餘氣가 혼탁(混濁)함이 없는 그 근원이면 문채(文彩)가 영화(英華)로 출중한 格이다. 金土의 상생이 만약 각각 기울지 않고 중화(中和)의 氣를 얻으면 마치 物이 자라는 것과 같아 생의(生意)를 크게 더한다. 만일 이 象이면 마땅히 富貴한 格이 되고, 혹 貴氣가 화협(和協)하여도 공명(功名)과 식록(食祿)이 있다. (解..金水二象若淸,無其餘之氣混濁其源者,文彩英華,出類之格.金土相生,若各無偏倚,得中和之氣者,似物漸長,生意益高.如此之象,當作富貴之格,或貴氣和協,亦主功名食祿.)

영광스러운 것은 木火가 발원(發源)함이 있고, 淸貴한 것은 水木의 순서(順序=정해진 차례)가 대부분이다. (榮耀者木火有發源,淸貴者水木多順序.)

해석. 木火는 빛을 發하기 쉬운데, 근원(根源)에서 오면 柱중에 생의(生意)가 있고, 혹 歲 運에서 이끌면 도울 수 있어 영광스러우므로 사람이 으뜸인 근기(根氣)가 있는 것을 알지 못하고, 다만 運상에서 木火가 투출하여 發하는 것을 알뿐이다. 水木은 맑고 비범한데, 만약 그 氣가 치우치지 않으면 순조롭게 生旺함을 도와 貴를 대동하면 반드시 한원(翰苑=한림원)의 깨끗한 요직이 되고, 혹 대간(臺諫=사헌부나 사간원의 벼슬)이 된다. (解..木火易於煥發,有來處根源,柱中生意,或引歲運.故能扶引而榮耀,所以人不知元有根氣,但知運上木火透發耳.水木淸奇,若其氣不偏倚,順扶生旺帶貴者,必爲翰苑淸要,或臺諫.)

금옥(金玉)에 오르는 것은, 貴人의 두상(頭上=天干)에 관성이 있는 것이다. 책을 짊어지고 죽립을 맨 것은 학당 관(館)중에 역마를 만난 것이다. (登金步玉,貴人頭上帶官星.負笈擔簦,學堂館中逢驛馬.)

해석. 天乙의 두상에 관성이 나타나 있으면 관성좌귀(官星坐貴)라 하여 貴하다. 학당은 일주가 生旺한 자리이고, 학관은 관성의 生旺한 곳으로 임관하는 자리라도 역시 취용(取用)이 같다. 역마에 해당하고 貴氣가 크지 않으면 학문에 재능이 있어도 이루지 못한다. 설령 벼슬길에 들더라도 여정(旅程)에 분주(奔走)함이 많고, 공망이 되면 더욱 심하다. (解..天乙頭上有官星顯露,謂之官星坐貴,主貴.學堂乃日主生旺之位,學館爲官星生旺之方,臨官之位,亦同取用.遇驛馬在中,無甚貴氣者,空有才學無成.即入仕途,亦多奔走道路,落空亡更甚.)

한원(翰苑=한림원)에 이름을 올리는 것은, 乾坤의 서기(瑞氣)를 물려받은 것이고, 정사(政事)를 장악하는 것은 공(拱)한 子 午의 단문(端門)에 應한 것이다. (翰苑標名,定稟乾坤瑞氣,薇垣秉政,應拱子午端門.)

해석. 寅 巳의 二位는 유력(有力)하여 亥 申의 乾坤을 合할 수 있고, 또 三合으로 공협한 것이 있는데, 子 辰은 申을 공협할 수 있고, 卯 未는 亥를 공협할 수 있으니, 만약 섞이지 않으면 申 亥는 그 貴氣를 타서 반드시 무리들 중에 두각을 나타내게 되는 것이다. 子 午의 二位가 혹 正으로 공협하여 있거나, 혹 三合의 外에서 공협하여 있는데, 만일 貴氣가 모인 上에 있으면 공로가 있는 명문가문이다. 사람들에게 언급하지 않은 것인데, 丑 亥는 子를 공협하고, 未 巳는 午를 공협하는 正이 된다. 申 辰은 子를 공협하고, 寅 戌은 午를 공협하는 外가 된다. (解..寅巳二位有力,能合亥申乾坤,又有三合拱者,子辰能拱申,卯未能拱亥,若無雜,申亥乘其貴氣,必爲出群之造矣.子午二位或有正拱,或有三合外拱.如有貴氣集上,勛業名家.人所未及,丑亥拱子,未巳拱午,爲正.申辰拱子,寅戌拱午爲外.)

괴강이 협귀를 만나면 재주가 있으며 풍헌으로 형벌을 관장한다. 龍虎는 오직 벼슬을 할 수 있으며 옥당(玉堂)의 정승으로 임명을 받는다. (魁罡纔逢夾貴,風憲提刑.龍虎得以專職,玉堂拜相.)

해석. 辰 戌의 二位가 협귀를 만나면 풍헌으로 형벌을 관장하는데, 권위(權威)를 떨쳐 일으키는 것이라고 말한다. 가령 壬 癸가 巳 卯를 만나면 辰을 공협하고, 丙 丁이 酉 亥를 만나면 戌을 공협하는 이것이다. 또 분명히 괴강을 보면 거듭 貴氣가 모여 앞과 같이 단정한다. 辰 寅의 二位가 만약 正으로 공협하거나 外로 공협하여 만나면 貴氣인 吉神이 그 上에서 모여 묘(妙)하니 이 格에 合한다. 혹 寅 辰을 만나 氣를 얻으면 貴가 모이고, 旺相하여 부지(扶持)하고, 刑 衝 剋 害가 없으면 卯[處]를 얻어서 吉한 것인데, 앞과 같이 단정한다. (解..辰戌二位,逢夾貴爲風憲提刑者,謂有威權振作也.如壬癸逢巳卯拱辰,丙丁逢酉亥拱戌是也.又明見魁罡,重集貴氣,同前斷.辰寅二位,若遇正拱外拱,有貴氣吉神聚其上者妙.合此格.或見寅辰得氣集貴,旺相扶持,無衝刑剋害,仍得卯處有吉者,同前斷.)

玉井奧訣(옥정오결)-36

陰陽을 偏用하면 貴가 極品으로 존숭(尊崇)되어 드날린다. 卯 酉의 正門은 권력을 도와 外藩(제후국)을 진압하여 다스린다. (陰陽偏用,貴崇奮極品之尊.卯酉正門,權輔領外藩之鎭.)

해석. 偏陰 偏陽은 그 氣가 대부분 분발(奮發)하며 바람에 날고 우레가 사납다. 貴氣가 만약 오로지 역량(力量)이 旺相하면 직위가 급작스럽게 뛰어올라 극품(極品)이 많다. 대개 偏氣는 싸움을 좋아하고, 뛰어나며 굽히지 않고 영웅호걸로 힘이 대단하다. 편관은 발기(發起)하기 쉬우나 단지 물러남이 빠르고, 혹 비명횡사(非命橫死)한다. 만약 정관이면 평온하여 분수에 따라 발탁되어 옮기고, 생살여탈(生殺與奪)의 권력(權力)은 없다. 卯 酉는 日月이 출입하는 문호(門戶)인데, 貴氣를 공협하여 用[神]을 얻으면 이에 부합(符合)한다. 혹 확실히 이 二位를 만나면 용신에 福이 모여 유력(有力)하고, 破가 없으면 상문에 准한다. (解..偏陰偏陽,其氣多是奮發,風飛雷厲.貴氣若專,旺相力量,驟進極品者多.蓋偏氣好爭,挺然不屈,雄豪力大.偏官易於起發,但是退速,或非命爾.若正官則穩,隨分遷擢,無生殺之權.卯酉乃日月出入之門戶,有貴氣拱夾得用者,合此.或明見此二位,用神集福有力,無破者,准上文.)

歲에 祿馬를 탄 財官을 동반하면 대단히 뛰어난 영웅(英雄)이다. 貴局은 日時에 덕수(德秀)를 타면 재주와 업(業)이 매우 뛰어나다. (歲駕祿馬帶財官,英雄超邁.貴局日時乘德秀,才業崢嶸.)

해석. 무릇 太歲에서 祿馬의 二位가 마땅히 일주에 해당하고 財官에 居하는데, 어찌 뛰어난 영웅(英雄)이 아니겠는가! 무릇 貴人의 局은 日時에서 덕수(德秀)의 二氣를 보면 主가 文章의 재능으로 업(業)에 부합하는 큰 인물로써 훌륭한 영웅호걸이다. (解..凡太歲祿馬二位,宜係日主財官居上,豈非英雄超邁.凡貴人局,在日時見德秀二氣者,合主文章才業,大器秀拔英傑之人也.)

용신이 졸렬하면 運에서 돕고, [물고기]비늘이 마르면 水로 구제한다. 용신은 强하고 運이 졸렬하면 굽은 항구에 배를 운항한 것이다. (用拙而運扶,枯鱗濟水.用強而運拙,曲港行舟.)

해석. 용신의 힘이 졸렬하거나, 혹 有氣하나 剋 竊을 당하거나, 혹 암장하여 숨어도 衝合이 없으면 순수하지만 불리(不利)하고, 運상에서 오히려 生扶하는 氣를 일으켜야 유연(悠然)하게 번성한다는 뜻이다. 용신이 혹 유력(有力)하거나, 혹 득시(得時)하거나, 혹 정(情)이 合하는데, 만약 運중에서 그 氣를 막거나 파괴하면 동쪽에서 방해하여 서쪽으로 돌진하니 順하게 타지 못하는데, 설령 일시적인 바람결이 있더라도 그 어찌하리오! (解..用神力拙,或有氣而被剋竊,或隱藏而無衝合,純而不利.運上卻引生扶之氣,悠然暢意矣.用神或有力,或得時,或情合,若運中阻壞其氣者.東礙西撞,不能順駕,縱有一時風便,其奈何也.)

運은 地支가 중요한 터전이 되고, 歲는 天干에서 중요한 氣를 타야한다. (運以支重爲基,歲以干重乘氣.)

해석. 運의 地支가 太過한 物이면 마땅히 억눌러야하고, 不及한 物이면 도와야한다. 마땅히 地支를 관통하여 生하는 것이 필요하고, 그 본말(本末)이 어긋나는지 유순한지 어떠한가를 살펴봐야한다. 그런데 단지 용신의 경중(輕重)만 억부(抑扶)하는 것을 자세히 아는 것도 또한 좋지 않다. 또 生하는 氣와 剋하는 氣를 論하면, 運은 地支가 중요하고, 다음에 運의 干이 싸우는지 화목한지 무엇이 비슷한가를 살펴봐야한다. 柱중의 物에서 어떤 계통이 유정(有情)한지 吉한가를 말한다. 유년(流年)과 太歲에서 干[神]의 관계(關係)가 가장 긴요하고, 一年의 모든 神은 吉凶의

主가 된다. 日이 歲를 剋하면 재앙이고, 合하면 희미하다. 만약 化하거나 유정(有情)하면 좋은 일이 있고, 재(災)복(福)을 지속(遲速)적으로 경험하는 곳이며, 運중에 서로 대신하며 어떠한가를 살핀다. 모름지기 용신과 歲의 地支에서 刑 衝 破 害를 겸해서 말해야하고, 치우치지 않아야 옳다. (解..運之支神,太過之物,則宜抑之,不及之物,則宜扶之.要與當生支神貫穿,看其本末乖順何如.若只詳用神輕重扶抑者,亦未善.又論生氣剋氣,運支至重,次觀運干,戰鬥和諧何似.統何柱中之物有情而言方吉.流年與太歲干神,關係最緊切,一年萬神吉凶之主.日剋歲則災,合則晦.若有化有情,則有好事,所驗災福遲速,仍察運中相攝何如.須兼用歲支刑衝破害上言,無偏則可.)

玉井奧訣(옥정오결)-37

처음에 대운이 나아가는 방향으로 用[神]이 弱한지 强한지 구별한다. 歲는 병권(兵權)을 거느리고, 형세를 잡은 情이 急하여도 情이 重하다. (運馳行色,用分何弱與何強.歲攝兵權,勢持情急而情重.)

해석. 가령 日은 身이 되고, 貴는 用인데, 둘에서 한쪽을 버리기 어렵다. 일주는 體가 되고, 貴氣는 用하는데, 모두 중화(中和)가 필요하다. 일설(一說)에 용신이 貴氣인데, 가령 행리(行李) 기물(器物) 양초(糧草)등의 건(件)으로 길을 떠나면, 運은 관공서나 객사(客舍)의 머무를 곳에 의지하며 거주(居住)한다. (解..如日爲身,貴爲用,二者難以偏廢.日主爲體,貴氣爲用,俱要中和.一說用神貴氣,如登程行李器物糧草等件,運,即住腳公廨館宇所泊之所.)

五氣의 貴煞은 어디에서나 적당하게 저 지리(地理)를 끌어야하고, 혹 그 吉凶의 조짐을 참고하여야한다. 吉凶의 두 象은 運元에서 일이 발생하기 전에는 歲가 아니면 그 조짐이 격양(激揚)할 수가 없다. 오직 歲君만이 가장 엄중하며 위중(威重)하고, 매우 급히 잡은 세(勢)가 오면, 마치 진을 치고 적과 싸우는 것 같아 빠르게 위험이 크고, 갑자기 구응(救應)하여도 비교하기 어려운데, 비록 쇄사슬로 닫히더라도 그것을 능히 방어할 수 있다. 또한 貴氣가 있어도 凶하면 惡을 누르고 善을 드러내야하는데, 구제할 조짐을 타도 헤아리지 못한다. (五氣貴煞,何者引彼地理所宜,或順以參考其否泰之兆.吉凶二象,運元未萌,非歲則不能激揚其兆.唯歲君最嚴最切,至威至重,持握特急,勢來則如戰陣鬥敵,迅速險大.難以卒然救應議擬也,雖鐵關金鎖,其能禦哉.亦有貴氣爲凶,抑惡揚善,乘機湊濟莫測.)

祿貴의 運은 현양(顯揚:地位를 세상에 높이 드러냄)해야 하고, 젊고 혈기가 왕성할 때는 마땅히 旺地를 겸해야하고, 凶殺은 모름지기 어두운데 숨어야하고, 노인(老人)은 또한 衰鄕을 좋아한다. (祿貴運欲顯揚,少壯宜兼旺地,凶煞須從沉昧,老人更喜衰鄉.)

해석. 처음 태(胎) 포(胞) 양(養) 장생(長生) 관대(冠帶)의 地支는 20歲로 行함이 마땅하다. 임관

(臨官) 제왕(帝旺)의 運은 陽氣가 강성(强盛)하여 3~40歲로 行함이 마땅하다. 쇠(衰) 병(病) 묘(墓) 절(絶)의 運은 天癸가 고갈(枯渴)하니 5~60歲로 行함이 마땅하다. 그 중에 옳은 뜻으로 合하면 조화(造化)에서 취사(取捨)하는 도리로써 통변을 말하게 되는 것이다. 運중에 젊을 때는 體를 合하는데, 진실로 그 祿貴를 드날려야한다. 凶神의 運은 가라앉아야하고, 늙으면 마땅히 死絶등의 運으로 行해야한다. 일주와 용신을 필요하지 않는 것이 표리(表裏)로 생의(生意)하면 참으로 福運이 된다. (解..一胎胞養沐長生冠帶之地,二十歲宜行.臨官帝旺之運,陽氣強盛,三四十歲宜行.衰病墓絕之運,天癸枯竭,五六十歲宜行.其中合可之義,則造化取舍之道,通變爲言者也.運中少壯合體,固宜揚其貴祿.凶神運欲沉淹,老者宜行死絕等運.仍不要與日主用神,表裏生意者,誠爲福運.)

運氣가 발원(發源)하는 힘이 평온하면 성공(成功)하기 쉽다. 時의 干에서 化象이 情을 求하면 마땅히 行하며 用[神]을 다스린다. (運氣發源力穩,方易成功.時干化象求情,行當領用.)

行運은 깊이 연구하고 화복(禍福)을 경험하여야 쉬운 일이다. 마땅히 宮은 소식(消息)을 쫒아 그 돌아오는 뜻을 살핀다. 가령 運의 발원(發源)이 年 月 日 時상에 있고, 공망 衝 死 敗하는 地支면 설령 發하더라도 길지 않다. 발원(發源)이 평온하게 머무는 곳에 있어야 환난(患難)을 견딜 수 있으며 富貴를 누릴 수 있고, 복택(福澤)이 길게 된다. 行運의 法은 時干의 化象을 취하는 것인데, 體象과 化象의 두 가지 뜻이 있다. 하나가 짝을 얻어 유정(有情)한 무리가 있으면 象을 이루어 用[神]이 된다. 혹 行運에서 돕거나, 혹 선회하여 그 기물을 이루면 제일(第一) 뛰어난 일이다. 그래서 [이] 허중의 가문(家門)에서 비밀리에 전히는 지극한 논리가 있다. 나머지 神의 氣는 가장 적절히 인용(引用)하여 生剋 强弱을 취용(取用)해야 한다. (解..行運究考的驗福禍,亦是易事.當逐宮消息,審其來意.如運之發源,在年月日時上,空衝死敗之地,縱發不久.發源在穩實住處,可耐患難,可享富貴,福澤悠遠也.行運之法,取時干之化象者,有體象化象二意.一者得侶,有情有類,爲象成用.或行至運中扶持,或旋造成其器,第一妙事.乃虛中家傳之秘,有此極論,引用餘神之氣最切,宜取用生剋強弱.)

玉井奧訣(옥정오결)-38

비황이 입신출세함은 運에서 한 길로 관성이 열린 것이고, 표범처럼 변하여 흥륭(興隆)하면 年에서 평생토록 財氣를 거느린다. (蜚黃騰達,運開一路官星.豹變興隆,年統平生財氣.)

柱중에 관성을 지니고 있으면 運보다 못해도 運에서 거느린 官神이 득의(得意)하여 걸음걸음이 영광이다. 八字중에 財가 旺하지 않으면 비록 만날지라도 무정(無情)하고, 행운에서 비록 生旺한 곳에 이르더라도 분발(奮發)하지 못한다. 대개 氣가 혹 死絶하거나 혹 막히면 歲는 존엄(尊嚴)한 君으로 吉凶과 神煞의 주체인데, 유년(流年)에서 혹 財元을 거느리거나 혹 財象을 生扶하거나, 혹 財庫를 세차게 열거나, 혹 요합 飛衝하여 生旺한 곳이거나, 혹 공협 암포 재신 록마 귀인의 宮에서 그 財가 旺하게 되는 것이다. 歲君은 표변(豹變)하는 계통으로 갑자기 발흥(發興)하는 것이다. (解..柱中帶官星,不若運運統攝,官神得意,步步榮耀.八字中有財不旺,雖見無情,行運雖至生旺之處,仍未奮發.蓋氣或死絕,或滯塞,歲乃尊嚴之君,吉凶神煞之主.流年或領財元,或生扶財象.或激開財庫,或遙合飛衝生旺之所.或拱夾暗包財神祿馬貴人之宮,其財之旺由此.歲君統繫豹變,勃然興發也.)

運이 능멸하여 身弱하면 용신을 도와하야고, 運이 변하여 신강하면 그 福氣를 억누른다. (運凌身弱,而適扶用神.運變身強,而抑其福氣.)

해석. 生하여 신왕하거나, 혹 비견이 지나치게 많아 용신이 겁약(怯弱)하면 마땅히 그 身의 氣를 능가하여 쇠퇴하니 나의 용신을 돕는 것이고, 이와 반대면 좋지 않는 것이다. 生하면 본체(本體)의 氣가 弱하고, 용신이 太過하면 身이 감당하지 못하고, 또 착란(錯亂)하여 귀일(歸一)할 수 없는데, 이와 같으면 기쁜 것이고, 이와 반대면 어긋난다. 대개 본말(本末)을 生하면 體用이 서로 어울리고, 運이 身을 도와 太過하거나, 혹 그 용신이 부족하여도 역시 적합하지 않는 것이다. (解..當生身旺,或比肩太繁,用神怯弱者,宜凌廢其身之氣.適扶我之用神,反是則不祥矣.當生本體氣弱,用神太過,身不勝任,又成錯亂不能歸一.所喜如是,反是則乖.蓋當生本末,體用相稱,運扶身太過,或困其用神,亦不中也.)

歲나 혹 運이 부합하면 吉하며 기망하면 凶하고, 歲나 혹 運이 善하면 어둡고 惡하면 멋대로 한다. (歲或運符吉罔凶,歲或運昧善縱惡.)

해석. 혹 生하여 凶殺의 힘은 重하고 吉神의 힘이 輕하면 財官의 형세가 더구나 산만(散漫)하고, 세(歲)運이 福神에 부합(符合)하여 凶한 氣를 억누르는 것이 있으면 生하여 吉神의 힘이 重하고 凶殺의 氣는 弱하다. 歲 運에서 기강(紀綱)을 제어(制御)하는 도리를 잃고, 혹 惡煞을 수용(受容)하면 善한 무리를 어둡게 하는 것이 있다. (解..或當生凶煞力重,吉神力輕,財官勢況散漫,歲運符合福神.而抑凶氣者有之,當生吉神力重,凶煞氣薄.歲運失紀綱制馭之道,或至於縱容惡煞,沉昧衆善者有之.)

詩에서 말하길, 왕래하며 옥정篇을 참조할 수 있으면 人間이 오히려 지행선(地行仙)[24]이다. 五氣로 조목을 나누는 곳을 거듭 열고, 울타리를 쪼개고 부수면 별천지가 있다. (詩曰,往來能參玉井篇.人間卻是地行仙.重開五氣分條處.剖破藩籬別有天.)

옥정오결을 안동두겸이 저술한 것은, 그 동안 은밀한 내용을 妙한 象과 數로 나타내어 감춘 것을 사용하여, 氣와 같은 종류가 없는 것을 좇아 있는 것을 세우는데, 도비암합(倒飛暗合), 득일분삼(得一分三), 탈태환골(脫胎換骨)하여 비범한 성인(聖人)이 되는 것이 참으로 쉬운 일이 아니다. 마땅히 절처봉생(絕處逢生)을 다 하여야 하고, 旺하면 퇴장(退藏)함을 알 필요가 있고, 그릇이 차면 반드시 기울며, 物이 지나치면 손해가 있다. 무리가 盛하면 동류(同類)를 따르지만 氣가 衰하

---

24) 지행선(地行仙);아난아, 저 중생들이 약 복용법을 굳게 지켜서 쉬지 않는 가운데, 복용하는 도법을 원만하게 성취한 신선을 지행선地行仙이라고 하느니라. 불교 능엄경에서. 지행선 신선의 한 종류.

면 情에 의지하고, 쓰임이 없는 것(불용)도 用한다. 진가(眞假)는 마땅히 분별하여 象類를 먼저 변하는 것과 변하지 않는 것으로 분별해야 한다. 그래서 기품(氣稟)은 후박(厚薄)함이 있는 것이고, 청탁(淸濁)이 있는 것이며, 고저(高低)가 있고, 회명(晦明=明暗)이 있어 일일이 가려낼 수 없을 만큼 많은 일의 갈피가 있으니 천변천화(千變千化)한다. 氣에는 生剋이 있어 궁극에는 이치이외의 이치를 극진히 간파하고, 物에는 조화(造化)가 있으니 활법(活法)은 지극히 오묘하고도 오묘한 것을 참조해야 한다. 진실로 이허중이 남긴 학문의 일파(一派)를 얻어 바르게 전하는 것이며 세간에 이 글을 보고도 터득하지 못하는 者가 많으니 내가 겉으로 두드러지게 드러내는 까닭이다. 육오가 기록하다. (玉井奥訣,乃安東杜謙所著,其間幽趣妙象,數見而用藏,氣類從無立有,倒飛暗合,得一分三,脫胎換骨,入聖超凡,誠非易事.欲窮其絕處逢生,要識其旺而退藏,器滿必傾,物過則損,黨盛則隨類,氣衰則托情,用不用,眞假宜辨,變不變,象類先分,故氣稟有厚薄焉.有淸濁焉,有高卑焉,有晦明焉,萬緒萬端,千變千化,氣有生剋,究竟盡燭理外之理,物有造化,活法極參玄中之玄,誠得李虛中餘學一派之正傳也,世之不得睹是書者多矣,予故表而出之.育吾,記.)

제 10권 終

삼명통회 11권

1. 氣象篇(醉醒子撰)-1

대저, 요즘은 四柱를 세우고 五行을 취하여 하나의 運을 10년으로 정한다. 청탁(淸濁)과 순박(純駁)으로 매우 가지런하지 못하고, 호악(好惡) 시비(是非)가 이치적으로 하나같이 잡기 어렵다. 그런데 예전의 命을 論하면, 정밀하고 자세히 연구하여 體를 쫓아서 用을 갖추었다. 요즘의 命을 論하면, 格局에 얽매여서 마침내 거짓에 집착하며 진실을 잃어버린다. 반드시 먼저 기상(氣象)의 규모(規模)를 살펴서 부귀빈천의 강령(綱領)으로 하고, 다음에 용신의 출처를 論하여 生死 빈궁(貧窮)과 영달(榮達)의 정미(精微)함을 다한다. 모름지기 八字는 번화(繁華)해서는 안 되고, 단지 五行의 화기(和氣)를 필요로 한다. 흐름은 三元과 六甲을 가리키는데, 누가 만서천단(萬緖千端)[25] 을 알겠는가! 학자는 노력이 필요하며 오묘함을 끌어내어 감춘 것을 찾고, 뿌리로 돌아가는 것을 널리 드러내어 세상에 알린다. 實을 향하여 虛를 찾고, 無를 쫓아 有를 찾는데, 비록 命의 이치가 작다고 말할지라도 생각이 반을 넘은 것이다. 그러나 큰 바다도 한 잔의 물에서 나아가고, 少陰도 老陽에서 일어난다. 成하면 곧 敗하는 조짐으로 變은 곧 化로 차츰 나아간다. 이 문장을 당연히 깊이 살펴야하는 것인데, 一陽이 해동(解凍)하고 삼복(三伏)에 生寒하는 것과 같다. (이 註는 이미 전에 인용하였던, 겨울에 염열(炎熱)을 만나고, 여름의 풀이 서리를 만나는 것이다.) (今夫立四柱而取五行,定一運而闕十載.淸濁純駁,萬有不齊,好惡是非,理難執一.故古之論命,研究精微,則由體而該用.今之論命,拘泥格局,遂執假而失眞.是必先觀氣象規模,乃富貴貧賤之綱領.次論用神出處,盡死生窮達之精微.不須八字繁華,只要五行和氣.浪指三元六甲,誰知萬緖千端.學者務要,鉤玄索隱,發表歸根.向實尋虛,從無取有.雖曰命之理微,於此思過半矣.然大海從於勺水,少陰產於老陽.成乃敗之機,變乃化之漸.此文所當深察,乃若一陽解凍,三伏生寒.[此註已引前,冬逢炎熱,夏草遭霜下.])

陽이 剛하면 중화(中和)를 못하고, 높으면 해롭다. 강(剛)하여도 유(柔)할 수 있으면 吉한 道가 된다. (陽剛不中,亢則害也.剛而能柔,吉之道也.)

해석. 이 象은 陽이 높아 制하지 못하고, 다시 양물(陽物)을 포장(包藏)하지 못한다. 그리고 運에서 또 東南으로 行하면 양강(陽剛)하여 중용(中庸)을 잃으니 반드시 主를 害친다. 이것을 用하면 고빈(孤貧)하며 흉포(凶暴)하고, 水火의 사이에서 死한다. 만약 5陽이 陰월에 生하면 干支가 음유(陰柔)한 物에 끼여 合한다. 運의 행로가 또 음유(陰柔)한 곳으로 行하면 吉이 되는 것이다. 이것을 用하면 비록 가난하고 천한 출신이라도 결국에는 반드시 영화(榮華)가 있다. (解..此象亢陽無制,更不包藏陰物.而運又行東南,則陽剛失中,必主於害.用此者,孤貧凶暴,死於水火之間.乃若五陽生於陰月,干支夾合陰柔之物.運道又行陰柔之鄕,乃謂吉也.用此者,雖出寒賤,終必榮華.)

---

25) 만서천단(萬緖千端);일일이 가려낼 수 없을 만큼 많은 일의 갈피.

유약하고 편고하면 소인의 象이고, 강건하고 中正하면 君子의 풍모이다. (柔弱偏枯,小人之象,剛健中正,君子之風.)

해석. 이 象은 중용의 道가 아닌 것이고, 四柱중에 단지 陰柔함을 만나면 格에 들지 못한다. 干支에서 또 陽을 포함하지 않으면 종일(終日) 부드럽고 나약하다. 이것을 用하면 심기(心機)가 음독(陰毒)하여 이르지 못할 것이 없다. 만약 강건하면 君子의 체모(體貌)이다. 중정(中正)은 君子의 德 이다. 四柱중에 陽이 陰에 감추어져 강유(剛柔)가 制를 얻으면 破 剋 刑 衝을 犯하지 않는다. 이것을 用하면 덕행(德行)이 뛰어난 사람으로 중용(中庸)과 올곧음이 세상을 덮음으로서 군자의 풍모라 말하는 것이다. (解..此象不中之道也.四柱中但見陰柔而不入格.干支又不包陽,則終日柔懦.用此者機心陰毒,無所不至.乃若剛健,君子之體也.中正,君子之德也.四柱中陽而藏陰,剛柔得制,不犯破剋刑衝.用此者,德行過人,中直蓋世,故曰君子之風.)

한박(寒薄)이 지나치면 화난(和暖)한 곳에서도 결국은 분발(奮發)하기 어렵다. 조열(燥熱)이 지나치면, 水가 격(激)한 곳에서는 도리어 凶災가 발생한다. (過於寒薄,和暖處終難奮發.過於燥烈,水激處反有凶災.)

해석. 四柱가 순음(純陰)으로 10月에 生하면 五行의 根을 헛되이 絶한다. 일간이 또 衰弱하면 강건한 氣가 없는데, 설령 화난(和暖)한 곳을 만나더라도 결국 발달하기 어렵다. 四柱가 순수한 火로 하지 前에 生하면 인성(人性)이 조열(燥熱)하다. 歲 運중에 갑자기 水를 격렬하게 만나면 制하지 못할 뿐만 아니라 도리어 害치게 되는 것이다. 이것을 用하면, 요절하거나 孤貧하고, 대부분 형법을 어긴다. (解..四柱純陰,生於十月,空絕五行之根.日干又見衰弱,而無強健之氣.縱遇和暖之鄉,終難發達.四柱純火,生於夏至之前,人性燥烈.歲運中乍遇水激,不惟不能制,而反致害矣.用此者,夭折孤貧,多犯刑憲.)

氣象篇(醉醒子撰)-2

집실이 지나치면 현활(顯豁)하기 어렵고, 청랭(淸冷)이 지나치면 생각이 처량하다. (過於執實,事難顯豁.過於清冷,思有淒涼.)

해석. 집실은 하나를 用하면 통하지 않는 것이다. 가령, 官을 用하는데 財가 없거나, 印을 用하는데 煞이 없으면 合이 많아도 이루는 것이 적고, 일이 생겨도 결국 활달(豁達)하지 못한다. 만약 金水가 청한(淸寒)함이 지나치면, 화난(和暖)한 運을 만나지 못하는데, 가령 庚 辛이 10월에 生하여 柱중에 순수한 水이고 運이 또 西北으로 行하면, 평생 홀로 먹고 자면서 생애(生涯)가 적막(寂寞)하여 사람이 그 고통을 감당할 수 없는 것이다. (解..執實者,用一而不通也.假如用官無財,用印無煞,多合少成者,遇事終無豁達.若金水過於清寒,不遇和暖之運.如庚辛生於十月,柱中純水,運又

行西北.平生獨食孤眠,生涯寂寞,人不堪其憂矣.)

유정(有情)이 지나치면, 뜻이 멀리까지 통달하지 않는다. (過於有情,志無遠達.)

해석. 局중의 物은 有情이 지나치면 안 된다. 만약 有情 지나치면 유혹에 이끌려 스스로 헤어날 수 없으며 겉으로 소견(所見)이 없는 것이다. 가령 甲木이 己土로써 妻로 삼아 진실한 情이 있는데, 만약 甲 己의 地支아래에 또 子 丑이 있어 내외로 合을 더하면 甲의 마음은 財 官 印綬 밖에 動하지 않으니, 甲이 항상 己土의 아래에서 그 의지가 어찌 멀리 통달할 수 있겠는가? (解..局中之物,不可過於有情.若過有情,則牽迷不能自脫,外無所見矣.如甲木以己土爲妻,情固宜有.若甲己支下,又乘子丑內外加合.而外無財官印綬動甲之心.則甲常處於己土之下,其志安能遠達哉.)

用하는 힘이 지나치면, 이루어도 어려움이 많다. (過於用力,成亦多難.)

해석. 무릇 柱중에서 자연적으로 物을 얻으면 妙한데, 만약 用하는 힘을 부지(扶持)하면 결국에는 좋지 않다. 또 財를 用할 경우에 局중에서 만나지 못하면 반드시 상관 食神으로 生하는 것이 求한다. 가령 食傷(식신 상관)이 실시(失恃)하여 무기(無氣)하면 또 비견이 다시 도와서 구하고, 혹 外衝이나 遙合은 모두 用하는 힘이 과(過)다고 일컫는데, 그 성취(成就)는 반드시 힘들고 어려운 것이다. (解..凡柱中得自然之物爲妙.若用力扶持,終不爲美.且如用財,局中不見,必求傷官食神所生.如食傷失時無氣,又求比肩轉助,或外衝遙合.皆謂過於用力,其成就必艱難矣.)

貴人이 지나치면, 재앙을 만나도 저절로 낫는다. 惡煞이 지나치면 福을 만나도 누리기 어렵다. (過於貴人,逢災自愈.過於惡煞,遇福難享.)

해석. 八字중에 貴人 二德이 원국에 많아 用[神]인 財 官을 돕고 刑 破가 없어야하는데, 비록 선패(顚沛)중에 머물지라도 위태롭지 않는 것이다. 원국에 惡煞이 많으며 삼형 육충이 財官을 도리어 배반하면 설령 財官의 地支를 만나더라도 어찌 福을 누리는 터전이 될 것인가! (解..八字中原多貴人二德,扶用財官,不有刑破.雖居顚沛之中,亦無危矣.原多惡煞,三刑六衝,又與財官反背.縱遇財官之地,將何以爲享福之基.)

五行이 絶처에서 祿馬가 身을 돕고, 四柱가 기이(奇異)한 중에도 비견은 福을 나눈다. (五行絶處,祿馬扶身.四柱奇中,比肩分福.)

해석. 무릇 絶처를 만나도 凶하다고 하여서는 안 되고, 대체로 凶한 곳에서도 또한 서로 돕는 福神이 있다. 가령 木은 申에서 絶하지만 申이 壬水에 있어 印이며 庚 戊는 財 官으로 나에게 소용(所用)되는 物이 되면 반드시 身을 도와 福으로 나아갈 수 있다. 단지 근심이 用[神]하는 官을 剋 害하는 神이 있으면 用하는 곳이 絶하니 이렇게 凶한 것이다. 만약 官은 貴가 되며 財로 뛰어나게 되는데, 局중에서 財 官을 만나게 되면 곧 吉하게 되는 것이다. 가령 비견을 만나 꺼리지 않아도 겁재가 쟁관(爭官)하면 온전히 좋지는 않다. (解..凡遇絕處,不可便指爲凶,蓋凶處亦有福神相扶.假如木絕於申,申有壬水爲印,庚戊爲財官.爲我所用之物,必能扶身進福.只愁有神剋害所用之官,則所用絕矣,如此乃凶.若以官爲貴,以財爲奇,局中得遇財官,乃爲吉矣.如見比肩無憚,爭官劫財,則無全美.)

氣象篇(醉醒子撰)-3

陰陽에 정말 剛柔가 있는데 干支가 어찌 전도(顚倒)하지 않으리오. (陰陽固有剛柔,干支豈無顚倒.)

해석. 陽은 剛하고 陰은 柔한 것이 天地의 道인데, 전(顚)하고 도(倒)하여 반복(反覆)을 일컫는다. 그래서 하문(下文)에 단서를 펼친다. (解..陽剛陰柔,天地之道也.顚之倒之,反覆之謂也.所以啓下文之端.)

비록 妻를 맞이하더라도 그 夫를 알지 못한다. (雖聘妻不識其夫.)

부부(夫婦)가 이미 그 宮에 들었는데 어찌 알지 못히고 있는가! 단지 情이 막혀서 불통(不通)하면 그 夫를 보지 않은 것이다. 가령 乙木이 庚金을 사용하여 夫가 되는데 중간에 丙火가 막고 끊으면 庚금이 火에 손상당한다. 혹 子 午의 敗死하는 地支에 坐하면 妻는 끝내 그 夫를 볼 수가 없다. (解..夫婦既入其宮,豈有不識,但情隔而不通,則不見其夫矣.如乙木用庚金爲夫,中間丙火隔斷,庚被火傷.或坐子午敗死之地,使其妻終不能見其夫也.)

本에 자식이 있어도 그 母가 돌보지 않는다. (本有子不顧其母.)

해석. 자식은 母가 돌보는 것이 이치이고 情이다. 身이 기반(羈絆)되면 양육할 수가 없다. 가령 甲은 丙이 자식이고, 그런데 辛金에게 合을 당하면 단지 妻의 情을 그리워하여 母의 사랑이 변하는 것이다. 따라서 局중에 비록 丙화가 있을지라도 用할 수가 없다. 무릇 命중에서 논의(論議)가 이에 이르니 거의 오류가 없다. (解..子之顧母,理也,情也.身有所羈,則不得終養.如甲用丙爲子,卻被辛金合之.但戀妻之情而易母之愛矣.故局中雖有丙火不可用也.凡命中議論至此,庶幾無誤.)

父는 자식이 없으면 고독하지 않으나, 자식은 父가 있지만 도리어 외롭다. (父無子而不獨,子有父而反孤.)

해석. 木은 火로써 자식으로 삼는데, 四柱중에 만일 丙 丁 巳 午의 位가 없으면 자식이 없는 것이다. 만약 地支에 몰래 암장한 火가 있고, 혹 天干에서 制化하여 得用하면 자식이 없지는 않다. 木은 水로써 父母를 삼는데, 만약 損 剋을 당하면 그 소생(所生)을 얻지 못한다. 가령 甲 乙일이 亥 子年에 生하고 月에 사계(四季)를 두면 水가 土에게 손상을 당하여 소생(所生=자식)은 [父母를] 잃으니 어찌 외롭지 않으리오. (解..木以火爲子息,四柱中如無丙丁巳午之位,則無子矣.若地支暗畜有火,或天干制化得用,亦不爲無子.木以水爲父母,若被損剋,則不得其所生.如甲乙日生於亥子之年,月値四季,水被土傷.所生之人失矣,豈不孤哉.)

生은 오히려 재생(再生)할 수 있으나, 死가 다시 死함은 불가(不可)하다. (生尙可以再生,死不可以復死.)

해석. 局중의 物이 원국에 長生이 있는데, 먼저 剋損을 당하고, 歲 運에서 다시 生旺한 地支를 만나서 身의 힘이 다시 强하면 재생(再生)과 같은 것이다. 死는 마치는 것인데, 무릇 四柱의 物이 원국에 死絶하는 宮에 놓인 후에 歲 運에서 거듭 이 地支를 만나도 다시 凶하다고 論 하지 않는다. 대개 死는 이법(二法)이 없다. (解..局中之物,原有長生,先被剋損.歲運復遇生旺之地,身力復強,如再生也.死者終也,凡四柱之物,原値死絕之宮.後來歲運再遇此地,不爲更凶之論,蓋死無二也.)

이미 死하였어도 鬼가 되지는 않고, 生을 만나다고 또 사람이 되지 않는다. (旣死亦非爲鬼,逢生又不成人.)

해석. 木이 春절생은 得時하여 旺하니, 柱중에서 비록 死絶의 宮을 만나더라도 만약 運이 生旺한 곳으로 行하면 역시 死地가 되지 않는다. 木이 秋절생은 실시(失時)하여 弱하니, 柱중에서 비록 生旺한 宮을 만나더라도 만약 運이 衰絶한 地支로 行하면 결국 生이 되지 못한다. (解..木値春生,得時乃旺,柱中雖遇死絕之宮.若運行生旺之鄕,亦不爲之死地.木値秋生,失時乃弱,柱中雖遇生旺之宮.若運行衰絕之地,終不爲之生也.)

氣象篇(醉醒子撰)-4

자식이 많으면 母가 病드니 많은 밭을 경작함과 같다. 母가 많으면 자식이 病드니 깊은 늪에 빠진 것과 같다. (子多母病,如佃甫田.母多子病,如臨深淵.)

해석. 자식은 母의 소생(所生)으로 [자식이] 많으면 母의 氣를 설기하여, 자식은 母를 虛하게할 수 있는 것을 바르게 말한 것이다. 만약 母가 거듭 衰 病을 더하면 정력(精力)이 불급(不及)하여 결코 그 자식을 돌볼 수 없으니 넓은 밭을 경작하는 것을 일컫는다. 母는 두 존위(尊位)가 없어야 그 은혜가 온전하다. 만약 모씨(母氏)의 무리가 많으면 陰이 모여 투기하니 간사한 모의가 일어나는 것이다. 곧 오성(五星)의 두 母가 권리를 다툰다. 자식이 太過하면 母가 사랑을 소실(所

失)하는데 자식이 어찌 의지하겠는가! 만일 거듭 病死의 宮에 임하면 생신(生身)하는 [마음이] 변화하니 반드시 조석(朝夕)으로 [변화를] 일으킨다. (解..子者母之所生,多則洩母之氣.正謂子能令母虛也.若母再加衰病,精力不及,決不能以撫其子,其佃甫田之謂歟.母無二尊,其恩乃全.若母氏衆多,陰聚妒生,邪謀興矣.即五星二母爭權,姑息太過,母失所愛,子何所依.如更臨病死之宮,申生[生身]之變,必起於朝夕也.)

正이 아니면 衝하지 않고, 偏이 아니면 合하지 않고, 橫이 아니면 刑하지 않고, 直이 아니면 破하지 않는 그것은 衝이 된다. 육극(六極)의 지문(歧門)을 여는 그것은 合이 된다. 萬物의 형적(形跡)이 열리는 그것은 刑이 된다. 變하고 개정(改正)하는 그것은 破가 된다. 대적하여 손상이 있는 이것은 극지(棘地)에서 金을 生하니 남전(藍田)의 종옥(種玉)만 같지 못하다. (不正不衝,不偏不合,不橫不刑,不直不破.其爲衝也,啟六極之歧門.其爲合也,闢萬物之形跡.其爲刑也,變而改正.其爲破也,敵而有傷.是以棘地生金,不若藍田種玉.)

해석. 이상의 네 가지 단서는 전(戰) 극(剋) 격(擊) 박(剝)의 象인데, 안으로 형허구원(刑虛鉤遠)하는 用이 있다. 만약 거꾸로 어지럽히는 가운데 용신을 취하면 貴하고 福이 되는 것인데, 用財하여 官을 生하는 것만 같지 못하고, 用印하여 煞을 얻으면 자연히 妙하다. 이것이 자평에서 오직 財 印 食을 論하는 까닭인 것이다. (解..以上四端,乃戰剋擊剝之象也,內有刑虛鉤遠之用.若倒亂中而取用神爲貴爲福者.不若用財生官,用印得煞,自然之妙.此子平之所以專論財印食也歟.)

吉神은 나를 바탕으로 하고, 功은 吉神을 바탕으로 求한다. (吉神相我,功求相吉之神.)

해석. 무릇 人命이 衰弱하고, 혹 刑 傷 破 害하면 用을 할 수 없는 것인데, 반드시 吉神이 도와야 나의 福이 된다. 또 나의 神이 세력의 輕重과 어떠한가를 살펴본다. 만약 실령(失令)하여 무근(無根)하고, 혹 손상을 받으면 선용(先用)한 吉神의 구조(救助)가 어떠한가를 보는데, 가령 甲일이 夏절생은 火를 만나면 분화(焚火)하지만 壬 癸 亥 子를 얻으면 나를 구원하는데, 단지 먼저 水가 火土에게 剋을 받으면 나의 福이 될 수가 없다. 반드시 金으로 구하고 다시 水를 旺하게하여 水로하여금 나의 情을 돌봐야한다. 이와 같은 功은 水는 있지 않아도 金은 있어야하는 것이다. 또 만일 午가 子에게 衝을 당하면 未를 의지하여 나를 合하고, 그리고 子와 穿하니 나의 神에게 바탕이 된다. 만일 未가 손상을 당하면 用할 수 없으니 반드시 未土의 神을 生助하여 유력(有力)하게 求해야 未土를 用할 수 있다. (解..凡人命衰弱,或刑傷破害.不能成用者,必欲吉神扶佐,成我之福.又觀相我之神,勢力輕重何如.若無根失令,或自受傷,先用求助相吉之神何如.假如甲日夏生,遭火焚化,得壬癸亥子相我爲救.但水先受火土耗剋,不能爲我之福.必欲求金,轉水旺,使水有顧我之情.如此之功,不在水而在金矣.又如午被子衝,賴未合我,而與子穿,則爲相我之神.如未受傷,不能爲用,必求生助未土之神有力,而未土方得成用.)

凶物은 身을 손상하는데 용신이 凶物을 손상시켜 해결한다. (凶物傷身,解用傷凶之物.)

해석. 人命중에 만약 凶神을 만나면 我身의 宮을 剋하니 반드시 柱중에 어떤 物로써 구하여 손상하는 나의 神을 制할 수 있다. 즉 저것이 스스로 해결할 겨를이 없는데 어찌 나에게 미칠 수 있으리오. 가령 甲木이 원국에서 金에게 손상을 당하면 재앙을 면하지 못하는데, 火의 剋을 얻으면 위험이 저절로 멀어지는 것이다. 또 만일 卯가 酉에게 衝을 당하면 柱중에서 午를 보아도 역시 그러하다. (解..人命中,若遇凶神剋我身宮.必求柱中何物,能制傷我之神.則彼自解不暇,焉能及我哉.如甲木原被金傷,禍所不免,得火剋,危自遠矣.又如卯被酉衝,柱中見午亦然.)

氣象篇(醉醒子撰)-5

五行은 그 있어야 할 곳에 있게 되면 모여서 귀속(歸屬)하여 福을 이룬다. (五行各得其所者,歸聚成福.)

해석. 五行은 位를 잃어 허명(虛名)은 불가(不可)하고, 단지 得令으로 歸垣하면 貴할 수 있다. 만약 모여서 一局으로 귀속(歸屬)하면 묘(妙=뛰어남)함은 말할 필요가 없다. (解..凡五行不可虛名失位,但要得令歸垣,方能爲貴.若歸聚一局,妙不可言.)

一局이 모두 그 울타리를 잃으면 정처 없이 떠돌며 의지할 데가 없다. (一局皆失其垣者,流蕩無依.)

해석. 무릇 일주와 용신은 모두 귀결처가 나타나야하는데, 만일 四柱중에 통근함과 의지할 곳을 얻지 못하고 또 공망 死 絶 목욕 刑 衝을 만나면 결국 [일을]이루지 못하니 반드시 정처 없이 떠돌며 거처할 곳이 없는 것이다. (解..凡日主用神,俱要著落之處.如四柱中不得通根有靠,又遇空亡死絶,沐浴刑衝.則終無成立,必然流蕩失所矣.)

大運은 歲를 절제(折除)하여 이루고, 小運은 時에서 순역(順逆)으로 비롯된다. (大運折除成歲,小運逆順由時.)

두 주(註)는 이미 첫째 권의 大運 小運중에서 論하였다. (解..二註已引首卷論大運小運中.)

文의 庫는 衝하여야 문명(文明)이 성(盛)하고, 武의 庫는 가려야 간과(干戈)가 평온하다. (文庫衝而文明盛,武庫掩而干戈寧.)

해석. 戌은 文의 庫로서 대체로 火는 文明이 되고, 八字중의 원국에서 財 官 印綬 食神의 生氣가 없으면 문장과 학문의 조짐이 없다. 그런데 火庫를 얻고도 [庫]문이 닫히면 文人을 못한다.

만약 암암리에 상관이 있고, 혹 印綬가 숨어 드러나지 않아도 또한 主가 총명(聰明)하다. 柱중에 辰 未 丑의 글자를 얻어 戌庫를 刑 衝하고, 다시 東南운으로 들면 발화(發火)하여 광명(光明)하다. 문장은 반드시 이것으로 말미암아 성(盛)한 것이니, 높은 한원(翰苑=한림원=예문관)에 발탁되는 것을 나는 자주 보았던 것이다. 丑은 武의 庫로서 대체로 간과(干戈)가 된다. 八字중에 만일 秋氣가 있으며 申 酉 庚 辛이 煞이 되고, 상관 양인이 동궁(同宮)하면 전투를 좋아하고 두려움을 모르는 사람이다. 柱중에 만일 子 巳 酉의 神을 合局하고, 더불어 東南의 木火으로 行하면 그 완금(頑金)을 制하니 곧 그 武를 가려서 간과(干戈=병장기)가 평온한 것이다. 이러한 장사(壯士)는 갑옷을 버리고 한가한 것을 내가 경험하여 보았다. (解..戌爲文庫,蓋火爲文明.八字中原無財官印綬食神生氣,則無文章學問之機.徒得火庫,又被關鎖,此無文之人也.若暗有傷官,或印綬隱而不明者,亦主聰明.柱中得辰未丑字,衝刑戌庫,更入東南運道,發火光明.文章必由此而盛也,高擢翰苑者,予見多矣.丑爲武庫,蓋金爲干戈.八字中如帶秋氣,申酉庚辛爲煞,偏官羊刃,又見同宮,此無懼好戰之人也.柱中如得子巳酉神合局,兼行東南木火,制其頑金.則掩其武,而干戈寧矣.壯士於此,棄甲投閑者,予嘗見之.)

비룡이 하늘을 떠나서 구름을 타고 못에 든다. 잠룡은 못에 있다가 구름을 타고 승천(昇天)한다. (飛龍離天,隨雲入淵.潛龍在淵,隨雲上天.)

해석. 용(龍)은 辰이며 天에서 亥이고, 운(雲)은 壬인데, 龍이 그 구름을 얻으면 날아오른다. 만약 年에서 亥를 만나고, 월건이 辰이고, 歲 月의 干頭에 壬이 있으면 龍이 하늘에 있는 것이다. 만약 日時에 水旺하여 龍(辰)과 회국하면 龍은 반드시 구름을 타고 못에 들어긴다. 대개 龍은 水가 집이 되므로 위인 하늘을 떠나서 아래인 물에 잠긴다. 이 象을 얻으면 문장이 세상을 뒤덮고, 평생토록 막힘이 있어도 소통(疏通)된다. 공명(功名)이 비록 대각(台閣)에 나갈지라도 사업(事業)은 결국 임천(林泉;은거하는 곳)으로 돌아간다. 柱중에 巳 午의 두 글자가 있으면 가난하고 볼품없는 하류(下流)한 命인데, 만약 年에서 亥를 만나고, 時에 辰을 보고, 日月에서 水가 모이면 龍은 아래인 못에 잠긴다. 만약 干支에 刑 衝 剋 破가 있으면 龍이 편안할 수 없다. 日時상에 壬[字]을 필요로 하는데, 龍이 반드시 구름을 타고 승천하는 것이다. 이 象에서 만일 年에 亥가 없어 巳를 用하면 도리어 衝하여도 또한 吉하고, 단지 하천한 출신으로 조부(祖父)에게 의지하지 못한다. 나중에는 반드시 타인의 힘을 빌려서 분발(奮發)하여 공명(功名)하는데, 主는 근시(近侍;임금을 가까이 모심)로 貴하다. 運이 己酉인 敗絶한 곳으로 行하면 집에 상(喪)을 당하거나 파직(罷職)되니 즉 임기용배격이다. (解..龍者辰也,天者亥也,雲,壬也,龍得其雲即飛.若年見亥,月建辰,歲月干頭有壬,則龍在天矣.若日時水旺,與龍會局,龍必隨雲入淵.蓋龍以水爲家,故上離於天,下潛於水.得斯象者,文章蓋世,平生有塞有通.功名雖出於台閣,事業終歸於林泉.柱中有巳午二字者,貧薄下流之命也.若年見亥,時見辰,日月會水,則龍下潛於淵.若干支有刑衝剋破,龍不能安.要日時上有壬字,龍必隨雲而上天矣.此象如年無亥,用巳反衝亦吉,但出寒賤,祖父無依.後必有人借力,奮發功名,主近侍之貴.運行己酉敗絶之鄉,喪家罷職,即壬騎龍背格.)

氣象篇(醉醒子撰)-6

대림의 龍은 천하(天河)에서 나타나고, 四庫의 土는 九五에서 완전히 머문다. (大林龍出値天河, 四庫土全居九五.)

해석. 대림의 龍은 곧 戊辰이다. 四柱중에서 納音으로 천하수(天河水)를 얻으면 비룡(飛龍)이 하늘에 있고, 거듭 四庫가 완전하면 四海에 골고루 갖추므로 天下가 모두 우택(雨澤;비의 은택)을 더하니 반드시 구오대인이 된다. (解..大林龍者,即戊辰也.要四柱之中,納音得天河水,則龍飛在天.更全四庫,則四海俱備,所以天下皆沾雨澤,必爲九五大人也.明太祖命,戊辰壬戌丁丑丁未,此亦有因而言.)

예) 명조(명나라 太祖의 命)
丁 丁 壬 戊
未 丑 戌 辰
水 水 水 木
이 명조 역시 [上文에] 연유한다는 말이다.

장류의 龍은 大海로 복귀(復歸)하고, 오호(五湖)의 水가 모이면 군려(群黎;많은 백성)를 주관한다. (長流龍復歸大海,五湖水聚掌群黎.)

해석. 장류의 龍은 곧 壬辰인다. 장류의 龍은 地支에서 亥를 얻으면 명칭이 용귀대해(龍歸大海)라 말하고, 또 용약천문(龍躍天門)이라고 말한다. 묘(妙)함은 納音으로 대해수(大海水)를 얻은 것이다. 四柱에 전부 水를 차면 오호(五湖)의 水인데, 이미 갖추고 또 깊으면 龍은 기쁨을 더하는 것이다. 庚 辛이 生함을 필요로 하는데, 출입(出入)하면 산악(山岳)이 동요(動搖)하니 貴한 象이 아니겠는가! 예컨대, 왕양명은 신건백에 封해 졌다. (解..長流龍者,即壬辰也.龍値長流,地支得亥,名曰龍歸大海,又曰龍躍天門.妙在納音得大海水,四柱俱帶水者,則五湖之水,既備且深,龍所益喜,要有庚辛以生之,則出入動搖山岳,非貴象乎.如王陽明封新建伯,壬辰辛亥癸亥癸亥,此亦因陽明而立論.)

예) 명조
癸 癸 辛 壬
亥 亥 亥 辰
水 水 金 水
이것도 또한 양명으로 인해 세운 論이다.

六合이 功이 있으면 권세가 육부(六部)로 높다. (六合有功,權尊六部.)

해석. 무릇 四柱중에 刑 衝 剋 害 破하는 象이 있으면 本이 凶하다고 論한다. 神을 合으로 끌어당겨서 유력(有力)하면 도리어 상서롭다. 年 月이 用[神]이 되면 大貴하고, 日 時가 用이 되면 그 다음이 된다. (解..凡四柱中有刑衝剋害破象,本爲凶論.得神挽合有力者,即反爲祥,其福高遠.年月成用大貴,日時成用者次之.)

三刑을 得用하면 위세가 여러 차례 변방을 진압한다. (三刑得用,威鎭三邊.)

해석. 刑은 본래 불길하지만 得用하면 부귀하며 총명하다. 用하지 못하면 孤貧하며 요절하거나 凶하다. 어떤 것에서 三刑이 有氣하고 일주가 剛强하면 得用하고, 이것과 반대면 用하지 못한다. (解..刑本不吉,得用富貴聰明,無用者孤貧凶夭.何以爲得用,三刑有氣,日主剛強,無用反是.)

子 午는 단문(端門)으로 雙이 拱하여 갈라지고 外와 正을 전거로 삼는다. (子午端門,雙拱歧嶷憑外正.)

해석. 子 午의 二位는 正으로 치우치지 않으므로 단문(端門)이라고 말한다. 만약 拱夾하여 파손(破損)하지 않고, 다시 역량(力量)이 있으면 사람이 반드시 총명하여 功을 세우고 명성을 떨친다. 正拱은 亥 丑에 子를 공협하고, 巳 未에 午를 공협한다. 外拱은 申 辰에 子를 공협하고, 戌寅에 午를 공협한다. 공망 剋 破는 害가 되니 꺼린다. (解..子午二位,正而不偏,故曰端門.若得夾拱無破損者,更有力量,人必聰明,奮立勳業.正拱者,亥丑拱子,巳未拱午.外拱者,申辰拱子,戌寅拱午.忌空亡剋破爲害.)

巳 寅은 生地로 수기(秀氣)가 충분하며 乾坤을 合한다. (巳寅生地,十分秀氣合乾坤.)

해석. 巳 寅생은 유력(有力)하니 亥 申을 合할 수 있고, 亥는 乾이고, 申은 坤이다. 만약 衝이나 雜하지 않으면 申 亥가 貴氣를 타서 타고난 재주가 출중(出衆)하다. (解..巳寅生有力,能合亥申,亥乃乾也.申乃坤也,若無衝雜,申亥乃乘貴氣,才調出群.)

天地에 포장(包藏)한 神을 得用하면 흉금(胸襟;가슴속에 품은 생각)이 확 트인다. (天地包藏神得用,顯豁胸襟.)

해석. 亥는 天[門]이고, 申은 地인데, 분명히 역량(力量)이 있다. 가령 八字중에 두 글자를 보지 않으면, 左右의 神을 얻어 두 글자를 拱하여 일으키고, 겸하여 貴氣가 있으며 공망이 안 되면 반드시 현활(顯豁)하게 된다. 혹 申 亥가 酉 戌을 감싸고, 天干에 이어진 어떤 物을 보면 유용(有用)하여 貴하게 된다. (解..亥爲天,申爲地,明有力量.如八字中不見二字,得左右之神,拱起二字.兼有貴氣,不落空亡,須當顯豁.或以申亥包酉戌,看係天干何物,以有用爲貴.)

氣象篇(醉醒子撰)-7

풍뢰(風雷)가 격렬(激烈)하여도 貴가 손실되지 않으면 성자(姓字)를 드날린다.[지위가 높아진다는 뜻] (風雷激烈貴無虧,飛揚姓字.)

해석. 巳는 풍문(風門)이고, 卯는 뇌문(雷門)이다. 八字중에 一位를 虛로 拱하고, 다시 貴人이 있는데, 歲 運에서 만약 衝을 만나면 반드시 발달(發達)할 수 있다. (解..巳爲風門,卯爲雷門.八字中虛拱一位,更有貴人.歲運若逢衝起,必能發達.)

적지(賊地)에서 家를 이루면 도적이 집안을 어지럽혀서 망신(亡身)하니 반드시 상(喪)을 당한다. (賊地成家,賊亂家亡身必喪.)

해석. 이 법은 月支가 五陰인 이것이다. 만약 歲 日중에 쟁합(爭合)하는 神이 妻가 되면 月支가 그 중에 함닉(陷溺;빠져들다.)하여 나가려해도 얻을 수 없으므로 적지(賊地)라 말한다. 다시 歲日의 神이 自刑하면 나를 合할 겨를이 없다. 時支에서 탈 조짐을 얻어 月支와 合하면 이것을 적지성가(賊地成家)라 일컫는데, 富貴는 적지 않다. 大運에서 적(賊)을 제거하면 편안하고, 다시 적(賊)이 어지럽히면 凶하다. 일설(一說)에는 적(賊)을 달래면 편안하고, 적(賊)을 없애면 凶하다고 한다. (解..此法月支五陰者是也.若歲日中有神爭合爲妻,月支陷溺其中.欲出而不可得,故曰賊地.更得歲日之神自刑,無暇合我.得時支乘機,與月支爲合.是謂賊地成家,富貴不淺.大運去賊則安,再見賊亂則凶.一說撫賊則安,剿賊則凶.)

대들보의 재목은 깎아야하고, 木이 많으면 金이 缺하여 用[神]하기 어렵다. (梁材就斲,木多金缺用難成.)

해석. 木은 본래 金이 깎는 것에 의지하여 기물(器物)을 이루는데, 만약 金이 合을 당하여 머물면 그 木을 剋할 수 없고, 오히려 木과 金이 이웃이 되니 저쪽을 就해 조탁(彫琢)함이 옳다. 만약 木이 盛하고 金이 弱하면 비록 金을 就할지라도 깎거나 유용(有用)할 수가 없다. 만일 木을 用하여도 金과 合을 하면, 피차(彼此) 둘이 强하여야 貴하다고 論한다. (解..木本賴金斲以成器,若金被神留合,不能來剋其木.卻要木與金爲鄰,就彼雕琢可也.若木盛金弱,則雖就金,不能斲而有用.假使用木,與金作合,彼此兩強,乃爲貴論.)

순양(純陽)의 지호에 陰을 감싸면 병권(兵權)이 높이 드러나고 빛난다. (純陽地戶包陰,兵權顯赫.)

해석. 八字에서 純陽은 본래 편당(偏黨)이 된다. 특히 子 寅 辰 午 申 戌이 丑 卯 巳 亥 未 酉의 陰을 암암리에 拱[夾]하는 것을 알지 못하는데, 두 象이 교감(交感)하여 상제(相濟)하면 도리어 天地의 正氣가 완전한 것이다. 다시 四柱에 공망이 없고 天干에 생의(生意)가 있으면 지극히 묘(妙)하다. 이 象은 변방까지 권력을 행사하며 지위가 공후(公侯)에 이르며 발복(發福)이 적지 아니하다. (解..八字純陽,本爲偏黨.殊不知子寅辰午申戌,暗拱丑卯巳亥未酉之陰.二象相濟交感,則反全天地之正氣矣.更要四柱無空亡,及天干有生意者極妙.此象權施邊塞,位至公侯,發福非小.)

오직 虎가 天門에서 木을 차면 대각(臺閣)이 청고(淸高)하다. (獨虎天門帶木,臺閣淸高.)

해석. 무릇 歲 月에서 寅의 一位를 얻으면 오히려 時에서 天門을 만나야하니 虎는 반드시 조천소일(朝天嘯日)한다. 柱중에서 다시 卯 未를 合局하면 木이 盛하여 풍(風=바람)을 生하고, 풍(風)은 虎를 따르는데, 어찌 위대하지 않으리오. 만약 刑 沖 剋 破하고 印綬 財 官을 얻지 못하면 쓰임이 없는 것이다. (解..凡歲月得寅一位,卻要時見天門,虎必朝天嘯日.柱中更有卯未合局,木盛生風,風從於虎,豈不偉哉.若使刑沖剋破,不得印綬財官,則無用矣.)

學堂이 역마를 만나면 문장(文章)에서 대가(大家)가 된다. (學堂逢驛馬,山斗文章.)

해석. 신(身)이 長生의 자리에 坐한 것이 學堂인데, 다시 역마와 동주(同柱)하고 一衝一合하며 또 높고 큰 기상(氣象)을 언고, 財 煞 貴人을 차면 가장 貴한데, 문장이 맑고 깨끗하여 세속에서 출중하다. (解..身坐長生之位爲學堂,更得驛馬交馳,一衝一合.又得高大氣象,帶財煞貴人者最貴,文章瀟灑出塵.)

氣象篇(醉醒子撰)-8

일주가 함지에 坐하면, 강호(江湖)에서 주색(酒色)을 즐긴다. (日主坐咸池,江湖花酒.)

해석. 함지는 또 다른 이름이 도화煞인데, 남녀가 함지를 보면 반드시 음란(淫亂)하고 대부분 주색(酒色)으로 인해 고향을 떠나서 강호(江湖)를 떠돈다. 만약 財 官 貴德을 만나 동궁(同宮)하면 도리어 품격이 비범하고 청수하며, 富貴하여 안락함을 누린다. 刑 合은 크게 꺼리며 단지 공망을 기뻐한다. (解..咸池又名桃花煞.男女逢之,必然淫亂,多因花酒,流落江湖.若見財官貴德同宮,反得標格淸奇,富貴安享.大忌刑合,只喜空亡.)

福이 가득해도 모름지기 禍를 방어해야하고, 凶이 많아도 반드시 상서롭지(좋지) 않는 것은 아니다. (福滿須防有禍,凶多未必無禎.)

해석. 대저 用印하여 身을 生하면 나의 福이 된다. 柱중에 원래 官 煞이 있는데 다시 印旺함을 生하고, 財 食神 傷官의 설기(洩氣)만나지 않으면 貴하게 된다. 運이 比(비겁) 印(인수)의 旺한 地支로 行하여 생부(生扶)함이 太過하면 福이 가득한 곳이라도 어찌 禍가 발생하지 않겠는가! 이는 君子가 盛한 곳을 두려워하는 것이다. 局중에 원래 官煞이 많은데 다시 官煞의 歲 運으로 行하면 그 凶이 심하니 세월이 다하도록 험난하고 어렵다. 나중에 반드시 제복(制伏)하고 身旺한 運이 있으면 부극태래(否極泰來;지극하지 않아 편안함이 온다.)한 象이다. 가령 甲일이 원국에서 官煞에게 시달림을 당하는데 運에서 다시 申 酉로 行하면 凶이 甚하다. 順하게 나아가는 亥 子의 印運이 있고, 逆行하는 巳 午의 制하는 運이 있어 곧 구원하는 物이 있으면 어찌 아름답지 않겠는가! 이 두 문구는 陰陽의 소장(消長)을 말하는데, 禍福이 일어나며 가라앉고 하여, 천도(天道)와 인사(人事)가 서로 유통(流通)하니, 마땅히 자세히 음미해야한다. (解..大抵用印生身,乃爲我之福也.柱中原有官煞,轉生印旺,不遇財傷食神泄氣爲貴.運行比印旺地,生扶太過,福滿處豈無禍生,是以君子怕處其盛也.局中原多官煞,再行官煞歲運,其凶乃甚,歷盡艱險.後必有制伏身旺之運,否極泰來之象.如甲日原被官煞所困,運神再行申酉,乃凶甚也.順去有亥子印運,逆行有巳午制運,乃有救之物,豈不爲佳.此二句,言陰陽消長,禍福倚伏,天道人事,相爲流通,宜細味之.)

마두(馬頭)에 전(箭=刃)을 차면 진나라에서 태어나 초나라에서 사망한다. 馬後(말 엉덩이부분)에 채찍을 가하면 아침은 北쪽이며 저녁은 南쪽이다. [역마위에 양인이 있는 것] (馬頭帶箭,生於秦而死於楚.馬後加鞭,朝乎北而暮乎南.)

해석. 이 말(言)은 역마가 日時의 아래에 있는 것으로 반드시 合을 차야하고, 연강(聯韁)이라 일컫는데, 많은 재복(財福)이 모이고, 일처리가 뛰어난 사람이다. 馬앞에 刑 衝이 있는 것을 대전(帶箭;刃을 차다.)하여 단강지상(斷韁之象;말고삐를 끊어진 象)이라 일컫는다. 만약 衝하는 것이 金이면 剋을 받는 것은 木인데, 그 禍가 더욱 甚하고, 主人은 타향에서 사망한다. 무릇 역마를 取用하여 順하면 年에서 日時를 取하고, 逆하면 時에서 그 일주를 用한다. 馬에 제란(隄欄)이 없으면 설령 날뛰더라도 막을 수 없다. 가령 後에 다시 刑 衝을 더하면 馬가 반드시 빨리 달린다. 결국 안돈(安頓)한 地支가 없으면 主人은 일생토록 쉬지 않고 꾸준히 일해야 하고, 사방으로 지지 않으려고 몹시 다투어야한다. 만약 刑 衝하는 神은 없고 三合 六合이 있으면 채찍을 가하지 않는 것이다. (解..此言驛馬在日時之下者,必要帶合.謂之聯韁,聚大財福,幹事過人.若馬前見有刑沖,謂之帶箭,斷韁之象也.若來衝者屬金,受剋者屬木,其禍尤甚,主人他鄉喪亡.凡取用驛馬,順則年取其日時,逆則時用其日主.馬無隄欄,則縱肆而不可遏.如後再加刑衝,馬必疾行.終無安頓之地,主人一生勞碌,奔競四方.若刑衝之神,遇有三合六合,則不爲加鞭矣.)

성령(性靈)이 형침(形寢;잠자는 모양)은 대부분 속은 탁(濁)하여도 흐름은 맑기 때문이다. 모양이 준수하여도 마음이 어리석음은 대체로 청(淸)한 중에 濁을 포함(包涵)한 것이다. (性靈形寢,多因濁裏流清.貌俊心蒙,蓋是清中涵濁.)

해석. 무릇 용신을 취(取)할 경우, 刑 衝으로 착란(錯亂)하면 濁하다는 말은 옳지 않고 用[神]이 없으니 마땅히 그 중에 암장(暗藏)한 物을 살펴야한다. 만일 濁한 중에 一點의 淸함이 유출(流出)하면 사람이 비록 박루(樸陋;허름하고 수수함)할지라도 대부분 성정(性情)은 뛰어나게 영리하고 슬기로워 지모가 특별하다. 만약 용신이 매우 청수하여 홀로 우뚝 뛰어나며 혼잡하지 않아도 刑傷하면 淸하다는 말은 옳지 않는 것이다. 단지 중간에 암장한 物과 소용(所用)하는 物이 손상되면 그 病은 결국 제거할 수가 없다. 따라서 사람은 비록 미모(美貌)일지라도 반드시 학문을 잃고 [뜻을]이루지 못하며 주색(酒色)으로 혼미(昏迷)하게 된다. (解..凡取用神,錯亂刑衝.未可便言濁而無用,當審其中有暗藏之物.如濁中流出一點孤清,則人雖朴陋,多見性情穎悟,機謀異常.若用神清奇特立,不爲混雜刑傷,未可使言清也.但中間有暗藏之物,與所用之物有傷,其病終不可去.故人雖貌美,必然失學無成,昏迷酒色.)

氣象篇(醉醒子撰)-9

한 장수가 관문을 지키니 사악한 무리가 자복(自服)한다. (一將當關,群邪自服.)

해석. 장(將)은 귀중한 神이다. 관(關)은 요긴(要緊)한 곳이다. 사(邪)는 나의 物을 투기하는 것이다. 가령 甲 乙일이 金旺한 年 月에 태어나면 모두 나를 剋하는 것인데, 丙이 月상에 투출하면 制煞하여 권력이 되어 煞이 자복(自服)한다. 또 壬 癸가 戊 己를 만나고, 地支의 土가 剋하여 어지럽히면, 身은 대적할 수가 없다. 요긴한 곳에 오히려 庚 辛의 印으로 煞을 化하면 감히 난동을 부리지 못한다. (解..將者,貴重之神也.關者,緊要之處也.邪者,妒我之物也.假如甲乙日生於金旺年月,皆來剋我.得丙透出月上,制煞爲權,而煞自服矣.又如壬癸遇戊己,及支土亂剋,身不能敵.緊要處卻要庚辛爲印化煞,不敢爲亂.)

凶한 무리가 主를 剋하면 혼자 힘으로 이기기 어렵다. (衆凶剋主,獨力難勝.)

해석. 이 말은 煞이 重하고 身은 고독(孤獨)하여 돕는 것이 없다. 대개 요긴한 곳에 구원하는 신(神)이 없으면 剋하는 것을 이길 수 없으니 필히 病으로 요절한다. (解..此言煞重,身輕孤獨無助者.蓋無當關可救之神,則不能勝所剋矣,決主夭疾.)

무리를 벗어나도 무리를 만나는 것을 꺼리고, 이 神이 化하면 이 神을 보는 것이 좋다. (脫此輩,忌見此輩,化斯神,喜見斯神.)

해석. 종화(從化)의 묘(妙)가 궁(窮)하지 않는데, 힘써 용심(用心)으로 자세히 살펴야한다. 가령 甲 己가 化土하여 木氣를 벗어나 妻家를 따른다. 만약 甲 乙 寅 卯 未 亥를 만나면 모두 나의 比肩이니 원국에 旺한 자리가 있으니 어찌 연모(戀慕)함이 없겠는가! 하물며 비(比) 인(刃)이 또

나의 財를 쟁합(爭合)할 수 있어 甲 己가 서로 [合을]이루지 못하니, 도리어 이간(離間)하는 한(恨)이 있다. 또 乙 庚의 化金은 金旺함을 만나면 좋고 妻는 그 夫를 의지하게 된다. 丁 壬의 化木은 木旺함을 만나야 좋으며 여자는 그 母를 의지하게 된다. 丙 辛의 化水는 水旺함을 바라며 母는 그 자식을 의지하게 된다. 戊 癸의 化火는 火旺함을 보아야 좋으며 主는 그 財를 의지하게 된다. 공망이 煞을 만나거나 比肩이 쟁투(爭妒)함을 크게 두려워하는데, 명성이 큰 벼슬을 이루지 못하니 고아(孤兒)나 이성(異姓)이 되는 것이다. (解..從化之妙,遽不可窮,務要用心詳察.如甲己化土,脫木氣而從妻家.若見甲乙寅卯未亥,皆我比肩,則有原旺之藉,豈無戀哉.況比刃又能爭合我財,使甲己不能相成,反有離間之恨也.又如乙庚化金,喜見金旺,而妻得倚其夫.丁壬化木,喜見木旺,而女得倚其母.丙辛化水,喜要水旺,而母得倚其子.戊癸化火,喜見火旺,而主得倚其財.大怕空亡見煞,比肩爭妒.不成名卿巨公,則爲孤兒異姓矣.)

역마에 고삐가 없으면 남북동서의 객(客)이다. (驛馬無韁,南北東西之客.)

해석. 고삐가 없으면 마(馬)는 合이 없다. 남북동서로 이르지 않는 곳이 없는 것이다. 만일 人命에서 이것을 만나면 반드시 主는 영락(零落)하여 떠돈다. (解..無韁,馬無合也.南北東西,無所不至矣.如人命遇此,必主飄零.)

도화煞이 있으면 뛰어난 창기나, 광대, 종, 사졸의 무리가 된다. (桃花帶煞,娼優隸卒之徒.)

해석. 도화가 日時상에 이것을 보는 것이다. 刑 合하여 유정(有情)한 것을 꺼릴 뿐만 아니라 오살(五煞)이 동궁(同宮)하면 더욱 꺼린다. 무릇 도화煞을 보면 염치(廉恥)와 올바른 예절의 가르침을 받지 못한다. (解..桃花日時上見是也.不惟忌刑合有情,尤忌五煞同處.凡遇此者,不受禮義廉恥之教也.)

모자(母子)는 시종(始終)으로 의지하는 믿음이 있어야하고, 부처(夫妻)는 生死를 서로 의지해야 한다. (母子有始終之靠,夫妻得生死相依.)

해석. 母子와 夫妻는 오로지 體와 用의 양단(兩端)을 말하는데, 月 日에 있는 것이 필요하다. 가령 戊일이 辰에 坐하여 申월에 태어나면 土는 金이 자식이 되고, 金은 辰에서 양육되니 어려서는 母를 의지하여 자강(自强)한다. 土는 申에서 生하고 늙어서 자식을 얻어 기댈 수 있는데, 이 象은 매우 기이(奇異)하며, 歲 運에서 破하면 크게 꺼리며 재앙을 부른다. 가령 丙일이 子월에 坐하여 酉金을 用[神]하면, 火는 金이 妻가 되며 辛金이 子에서 生하니, 부가(夫家)에 시집가서 그 身이 양육된다. 火는 酉에 이르면 死[亡]하니 妻財를 의지하여 그 목숨을 살아간다. 이 象은 貴인 財 官을 用[神]하는데, 刑 衝으로 破局하는 것을 크게 두려워한다. (解..母子夫妻者,專言體用兩端,惟在月日爲要.假如戊日坐辰,生於申月.然土以金爲子,金養於辰,少倚母而自強.土生於申,老得子而有靠.此象甚奇,大忌歲運破而爲患.假如丙日坐子月,用酉金.然火以金爲妻,辛金生於子,適夫家以

養其身.火至酉亡,賴妻財以活其命.此象貴用財官,大怕刑衝散局.)

氣象篇(醉醒子撰)-10

쌍안(雙眼)에 눈동자가 없음은 火土가 癸水를 뽁아 마른 것이다. (雙眼無瞳,火土熬乾癸水.)

해석. 癸水는 사람의 신장에 속하며 일신(一身)의 터전이 되니 두 눈의 근본이다. 눈은 五行에 관련하면 눈동자는 水에 속할 뿐이고, 水가 말라서 신장이 虛하면 눈동자가 의지할 곳이 없다. 만약 火土월의 분야에 태어나서 日時에 土가 坐하여 [水의]근원을 막고, 柱중에 木 火를 만나 볶고 소모하여 종화(從化)를 이루지 못하면 대부분 눈의 질병으로 근심한다. 만약 歲 月 時중에 있으면 비록 秋氣를 얻을지라도 西北대운으로 行하지 않고, 木火의 태염(太炎)한 地支를 만나면 실명(失明)하는 고통(苦痛)이 두려운데, 水가 조금 통근(通根)하여도 역시 하원(下元)의 질병이 있다. (解..癸水在人屬腎,爲一身之基,兩目之本.目關五行,惟瞳屬水,水涸腎虛,則瞳無所倚.若日干生於火土月分,日時坐土塞源.而柱中遇木火耗熬,不成從化者,多患目疾.若在歲月時中,雖得秋氣.不行西北大運,遇木火太炎之地,恐有喪明之苦.即水稍得通根,亦有下元之疾.)

대장(大腸)에 병(病)이 있음은 丙 丁이 庚金을 剋히여 손상힌 깃이다. (大腸有病,丙丁剋損庚金.)

해석. 庚은 大腸에 속하며 마땅히 水土에 臨해야하고, 丙 丁 寅 卯가 局을 얻어 制함이 없으면 혐의한다. 庚金이 비록 根을 얻을지라도, 또 刑 衝 剋 破를 당하고 겸해서 木 火의 大運에 들면 水土가 衰한 곳이기에 이러한 질병이 있다. (解..庚屬大腸,宜臨水土,嫌者丙丁寅卯得局無制.庚金雖得掛根,又被刑衝剋破,兼入木火大運.水土衰處,便有此疾.)

土가 濕한 地支로 行하여 뿌리가 기울면 백우(伯牛)는 원망한다. 火가 염천(炎天)에 놓여 局을 얻어도 안자(顔子)는 근심하지 않았다.[안자는 공자가 가장 사랑하는 제자 안회를 말한다.] (土行濕地而傾根,伯牛有恨.火値炎天而得局,顔子無憂.)

해석. 戊土는 비장(脾臟)에 속하는데, 四柱중에 生旺하거나 통근하는 자리에 있지 않으며, 음습(陰濕)한 時에 태어나고, 또 水에 잠긴 土가 虛함을 더하고, 運이 습지(濕地)로 行하고, 歲에서 土가 剋을 만나면 비장인 土가 손상을 받기 때문에 질병이 있다. 火는 문명(文明)의 象으로 구하(九夏)에 生하여 三合하는 寅 午 戌局은 火가 더욱 광채를 發하는데, 木의 바탕인 그 勢가 조금 쓰이며 水의 根을 만나는 것은 좋지 않으나 화염(火焰)을 만난 사람이 이것을 얻어 태어나면 즐겁고 근심이 없다. 火가 지극한 곳으로 行하고 木의 生함을 많이 만나면 도리어 가난하거나 요절하니 이롭지 못한 것이다. (解..戊土屬脾,四柱中不有生旺通根之位.生遇陰濕之時,又加水浸土虛.運

行濕地,歲見土剋,則脾土受傷,因而有疾.火乃文明之象,生於九夏,三合寅午戌局,火愈發輝.少用木資其勢,不宜見水拖根,遇火之焰.人生得此,樂道無憂.火行極處,多遇木生,反主夭貧,至不利也.)

水가 범람하여 木이 뜨면 죽어서 관곽(棺槨=시체를 넣는 棺)이 없다. 화염(火焰)하고 토(土)燥하면 삶이 고단(孤單)하게 된다. (水泛木浮,死無棺槨.火炎土燥,生受孤單.)

해석. 木이 水의 범람을 쫓는데 運에서 土의 제방(制防)을 만나지 못하고, 다시 死絶한 곳에 놓여 衝과 아울러 煞을 만나면 필시 물이 떨어져 언덕이 무너지는데, 횡액으로 해롭고 毒으로 사망하니 대부분 좋지 않다. 土는 火로 인해 조(燥)하면 만물이 생겨나지 못하고, 초운(初運)이 남쪽으로 行하면 못쓰게 되어 쓰임이 없다. 나중에 비록 財 官을 만나더라도 用[神]할 수가 없으니, 고빈(孤貧)하며 분주(奔走)하고 가정이 없는 命이다. (解..木從水泛,不遇運土隄攔,更値死絕之鄉.逢衝併煞,是必墮崖落水,橫害毒亡,多不爲美.土因火燥,萬物不生,初運南行,廢而無用.後來雖遇財官,不能爲用,以致孤貧奔走,無家之命也.)

妻가 많아 힘이 弱하면 화분(花粉)같은 생애(生涯)이다. 馬는 弱하고 比(비겁)이 많으면 형해(形骸사람의 몸과 뼈)가 휘청거린다. (妻多力弱,花粉生涯.馬弱比多,形骸飄泊.)

해석. 무릇 財는 妻인데, 득시(得時) 득위(得位)가 가장 필요하고, 일주가 다시 강강(剛强)함을 기뻐한다. 歲 月에 의지함이 있고, 陰陽이 각각 그 곳을 얻으면 어진 배필임을 알 수 있다. 만약 財가 많아 산란(散亂)하며 刑合으로 가지런하지 못하고, 일주가 고약(孤弱)하면 用을 맡을 수 없으니 반드시 妻로 인해 이로움을 얻어 그 身이 부양된다. 이것을 또 바꾸어 말하면 財는 身을 양육하는 物로써 用[神]으로 없어서는 안 된다. 무릇 財旺하고 身强하면 평생토록 안락(安樂)하는데, 만약 財는 輕하고 比(비겁)이 많으면 그 用[神]이 부족하니 결국에는 반드시 강호(江湖)를 떠돌며 재물을 쫓아 힘들게 고생하는데, 어찌 편안함을 누릴 수 있겠는가? (解..凡用財爲妻,最要得時得位,日主更喜剛強.歲月有倚,陰陽各得其所,良配可知.若財多散亂,刑合不齊,日主孤弱,不能任用.必因妻獲利以養其身也.此又反言財爲養身之物,用不可無.凡遇財旺身強,平生安樂.若見財輕比多,不足其用,終必飄泊江湖,逐財勞苦,安享何能?)

무릇 凶神이 서로 만나면 善이 적으며 이루기 어렵다. 吉한 빛이 아울러 임하면 惡이 비록 많더라도 역시 化한다. 道를 쫓아 이치를 깨달으면 입신(入神)의 마음이 생기니 숙독(熟讀)하여 간절히 추구하면 많은 것을 정미(精微)하게 찾을 것이다. (凡遇凶神交會,善以少而難成.吉曜併臨,惡雖多而亦化.道從理悟,神入心生,熟讀苦求,巨微徵矣.)

2. 六神篇(육신편)-1

五行의 묘용(妙用)은 하나의 이치에서 벗어나기 어렵다. 진퇴(進退)의 존망(存亡)은 모름지기 통변(通變)의 道을 알아야한다. 正官이 패인(佩印)하여도 馬를 탄 것만 못하다. (五行妙用,難逃一理之中.進退存亡,須識變通之道.正官佩印,不如乘馬.)

해석. 대저 用官하는 法은, 대체적으로 健旺하며 청고(淸高)해야 하고, 천박(淺薄)함을 가장 꺼린다. 官이 旺하면 印이 마땅하며 [官이]약하면 財가 마땅하고, 이것은 변하지 않는 이치이다. 오늘날 用印이 用財하는 것보다 못하다고 말하는 일설(一說)이 있다. 가령 身旺하고 官輕한데 印綬를 많이 보면 일주는 더욱 强해지고 官은 점차 弱해지는 것이다. 호중자가 이르길, 官의 輕함이 煞의 輕함과 같지 않으므로 財旺한 地支를 좋아한다. 官을 生하고 印을 剋하여 안팎으로 중화(中和)를 얻어 이것이 충족함으로서 발복(發福)한다. (解..夫用官之法,大要健旺淸高,最忌淺薄.官旺宜印,弱則宜財,此不易之理也.今言用印不如用財者,乃有一說.假如身旺官輕,多見印綬,則日主愈強,而官愈弱矣.壺中子云,官輕不若煞輕,所以喜財旺之地.生官剋印,表裏方得中和,於此足以發福.)

칠살에 用財하면 어찌 得祿함이 마땅한가! (七煞用財,豈宜得祿.)

해석. 이 말은 煞旺이 太過하여 일주가 의지할 데가 없다. 또 用財하여 煞을 生하면 日이 점점 더 弱해지고, 煞은 더욱 旺한 것이다. 마땅할 수도 없고, 어긋나지도 않는데, 단지 기명상종(棄命相從)함으로서 침입하여 능욕하는 근심을 면한다. 運이 財煞이 旺한 地支로 行하면 처음 從하는 마음을 변하지 않는다. 한번 歲 運에서 귀록(歸祿)을 만나면 일주는 强함을 믿고 煞과 다투니, 적은 것이 많은 무리를 대적하여 이길 수 있겠는가? 凶함을 짐작할 수 있는 것이다. (解..此言煞旺太過,日主無依.又如用財生煞,則日愈弱,而煞愈旺矣.當之不能,遠之不可,只得棄命相從,以免侵凌之患.運行財煞旺地,不易始從之心.一遇歲運歸祿,日主恃強,乃與煞戰.以寡敵衆,其能勝乎?凶可知矣.)

印이 財를 만나면 파직되고, 財가 印을 만나면 관직을 옮긴다. (印逢財而罷職,財逢印以遷官.)

해석. 印은 청고하며 정대(正大)한 物인데, 財를 보면 그 명위(名位=명예와 지위)를 보존할 수 없다. 또 만일 원국에서 印綬를 用[神]하는데 官煞을 의지하지 않으면 運에서 印官의 地支로 行하여야 벼슬길이 청고(淸高)하다. 한번 財鄕을 만나면 印綬를 剋하고, 柱에서 비견으로 구조가 없으면 파직(罷職)되어 한가함을 면하지 못하고, 손상이 重하면 다른 곳의 水火에서 사망한다. 身旺하여 用財하면 영화(榮華)함을 가히 알 수 있고, 다시 財旺한 地支로 行하면 主가 이길 수 없으니 도리어 印旺한 유년(流年)이 필요하니 나의 근본을 도우면, 벼슬길로 나아가서 관직을 옮긴다. 탐재괴인(貪財壞印)으로 論하지는 않는다. (解..印乃淸高正大之物,見財則不能保其名位.且如原用印綬,不以官煞爲倚者,運行印官之地,仕路淸高.一遇財鄕,剋了印綬,柱無比肩爲救,不免罷職投閒.傷重者必死於異鄕水火.身旺用財,榮華可知,再行財旺之地,主不能勝.卻要印旺流年,助我根本,反能進爵

遷官.不爲貪財壞印之論也.)

命에서 요절(夭折)하는 것은 食神이 외롭게 있으며 梟를 만난 것이다. (命當夭折,食神孑立逢梟.)

해석. 칠살이 身을 손상하는데, 원국에 正印의 解가 없는 것으로 食神의 一位가 홀로 制煞하고, 장년(壯年)의 運에서 制煞하는 곳으로 行함을 기뻐한다. 효신의 유력함을 만나 나의 食神을 剋하는데, 柱에서 편재로 대적함이 없으면 설령 煞이 身을 손상할지라도 피하지 못하니 재앙이 거세게 늘어난다. (解..七煞傷身,原無正印爲解,獨以食神一位制煞.壯年運道,喜行制煞之鄕.乃遇梟神有力,剋我食神,柱無偏財遇敵.不免縱殺傷身,爲禍滋烈.)

運이 凶으로 위태로움에 이른 것은, 양인이 거듭하여 破局을 만난 것이다. (運至凶危,羊刃重逢破局.)

해석. 단적으로 말하면, 用財하는데 煞이 없으면 양인은 재앙이 되니 크게 꺼린다. 만약 歲 運에서 양인 겁재를 거듭 만나서 破局하면 반드시 집안에 상(喪)을 당하거나 감옥(監獄)가는 고난이 있다. 상처(傷妻)와 극자(剋子)하여 슬프고, 水火에는 (날카로운)병기가 모두 있는 것이다. (解..專言用財無煞者,大忌羊刃爲禍.若歲運重逢羊刃劫財破局者,必有喪家囚獄之苦.傷妻剋子之悲,水火兵刃,悉有之矣.)

六神篇(육신편)-2

정관을 쟁탈하면 손상이 없을 수 없다. (爭正官不可無傷.)

해석. 官은 祿인데 사람이 원하지 않을 수 없다. 만약 柱중에 比 刃을 많이 보고, 또 하나의 관성이 있으면 반드시 쟁탈(爭奪)하여 禍를 당하니 運이 상관에 이른 것만 못하고, 관성을 상진(傷盡)하면 비견의 쟁탈이 없어야 비로소 편안할 것이다. (解..官者祿也,無人不欲.若柱中多見比刃,又有一位官星.必然爭奪,立見有禍,不如運至傷官,傷盡官星,則比肩無爭奪,始可安矣.)

칠살이 돌아오면 制하는 것을 가장 싫어한다. (歸七煞最嫌有制.)

해석. 이 또한 비견으로 연유함을 일컫는 것이다. 대개 四柱에서 비견을 많이 보면 반드시 祿과 財를 탈취하고, 또 歲 運의 物을 빼앗으니 禍가 된다. 가령 年 月에 一位의 칠살이 투출하면 비견이 두려움을 알지만 세력이 반드시 돌아간다. 歲 運에서 식신제살(食神制煞)을 한번 만나면 柱에서 主의 神에게 베풀지 않고, 비견이 처음과 같이 다시 어지럽히니 財를 흩고 업(業)을 破하여 구차하게 생계하며 횡사(橫死)하는 조짐을 부를 것이다. (解..此亦因比肩之謂也.蓋四柱多見比肩,必然爭祿爭財,且奪歲運之物爲禍.如年月透出一位七煞,比肩知畏,勢必歸之.歲運一遇食神制煞,則柱無張主之神,使比肩復亂如初.則散財破業,橫死於苟食之下,端有徵矣.)

官이 煞지에 居하면 그 官을 지키기 어렵고, 煞이 官鄕에 있으면 어찌 煞이 변할 수 있겠는가! (官居煞地,難守其官.煞在官鄕,豈能變煞.)

해석. 官은 순수하고 바른 貴人이고, 煞은 간사(奸邪)한 폭객(暴客)이다. 가령 官이 煞의 무리에 居하면 독립(獨立)할 수 없으니 반드시 뒤섞여 변화하여 煞이 된다. 비록 官이 순아지풍(純雅之風)이 있더라도 어찌 지킬 수 있으리오? 煞은 강폭(强暴)한 사람이고, 비록 관성은 예의(禮義)가 있을지라도 결국은 예의(禮義)를 따르지 않으며 化한다. 따라서 煞로 變할 수 없고 官이 되는 것이다. (解..官爲純雅之貴人,煞乃奸邪之暴客.如官居煞黨,其勢不能獨立,必混化而爲煞.雖官有純雅之風,安能守乎?煞乃剛暴之人,雖在官星禮義之鄕,終不由禮義而化.故不能變煞爲官也.)

탐재괴인(貪財壞印)하여도 과거에 급제하여 뽑히지만 印의 輕重을 구분한다. (貪財壞印擢高科,印分輕重.)

해석. 무릇 命에서 印은 重하고 煞이 輕하면 결국 貴하지 못한다. 財旺한 運으로 行하여 太過한 印을 剋하고, 不及한 煞을 生하여 살인상정(煞印相停)하면 반드시 초월(超越)할 수 있다. 만약 印이 輕한데 財를 만나면 크게 害로우니, 마땅히 소식(消息)으로 자세히 알아야한다. (解..凡命印重煞輕,終不爲貴.要行財旺之運,剋太過之印,生不及之煞.煞印相停,必能超越.若印輕逢財,乃爲大害,宜消息詳之.)

비(比)가 用財를 만나면 만관(萬貫)을 두르고, 比는 자산(資産)의 도움을 얻는다. (遇比用財纏萬貫,比得資扶.)

해석. 財는 내가 쓰는 物인데, 얻으면 아름답다. 柱중에 유일(有一)한 칠살이 전권(專權)하면 일주가 制를 당하니 用財할 겨를이 없다. 만약 비겁이 투출하고 혹 歲 運에서 생부(生扶)하면 일주가 쇠약하지 않으니 煞을 대적할 수 있으므로 財를 비로소 내가 쓸 수 있게 되는 것이다. (解..財乃我用之物,得之乃佳.柱中有一七煞專權,日主被制,則無暇用財.若得比劫透露,或歲運生扶.日主不致衰弱,可以敵煞,而財始爲我用矣.)

運이 旺鄕에 이르면 身은 도리어 弱해진다. (運到旺鄕身反弱.)

해석. 이 말은 종재 종살이 형성되지 못한 象이다. 일주가 衰弱하여도 아직은 기명종재(棄命從財) 煞을 받아들이지 못하는데, 만약 大運이 바탕을 돕는 地支로 行하면 반드시 財煞과 대적하여 싸우는데, 적(敵)을 이기지 못하고 도리어 財煞의 害를 만나니 더욱 약해져야하는 것이다. 이는 필시 財로 인해 재앙을 만들고, 몸에 질병도 자주 발생한다. (解..此言從財從煞未成之象.日主衰弱,未肯棄命而從財煞.若大運行遇資扶之地,必與財煞爭敵.敵之不勝,反遭財煞之害,愈見弱矣.是必因財搆禍,災病累身.)

六神篇(육신편)-3

財가 劫處를 만나면 화(禍)가 오히려 경(輕)하다. (財逢劫處禍猶輕.)

해석. 신약한데 財多는 마땅히 해서는 안 된다. 비겁[運]으로 行하면 財를 나누는데 돕는 氣로써 화(禍)가 도리어 가볍다. (解..身弱財多,當之不能.行遇比劫,分財助氣,而禍反輕.)

財가 손상하지 않아도 도리어 도적의 음모(陰謀)를 꺼린다. (財不有傷,還忌陰謀之賊.)

해석. 柱중에 用財하여 比 刃의 겁탈(劫奪)이 없으면 손상할 것이 없다. 地支의 庫중에 比 刃이 암장하여 있으면 더욱 꺼리는데, 혹 刑 衝을 당하면 몰래 도적의 害를 피하지 못하는 것이다. (解..柱中用財,無比刃劫奪者,則無所傷.尤忌支庫中有比刃暗藏,或被衝刑,則私竊之害不免矣.)

煞은 분명히 制하지 않으면 마땅히 숨은 적병(敵兵)을 찾아야한다. (煞無明制,當尋伏敵之兵.)

해석. 煞은 완폭(頑暴)한 사람이니 반드시 食神으로 분명히 制하여야 비로소 用[神]할 수 있다. 가령 柱중에 제복(制伏)이 분명하지 않는 사람이라도 凶하다고 말해서는 안 되고, 四柱의 地支에서 깊이 찾아야한다. 만일 食神이 암장하여 숨어 있고, 혹 刑 衝을 만나고, 혹 三合을 就하면 역시 숨은 적병(敵兵)이 될 수 있다. 大運이 制煞하는 곳으로 行하면 반드시 主는 [官]祿으로 나아가 명성(名聲)을 이룬다. (解..煞者頑暴之人也,必欲食神明制,方可爲用.如柱中明無制伏之人,不可便以凶言,要深求四柱支神.如有食神暗伏,或遇刑衝,或就三合,亦可爲伏敵之兵.大運行制煞鄉,必主成名進祿.)

貴人의 頭상에 財官이 있으면 門에 사마(駟馬)가 가득하다. (貴人頭上戴財官,門充駟馬.)

해석. 이를 단적으로 말하면, 歲 日에서 貴人을 호환(互換)하고, 공망 劫의 害를 만나지 않고, 煞 刃이 동궁(同宮)하는 것인데, 상에 財官이 있고, 또 정위(正位)에 居하여 合을 지닌데 有根하고 時에 進氣를 얻으면 富貴하며 병권, 형권을 장악하는 非常한 命이다. 옥정[오결]에 이르길, 금장(金裝)에 올라타고 玉을 밟는 것은 貴人의 頭상에 官성이 있는 것인데, 이 官은 財를 보는 것이 더욱 긴요하다. (解..此專言歲日互換貴人,不遇空亡劫害,煞刃同宮者.上戴財官,又居正位,帶合有根,得時進氣.乃爲富貴,權掌兵刑,非常之命.玉井云,登金步玉,貴人頭上戴官星,是官視財爲尤要也.)

生旺한 宮중에 亡 劫이 암장하면 용기는 三軍을 빼앗을 정도이다. (生旺宮中藏亡劫,勇奪三軍.)

해석. 八字중에, 만일 망신 겁살이 지니고 있으면 진정한 長生을 만나게 되고, 年支의 納音에 혹 장생 임관 제왕을 얻으면 武의 계략이 출중하고, 솥을 들고 산을 뽑아 올리는 용기가 있는 것이다. (解..八字中,如帶亡神劫煞,得遇眞正長生,及年支納音.或得長生臨官帝旺者,主武略出群,有擧鼎拔山之勇也.)

馬에 걸터앉아 망신(亡身)하게 됨은 祿을 얻었기 때문에 자리를 물러난다. (爲跨馬以亡身,因得祿而避位.)

해석. 柱중의 원국에서 비겁이 많으면 用財하지 않고, 歲 運에서 財를 만나면 일주가 그 用을 탐하여 比 刃이 반드시 겁탈(劫奪)하는데, 重하면 命을 손상하거나 집안에 상(喪)을 당하고, 輕하면 벼슬이 파직(罷職)된다. 원국에 관성을 用[神]하는데 財를 차면 貴하고, 運이 歸祿地인 곧 비견의 旺地로 行하면 반드시 官을 쟁탈(爭奪)한다. 바르게 설명하면 비견을 만나 경쟁(競爭)하니 이 때문에 도리어 봉록(俸祿)을 잃으므로 자리에서 물러나는 것이다. (解..柱中原多比劫無財用,歲運逢財,日主乃貪其用.比刃必然劫奪,重則損命喪家,輕則休官罷職.原用官星,帶財爲貴,運行歸祿之鄕,乃比肩旺地.必然爭奪官,正謂遇比肩而爭競,於此反失俸祿,故避位也.)

六神篇(육신편)-4

印은 양현(兩賢)의 액(厄)을 해소하고, 財[勾]는 6國을 다투게 한다. (印解兩賢之厄,財勾六國之爭.)

해석. 양현은 二煞이고, 印은 仁이다. 무릇 일주가 不弱하면 用하는데 兩煞이 天干에 투출하면 일주에게 가혹하다. 食神의 구원함이 없거나, 설령 [食神이]있더라도 梟神에게 탈취 당하면 가장 凶하다. 만약 用印하여 化煞하면 나에게 항복한다. 이와 같으면 오직 富貴가 출중하지 않으나 福을 누릴 수 있다. 또 이르길, 양현(兩賢)은 官과 煞인데, 만약 煞로 말하면 하구(下句)에서 거듭한 중살혼행(衆煞混行)의 뜻이다. 財는 사람이 모두가 바라는 物로써 이것 때문에 화근(禍根)을 만드는 경우가 많은 것이다. 만약 柱중에 刃이 감추어진 局으로 그 財를 만나지 않으면 쟁겁(爭劫)이 없다. 그런데 財를 用하고, 혹 歲에서 財를 보면 비견이 劫과 섞여 재앙을 일으키게 된다. 형벌을 받고 妻를 손상하며 어떤 일에서 피하지 못한다. (解..兩賢者,二煞也.印者仁也.凡用日主不弱,兩煞透出天干,並虐日主.無食爲救,縱有亦被梟神所奪者最凶.若能用印化煞,使降於我.如此不獨富貴出人,且能享福.一云兩賢,官與煞也.若止作煞言,重下句衆煞混行意.財者,人所共欲之物,因玆而構禍者多矣.若局有刃伏於柱中,不遇其財,則無爭劫.倘有財爲用,或歲見財,惹起比肩混劫爲禍.刑耗傷妻,在所不免.)

衆煞이 섞여서 行하면 하나의 인(仁=印)이 化할 수 있고, 하나의 煞이 어지럽히면 단지 힘으로 제압해야한다. (衆煞混行,一仁可化.一煞倡亂,獨力可擒.)

해석. 煞은 본래 제압한 後에 복종(服從)한다. 만약 많은 煞을 보고, 힘으로 制할 수 없는데[능력이 안 되는데] 制하려면 반드시 배반한다. 따라서 用印하는 것만 못하고, 印은 어진 것인데, 仁이 化煞함으로써 煞은 스스로 항복하여 묘(妙=뛰어나게)하게 된다. 印旺한 곳을 기뻐하여 그 化가 유익한데, 다시 제복(制伏)함을 보는 것은 좋지 않으니, 소위 몹시 미워하여도 어지럽히는 것이다. 獨煞이 어지럽히면 세력에 한정이 있으니 하나의 食神으로 制하여도 스스로 복종할 수 있는데, 하물며 많은 食神으로 制할 것인가! (解..煞本待制而後服從,若見煞多,力不能制,制之則必致叛.故不若用印,印者仁也,以仁化煞,使煞自降爲妙.喜印旺鄕,乃益其化,不宜再見制伏,所謂疾之已甚,亂也.獨煞倡亂,勢力有限,一食制之,自可以服,況食神多制者乎.)

印이 煞地에 居하면 德으로써 化하고, 煞이 印地에 居하면 刑으로써 가지런하다. (印居煞地,化之以德.煞居印地,齊之以刑.)

해석. 가령 甲일주면 申은 煞이 되어 나를 剋하니 制가 없으면 그 凶을 알 수 있다. 특히 알지 못하는 것은, 水印이 申에서 長生하여 자연히 化煞할 수 있으니 흉포(凶暴)하지 않다. 만약 干支에 財가 많으면 하격(下格)인데, 比가 旺하고 財는 輕하면 用[神]이 다시 아름답다. 가령 乙木은 辛金이 煞인데, 子를 만나 根을 배양하면 강함을 믿고 나를 剋하니 비록 나의 印이 되더라도 煞이 소생(所生)하는 宮인데, 만약 다시 辛金이 투출하면 일주를 침범하여 능멸하니 [天]干에 食神이 없어도 구원해야한다. 旺한 午가 子를 衝하여 生殺하는 宮을 제거하면 辛이 의지할 곳이 없으니 대체로 身을 剋하는 근심을 면한다. (解..如甲日主,用申爲煞,剋我無制,其凶可知.殊不知水印長生於申,自能化煞,不使凶暴.若干支多財,乃成下格.比旺財輕者,用之更美.如乙木用辛金爲煞,遇子栽根,恃強剋我.雖爲我之印,乃煞所生之宮.若更辛金透出,侵陵日主,干無食神爲救者.得旺午衝子,去生殺之宮,則辛無所倚,庶免剋身之患.)

형제가 財를 破하면 財를 得用한다. 煞 官이 主를 기만하면 主는 모름지기 [官煞을]따라야한다. (兄弟破財,財得用.煞官欺主,主須從.)

해석. 일국(一局)의 비견은 일간의 전록인데, 柱중에서 財官을 만나지 못하면 소용(所用)이 없다. 그런데 비견이 무리를 지으면 空 衝 破하여 財旺한 宮을 바라니, 財의 方이 나의 用[神]이 되는데, 전실(塡實)과 衝하는 宮이 비견을 合하는 것을 크게 두려워한다. 가령 辛酉일이면 많은 酉가 卯를 沖하고, 많은 卯가 午를 破하면 用으로 적합하다. 官 煞이 매우 많아 일주가 무력(無力)한데, 四柱에 다시 通根하지 않고 運路에서 또 財煞로 行하면 기명종살(棄命從煞)하는 것보다 못하니, 煞旺한 곳을 만나면 반드시 발복(發福)하고, 신왕과 食神의 運을 크게 꺼린다. (解..一局比肩,日干專祿,柱中不見財官,則無所用.卻要比肩成黨,望空衝破財旺之宮,而財方爲我之用.大怕塡實衝宮,留合比肩.假如辛酉日,遇酉多沖卯,遇卯多破午,乃合正用.官煞太多,日主無力,四柱更不拖根,運途

又行財煞.不如棄命從煞,遇煞旺之鄕,必能發福,大忌身旺食神之運.)

六神篇(육신편)-5

한 마리 말(馬)이 마구간에 있으면 사람이 함부로 쫓지 못하지만, 한 마리 말(馬)이 들에 있으면 사람은 전부 [말을] 쫓는다. (一馬在廄,人不敢逐,一馬在野,人共逐之.)

해석. 馬는 財인데, 비견이 반드시 다투는 物이다. 만약 財가 분명히 투출하면 四柱중에 우뚝 세워져 가로막을 것이 없다. 비유컨대, 가령 말(馬)이 마구간에 있어 소정(素定;본래부터 작정된 일)으로 나누면 비견이 함부로 다투고 쫓지 못한다. 財의 運路를 배반하는 것을 크게 두려워하고, 三合 六合하는 곳에 비견이 몰래 훔치는 기미가 있으면 화(禍)가 가볍지 않다. 만약 用財하는데 분명히 드러나지 않고, 地支의 庫사이에 숨으면 사람이 알지 못하는 地支이다. 비견이 그림을 쫓아 절취(竊取)하니, 비록 심장(深藏)하고 밀폐(密閉)할지라도 보존하기는 어려워도 근심은 없다. (解..馬,財也.乃比肩必爭之物.若財明透,四柱中特立無遮攔者.譬如馬之在廄,其分素定,比肩不敢爭逐.大怕背財運道,三合六合之鄕,比肩乘機暗竊,致禍不輕.若用財不見明露,隱於支庫之間,乃人所不知之地.比肩競圖竊取,雖深藏固閉,難保無患.)

財가 生이나 庫에 臨하여 生宮을 破하면 두 집안의 종사(宗嗣)를 동시에 받든다. (財臨生庫破生宮,兼奉兩家宗嗣.)

해석. 무릇 命에서 印으로 母를 삼고, 財로써 父를 삼는다. 財는 진실로 印으로써 집안을 이루니 印은 반드시 財로써 主를 삼는다. 그래서 財가 貴하면 印은 자연히 영화(榮華)하고, 夫가 敗하면 이 妻는 의지할 데가 없다. 그래서 사람의 근기(根基)는 父母를 論하니 반드시 財를 보는 것이 먼저인데, 만약 財가 長生하는 宮에 있고, 또 墓庫의 局을 만나면, 오히려 神이 소생(所生)하는 宮을 破하고, 墓庫를 犯하는 것이 없으면, 양자로 계승하는 아이가 되는데, 父를 버리고 母를 따르는 자식이다. 대개 生은 계몽(啓蒙)하는 초(初)이고, 庫는 수렴(收斂)하는 끝이니, 처음은 버리고 끝을 따르므로 이와 같은 것이다. (解..凡命以印爲母,以財爲父.財固以印爲家,印必以財爲主.然財貴而印自榮,夫敗斯妻無倚.所以論人根基父母,必以看財爲先.若財有長生之宮,又見墓庫局.卻有神破所生之宮,無犯於墓庫者.則爲螟蛉過繼之兒,棄父隨母之子也.蓋生乃發蒙之初,庫在收斂之際.棄始由終,故如此也.)

身이 比肩에 坐하여 比局을 이루면, 마땅히 신랑(新郞)이 몇 번이나 된다. (身坐比肩成比局,當爲幾度新郞.)

해석. 무릇 命에 식신 상관이 없으면 반드시 財를 妻로 삼고, 妻가 소속(所屬)하는 宮은 日하의 一位인 것이다. 그러나 비견에게 점령당하였고, 또 三合으로 성국(成局)하고, 歲 日 時중에서 財를 만나면 반드시 탈취한다. 柱에는 만약 財가 없고, 歲 運에서 만나도 역시 근심이 되니, 妾을 剋하고 妻를 손상하는데, 어찌 하나 둘로써 그칠 뿐이리오. (解..凡命無傷官食神者,必然用財爲妻.妻所屬之宮,日下一位是也.卻被比肩占了,又見三合成局,歲月時中,見財必奪.柱若無財,歲運見亦爲患,剋妾傷妻,豈止一二而已.)

父母가 한번 헤어지고 한번 만나는 것은 마땅히 印綬가 財에 임하는 것을 알아야한다. (父母一離一合,須知印綬臨財.)

해석. 柱중에 財 印은 곧 父母의 神인데, 거처가 동궁(同宮)을 허락하지 않는데, 비록 父母의 이름일지라도 실제로 극박(剋剝)하는 뜻이 있으니 어찌 이간(離間)하는 원통함을 면할 수 있겠는가! 만약 印과 財가 같은 宮에 상련(相連)하면 財印이 모두 거처할 곳이 있다. 生祿이 동향(同鄕)하면 결국 모여서 가정을 이루고 허물없이 가까운 것이다. (解..柱中財印,乃爲父母之神,所處不許同宮.雖爲父母之名,實有剋剝之意,豈能免離間之恨哉.若印與財相連一宮,而財印皆有著腳.生祿同鄕者,終得聚合成家而無間矣.)

부처(夫妻)가 혼인하거나 손상하는 것은, 대체로 비견이 마(馬)를 굴복시킨 것이다. (夫妻隨娶隨傷,蓋爲比肩伏馬.)

해석. 무릇 財를 아내로 論하는데, 財가 旺한 年을 用하고, 혹 正氣를 生助함이 있으면 마땅히 일처(一妻;한 아내)를 얻는다. 만약 財아래에 원래 비견이 숨으면 煞神에게 제복(制伏)당하기 때문에 탈취할 조짐이 뜻대로 되지 않는다. 하나의 그 財를 만나고 또 식신제살(食神制煞)하면 설령 뜻은 탈재(奪財)하더라도 妻와 오래 머물기 어렵다. (解..凡論財爲妻室,財逢旺用之年,或有生助正氣,當得一妻.若財下原伏比肩,因被煞神制伏,
不遂可奪之機.一遇其財,又見食神制煞.則縱志奪財,妻難久處.)

六神篇(육신편)-6

자위(子位)를 자식이 메우면 외로운 백도(伯道)가 탄식하고, 처궁(妻宮)을 妻가 지키면 현명한 맹광(孟光)처럼 단정하다. (子位子塡,孤嗟伯道,妻宮妻守,賢齊孟光.)

해석. 자식은 官煞이고, 자위(子位)는 生時이다. 時상에 財가 필요하며 官煞의 生旺한 氣로 쓰인다. 刑 害 孤虛를 만나지 않고 용신이 시후(時候)를 잃지 않으면 자식이 있는 것이다. 만약 官이 실령(失令)하고, 다시 상관 식신이 투기하여 마침내 時상에 전실(塡實)을 불러오면 도리어 백도(伯道)의 탄식이 있다. 妻는 財이고, 처궁(妻宮)은 일지(日支)인데, 本宮에서 만약 그 妻를 보면

得位한 것이다. 比 刃을 만나지 않으며 刑 衝하지 않고 도화 악살이 있지 않고, 천월이덕 귀인이 동궁(同宮)을 얻으면 도온(道韞)의 재주뿐만 아니라 맹광(孟光)의 德도 또한 있다. (解..子者官煞也,子位者生時也.時上要財,及用官煞生旺之氣.不逢刑害孤虛,不失用神時候,則有子矣.若官失其令,更有傷官神食神爲妒,徑來時上塡實,反有伯道之嘆.妻者,財也,妻宮者,日支也,本宮若見其妻,乃得立矣.不逢比刃,不遇刑衝,不有桃花惡煞.仍得天月二德貴人同處者.不惟遇道韞之才,且有孟光之德也.)

상관이 庫에 들면 陰은 生하며 陽은 死한다. 양인이 방신(幇身)하면 合을 좋아하며 衝을 싫어한다. (入庫傷官,陰生陽死.幇身羊刃,喜合嫌衝.)

해석. 상관은 본래 陰陽이 있는데, 生死가 마땅히 옳은지 아닌지를 비교해야한다. 무릇 상관이 귀고(歸庫)하고, 歲 運에서 만나면 대부분 상(喪)을 당하거나 뜻하지 않는 재난을 만난다. 특히 五陰의 상관을 알지 못하는데, 이것에서 반혼(返魂)하니 재앙이 없다. 刃은 방신(幇身)하는 物인데 身旺할 경우에 [刃을] 만나는 것을 매우 두려워한다. 하나의 重煞이 刃과 合하면 변화하여 권성(權星)이 되는데, 만약 官과 刃이 衝하여 싸우면 곧 惡煞이 된다. 用[神]하면 마땅히 그 경중(輕重)과 호악(好惡)이 어떠한가를 자세히 살펴야할 뿐이다. (解..傷官本有陰陽,生死當較其是否.凡傷官歸庫,歲運逢之,多見喪亡橫禍.殊不知五陰傷官,於此返魂無咎.刃乃幇身之物,大怕身旺逢之.得一重煞,與刃作合,化爲權星.若見官與刃衝戰,乃成惡煞.用者當審其輕重好惡何如耳.)

권인이 다시 權刃으로 行하면, 약(藥)인 칼로 망신(亡身)한다. 財官이 기듭하여 財官을 만나면 횡령하여 파직(罷職)된다. (權刃復行權刃,刀藥亡身.財官再遇財官,貪汚罷職.)

해석. 권(權)은 煞이고, 刃은 병(兵)이다. 身旺하고 이것을 양단(兩端)간에 用하면, 병(兵)과 형(刑)에서 우두머리인 사람이다. 煞이 旺하면 制하는 곳으로 行하여야 좋고, 刃이 旺하면 煞地로 行하여야 좋은데, 만약 원국에 煞旺한데, 다시 煞旺한 곳으로 行하면 공로를 세워 業을 이루지만 도검(刀劍)의 아래에서 죽음을 피하지 못한다. 刃이 많은데 다시 양인의 地支를 만나면 祿으로 나아가 財[處]를 얻으니 반드시 약(藥)을 먹고 죽는데, 헤아려보니 그러하였다. 財는 녹봉이고, 官은 祿이다. 身强하고 이것을 양단(兩端)간에 만나면 명리(名利)가 출중한 선비이다. 무릇, 官이 弱하면 旺한 곳으로 行하여야 좋고, 財旺하면 印地로 行하여야 좋으니, 모두 발복(發福)하여 이룰 수 있는 시기인데, 만약 印이 官을 만나면 祿이 지나친 것이다. 財旺한데 財를 만나면 녹봉이 남는 것이다. 君子가 祿이 지나쳐 녹봉이 남으면 반드시 횡령하여 파직(罷職)당한다. (解..權,煞也.刃,兵也.身旺用此兩端,乃兵刑首出之人也.煞旺喜行制鄉,刃旺喜行煞地.若原煞旺,復行煞旺之鄉,立業建功處,不免死於刀劍之下.刃多再逢羊刃之地,進祿得財處,必然終於藥食之間.數使然也.財,俸也,官祿也.身強遇此兩端,乃名利出群之士.凡官弱喜行旺鄉,財旺喜行印地,皆發福成立之時也.若有印逢官,則祿過矣.財旺逢財,則俸餘矣.君子祿過俸餘,必見貪汚罷職.)

六神篇(육신편)-7

祿은 長生에 이르고 원국에 印이 있으면, 청렴하며 관직이 높아진다. 馬가 제왕으로 行하여 손상이 없으면 벼슬길로 나아간다. (祿到長生原有印,清任加官.馬行帝旺舊無傷,宦途進爵.)

해석. 원국에서 관성이 용신인데 衰弱하면 印綬의 영화로움을 말할 수 없다. 만약 官이 長生을 만나서 청수하며 우뚝 서고, 또 印의 情을 돌보면, 印은 곧 身을 돕는 근본으로 삼자(三者)가 이미 두루 쓰이니 이것은 반드시 벼슬로 나아간다. 원국에 偏正의 財를 용신하면, 비록 位를 얻을지라도 그 때를 잃으면 官이 居하여도 현요(顯要)하지 않으니, 반드시 제왕 임관을 기다리고, 歲運에서 財가 용신으로 충분하면 馬는 반드시 건강하게 달리는데, 比 刃의 겁탈이나 손상이 없으면 이것에서 벼슬이 높아지고 業을 세우니, 남는 재물도 모을 수 있을 것이다. (解..原用官星衰弱,不能稱印綬之榮.若官遇長生,便見清奇特立,且有顧印之情.印乃扶身之本,三者之用既周,於此必然進爵.原用偏正之財,雖得位而失其時,居官亦未顯要.必待帝旺臨官,歲運,財已足用,馬必健馳.舊無比刃傷劫,於此加官進爵立業,餘財可徵矣.)

財旺하고 身이 衰弱한데 生을 만나면 사망한다. (財旺身衰,逢生即死.)

해석. 財旺하고 身이 衰弱하면 힘으로 감당할 수 없어서, 뜻을 만약 잊을 것 같으면 도리어 보이는 것을 안전하게 지킨다. 한번 長生의 地支를 만나면 강하고 진실한 방법에 의지하여 財를 얻지 못하면 재앙이 따르는 것이다. (解..財旺身衰,力不能任,意若與之相忘,反見所守安然.一遇長生之地,即便倚強苟圖,財未得而禍隨至矣.)

刃이 强하고 財가 박(薄)하면 煞을 보아도 官이 生한다. (刃強財薄,見煞生官.)

해석. 이 말은 用官이 미묘(微眇)하고 財가 또 천박(淺薄)하다. 대개 양인 겁재로 인해 官을 生할 수 없으면 官이 의지할 데가 없는 것이다. 가령 一位의 칠살이 刃을 合하면 財를 버림으로써 財가 病에서 소생하여 충분히 官을 生하니 官이 自旺한 것이다. 학자(學者)는 이것으로 또한 견살혼관(見煞混官)을 꺼리는 것은 불가(不可)하다. (解..茲言用官微眇,而財又淺薄.蓋因羊刃劫財,不能生官,則官無倚矣.如見一位七煞合刃,棄財以甦財病.足以生官,官自旺矣.學者於此,又不可有見煞混官之嫌也.)

이 법은 지극히 깊고 오묘(奧妙)한데, 지금 자못 익혀서 문장을 갖추니, 우매(愚昧)함에 조금 도움이 되어 뜻밖의 경우를 환하게 알게 되었다. (茲法玄玄之妙,今頗習而成章,少助愚蒙,開明萬一.)

3. 憎愛賦(증애부)-1

富는 순수(純粹)함보다 더 富한 것이 없고, 貧은 전쟁(戰爭)보다 더 貧한 것이 없다. 貴가 수실(秀實)함 보다 더 貴한 것이 없고, 賤은 반상(反傷)보다 더 賤한 것이 없다. 문사(文辭)가 화려한 것은 貴[祿]馬가 學堂에 모인 것이다. 품은 포부가 크고 넓은 것은 水火가 성정(性情)에 부합한 것이고, 심모원려(深謀遠慮;깊은 꾀와 먼 장래를 내다보는 생각)함은 덕성(德星)이 침정(沉靜)한 宮에 머문다. 술업(術業)이 현미(玄微)함은 제좌(帝座)에서 문장(文章)의 관(館)을 지킨다. 괴강은 영변(靈變)하는 조짐이 있으며, 감리(離坎)는 총명(聰明)한 문호이다. 貴人 祿馬는 마땅히 만나야 하며, 劫 刃 공망은 멀리 해야 좋다. 長生이 貴人이면 좋으며, 衰 敗는 小人이 만나면 미워하고 싫어한다. 四宮이 무너지면 불인(不仁) 불의(不義)하다. 五行이 相生하면 충성하며 효도한다. 印祿이 刑 衝하는 자리에 있으면 마음이 산란하고 몸은 바쁘다. 日時가 귀고(鬼庫)중에 머물면 근심은 많고 기쁨은 적다. 일간이 旺하면 재앙과 허물이 적고, 財命이 衰하면 실의와 낙담이 많다. (富莫富於純粹,貧莫貧於戰爭.貴莫貴於秀實,賤莫賤於反傷.文辭錦繡,貴馬會於學堂.襟度宏闊,水火合於情性.深謀遠慮,德星居沉靜之宮.術業玄微,帝座守文章之館.魁罡有靈變之機,離坎乃聰明之戶.貴人祿馬宜逢,劫刃空亡可遠.長生招貴人之可愛,衰敗遇小人之憎嫌.四宮潰亂兮,不仁不義.五行相生兮,爲孝爲忠.印祿在刑衝之位,心亂身忙.日時居鬼庫之中,憂多樂少.日干旺而災咎寡,財命衰而惆悵多.)

旺한 곳에서 剋을 만나면 의식(衣食)의 분주하다. 貴地가 손상을 당하면 명리(名利)가 성패(成敗)한다. 평생의 화복(禍福)은 日時에서 힘을 입는다. 일세(一歲)의 吉凶은 氣運에 의거한다. 복성(福星)이 유기(有氣)하면 변동(變動)하여 직위가 올라간다. 歲가 運을 剋하여 凶하면 사람은 떠나고 재물이 흩어진다. 大運이 위태하면 많은 재앙이 발생하고, 流年이 吉하면 많은 재앙이 제거된다. 絶이 없는데 絶에 이르면 財命이 위태롭다. 生을 찾아 生을 얻으면 명리(名利)가 마침내 따른다. 三合과 六合을 만나면 吉을 重하고 凶은 輕하다. 칠살이나 四凶[煞]을 만나면 禍는 심하고 福은 얕다. 관직이 바뀌어 승진하는 것은 祿을 만나는 年이기 때문이다. 자산과 논밭이 증가하는 것은 반드시 財의 地支를 合한 것이다. 歲君이 主를 衝이나 압박하면 凶災하며 大運이 손상을 받으면 吉이 극히 적다. 歲는 마땅히 運을 生하여야하며 運이 身을 生하면 좋다. 삼위(三位;運 歲 身)가 相生하면 一年은 바람에 부합한다. (衣食奔波,旺處遭剋.利名成敗,貴地逢傷.平生禍福,賴於日時.一歲吉凶,憑乎氣運.福星有氣,而變動陞遷.歲剋運凶,而人離財散.大運危而生百禍,流年吉以除千殃.無絕至絕,財命傾危.求生得生,名利稱遂.三合六合,逢之吉重凶輕.七煞四凶,遇之禍深福淺.職遷官進,定因祿會之年.產置田增,必是合財之地.歲君衝壓主凶災,大運受傷殊少吉.歲宜生運,運喜生身.三位相生,一年稱意.)

財 官이 모두 旺하면 벼슬이 높아지고, 財 食이 두루 영화로운데 어찌 백옥(白屋=초가집)에 오래토록 머물겠는가! 祿이 生地에 모여들면 부귀함을 알 수 있다. 馬가 祿旺한 곳으로 내달리면 영화(榮華)로 단정할 수 있다. 서로 왕래하여 이로움을 얻으려면 반드시 六合을 서로 만나야한다. 時干에 祿 朝元이 있으면 主는 편안히 福을 얻는다. 月이 衰한데 時가 旺하면 젊은 나이에 살이

찐다. 本이 重하고 主가 輕하면 결국 방랑하는 몸이다. 시전(市廛)에서 이익을 얻는 것은 반드시 旺處에서 財를 만나기 때문이다. 홀연히 현달(顯達)하여 일가를 이루는 것은 刑하는 가운데 貴를 만남이다. 主 本인 당시(當時)에 女人은 부지(扶持)해야 한다. 貴祿이 유정(有情)하면 君子로 인해 화합하여 吉하다. 남쪽은 상인이고 북쪽은 나그네인 것은 馬道가 通하기 때문이다. 동쪽에서 팔고 서쪽에서 달리면 반드시 수레를 움직여 이로운 것이다. (財官俱旺,應顯達於仕途.財食均榮,豈淹留於白屋.祿入聚生之地,富貴可知.馬奔祿旺之鄉,榮華可斷.欲取交關利息,須要六合相逢.時干帶祿朝元,定主安然獲福.月衰時旺,早歲豐肥.本重主輕,終身漂蕩.慣取市廛之利,必因旺處逢財.忽然顯達成家,定是刑中見貴.主本當時,得女人以扶持.貴祿有情,因君子而協吉.南商北旅,定因馬道之通.東販西馳,必是車運之利.)

일간이 弱하여 곤고(困苦)하면 백우(伯牛)가 창궁(蒼穹)을 원망한다. 祿馬가 쇠미(衰微)하면 안자(顔子)가 단명(短命)을 벗어나기보다 어렵다. 凶은 地支의 刃보다 더 凶한 것이 없고, 吉은 天干의 强함 보다 더 吉한 것이 없다. 馬가 적고 財가 작으면 남자는 도망치고 여자는 떠나간다. 천라지망은 재앙이 아니나 횡재(橫災)한다. 궁도(窮道)가 劫을 만나면 의심이 나서 마음이 불안하니 반드시 自刑을 犯한다. 절처봉재(絕處逢財)하면 妻子가 해로(偕老)하기 어렵다. 대모 소모면 대부분 도박의 인해 집안이 亡한다. 관부(官符) 사부(死符)면 반드시 주(主)가 소송으로 감옥(監獄)갈 때가 있고, 혹 다시 四柱에서 絶을 만나면 三命이 刑傷하는데, 교수형(絞首刑)을 면하기 어려우며 결국 얼굴에 묵형(墨刑)의 고통을 당한다. 만약 오귀(五鬼)를 만나면 우레에 놀라거나 범에게 물리는 것이 틀림없다. 다시 凶한 무리를 만나면 악한 재앙으로 비명횡사(非命橫死)한다고 단정한다. 여자는 대부분 음란하며 천(賤)하고, 남자는 반드시 창광(猖狂)한다. (日干困弱,伯牛敢怨蒼穹.祿馬衰微,顔子難逃短命.凶莫凶於支刃,吉莫吉於干強.馬少財微,男逃女走.天羅地網,非禍橫災.窮途逢劫,危疑必犯自刑.絕處逢財,妻子應難諧老.大耗小耗,多因博戲亡家.官符死符,必主訟獄時有.或再四柱遇絕,三命刑傷.難免徒絞之刑,終受黥面之苦.若逢五鬼,雷傷虎咬無疑.更值群凶,惡殃橫死定斷.女多淫賤,男必猖狂.)

憎愛賦(증애부)-2

혹시 사람의 성정(性情)에서 현우(賢愚)와 선악(善惡)을 묻는다면, 먼저 貴煞의 旺衰를 추리하고 기교(機巧)로 영험한 변화를 궁리해야한다. 마음에 품은 뜻이 크면 괴강이 화(禍)가 되고, 성품이 順하면 六合이 상서롭다. [人品이] 그윽하고 한가하며 맑고 깨끗한 사람을 살펴보면 화개(華蓋)가 고허(孤虛)한 宿[地]를 만남이다. 세력을 믿는 사나운 무리가 좋으면 편관 劫 刃의 권(權)이 된다. 劫 刃에 生하여 비속하고 인색하면 다시 기략(機略)의 음흉함을 나타내는데, 모략(謀略)은 대부분 壬 癸때문이고, 위맹(威猛)은 반드시 丙 丁에서 本이 된다. 甲 乙은 순(順)하며 인자(仁慈)함이 대량(大量)하고, 庚 辛은 휴(虧)하여도 과단무강(果斷無剛)하다. 孤 囚를 만나면 정신(精神)이 없고, 破 敗를 만나면 소선(疏跣)이 많다. (或問人之性情,賢愚善惡.先推貴煞旺衰,方究機巧靈

變.心高者魁罡爲禍,性順者六合爲祥.觀幽閒瀟灑之人,遇華蓋孤虛之宿.好恃勢霸道之輩,犯偏官劫刃之權.劫刃生鄙吝之慳,更出機謀之險.謀略多因於壬癸,威猛必本於丙丁.甲乙順而仁慈大量,庚辛虧而果斷無剛.孤囚遇之無精神,破敗逢之多疏跣.)

刑 戰하면 어리석으며 완고하고, 안정(安靜)하면 어질고 훌륭하고, 조패(躁敗)하면 火가 盛하고, 은인(隱忍)하면 金이 많다. 金 水가 사령(司令)하여 相生하고, 火 土가 時에서 만나서 서로 도우면 노심(勞心)하지 않아도 의식(衣食)이 충족하여 힘들이지 않고 가계(家計)를 스스로 이룬다. 다시 만약 德神이 서로 도우면 향리(鄉里)에서 추존(推尊)된다. 祿貴의 位를 拱[夾]하면 반드시 태성(台省)에서 명성을 날리는데, 그 곳을 근심하면 福은 福이 아니고, 그 곳을 염려하면 이루어도 이룬 것이 아니다. 福이 福이 아니면 吉處에서 凶을 만나고, 이루어도 이룬 것이 아니면 格局이 破를 만난다. 그 格을 손상하면 福을 손상하고, 그 格을 破하면 재앙을 부른다. (刑戰者愚頑,靜安者賢俊,躁敗者火盛,隱忍者金多.金水司令而相生,火土逢時而相助.不勞心而衣食自足,不費力而家計自成.更若德神相扶,定是推尊鄉里.祿貴拱位,必然台省揚名.其所憂者福不福,其所慮者成不成.福不福者,吉處遭凶.成不成者,格局見破.傷其格則傷福,破其格則招禍.)

비유컨대, 만약 싹이 가을가뭄을 만나면 겨울에 곳간 속이 텅 비고, 꽃이 봄에 서리를 만나면 여름에 과실을 이룰 수 없다. 지모(智謀)가 비록 풍족하여도 계획한 일을 이루지 못한다. 설령 회천전축(回天轉軸)하는 조짐이 있더라도 건공(建功) 입업(立業)의 성취를 못하는데, 어찌 역생(酈生)을 솥에 삶고, 범증(范增)의 등창과, [도]연명이 동귀(東歸)하고, 자미(두보의 字)가 서거(西去)하고, 맹여(孟輿)가 불우(不遇)하고, 풍연(馮衍)이 공회(空回)하고, 매신(買臣)이 땔나무를 짊어져도 노래하고, 강혁(江革)이 몹시 가난하여도 앉아서 독서하는 것을 보지 않겠는가! (譬若苗逢秋旱,而冬廩空虛.花被春霜,而夏果無成.智謀雖裕,措用無成.縱有回天轉軸之機,而無建功立業之遂.豈不見酈生烹鼎,范增背疽.淵明東歸,子美西去.孟輿不遇,馮衍空回.買臣負薪而行歌,江革苦寒而坐讀.)

대개 싹이 빼어나지 않는 것도 있고, 빼어나도 부실(不實)한 것이 있으며, 다시 패상(敗傷)함이 태과(太過)하면 福이 추요(芻蕘;꼴과 땔나무, 순순함을 비유)에 불과(不過)하다. 설령 백예다능(百藝多能;재주가 매우 많음)함이 있을지라도 기한(飢寒)과 질병의 고통을 벗어나기 어려우며 협곡(도랑)에 빠져 곤란한데, 命으로 그러한 것이다. (蓋苗而不秀者有之,秀而不實者有之.更値傷敗太過,一福不過芻蕘.縱有百藝多能,難免饑寒疾苦.困於溝壑,命使其然.)

憎愛賦(증애부)-3

富貴가 雙으로 우월함을 묻는다면 무엇을 얻은 까닭인가! 자기(鎡基)에 크지 않고, 수실(秀實)에 기이(奇異)해서는 안 된다. 성현(聖賢)에 도달하는 것이 때가 있지 않을 수 없다. 富 貴에 이르는 것은 자고(自古)로 모두 그러한데, 혹 煞局중에 生하면 文이 높으며 武를 나타내고, 혹 관대(冠帶)의 아래에 거(居)하면 업(業)이 크고 재주가 기묘(奇妙)하다. 만약 이렇게 현묘(玄妙)하면 추측(推測)을 어떻게 하는가! 먼저 학당(學堂)안에 삼기(三奇)와 사복(四福)을 論하고, 다음은 格局외에 하나가 吉하고 둘이 적합한가를 살펴야한다. 만약 己未가 甲子를 보면 상서롭고, 壬辰이 丁巳를 만나면 吉하게 된다. 壬子가 丙午를 보면 광풍유아(光風儒雅)한 사람이고, 辛酉가 丙申을 만나면 준수(俊秀)하며 영화로운 선비이다. 陰陽이 순수하게 아름다움을 온전하면 조화(造化)가 相生하여 가장 좋다. 日의 精함과 月의 華함을 분별하기 어려운 것이고, 금당옥궤(金堂玉匱)를 헤아릴 수 없는 것이다. 얻으면 영화(榮華)하고, 만나면 貴하다. (欲問富貴雙勝,何由得之.莫大於鎡基.莫奇於秀實.達聖達賢者,無時不有.至富至貴者,自古皆然.或生煞局之中,文高武顯.或居冠帶之下,業大才奇.若此玄妙,如何推測.先論學堂之內,三奇四福.次督格局之外,一吉二宜.若己未見甲子爲祥,壬辰見丁巳爲瑞.壬子丙午,主光風儒雅之人.辛酉丙申,乃俊秀榮華之士.陰陽全憑純美,造化最喜相生.難辨者日精月華,莫測者金堂玉匱.得之者榮,遇之者貴.)

만약 현우(賢愚)와 현회(顯晦)를 論하면 질그릇을 만드는 造化가 아닌 것이 없는데, 가령 봉황이 올빼미를 낳는 것과 뱀이 化하여 龍이 되는 것과 같다. 향기로운 난초는 쑥에 끊이지 않고, 고목(枯木)이 마치 산야(山野)에서 사는 것과 같다. 젊어서 貴하며 늙어서는 賤하고, 처음엔 머뭇거리나 나중에는 순조롭다. 대개 大運의 衰旺으로 인해 富貴가 변경(變更)한다. 格局이 순수하다 도리어 雜하면 얼마 남지 않은 봄을 한탄한다. (若論愚賢顯晦,無非造化鈞陶.假若鳳生於鴟,蛇化爲龍.芳蘭不斷於蓬蒿,枯木猶生於山野.少貴老賤,初屯後亨.蓋由大運之衰旺,以致富貴之變更.格局純而反雜,惆悵殘春.)

노년(老年)에 運行이 득시(得時)하면 만경(晚景)에 편안하고 한가하게 잘 지낸다. 때는 춘추(春秋)에 있는 것이고, 月은 차거나 이지러지는 일이 있다. 경험으로 재물을 보호하는 자식을 살펴보면, 親一이 상(喪)하면 편안하지 않고, 다시 농사짓는 사람이 되고, 運이 일통(一通)하면 특별하게 된다. 다년간 작록(爵祿)이 일단(一旦) 모두 멈추고, 時運에 이르는 것과 時에서 서로 만나면 生旺한 것이라도 반드시 凶이 없지는 않다. (運行老而得時,優游晚景.是以時有春秋,月有圓缺.嘗觀貲廕之子,親一喪定無聊.復見耕釣之人,運一通而殊顯.多年爵祿,一旦俱休.時運至者與時相遇.値生旺者,未必無凶.)

유정(有情)하면 통하고, 무정(無情)하면 막힌다. 合이 있으면 吉하고, 衝이 있으면 凶하다. 官印이 歲에 임하면 벼슬길에 발탁되어 나아감을 안다. 탐재(貪財)하는 運을 만나면 서민(庶民) 역시 영화가 창성하고, 혹 젊어서 祖 父의 영화로움에 의지하고, 성장하여 자손의 貴을 의탁한다. 또 어린 시절에 고난(苦難)이 있으며 노년(老年)에 이르러 의지할 데가 없다. (有情者通,無情者滯.有合者吉,有衝者凶.官印歲臨,仕途定知進擢.食財運遇,庶民亦許榮昌.或有少依祖父之榮,長借兒孫之貴.又有垂髫苦難,至老無依.)

대개 四柱의 旺 衰로 인해 大運에서 형통함과 형통하지 아니한데 어찌하여 비쩍 마른 木(나무)

을 보지 않겠는가! 설령 春절을 만나더라도 영화롭지 못하고, 무성(茂盛)하면 비록 서리를 만날지라도 패(敗)하지 않는다. 時 日이 재차 年 月을 이지러지게 하면 하초(下梢)함이 없고, 生時의 旺氣 朝元은 반드시 만년(晩年)에 福이 있다. 옛날에는 玉을 갈고 다듬는 것이 있으면 여러 城을 合할 정도로 값어치가 귀중하다. 일생이 고립(孤立)한 사람이 있으면 자수성가(自手成家)를 도모한다. 가령 팽연지여(烹煉之餘)하면 손해가 아니고, 세한지후(歲寒之後)하면 시들지 않는다. 소식(消息)에는 변통(變通)의 묘(妙)가 있고, 화복(禍福)은 마땅히 衰旺을 살펴야한다. 바라건대 命을 알게 되면 君子로 공(共)히 評한다. (蓋因四柱之旺衰,所由大運之亨否.豈不見枯槁之木,縱逢春而不榮.茂盛之標,雖經霜而不敗.時日更虧年月,定無下稍.生時旺氣朝元,必有晩福.古有琢磨之玉,價値連城.世有孤立之人,自成家計.如烹煉之餘而不損,歲寒之後而不凋.消息妙在變通,禍福當察衰旺.庶幾知命,君子共評.)

4. 消息賦(소식부)-1 (珞琭子註,育吾子解)

처음 一氣는 선천(先天)으로 청탁(淸濁)을 품어 天地가 저절로 이루어졌다. 삼재(三才)를 드러내어 象을 이루고, 사기(四氣=木火金水)를 퍼뜨려 年을 삼는다. (元一氣兮先天,稟淸濁兮自然.著三才以成象,播四氣以爲年.)

해석. 이것은 원래 조화(造化)의 시작으로 三命이 生하는 이유인 것이다. 三命은, 干이 祿이 되어 天元이라 일컫고, 支는 命이 되어 人元이라 일컬으며, 納音으로는 身이 되어 地元이라 일컫는다. 이것은 고인(古人)이 造化를 들여다 본 것이므로 天地의 法은 陰陽을 體로하고, 四柱에 배정(配定)하여 팔자(八字)를 이룬다. 이것이 낙록자가 서두(序頭)에서 말하는 뜻이다. (解.此原造化之始,三命之所由生也.三命,以干爲祿,謂之天元,以支爲命,謂之人元,以納音爲身,謂之地元.此古人窺見造化,所以法天地而體陰陽,配四柱而成八字.此珞琭子首言之義也.)

干은 祿이 되어 빈부(貧富)의 향배(向背)를 정하고, 支는 命이 되어 역순(逆順)으로 순환(循環)함을 자세히 살펴야한다. (以干爲祿,向背定其貧富,以支爲命,詳逆順以循環.)

해석. 干은 마치 나무의 간(幹=줄기)과 같고, 支는 마치 나무의 지(枝=가지)와 같다. 총체적인 말로는 干은 陽이며 支는 陰인데, 구분하여 말하면 干支는 각각 陰陽이 있는 것이다. 十干의 祿은 十二支중에 기생(寄生)하고, 陽의 道는 순행(順行)하고, 陰의 道는 역전(逆轉)하는데, 모두 自長生하며 數이고, 본음(本音=納音)의 임관에 기우(寄寓)하는 것이다. (解.干,猶木之幹,支,猶木之枝.統言之,干陽而支陰也,分言之,干支各有陰陽也.十干之祿,寄十二支中,陽道順行,陰道逆轉,皆自長生而數,遇本音臨官以寓焉.)

陽이 生하면 陰은 死하고, 陰이 生하면 陽은 死하는데 자연의 이치이다. 干은 祿이 되니 추리하면 향배(向背)가 있는데, 가령 甲의 祿은 寅에 있고 丑을 만나면 向이라 하고, 卯를 보면 背라 일컫는다. 따라서 祿前의 一辰을 양인이라 말하고, 祿後의 一辰을 祿庫라고 말한다. (此陽生陰死,陰生陽死,自然之理也.以干爲祿,而推之則有向背.如甲祿在寅,遇丑則謂之向,見卯則謂之背.故祿前一辰曰羊刃,祿後一辰曰祿庫.)

經에서 이르길, 向祿하면 生하고, 背祿하면 死하는데, 소위 이 向背로 빈부(貧富)를 정하는 것이다. 支는 命으로 자세히 살피면 역순(逆順)이 있는데, 가령 양남음녀는 생월의 순행을 따르고, 음남양녀는 생월의 역행을 따른다. 사람은 陰陽의 역순(逆順)하는 氣를 품수(稟受)하여 干支중에 존재하고, 주기로 다시 시작하여 왕래(往來)순환(循環)한다. 가령 한서(寒暑)가 사시(四時=사계절)로 돌며 무궁(無窮)한 것이다. 그러므로 말하길, 支는 命이 되니 역순(逆順)으로 순환(循環)을 자세히 살펴야한다. (經云,向祿則生,背祿則死.此所謂向背定其貧富者與.以支爲命而詳之則有逆順.如陽男陰女,從生月順行,陰男陽女,從生月逆行.人稟受陰陽逆順之氣,在乎支干之中,周而復始,往來循環,如寒暑之運四時而無窮者也.故曰以支爲命,詳逆順以循環.)

[석]담형이 말하길, 干祿의 향배로서 吉凶을 추리하고, 간록의 深淺을 연구한다. 背는 逆하는 것으로 가히 貧을 정하고, 向은 順하는 것으로 富를 알 수 있다. 그런데 하나의 법도를 취하는데 있지 않으며 또한 背祿을 만나도 가난하지 않는 것이 있다. 이제 支는 人元이 되니, 運會를 따라 득실(得失)하고, 남자는 맞으며 여자는 보내고, 부태교거(否泰交居)하고, 吉이 모이고 凶이 모이는 작용(作用)을 정하는 것이다. (曇瑩曰,干祿,推之有向背吉凶,究之有淺深.背而逆者,可定其貧.向而順者,以知其富.然而不在一途取軌,亦有逢背祿而不貧.於是支作人元,運商徒而得失,男迎女送,否泰交居,會吉會凶,作用定矣.)

消息賦(소식부)-2

運行은 곧 一辰이 10歲(세=년)이고 절제(折除)한 3日은 1年이 된다. 정미한 休 旺은 妙하고, 窮하면 通하고 변화(變化)하니 오묘(奧妙)하게 된다. (運行則一辰十歲,折除乃三日爲年.精休旺以爲妙,窮通變以爲玄.)

해석. 먼저 干支를 말하면 八字를 정하는 것이고, 行運은 곧 三命의 가장 중요한 것이므로 처음에 그 法을 일으켜 남에게 보이는 것이다. 運行은 곧 一辰을 10으로 하여 절제하니 3日이 1年이 된다. 이것은 고인(古人)이 運을 세운 法이다. 분명한 사실은 역수(曆數)의 절제(折除)가 중요한데, 命에서 절기(節氣)의 심천(深淺)이 부동(不同)하니 運은 生을 취(就)하고 절(節)을 취(就)하여 서로 다르고, 중간에 혹 休하거나 혹 旺하여도 八字와 화합함이 중요하다. 生旺을 좋아하면 休敗를 싫어하고, 休敗가 마땅하면 生旺함을 꺼리는데, 천변만화(千變萬化)하니 오묘(奧妙)하고 그윽하게 통달(通達)하지 아니하면, 소식(消息)은 조화(造化)의 妙을 다하는데 누가 능히 이것과 더불어 할 수 있겠는가! 그러므로 말하길, 化는 이를 재(裁)하여 변(變)이라 일컫고, 추(推)는 이를 行하여 통(通)이라 일컬으니 통변(通變)은 이치를 깨달아야 吉凶이 뜻이 존재한다. 그러므로 현묘(玄妙)함을 완전무결(完全無缺)할 수 있다. (解.先言干支,則八字定矣.行運乃三命之最要者,故首舉其法以示人焉.運行則一辰十載,折除乃三日爲年.此古人立運之法也.折除要明實歷之數,命有節氣淺深不同,運有就生就節互異,中間或休或旺,要與八字符協.有喜生旺而惡休敗,有宜休敗而嫌生旺,千變萬化,非達玄通幽,消息以盡造化之妙,其孰能與斯.故曰,化而裁之之謂變,推而行之之謂通,通變之理得矣.吉凶之義存焉.故能爲妙爲玄,盡善盡美.)

그 기(氣)가 되는 것이 장래 오면 나아가고, 공(功)을 이루면 물러난다. 가령 사(蛇;뱀)는 회(灰;재)에 존재하고, 선(鱔;드렁허리)은 진(塵;흙먼지)에 존재하는 것과 같다. (其爲氣也,將來者進,成功者退.如蛇在灰,如鱔在塵.)

해석. 氣는 五行의 氣로써 사시(四時)에 흩어진다. 가령 봄이면 木이 旺하고, 火는 相하며, 土는 死하고, 金은 囚하며, 水는 休하니, 임관 제왕을 맞이하여 장차 오면 나아간다. 休 廢 死 絶로 배반하여 功을 이루면 물러난다. 五行의 氣는 진퇴(進退)로 순환(循環)하는데, 사람에게 行運은 언제나 一辰에 머물러 相하면 이미 나아간 것이고, 旺하면 물러나고, 당권(當權)하여 用하면 福이 되고, 당권(當權)하지 않는데 用하면 이익이 없다. 만약 五行의 氣가 과(過)하면 물러나고, 사(蛇)선(鱔)은 모두 火의 종류에 속하며 火가 囚 死에 이르면 土가 되고, 休 廢하면 회(灰)가 된다. 巳중의 삼수(三獸)는 사(蛇), 선(鱔;드렁허리), 인(蚓=지렁이)된다. 따라서 사(蛇), 선(鱔;드렁허리)은 火임을 아는데, 囚 死 休 廢에 이르면 흙먼지나 재에 존재하는 이것이 土는 나아가고 火가 물러나는 것이다. (解.氣,五行之氣也,播於四時.如春則木旺,火相,土死,金囚,水休,迎之以臨官帝旺,將來者進.背之以休廢死絕,成功者退.五行之氣,循環進退,人之行運,每居一辰,相者旣進,旺者則退,當權者用之爲福,不當權者用之無益.若五行氣過則退,蛇鱔皆屬火類,火至囚死爲土,休廢爲灰.巳中三獸,爲蛇爲鱔爲蚓,故知蛇鱔爲火,至囚死休廢,則在塵在灰,是土進而火退也.)

형화상(瑩和尙)에 말하길, 선(鱔)인(蚓)은 水 土에 속하는데, 흙먼지에 머물면 반드시 근심이다. 사(蛇)에 오르니 곧 회화(灰火)의 神으로 火에 거처하여 즐거움이 된다. 방(方)에 종류가 모여 物을 구분함으로써 順하는 그 곳이면 吉하고, 어긋나는 그 곳으로 달리면 凶하니, 곧 物로 조화(造化)를 관찰할 수 있다. 사람의 行運은 비록 동일(同一)한 宮일지라도 氣에는 진퇴(進退)가 있으며 처소(處所)가 다르지 않아도 命에는 生死가 있으니 불가불(不可不) 休 旺을 면밀히 보고, 궁(窮)하면 통(通)하여 변(變)한다. 이러한 설(說)을 깨쳐야한다. (瑩和尙曰,鱔蚓爲水土之屬,居塵必憂.騰蛇乃灰火之神,處火爲樂.方以類聚,物以群分,順其所欲則吉,乖其所趨則凶,卽物可以觀造化也.人之行運,雖同一宮,而氣有進退,所處不異,而命有生死,見其不可不精休旺,窮通變也.此說得之.)

그 有가 되는 것은, 無를 좇아 有를 세우고, 그 무라는 것은, 천수상(天垂象;하늘이 象을 드리우다.)으로 文을 나타낸다. (其爲有也,是從無而立有,其爲無也,天垂象以示文.)

해석. 정명(正明)한 五行의 氣는 無를 쫓아 有를 세우는데, 따라서 천상(天象;천체의 현상)의 五星을 빌려서 드러낸다. 대개 物이 흩어진 시초(始初)에는 무엇이 있게 되는가? 태극(太極)후에는 아무것도 없고, 有는 無에서 나타나니 無가 有를 生(낳다)한다. 하늘에서 象을 이루고, 땅에서 형(形)을 이루니 변화(變化)가 나타나는 것이다. (解.此正明五行之氣,是從無而立有,故借天象五星以明之.蓋播物之初,孰爲之有?太極之後,誰爲之無,有出於無,無生於有.在天成象,在地成形,變化見矣.)

消息賦(소식부)-3

그 상(常)으로 인의(仁義)를 세우고, 그 사(事)가 되어 혹 보고 혹 듣는다. (其爲常也,立仁立義,其爲事也,或見或聞.)

해석. 五行은 하늘에서는 오성(五星)이 되고, 땅에서는 오악(五嶽)이 되고, 사람에게는 오장(五臟)이 되며 추리해나가면 오상(五常)이 되는데, 常은 오랜 기간의 道라 할 수 있다. 易에서 말하길, 天이 세워진 道는 陰과 陽을 말하고, 地가 세워진 道는 유(柔)와 강(剛)을 말하며, 사람이 세워진 道는 仁과 義를 말하는데, 人의 道는 仁과 義가 아니면 세워질 수 없다. (解.五行,在天爲五星,在地爲五嶽,在人爲五臟,推而行之,則爲五常,常有可久之道.易曰,立天之道,曰陰與陽.立地之道,曰柔與剛.立人之道,曰仁與義.人之道,非仁與義,則不能立也.)

書에서 말하길, 二, 五의 사(事)에서, 첫째는 모(貌), 둘째는 언(言), 셋째는 시(視), 넷째는 청(聽), 다섯째는 사(思)를 말한다. 오상(五常)오사(五事)는 모두 五行의 변화로 인사(人事)와 더불어 상통(相通)한다. 사람의 성정(性情)거취(去就)와 견문(見聞)동정(動靜)은 모두 數를 벗어나지 않는다. 혹 보고 혹 듣는데, 만일 金木水火土라면 보고, 궁상각치우(宮商角徵羽)라면 듣는다. 모언시청사(貌言視聽思)라면 보고, 숙우철모성(肅又哲謀聖)이라면 듣는다. 대개 五行의 쓰임에 다함을 넘어설 수 없고, 완전한 조짐과 밝은 지혜의 선비가 아니라면, 누가 정미(精微)하게 살필 수 있으며 묵시(默視)적으로 깊이 이해하겠는가? (書曰,二五事,一曰貌,二曰言,三曰視,四曰聽,五曰思.五常五事,皆五行之變化,與人事相通.人之性情去就,見聞動靜,皆不逃乎此數.或見或聞,如金木水火土則見,而宮商角徵羽則聞.貌言視聽思則見,而肅又哲謀聖則聞.蓋五行之用,至不可勝窮,非圓機明智之士,孰能精察而默識之哉.)

숭(崇)은 보(寶)이고, 기(奇)는 귀(貴)이다. 장성(將星)이 덕(德)을 도우며 天乙이 더하여 臨해도 本과 主가 休 囚하면 진퇴(進退)에 골몰(汨沒)한다. (崇爲寶也,奇爲貴也.將星扶德,天乙加臨,本主休囚,行藏汨沒.)

해석. 숭(崇)은 비(卑)의 반대이고, 기(奇)는 우(耦)의 대칭이다. 物이 쌓이면 높고, 높으면 숭

(崇)이 되니 五行에 있어 上에서 下를 生하는 것이다. 物은 짝이 없으면 홀이 되고, 五行이 달라도 무리로 존재하는 것이다. 장성(將星)은 월장(月將)이고, 德은 天 月德이며, 天乙은 貴神이다. (解.崇者卑之反.奇者耦之對.物以積而高,高之爲崇,在五行上生下是也.物以無與耦之爲奇.在五行異而乃群是也.將星,月將也.德,天月德也.天乙,貴神也.)

生年은 本이 되며 生日은 主가 되고, 休囚와 生旺은 대조적인 말이다. 人命은 年月日時로 四柱에는 五行이 있고, 上은 下를 生한다. 三奇는, 乙 丙 丁이 있으며 다시 장성(將星) 덕(德) 貴를 대동하고, 主와 本이 得地하여 生旺하면 소위 吉과 將이 서로 바꾸어 臨하니 福이 모여 경사로운데, 이것은 貴한 命이 된다. (生年爲本,生日爲主,休囚對生旺言.人命年月日時,四柱有五行,上生下.有三奇,乙丙丁,更帶將星德貴.主本生旺得地,所謂吉將交臨,而福臻成慶,此爲至貴之命.)

부(賦)에서, 먼저 숭(崇)기(奇)는 보(寶)귀(貴)라고 하였으며 나중에 主와 本은 休囚를 꺼린다고 말하였고, 崇奇를 만나기는 어려우나 主와 本에는 중요하고, 제방(諸方=모든 방위)의 神煞은 다음이라고 말하였다. 命은 五行이 먼저이며 生旺이 上이 되고, 將星 德 貴와 또 神煞에서 가장 吉한 것을 알아야한다. (賦,先言崇奇爲寶貴,後言主本忌休囚,見崇奇爲難遇,以主本爲切要,而諸方神煞,則次而言之.是知命以五行爲先,生旺爲上,將星德貴,又神煞之最吉者歟.)

서[자평]이 말하길, 崇은 主本으로 말하였는데, 무릇 命중에 수명 財 재앙 福을 담당하는 진(辰) 역시 숭(崇)이라고 설명하였다. 奇는 祿 馬로 말하였는데, 무릇 命중에 財 官 印 食 또한 奇라고 설명하였다. 德은 日支의 德이고, 辰은 곧 六合이다. [아래의 例 명조를 보라] (徐曰,崇以主本言,凡命中掌壽掌財掌災福之辰,亦謂之崇.奇以祿馬言,凡命中財官印食,亦謂之奇.德者日支德,辰,即六合也.如壬寅年,庚戌月,癸卯日,乙卯時,九月將在卯,扶其生日,五行,九月金土,六合,卯戌合,乙庚合,戊癸合.如此五行各不居休敗之地則貴.似非賦義.)

예) 명조
乙 癸 庚 壬
卯 卯 戌 寅
9月의 월장은 卯에 있고, 生일을 돕고, 五行으로 9월은 金 土인데, 六合으로 卯戌이 合하고고, 乙庚이 合하며, 戊癸가 合한다. 이와 같이 五行이 각각 休 敗안 地支에 居하지 않으면 貴하다. 부(賦)의 뜻과는 같지 아니하다.

消息賦(소식부)-4

만약 구진(勾陳)이 득위(得位)하면 소신(小信)이 부족하지 않아 인(仁)을 이룬다. 참된 무(武)가 당권(當權)하면 뛰어난 재주로 상서로움을 구분할 줄 안다. (至若勾陳得位,不虧小信以成仁.眞武當

權,知是大才而分瑞.)

해석. 水 土로써 그 나머지 例를 든다. 구진(勾陳)은 土의 將이 되며 그 常으로 信이 된다. 진무(眞武)는 水의 神이며 그 常으로 지혜가 된다. 信은 충분히 성(聖)에 이른다. 智는 충분히 그 道를 만든다. 五行의 用은 더욱 독선(獨善)적이다. 득위(得位)는 戊 氣가 7月에 生하여 母가 子鄕에 있고, 당권(當權)은 壬 癸가 7月에 生하여 子(자식)가 母家에 머문다. 두 物은 같은 근원으로 함께 申에서 生하기 때문이다. 서[자평]은 戊 己가 寅 卯와 아울러 亥 卯 未에 臨하거나, 壬 癸가 巳 午 및 辰 戌 丑 未에 臨하면 아래에 관성 祿 馬가 있으며 旺 相 墓庫가 位를 얻어 당권(當權)하게 되니, 마치 부(賦)의 뜻과 유사(類似)하나 다름이 있다. 다만 土는 四季에 生하고, 水는 삼동(三冬=겨울)을 만나야 옳은 것이 같지 않다. (解.此擧水土以例其餘.勾陳爲土之將,其於常也爲信.眞武乃水之神,其於常也爲智.信也者,足以達於聖.智也者,足以撰其道.五行之用,獨善於玆.得位者,戊己生七月,母在子鄕,當權者,壬癸生七月,子居母家.二物同源,俱生於申故也.徐以戊己坐臨寅卯,並亥卯未,壬癸坐臨午巳及辰戌丑未,下有官星祿馬,旺相庫墓,爲得位當權,似與賦義有背.不若只以土生四季,水遇三冬爲是.)

불인불의(不仁不義)는 庚 辛과 甲 乙이 교차(交差)함이고, 혹시혹비(或是或非)는 壬 癸와 丙 丁이 서로 두려운 것이다. (不仁不義,庚辛與甲乙交差,或是或非,壬癸與丙丁相畏.)

해석. 위의 설명은 得位하여 당권(當權)하면 교차(交差)하지 않고, 서로 두려워하지 않는다. 만약 甲이 庚을 보고, 乙이 辛을 보며, 丙이 壬을 보고, 丁이 癸를 보면 마치 두 여자가 동거(同居)하고 두 남자가 나란히 있는 것과 같으니, 陰陽이 不合하여 좋게 되지 않는다. 庚辛의 主는 義이고 甲乙의 主는 仁으로 교차(交差)하기에 불인(不仁) 불의(不義)한다. 丙丁의 主는 禮이고 壬癸의 主는 智인데 서로 두려워하기에 혹시혹비(或是或非)한다. 만약 庚이 乙을 合하고, 辛이 甲을 合하면 강유(剛柔)가 상승(相乘)하여 인의(仁義)가 상제(相濟)하니 서로 어긋나지 아니한다. 만약 丙이 癸官을 보고, 丁이 壬祿을 合하면 陰陽이 서로 배합하여 수화(水火)기제(旣濟)하니 서로 두려워하지 아니한다. 혹 甲申 乙酉는 不仁하고, 庚寅 辛卯는 不義하는데, 寅申 甲庚이 교차(交差)하고, 卯酉 乙辛이 암전(暗戰)한다. 丙이 壬을 만나면 丙은 그르며 壬은 옳다. 丁이 癸를 만나면 癸는 옳고 丁은 그른데, 子午가 그렇게 같고, 巳亥가 일치(一致)한다. 무릇 命에서 이 一辰을 만나면 비로소 설명할 수 있다. (解.上言,當權得位,則不交差,不相畏也.若甲見庚,乙見辛,丙見壬,丁見癸,猶二女同居,兩男並處,陰陽不合,不成慶也.庚辛主義,甲乙主仁以交差,故不仁不義.丙丁主禮,壬癸主智以相畏,故或是或非.若庚合於乙,辛合於甲,則剛柔相乘,仁義兼濟,非交差也.若丙見癸官,丁合壬祿,則陰陽相配,水火旣濟,非相畏也.或以甲申乙酉爲不仁,庚寅辛卯爲不義,緣寅申庚甲之交差,卯酉乙辛之暗戰.丙遇壬則丙非壬是.丁逢癸則癸是丁非,子午同然,巳亥一致.凡命遇此一辰,始可言之.)

선현(先賢)은 자신을 겸양하고 세속(世俗)에서 선(仙)을 추구하였다. 숭석(崇釋)하면 관직을 떠나 수양하여 귀도(歸道)하니 수부(水府)에서 오묘함을 구(求)한다. (故有先賢謙己,處俗求仙.崇釋則

離官修定,歸道乃水府求玄.)

해석. 인의(仁義)는 늘 득실(得失)에서 어긋나고, 시비(是非)는 항상 영고(榮枯)에서 얽힌 이것에서 일찍이 휴식(休息)없이 날마다 사용하여도 알지 못하였기에 선현(先賢)은 자신을 겸양하며 세속(世俗)에서 선(仙)을 추구하니 사사로운 욕심이 적으며 사랑을 나누고, 혹 숭석(崇釋)하여 마음의 火를 멸(滅)하고, 혹 귀도(歸道)하여 신(腎)의 정(精)을 더하고, 안으로 정신(精과神)을 지키고, 밖으로 헛된 망령을 없애니 물아(物我)의 비유(非有)에 통달한다. 명색(明色)으로 마침내 공(空)하면 옳지 않음이 없는 것이다. (解.仁義每乖於得失,是非常絆於榮枯,於是日用不知曾無休息,故有先賢謙己,處俗求仙,割愛少私寡慾或崇釋以滅心之火,或歸道以益腎之精,內守精神,外除幻妄,達物我非有,明色空竟者,莫非是也.)

五行의 道를 通하여 바로 알면 다문(多門;여러 갈래의 방법)을 取用한다. 리(理)가 현인(賢人)에 있으며 란(亂)은 불초(不肖)함에 있다. 성(成)은 묘용(妙用)에 있으며 패(敗)는 불능(不能)에 있다. (是知五行通道,取用多門.理於賢人,亂於不肖.成於妙用,敗於不能.)

해석. 道는 존재하지 않는 곳이 없고, 物은 道가 아니면 [존재할 수]없으니 五行이 變化하여 대도(大道)에 通하여 어느 곳에서도 해당하지 않겠으며, 그 取用이 같지 않기 때문에 多門이라 일컫는다. 가령 식자(識者)면 수정(修正)하여 取하고, 선자(仙者)면 오묘함을 구(求)하여 取한다. 스스로 돈오(頓悟;갑자기 깨달음)한 선비가 아니라면 어찌 이것과 더불어 할 수 있겠는가! 이런 까닭에 현자(賢者)는 얻는데 성심(性心)을 다하여 궁리할 수 있으니 五行의 묘용(妙用)을 통달한다. 우자(愚者)는 잃는데, 결국 스스로 몽매(蒙昧)하여 소득(所得)이 없다. 능자(能者)는 수양하여 福을 取하고, 不能한 者는 敗하는데 재앙을 가진다. 易에서 말하길, 진실로 그 사람이 아니면 道를 헛되이 行하지 않는다. (解.道無乎不在,物無乎非道,五行變化,通乎大道,何所不該,其取用不一,故謂多門.如識者,取之以修定,仙者,取之則求玄.自非頓悟之士,豈能與此!是故賢者得之,能窮理盡性,達五行之妙用.愚者失之,終亦自昧而無所得.能者養之以取福,不能者敗之以取禍.易曰,苟非其人,道不虛行.)

消息賦(소식부)-5

드러나도 보이지 않는 形은 무시(無時)로 있지 않다. 뽑아도 뽑히지 않는 緖는 오랜 세월동안 끝없이 이어진다. (見不見之形,無時不有.抽不抽之緖,萬古聯綿.)

해석. 드러나도 보이지 않는 形은, 가령 十干의 祿이 十二支에 기생(奇生)하면 드러나도 보이지 않는 形이 존재하는 것이다. 甲의 祿은 寅으로 寅이 나타나면 보이는 祿이 된다. 寅을 보지 않고 戌을 보면 五子(甲子, 丙子, 戊子, 庚子, 壬子)가 처음 遁하여 戌에 이르고, 甲戌을 보면 戌은 甲의 祿堂이 되니 이것이 소위(所謂) 보이지 않는 祿이다. 甲은 辛이 官이고, 辛의 祿은 酉

인데, 甲이 금계(金鷄)의 酉를 만나면 분명히 官을 보게 된다. 酉를 만나지 않고 未를 보면 天의 官이 甲으로 遁하여 羊의 무리에 들고, 未상에 辛이 있으니, 이것이 소위(所謂) 官을 보지 않는 것이다. (解.見不見之形,如十干祿寄十二支,有見不見之形存焉.甲祿寅,寅爲顯見之祿.不見寅而見戌,以五子元遁至戌,見甲戌,戌爲甲之祿堂,此所謂不見之祿.甲以辛爲官,辛祿酉,甲受金雞酉爲明見之官.不見酉而見未,以天官遁甲入羊群,未上有辛,此所謂不見之官.)

뽑아도 뽑히지 않는 緖는, 가령 陽氣는 子에서 生하여 卯에서 旺하며 午에서 마치고, 陰氣는 午에서 生하여 酉에서 旺하며 子에서 마치는데, 陽이 生하면 陰은 死하여 陰이 變하면 陽으로 化하니 子午는 바로 陰陽이 화생(化生)하는 시종(始終)으로 무극(無極)이다. 陰이 지극하면 陽이 生하고, 陽이 지극하면 陰이 生하니 氣는 子 午로부터 서로 다투어 뽑혀서 나오며 출입(出入)이 무간(無間)하여 왕래(往來)가 끝이 없는데, 실이 끊어지지 않고 이어지는 것같이 아주 오랜 세월 동안 단절(斷切)하지 않는 뜻이다. (抽不抽之緖,如陽氣生子旺卯終午,陰氣,生午旺酉終子,陽生則陰死,陰變則陽化,子午乃陰陽化生之始終無極也.陰極則陽生,陽極則陰生,氣自子午中孚甲抽軋而出,出入無間,往來不窮,如絲緖之聯綿,萬古不斷之義.)

태현[경]에서 이르길, 드러나도 보이지 않는 形과 뽑아도 뽑히지 않는 緖는 즉 태양이 이동하면 달이 변하고, 더위가 물러가면 추위가 다가오며, 廢와 興을 번갈아하고, 休 旺을 되풀이하며, 한번 나타났다 한번 감추고, 한번 줄었다 한번 늘었다하여 면면(綿綿)이 항상 존재하니 무시로 있지 않다. 대개 陰陽五行은 유견불견(有見不見)하고 유추불추(有抽不抽)하는 그 이치가 현묘(玄妙)하여 그 조짐을 발설하면 물(物)이 있지 않을 수 없으며 무시(無時)로 그렇지 아니하고, 자연히 천지인(天地人)으로 돌아옴이 이와 같다. 하여튼 돈오(頓悟)함이 중요하다. (太玄云,見不見之形,抽不抽之緖,則日遷月變,暑往寒來,代廢代興,更休更旺,一顯一晦,一縮一抽,綿綿常存,無時不有.蓋陰陽五行,有見不見,有抽不抽,其理玄妙,其機發洩,無物不有,無時不然,自有天地人以來便如此,要頓悟何如.)

하[상]공은 그 칠살을 두려워하고, 선부(공자)는 원진을 두려워한다. 아미[산]에서 삼생(三生)을 밝혔으나 서민들을 온전하게 하지는 못했다. 귀곡[자]는 규정된 성(星)을 관찰함으로써 구명(九命)을 전파하였다. 오늘날 제가(諸家)들이 모은 요지는 그 편견(偏見)된 발로라 할 수 있고 , 곡해(曲解)하여 아직 通하지 않으니 반드시 신묘(神妙)하게 깨달아야 한다. (是以河公懼其七煞,宣父畏其元辰.峨眉闡以三生,無全士庶.鬼谷播其九命,約以星觀.今集諸家之要,發其偏見之能,是以未解曲通,妙須神悟.)

원진 칠살은 煞로써 가장 凶한데, 命에서 五行을 품수(稟受)하면 누가 이 근심을 벗어나겠는가? 상고(上古)의 성현(聖賢)으로 하상공은 선(仙)의 유파(流派)와 같았고, 문성왕은 성(聖)에 이르렀으나 오히려 이 둘[칠살과 원진]을 두려워하였는데, 하물며 그 아랫사람들 이야? 이 저서(著書)로 세상(世上)을 구제하여 吉凶 화복(禍福)을 변고나 일이 아직 일어나기 전에 존재를 알게 한다.

아미의 선(仙)이 삼생(三生)을 밝히니 정미(精微)함이 어긋나지 않았다. 귀곡자는 그 구명(九命)을 전파하여 불통(不通)하지 아니하나 지진현의 말로는, 오묘하여 측량하기 어렵다. 따라서 말하길, 규정된 성(星)을 관찰하였으나 서민은 갖추지 않았다. 삼생(三生)은 祿 命 身이고, 구명(九命)은 身 命의 양궁(兩宮)이고, 祿 馬이며, 生年 胎 月 日 時이다. 낙록자는 제가(諸家)의 요지(要旨)를 참작하여 그 편견(偏見)을 간략하게 할 수 있었고, 혼자 심득(心得)한 견해를 나타낸 것이 이 글이 되고, 오묘한 뜻을 크게 해석하면 도리에 맞지 않는 것은 묘(妙)한 조짐으로 통(通)하고, 학자(學者)가 신령(神靈)하게 깨달아 변통(變通)하면 이것이 훌륭하게 되는 것이다. (解.元辰七煞,煞之最凶.命稟五行,斯患孰逃?上古聖賢,如河上公,仙之流也.文宣王,聖之至也,猶懼是二者,況其下乎?於是著書濟世,吉凶禍福,告在未萌.峨眉仙闡以三生,非不精也.鬼谷子播其九命,非不通也.指陳玄言,幽奧難測,故云,約以星觀,無全士庶.三生,祿命身也.九命,身命兩宮,祿馬二位,生年胎月日時也.路碌子參集諸家之要旨,略其偏見之能,獨發心得之見,著爲是文,大解玄義,曲通妙機,在學者神悟而變通之,斯爲善矣.)

消息賦(소식부)-6

臣은 난야(蘭野)의 출신이며, 어릴 때에 [五行의] 진풍(眞風)을 흠모하였다. 현호(懸壺)의 妙함이 없어도 아랑곳하지 않았고, 화장(化杖)의 神妙함이 없어도 떠돌아다녔다. 一氣를 息하여 응신(凝神;정신을 집중하다.)하고, 五行을 消하여 道를 通하였다. (臣出自蘭野,幼慕眞風.入肆無懸壺之妙,遊行無化杖之神.息一氣以凝神,消五行而通道.)

해석. 臣은 君의 대칭(對稱)이고, 난야(蘭野)는 지명(地名)이다. 지연히 차례대로 나오는 곳인데, 어릴 때의 진풍(眞風)을 그리워하면 그 뜻이 큰 것이다. 주전자가 지팡이로 변화하니 곧 호공비장방(壺公費長房)의 고사(故事)인데, 예전 사람의 기묘(奇妙)한 것을 칭찬하고, 자신의 무능(無能)함을 후회한다. 겉으로 바라는 것이 막혀 속으로 생각하는 것이 없고, 식(息)은 一氣가 응신(凝神;정신을 집중하다.)하고, 소(消)는 五行이 道에 通하므로 이 부(賦)를 저술(著述)하여 이름을 소식(消息)이라 한다. 대개 조화(造化)는 소(消)가 있고 식(息)이 있기에 일컫는 것이다. (解.臣者,對君之稱.蘭野,地名.自敍所出.幼慕眞風,則其志大矣.懸壺化杖,乃壺公費長房故事,稱前人之至妙,悔在己之無能.外絕所欲,內無所思,息一氣以凝神,消五行而通道,故著此賦,名消息焉.蓋造化有消有息,故云.)

건곤(乾坤)은 빈모(牝牡=암컷과 수컷)를 세우고, 金 木은 그 강유(剛柔)를 정한다. 주야(晝夜)는 서로 군신(君臣)이 되고, 靑과 赤이 때로는 부자(父子)가 된다. (乾坤立其牝牡,金木定其剛柔.晝夜互爲君臣,青赤時爲父子.)

해석. 소식(消息)은 조화의 큰 규모(規模)이다. 乾은 陽에 속하며 천도(天道) 군도(君道) 부도(夫道)가 되고, 坤은 陰에 속하며 지도(地道) 신도(臣道) 부도(婦道)가 된다. 乾은 動하는 體가 되어 열리는 것을 말하고, 坤은 靜하는 體가 되어 닫히는 것을 말한다. 乾坤은 陰陽을 세우고, 빈모(牝牡=암컷과 수컷)의 合인데, 양자(兩者)가 교통(交通)하여 五行의 변화가 그 중에 있는 것이다. 易은 첫머리에 乾坤인데, 이 뜻이 올바른 것이다. (解.此消息造化之大規模也.乾屬陽,爲天道,君道,

夫道.坤屬陰,爲地道,臣道,婦道.乾以動爲體,曰闢戶,坤以靜爲體,曰闔戶.乾坤立陰陽牝牡之合,兩者交通,斯五行變化在其中矣.易首乾坤,正此義也.)

仁은 柔이며 義은 剛으로 金 木의 성질을 주관하는 것이다. 一陰一陽은 강유(剛柔)로 서로 추리한다. 단지 剛하여도 柔함이 없으면 생변(生變)할 수 없고, 단지 柔하여도 剛함이 없으면 생화(生化)할 수 없다. 낮은 강(剛)하니 생변(生變)으로 나아가고, 밤은 유(柔)하니 생화(生化)로 물러난다. 강유(剛柔)가 머물러서 변화(變化)를 이루니 즉 晝夜가 進退를 이룬다. 낮은 陽으로 君의 象이 되고, 밤은 陰으로 臣의 象이 되니 晝夜의 道는 작은 소식(消息)이 있다. 그 드러난 영허(盈虛) 있으며, 그 구분한 유명(幽明=어둠과 밝음)이 있고, 그 數에는 生死가 있다. 하나가 크면 하나는 아니고, 하나가 감소하면 하나는 더해진다. 종시(終始)로 서로 인(因)하여 새로운 까닭에 서로를 대신하며 영욕(榮辱)에 이르는 것이니 복록(福祿)이 저절로 오는데, 본(本)이 모두 이것이 아닐 수 없다. (仁柔義剛,金木性之所司.一陰一陽,剛柔相推.獨剛而無柔,則不能生變.獨柔而無剛,則不能生化.晝爲剛,生變以進,夜爲柔,生化以退.積剛柔而成變化,則晝夜而成進退.晝爲陽以象君.夜爲陰以象臣.晝夜之道,其微有消息.其著有盈虛,其分有幽明,其數有生死.一泰一否,一損一益.終始之相因,新故之相代,榮辱之所至,福祿之自來,莫不本諸此也.)

五行의 神은 제(帝)라고 말하니, 동방(東方) 청제(靑帝)는 父이고, 남방(南方) 적제(赤帝)의 자(子=자식)를 生한다. 청적(靑赤)의 이치는 부전자도(父傳子道)이다. 말하면, 陰陽五行중에는 君臣과 父子가 있으며 夫婦의 道가 존재하도다. 造化의 대체적 요지가 인륜(人倫)에 通하는 그러한 것인가! (五行之神曰帝,東方靑帝之父,生南方赤帝之子.靑赤之理,父傳子道也.言陰陽五行之中,有君臣父子,夫婦之道存焉.是造化之大指,通乎人倫也歟.)

消息賦(소식부)-7

한 가지 길로 법도를 취하는 것은 불가(不可)하고, 하나의 이치로 추리하는 것은 불가(不可)하다. 겨울에 염열(炎熱)을 만나며 여름의 풀이 서리를 만날 때가 있고, 陰인 서(鼠=쥐)가 얼음에 머물며, 신귀(神龜)가 火에 잠자는 종류가 있다. (不可一途而取軌,不可一理而推之.時有冬逢炎熱,夏草遭霜,類有陰鼠棲冰,神龜宿火.)

해석. 이 말은, 陰陽五行의 道는 미묘(微妙)하여 通하기 어렵고, 깊숙이 숨어 헤아리기 어려우니 단지 한 가지 길로 법도를 취하며, 하나의 이치로 추리하는 것은 불가(不可)하다. 가령 겨울은 춥고 여름에 덥다면 이 이치가 항상 올바른 때인데, 만약 겨울에 염열(炎熱)을 만나고, 여름의 풀이 서리를 만나면 그 때가 아닌 것이다. 그 때가 아닌데 그 令을 行한다면 항상 이치에만 속박할 수 있겠는가? 서화(鼠火)와 구빙(龜冰)은 이 이치에 있어 마땅한 무리이고, 음서(陰鼠)가 얼음에 머물며 신구(神龜)가 火에 잠잔다면 그 종류가 아닌 것이다. (解.此言陰陽五行之道,微妙難通,隱奧

難測,不可只一途取軌,一理而推之.如冬寒夏熱,此理之常,時之正也.若冬逢炎熱,夏草遭霜,則非其時矣.非其時而行其令,是可以常理拘乎?鼠火龜冰,此理之有,類之宜也.陰鼠棲冰,神龜宿火,則非其類矣.)

그 무리가 아닌데 그곳에 머물면 한 가지 길로 論하는 것이 옳겠는가? 늘 하면 연구하기 쉽고, 늘 하지 않으면 궁구(窮究)하기 어려우니 조화(造化)를 어찌 쉽게 말하겠는가? 추자취율(鄒子吹律)에서 한곡회춘(寒谷回春)하고, 효부함원(孝婦含冤)에서 6월에 서리가 날리는데, 고금(古今)의 기원(紀元)으로 괴이한 재앙은 이렇게 종류가 매우 많으니 陰陽五行의 변화가 아니고는 말할 수가 없다. 화서(火鼠)의 털로 길쌈하여 베가 되고, 수잠(水蠶)의 기름이 올라 도마가 되는데, 이 시대에 알고 있는 것이다. (非其類而居其所,是可以一途論乎?常者易究,不常者難窮,造化豈易言哉?鄒子吹律,而寒谷回春,孝婦含冤,而六月飛霜,古今紀災異,此類甚多,不可謂非陰陽五行之變也.火鼠之毛,績而爲布,氷[水]蠶之脂,登而爲俎,此世之所知也.)

신이경에서 말하길, 北方은 얼음 층이 만리(萬里)나 있으며 백장(百丈)으로 두텁고, 서(鼠)가 만근(萬斤)으로 무거우며 털은 척(尺)이 넘을 정도로 길고, 중궁(中宮)의 창고에 존재하도다! 음서(陰鼠)가 빙(氷=추운 곳)에 서식하는 것이다. 이아(爾雅)에서 말하길, 一은 神龜를 말하고, 十은 火龜라고 말한다. (神異經曰,北方有層冰萬里,厚百丈,有鼠重萬斤,毛長尺餘,在中藏焉.是陰鼠之棲冰也.爾雅曰,一曰神龜,十曰火龜.)

곽박찬이 이르길, 天에서 신물(神物)을 生하고, 십붕(十朋)의 구(龜)인데, 혹 화(火)에서 노닌다. 이는 神龜의 宿火인 것이다. 서자평이 지적하길, 동지(冬至)에 一陽이 生하고, 하지(夏至)에 一陰이 生하니 겨울에 염열(炎熱)을 만나고, 여름의 풀이 서리를 만나게 된다. 癸의 祿은 子에 존재하니 人元이 되고, 丙은 癸가 官印이 되며, 戊의 祿은 巳에 존재하니 人元이 되고, 癸는 戊가 官印이 되며, 음서서빙(陰鼠棲冰), 신구숙화(神龜宿火)하여도 두렵지 아니한 것이 부(賦)의 의미(義味)이다. (郭璞讚云,天生神物,十朋之龜.或游於火.是神龜之宿火也.徐子平指冬至一陽生,夏至一陰生,爲冬逢炎熱,夏草遭霜.以癸祿在子,爲人元,丙以癸爲官印,戊祿在巳爲人元,癸以戊爲官印,爲陰鼠棲冰,神龜宿火,恐非賦義.)

1) 추자취율(鄒子吹律);전국시대 제나라 추연이 연나라 곡구에 있을 때, 땅이 비옥하면서도 기후가 썰렁하여 농사가 안 되는 것을 보고, 양률(陽律)을 불어넣어 곡식을 자라게 했다는 전설이다.

2) 한곡회춘(寒谷回春);추운 골짜기에 봄이 돌아오다.

3) 효부함원(孝婦含冤);효부가 원통함을 품다.

4) 이아(爾雅);중국에서 가장 오래 된 3권으로 된 자서(字書). 시경, 서경, 중(中)의 文字를 추려 19편으로 나누고, 字義를 전국(戰國), 진한대(秦漢代)의 용어(用語)로 해설 되어 있다.

陰陽은 헤아리기 힘드니 物의 뜻을 궁리하기 어렵다. 대저, 삼동(三冬)은 더위가 적고, 구하(九

夏)는 陽이 많다. 화복(禍福)은 마치 吉한 조짐과 비슷하니 술사(術士)들은 [十중에]그 八 九를 바란다. (是以陰陽罕測,志物難窮.大抵三冬暑少,九夏陽多.禍福有若禨祥,術士希其八九.)

해석. 상문(上文)의 말은, 동열하상(冬熱夏霜), 빙서화구(冰鼠火龜)는 陰陽의 상리(常理=당연한 이치)가 아니고, 물류(物類)가 서로 감응하는데, 그래서 헤아리고 궁리하기 어렵다고 말한다. 이와 반대로 상문(上文)을 破하고, 때를 말하면 겨울에 염열(炎熱)을 만나도 대체로 삼동(三冬)은 더위가 반드시 적고, 여름의 풀이 서리를 만나도 대체로 구하(九夏)는 陽이 반드시 많다. (解.上文言冬熱夏霜,冰鼠火龜,非陰陽常理,物類相感,故云罕測難窮.此反照破上文,言時有冬逢炎熱,大抵三冬暑必少也,夏草遭霜,大抵九夏陽必多矣.)

한서(寒暑)는 그 상리(常理)가 이미 있으니 陰陽으로 가히 그 오묘(奧妙)함을 엿보고, 화복(禍福)을 마땅히 추리해야하고, 吉한 조짐은 무리에 감응(感應)함으로써 나타난다. 술사(術士)는 三命五行을 전문(專門)으로 論하며, 行年 歲 運이 旺相 得位하는 運을 만나면 크고, 休 囚 失位하는 運으로 물러나면 [그렇지]아니하다. 다만 道는 그 상리(常理)에서 가히 八 九만 적중하여도 충분히 바라는 것이다. 人命은 行年 歲 運이 화복(禍福)에 응(應)하는데, 가령 吉한 조짐이 다르게 변하면 物의 뜻을 궁리하기 어려우니 능통(能通)한 술사(術士)라도 십분(十分)중에서 이 이치 역시 그 八 九를 바라기도 어렵다. 무릇 天地에 功이 전혀 없는데 하물며 사람을 따르겠는가? 다만 通할 뿐이다. (寒暑既有其常,陰陽可窺其奧,禍福當以理推,禨祥顯以類應.術士專門論三命五行,行年歲運,遇旺相得位之運則泰,退休囚失位之運則否.只道其常,可希冀八九中足矣.人命行年,歲運禍福之應,如禨祥之變異,志物之難窮,挾術之士,十分之中,此理亦難希其八九.蓋天地無全功,而況於人乎?亦通.)

消息賦(소식부)-8

만약 태어나서 休 敗한 地支를 만나면, 어린나이에 고독하며 빈궁하고, 늙어서 建旺한 곳을 만나며 年에 臨하면 막혀서 좌절한다. 만약 초년이 凶하고 말년이 吉하면 근원이 濁하여도 [運이] 淸하게 흐른다. 시작은 吉하나 끝이 凶하면 류근(類根)은 달콤하여도 후손이 괴롭다. (或若生逢休敗之地,早歲孤窮.老遇建旺之鄉,臨年偃蹇.若乃初凶後吉,以源濁而流清.始吉終凶,類根甘而裔苦.)

해석. 身이 비록 運을 따를지라도 반드시 運을 빌려서 身의 자본으로 하고, 세력은 모름지기 時에 미치니 또한 時를 빌려서 기세를 탄다. 태어나 젊은 나이면 運은 마땅히 旺한 곳을 만나야 한다. 만년(晩年=노년)에 기력이 쇠약하면 運은 마땅히 困[衰弱]한 地支를 만나야한다. 이것은 곧 마땅히 소식(消息)을 따르니 休 旺도 같다. 갓 태어나서는 쇠잔(衰殘)하고 늙어서는 흥륭(興隆)한 것은 원탁류청(源濁流淸)이라 일컫는 것이다. 어린나이에 建旺하며 늙어서는 외로운 것은 예고근감(裔苦根甘)이라 일컫는 것이다. (解.身雖逐運,必假運以資身,勢須及時,亦假時而乘勢.生逢壯歲,運

宜處於旺鄕.晩遇衰年,運恰宜於困地.是乃隨宜消息,休旺自如.初生歇滅,而晩歲興隆者,源濁流清之謂也.幼年建旺,而臨老伶仃者,裔苦根甘之謂也.)

만약에 運氣를 교량(較量)하여 근원(根源)을 궁구(窮究)하고, 먼저 근기(根基)의 후박(厚薄)을 살피고 아울러 분명하게 처음부터 끝까지 運을 정한다면 비록 백발백중하지는 않더라도, [十중에] 八 九를 바랄 수 있다. 대저, 人命에서 年을 세우면 존귀(尊貴)하고, 그 胎 月 日 時는 자본으로 다음이다. 따라서 말하길, 四柱의 君父를 만들어, 吉凶을 주재(主宰)하려면 그 年을 세운다. 運氣의 本을 밝히고 허실(虛實)의 터전을 추리하려면 그 月에서 취한다. 안위(安危)의 조짐을 관찰하고 고락(苦樂)의 근원을 살피려면 그 日에서 취한다. (若乃較量運氣,窮究根源,先察根基厚薄,兼明運限始終.雖未百發百中,亦可希其八九.大抵人命,立年爲尊.其胎月日時資以次之.故曰,作四柱之君父,爲吉凶之主宰,而立其年也.明運氣之本,推虛實之基,而取其月.觀安危之兆,察苦樂之原,而取其日.)

귀천(貴賤)의 근본을 정하고 生死의 기간을 결정하려면 그 時에서 취한다. 어린 시절의 음덕(蔭德)을 분별하고 아직 수립하기[태어나기] 前을 연구하려면 그 胎에서 취한다. 月은 초년(初年)을 주관(主管)하고, 日은 중년(中年)을 主管하며, 時는 말년(末年)을 주관(主管)하고, 年은 곧 모두를 총괄하여 다스린다. 꼭 필요한 것은 처음부터 끝가지 구제하여 전후(前後)가 상응(相應)하면 富貴가 雙全하여 財祿이 모두 나타난다. 처음 吉하지 않으면 결국 凶하고, 처음 凶하면 결국 吉도 다른 것이다. 그러나 쉽게 얻지 못하고, 혹 中 末年만 흥륭(興隆)할 뿐이고, 또한 성실(成實)한 命은 될 수 있다. (定貴賤之本,決生死之期,而取其時.辨幼蔭之始,究未立之前,而取其胎.月管初主,日管中主,時管末主,年則總統之.須要終始兼濟,前後相應,則富貴兩全,財祿雙顯.無初吉終凶,始凶終吉之異矣.然而不易得也.或只中末興隆,亦可爲成實之命.)

싹의 조짐을 관찰하여 그 근원을 살피고, 근(根)이 묘(苗)보다 먼저 있으며 실(實)은 화(花)의 뒤를 따른다. (觀乎萌兆,察以其原,根在苗先,實從花後.)

해석. 談命의 說은, 胎가 根이 되고, 月이 苗가 되며, 日은 花가 되고, 時가 實이 된다. 根을 궁리하면 묘(苗)를 알고, 화(花)를 본 연후에 실(實)을 아는데, 이것으로 성인(聖人)은 먼저 조짐을 관찰하여 아직 싹트지 않는 것을 보고 그 근원을 살펴서 그 후손을 알 수 있는 것이다. 서[자평]이 말하길, 運의 吉凶을 알고자하면 根元의 승부(勝負)를 살핀다. 根元이 貴한데, 運에 貴가 임하면 반드시 貴하다. 根元에 財가 있는데 財運에 임하면 發財한다. 根元에 재앙이 있는데 運이 災에 임하면 재앙이 발생한다. 이 설(說)도 역시 통용(通用)된다. (解.談命之說,以胎爲根,以月爲苗,以日爲花,以時爲實.窮根可以知苗,見花然後知實,是以聖人觀乎先兆,見乎未萌,即察其根源,則知其苗裔也.徐曰,欲知運內吉凶,先看根元勝負.根元有貴,則運臨貴而必貴.根元有財,則運臨財而發財.根元有災,則運臨災而生災.其說亦通.)

消息賦(소식부)-9

胎生 원명(元命)에서, 삼수(三獸)로 그 문종(門宗)을 정한다. 율려(律呂) 궁상(宮商)에서 오호(五虎)로 그 성패(成敗)를 論한다. (胎生元命,三獸定其門宗.律呂宮商,五虎論其成敗.)

해석. 금수(禽獸)는 36位로 나누고, 支는 12辰으로 나열한 다음에 펼치고 一辰은 삼수(三獸)이다. 子人은 쥐 박쥐 꾀꼬리이고, 丑人은 소 게 악어이며, 寅人은 범 살쾡이 표범이고, 卯人은 토끼 여우 너구리이며, 辰人은 용 교룡 물고기이고, 巳人은 뱀 드렁허리 지렁이이며, 午人은 말 사슴 고라니이고, 未人은 양 매 기러기이며, 申人은 원숭이(후 원 노)이고, 酉人은 닭 까마귀 꿩이며, 戌人은 개 이리 승냥이이고, 亥人은 암돼지 돼지 멧돼지이다. (解.禽分三十六位,支列一十二辰.次而布之,一辰三獸.子人,鼠蝠鶯,丑人,牛蟹鼉,寅人,虎狸豹,卯人,兔狐貉,辰人,龍蛟魚,巳人,蛇鱔蚓,午人,馬鹿麋,未人,羊鷹雁,申人,猴猿猱,酉人,雞烏雉,戌人,狗狼豺,亥人,豬豕貐.)

응신자가 이르길, 象神하면 하늘에 기록되어 있어 크게 부귀하고, 不象神하면 하늘에 기록되어 있지 않다고 하는데, 모두 형신성기(形神性氣)로 단정한다. 胎生 元命은 단지 甲子생인 癸酉생월이면 胎는 甲子를 만나니 원명과 같은 것이다. 또 乙丑 金人이 己卯월에 居하면 胎는 庚午[노중土]를 만나니 土가 金을 生한다. 두 說이 모두 자세하고, 그 뜻이 차이나지 않는다. 혹 말하길, 年으로 月을 취하고, 月에서 胎를 취하여 세 곳을 받아들여 살펴보는데, 삼수(三獸)라고 일컫는다. 탄담상형(呑啖傷形)의 유무(有無)로 종문(宗門)의 출처(出處)를 정할 수 있다. (凝神子云,象神者,即天錄,主大富貴.不象神者,天云不錄.具以形神性氣斷之.胎生元命,只如甲子生人,生月癸酉,胎逢甲子,元命是同.又如乙丑金人,月居己卯,胎逢庚午,以土生金.二說並詳,其意不遠.或曰,以年取月,以月取胎,看三處承屬,謂之三獸.有無呑啖傷形,則可以定宗門之出處.)

陽의 여섯은 율(律)이 되고, 陰의 여섯은 呂가 되는데, 五音은 율려(律呂)에서 총괄한다. 율려의 상합(相合)은 支를 나누어 干을 정하고, 五行은 五音을 合하기 때문에, 甲 己는 宮인 土로 丙寅에서 둔기(遁起;일으켜 달려나아 간다.)하고, 乙 庚은 商인 金으로 戊寅에서 둔기하며, 丙 辛은 羽인 水로 庚寅에서 둔기하고, 丁 壬은 角인 木으로 壬寅에서 둔기하며, 壬 癸는 徵인 火로 甲寅에서 둔기(遁起)한다. 五音은 모두 寅으로부터 일으키고, 寅은 열 두 달(月)의 맨 처음이고, 二六時의 으뜸이다. 사람의 成敗와 吉凶은 이것으로부터 시작한다. (陽六爲律 , 陰六爲呂,五音總於律呂.律呂相合,分支定干,五行合爲五音,是故甲己宮土,遁起丙寅,乙庚商金,遁起戊寅,丙辛羽水,遁起庚寅,丁壬角木,遁起壬寅,壬癸徵火,遁起甲寅.五音皆自寅起,寅爲十二月之初,二六時之首也.人之成敗吉凶,由此而始.)

合이 없어도 合이 있는 것은 후학(後學)들이 알기 어렵다. 하나를 얻어 셋으로 나누는 것을 선현(先賢)들이 기재하지 않았다. (無合有合,後學難知.得一分三,前賢不載.)

해석. 道는 兩에서 세워져 三에서 이루고, 五에서 變하여 天地의 數는 그 十을 갖추니 짝을 할 뿐이다. 合이 없어도 合이 있는 것은, 가령, 甲과 己의 合하는데, 柱에서 己를 만나지 않고 午를 얻으면 午중에 있는 己祿을 따른다. 寅과 亥가 合하는데, 柱중에 亥를 보지 않고 壬을 얻으면 亥상에 있는 壬祿을 따른다. 또 가령, 寅 午 戌이 合하는데, 柱중에 寅을 만나지 않고 甲을 얻으면 寅중에 있는 甲祿을 따른다. 득일분삼(得一分三)은 가령, 甲이 己를 얻음이 첫 번째 合이고, 午를 얻음이 두 번째 合이고, 亥를 얻음이 세 번째 合이 되니, 이것이 하나의 祿을 얻어 셋의 祿으로 나눈다. 앞에서와 같이, 드러나도 보이지 않는 形과 뽑아도 뽑히지 않는 緖는 이치적으로 서로 꿰뚫는다. (解.道立於兩,成於三,變於五,而天地之數具其十也,耦之而已.無合有合,如甲與己合,柱不見己而得午,緣午中有己祿.寅與亥合,柱不見亥而得壬,緣亥上有壬祿.又如寅午戌合,柱不見寅而得甲,緣寅中有甲祿.得一分三,如甲得己爲一合,得午爲二合,得亥爲三合,此乃得一祿而分三祿.與前見不見之形,抽不抽之緖,理相貫穿.)

이허중이 干支의 合은 前格에서 論했는데, 年 月 日 時 胎의 오위(五位)는 干支가 완전하게 合할 수 있으니, 子에는 丑이 존재한다는 말이고, 寅에는 亥가 존재한다는 말이며, 甲에는 己가 존재한다는 말이며, 乙에는 庚이 존재한다는 말이다. 祿干의 五位는 가령, 甲 乙 丙 丁 戊가 있으면 자연히 己 庚 辛 壬 癸를 合으로 일으킨다. 十二支는 가령 寅 卯 辰 巳 午가 있으면 자연히 未 申 酉 戌 亥를 合으로 일으키는데, 혹 子 丑位에서 祿馬가 더해져 있으니 즉 十干 十二支는 모두 合이 완전한 것이다. (李虛中論支干合前格,年月日時胎,五位能合干支全,言子則丑在,言寅則亥在,言甲則己在,言乙則庚在.祿干五位,如帶甲乙丙丁戊,自然合起己庚辛壬癸.十二支,如帶寅卯辰巳午,自然合起未申酉戌亥,或於子丑位,有祿馬加之,則十干十二支,皆合全矣.)

서[자평]이 말하길, 無合有合은 곧 刑合, 丑, 子遙巳등의 格에서 하나를 얻으면 이미 寅刑巳, 丑破巳가 있는 것으로 보고, 丙 戌가 刑 破를 당하여 나타나니 즉 셋으로 나누어 行하는데, 이것이 三合으로 巳 酉 丑이다. 고가(古歌)에서 이르길, 범이 태어나 달리면 뱀 돼지 원숭이가 달아나고, 양이 돼지나 뱀을 공격하면 자연히 영화롭다. 이 해석 또한 통용(通用)된다. (徐曰,無合有合即刑合,丑子遙巳等格,得一者,既見有寅刑巳,丑破巳,而丙戌被刑破而出,則便分三而行,是三合巳酉丑也.古歌云,虎生奔巳豬猴走,羊擊豬蛇自然榮.此解亦通.)

消息賦(소식부)-10

年에서 비록 관대를 만날지라도 오히려 별도로 재앙이 있다. 運이 처음 衰한 곳에 이르면 오히려 적은 福을 나누어 얻는다. (年雖逢於冠帶,尚有餘災.運初至於衰鄉,猶披尠福.)

해석. 年은 태세이고, 運은 대운이다. 年에서 비록 관대를 만날지라도 오히려 暴敗한 별도의 재앙을 나누어 받는다. 運이 비록 衰한 곳에 이를지라도 오히려 旺한 官이 있으면 福이 드물다.

行運은 前後로 五年의 설(說)이 있는데, 두 구절은 서로 문장이 같은 의미이다. (解.年,太歲也.運,大運也.年雖逢於冠帶,猶披暴敗之餘災.運雖至於衰鄕,猶帶旺官之勘福.此行運所以有前後五年之說,二句互文見義.)

무릇 天元이 매우 약하면 宮이 吉하여도 영화롭지 못하고, 中下가 흥륭(興隆)하면 괘(卦)가 凶해도 그 허물이 되지 않는다. (大凡天元羸弱,宮吉不及以爲榮,中下興隆,卦凶不能成其咎.)

해석. 천원은 十干이고, 干이 生旺하면 영화롭게 된다. 만약 衰 病 死 墓 絶하면 천원이 매우 약하여, 비록 임한 宮의 분수는 吉하지만, 財官 장성(將星) 天乙[貴人]의 무리를 얻더라도 역시 영화롭게 되지는 않는다. 中은 地支이고, 下는 納音인데, 中下가 함께 五行의 흥왕(興旺)한 地支에 임하면, 비록 八卦에 정해진 분수가 凶하더라도 재앙에 이르지 않는다. 서[자평]이 말하길, 무릇 命의 天元이 財官의 地支에 임하여도 生의 때를 얻지 못하여 本氣가 매우 약하며 上下의 五行이 休 旺하고 또 서로 돕지 않는다면 비록 官이 祿馬의 吉[神]을 만나더라도, 역시 영화롭게 되지는 않는다. (解.天元,十干也.干以生旺爲榮,若衰病死墓絶,則天元羸弱,雖所臨宮分之吉.如得財官將星天乙之類,亦不及以爲榮.中,地支也.下,納音也.中下俱臨五行興旺之地,雖八卦定分爲凶,亦不能致災.徐曰,凡命天元臨財官之地,而生不得時,本氣羸弱,上下五行休旺又不相輔,雖宮遇祿馬之吉,亦不及以爲榮.)

가령 庚 辛이 春월에 生하여 다른 자리에서 火가 金을 剋하는 것이 있으면, 金은 寅 卯 甲 乙을 보면 財가 되지만, 木중에 왕한 火가 金을 害치니 金이 또 그 令을 얻지 못하는데, 비록 宮에 財의 吉[神]에 해당하더라도 도리어 凶禍를 일으키는 例인 것이다. 中은 人元이고, 下는 支元이다. 가령 丁은 壬이 官印이 되고, 中下의 祿馬가 建旺하면 경사스러운데, 비록 火가 絶地에 임하더라도 오히려 中下의 貴를 탄다. 성감에서 말하길, 祿은 비록 絶하더라도 貴를 세운다. 도주에서 말하길, 祿이 絶하고 財가 亡해도 흉조(凶兆)가 되지는 않는 것이다. 一吉 三生이 구궁(九宮)에 속하고, 오귀(五鬼) 절명(絶命)은 팔괘(八卦)에 속한다. 또한 통용된다. (如庚辛生於春月,別位有火剋金,金見寅卯甲乙爲財,緣木中旺火害金,而金又不得其令,雖宮屬財吉,而反發凶禍之例是也.中者人元.下者支元.如丁以壬爲官印,中下祿馬,建旺成慶,雖火臨絶地,卻乘中下之貴.成鑒曰,祿雖絶而建貴.陶朱云,絶祿亡財,不爲凶兆是也.或以一吉三生屬九宮,五鬼絶命屬八卦.亦通.)

만약 존(尊)이 吉하고 비(卑)가 吉하면, 구원하여도 효과가 없다. 존(尊)이 吉하고 비(卑)가 凶하면 재앙을 만나도 저절로 치유된다. 祿은 삼회(三會)가 있으며, 재앙에는 오기(五期)가 있다. (若遇尊凶卑吉,救療無功.尊吉卑凶,逢災自愈.祿有三會,災有五期.)

해석. 年을 세우면 존(尊)이 되고, 胎 月 日 時의 자본은 그 다음이다. 大運은 尊이 되고, 太歲와 小運의 자본은 그 다음이다. 만약 本命과 대운이 만나며 건왕한 곳에 德合하면 그 歲 運 日 時의 凶함은 허물이 될 수 없다. 大運과 本命이 死 囚한 地支에서 다투면 그 歲 運 日 時의 吉

함은 구원이 부족하다. 따라서 이러하다고 말한다. 祿이 삼회(三會)에 있는데 장생 제왕 庫로서 吉한 地支가 된다. 災(재앙)에 오기(五期)가 있는데 衰 病 死 敗 絕로서 凶한 地支가 된다. 대개 祿은 災와 대조적인 말인데, 祿은 干祿의 祿이 아니니 마땅히 활력(活力) 있게 살펴봐야한다. 요즘 학자들은 다만 三合만 들추어내어, 金은 巳酉丑을 만나고, 木은 亥卯未에 居하며, 火는 寅午戌을 얻고, 水는 申子辰을 만나는 이것으로 祿은 三會가 있다고 하는데, 아닌 것이다. (解.立年爲尊,其胎月日時,資以次之.大運爲尊,其太歲小運,資以次之.若遇本命與大運,德合於建旺之鄉,其歲運日時,凶而不能爲咎.大運與本命,爭戰於死囚之地,其歲運日時,吉而未足爲救.故曰云云.祿有三會者,長生帝旺庫也,其爲至吉之地.災有五期者,衰病死敗絕,其爲至凶之地.蓋祿對災言,非干祿之祿,當以活看.今之學者,但舉三合,而以金逢巳酉丑,木居亥卯未,火得寅午戌,水遇申子辰,便是祿有三會,非也.)

서[자평]의 말은, 八字중에 안팎으로 三元이 가장 힘을 얻는 것이 있으면 尊이 되니 곧 용신이다. 용신은 손상이 不可하고, 만약 손상되면 비록 다른 자리가 吉하더라도 구원할 수 없다. 만약 年 月 日 時가 안팎으로 三元이면 비록 剋이나 다툼이 있을지라도 단지 尊을 손상하지 못하니 재앙을 만나도 저절로 치유된다. 또 절대로 소식(消息)으로 손상하는 神이 主에게 어떤 吉凶이 命을 害하면 身의 재앙이고, 妻를 害하면 妻의 재앙이고, 官을 害하면 관직을 잃는다. 이 說은 이치적으로 맞으나, 다만 존비(尊卑)의 글자는 통용(通用)하기에 부족하다. (徐言,以八字中,內外三元,有最得力,爲尊,即用神也.用神不可損傷,若有損傷,則雖別位之吉,不能救.若年月日時內外三元,雖有剋戰,但不損於尊者,即逢災自愈也.更切消息所損之神,主何吉凶,害命則身災,害妻則妻災,害官則官失.其說有理,但尊卑字欠通.)

消息賦(소식부)-11

凶이 많고 吉이 적은 것은 대과(大過)卦의 초효(初爻)와 비슷하다. 福이 얕고 禍가 깊은 것은 동인(同人)괘의 九 五[대인]에 비유된다. (凶多吉少,類大過之初爻.福淺禍深,喻同人之九五.)

해석. 凶이 많고 吉이 적은 命은 休 囚하여 무기(無氣)하므로 나아가 用(사용)하는데 마땅하지 않다. 대과괘의 初爻와 유사한데, 효사(爻辭)에서 말하길, 初 六은 자리를 깔고 흰 띠를 사용하니 허물이 없다. 六은 음유(陰柔)하여 뛰어난 재주가 없고, 初[爻]는 아래에 있으니 아직 재능이 있을 때가 아니고, 세상을 피하고 자리를 벗어나는 것이 옳으므로 사람이 삼가해야하는 道로서 경계한 것이다. 부자(夫子=공자)께서 말씀하시길, "이 [方]術을 신중(愼重)하고 가면 잃는 것이 없을 것이다." 하였다. 이 뜻이 올바르다. (解.凶多吉少之命,以其休囚無氣,故不宜於進用.有類大過初爻,其爻辭曰,初六,藉用白茅,無咎.六陰柔,無過人之才,初在下,非有爲之時,可以遯世而避位,戒人以慎之道也.夫子曰,慎斯術也以往,其無所失矣.正此意也.)

福이 얕고 禍가 심한 命은 五行이 相剋하고 無氣하며, 또한 모망(謀望)하여 나아가 쓰이기에 마땅하지 아니하니, 비유하면, 同人괘의 九 五효사(爻辭)에서 이르길, 同人이 먼저는 울부짖고 나중에는 웃으니 대사(大師=군사)로 극복하여야 서로 만날 수 있다. 象에서 말하길, 同人에서 먼저는 中直한 것이다. 道를 바르게 行하기 어려우니 사람에게 경계하여 스스로 극복하라는 뜻이다. (福淺禍深之命,以其五行相剋而無氣,亦非謀望進用之宜,喩如同人卦中九五爻辭云,同人先號咷而後笑,大師克相遇.象曰,同人之先,以中直也.可見直道難行,戒人以自克之意也.)

기쁜 것을 알아도 기쁘지 않는 것은 六甲의 영휴(盈虧=盈虛消息)가 있음이다. 근심이 마땅한데도 근심이 아닌 것은 五行의 구조(救助)를 의지하기 때문이다. (聞喜不喜,是六甲之虧盈.當憂不憂,賴五行之救助.)

해석. 문희(聞喜)는, 영(盈)이라는 말인데, 盈은 익(益)이다. 불희(不喜)는 휴(虧)라는 말인데, 虧는 손해이다. 손익(損益)의 道는 六甲으로 추리하는데 혹 공망으로 天地가 허탈(虛脫)한 진(辰=神)이 된다. 六陽의 命은 陽宮을 두려워하며, 六陰의 命은 陰位를 두려워하고, 歲 運 行年이 祿馬 貴人을 만나도 공망이 되고, 五行의 영휴(盈虧)로 서로 制[剋]하면 기쁜 것을 알아도 기쁘지 않는 것이다. (解.聞喜,以盈爲言.盈者,益也.不喜,以虧爲言.虧者損也.損益之道,由六甲而推之,或以空亡爲天地虛脫之辰.六陽命畏於陽宮,六陰命畏於陰位,歲運行年,遇祿馬貴人,而在空亡,五行之虧盈相制,是聞喜不喜也.)

근심이 마땅한데도 근심이 아닌 것은 五行이 休 廢한 곳에서 生을 만난 것인데, 木이 甲申[천중水] 癸巳[장류水]를 얻은 例이다. 가령 戊申[대역土]인이 丁酉[산하火]를 얻으면 폭패 파쇄 自刑한다. 丁酉는 火가 死하며 巳는 化하여 土가 되니 자전모도(子傳母道)이고, 甲寅[大溪水]은 運이 申상에 이르면 衝 刑 반음으로 祿馬가 모두 絶하니 旺金이 制하게 되어 둔(遁)한 壬申을 보면 干을 구하는 것이다. (當憂不憂,是五行休廢之處,逢生,如木得甲申癸巳之例.假如戊申人,得丁酉,暴敗破碎自刑.丁酉死火,巳化爲土,子傳母道,甲寅人,運至申上,衝刑反吟,祿馬俱絕,爲旺金所制,遁見壬申,是干救.)

신술에서 이르길, 절처(絶處)에서 父母를 만나면 재앙이 변하여 福이 되는 것이다. 나의 견해로는 六甲 五行의 그 설(說)이 원활(圓滑)하고, 혹 元命의 八字는 휴(虧)가 있으며 영(盈)도 있고, 구(救)가 있으며 조(助)도 있는데, 혹 行運 流年에도 휴(虧)가 있으며 영(盈)도 있고, 구(救)가 있으며 조(助)도 있지만 집착(執著)하여 정해서는 안 된다. 휴(虧)영(盈)은 혹 吉하고 혹 凶한 것을 일컫고, 구(救)조(助)는, 凶을 制하고 吉을 돕는 것을 일컫는다. (神術云,絕處逢父母,變災爲福是也.余見六甲五行,其說圓活,或元命八字,有虧有盈,有救有助,或行運流年,有虧有盈,有救有助,不可執定.虧盈者,或吉或凶之謂也,救助者,制凶扶吉之謂也.)

消息賦(소식부)-12

팔고가 五墓에 임하면 戌 未는 東[方]으로 行하고, 육허(六虛)가 공망에 자리하면 乾[方]으로부터 南[方]의 首[巳]로 行한다. (八孤臨於五墓,戌未東行.六虛下於空亡,自乾南首.)

해석. 甲子순 중에는 戌 亥가 공망이고, 대칭인 衝은 육허(六虛)로 곧 辰 巳이다. 戌 亥는 乾[方]金에 위치하며 西[方]의 끝인 北[方]의 모퉁이에 있고, 비스듬히 이어진 甲戌 甲申은 乾[方]으로부터 南[方]의 首[巳]로 가야한다. 따라서 寅 申 巳 亥는 사고(四孤)의 地支이고, 辰 戌 丑 未는 오묘(五墓)의 鄕이므로 戌 未는 東[方]으로 나아가니 순공망은 역전(逆轉)한다. 이룬 팔고(八孤)에서 辰 戌 丑 未를 제(除)하면 곧 五行의 墓이고, 그 나머지 八音은 고허(孤虛)의 진(辰=神)으로 孤는 墓에 임한다. (解.甲子旬中,戌亥爲空亡,對衝爲六虛,乃辰巳也.戌亥是乾金之位,在西極之北隅,迤邐甲戌甲申,自乾南首,故寅申巳亥,四孤之地,辰戌丑未,五墓之鄕,向戌未而東行,順空亡而逆轉.成以八孤者,除辰戌丑未,乃五行之墓,其餘八音,孤虛之辰,孤臨於墓.)

가령 申 酉인이면 고진은 亥이고 과숙은 未가 된다. 五行의 墓는 四氣중에서 기생(寄生)하고, 그 氣는 모두 월건(月建)을 따르는데, 東[方]으로 行하는 戌과 未는 火 木의 墓이고, 木은 亥에서 生하며 火는 寅을 좇아 일으키니 火木의 氣는 모두 처음인 寅에서 東[方]으로 나아가고 戌 未의 墓에서 모여 암장(暗藏)한다. (如申酉人,孤辰在亥,而寡宿居未.五行之墓,寄於四氣之中,其氣皆隨月建而來,行東之戌與未,乃火木之墓,木自亥生,火從寅起,火木之氣,皆自寅首之東行,而鍾藏於戌未之墓.)

가령 乙丑생인이면 亥는 六陰의 正공망이 되며 亥가 巳를 衝 하니 六虛가 되고, 亥는 乾[方]天이며 巳는 巽[方]地이고, 巳는 남방의 처음 神이 된다. 그래서 말하길, 六虛가 공망에 자리하고, 孤는 이미 동쪽으로 나아가고, 虛는 서쪽으로 회전(回轉)하니 양자(兩者)가 서로 대칭인 것이다. 十二地 神煞의 이름을 총론(總論)하였는데, 순역(順逆)과 순환(循環) 고허(孤虛) 공망 오묘(五墓)는 人命에서 가장 중요한 것이로다! (如乙丑生人,以亥爲六陰正空亡,亥衝巳爲六虛,亥爲乾天,巳爲巽地.巳乃南方之首神,故云,六虛下於空亡.孤既東行,虛則西迴,二者嘗相對.此總論十二支中神煞之名,順逆循環,孤虛空亡五墓,爲人命之最要者歟.)

天元의 一氣는 후백(侯伯)의 영전(榮轉)을 정하고, 地支는 人元으로 運이 상(商)의 무리라면 득실(得失)이 있다. (天元一氣,定侯伯之遷榮.支作人元,運商徒而得失.)

해석. 干이 祿이 되므로 天元은 청수(淸秀)하고 길장(吉將)이 가임(加臨)하여 사람이 이를 얻으면 貴하다. 支는 命이 되므로 支元은 순수(純粹)하고, 四柱와 和合하는 것을 사람이 얻으면 富하다. 天地를 나누어 干支로 구분한다. 天元의 一氣는 하나의 형상이 아닌데, 오늘날 담명(談命)자들이 가리키는 것처럼, 天을 象이라하니 따라서 말하길, 一氣가 天祿을 담당하는 것이니 모름지기 祿은 天德 官 印 貴 食이 있고, 四柱중에 五行이 겸하여 生旺한 氣를 얻으면 貴하게 된다. (解.以干爲祿,故天元淸秀,吉將加臨,人得之而貴也.以支爲命,故支元純粹,四柱比和,人得之而富也.此

天地之分,干支之別也.天元一氣,不是一樣,如今談命者所指,以其象天,故云一氣.天祿之所司也.須祿帶天德官印貴食,五行四柱中,兼得生旺氣者至貴.)

장사꾼의 무리는 人元을 상세히 살펴서 재물의 득실(得失)을 정하니, 반드시 유기(有氣) 무기(無氣)를 살펴야하고, 마땅히 진신과 퇴신을 연구해야한다. 따라서 하문(下文)에서 이르길, 財와 命은 有氣해야하고, 財가 絶하고 命이 衰하면 運을 대조하여 정한다는 말인데, 定해지면 결정한다. 運은 끊임없이 변하니 각각 옳게 취하는 것이 있어야한다. (商賈之徒,詳以人元.定則物之得失,須觀有氣無氣,當究進神退神,故下文云,財命有氣.財絕命衰.運對定而言,定則決定,運則流轉,義各有所取也.)

消息賦(소식부)-13

다만 財命이 有氣하게 보이면 배록(背祿)을 만나도 가난하지 않는데, 만약 財가 絶하고 命이 衰하면 설령 建祿일지라도 富하지 않다. (但看財命有氣,逢背祿而不貧.若也財絕命衰,縱建祿而不富.)

해석. 人生에서 財命이 主가 되고, 五行으로 剋하는 곳을 財라고 말한다. 有氣는 財와 命이 모두 五行의 生旺한 地支를 기우(寄寓)하거나 얻은 것을 말하는데, 비록 四柱에서 背祿하며 설사 官이 없을지라도 빈천(貧賤)하지 않는다. 만약 命과 財가 함께 無氣하면 비록 월건(月建)에서 祿을 얻더라도 富貴할 수 없다. 가령 庚寅[송백]木이 丙戌[옥상]土를 剋하니 財가 되는데, 土旺한 戌이 있으니 身命의 二木이 東南에 이르면 戌이 비록 申의 庚祿을 등지더라도 그 財命이 有氣하므로 가난하지 않다. (解.人生以財命爲主,五行所剋者謂之財.有氣,謂財與命皆得寓於五行生旺之地,雖四柱背祿,使之無官,亦不至貧賤.若命與財俱無氣,雖得月建坐祿,使有小官,亦不能致富貴.假如庚寅木剋丙戌土爲財,土旺在戌,身命二木,至東南,戌雖背申之庚祿,以其財命有氣,故不貧.)

또 가령, 甲辰[覆燈火]생인이 丙寅[노중]火를 얻으면 金은 財가 되며 [金이] 絶하는 寅이 있고, 辰土는 寅에 이르러 命의 鬼가 되고 겸하여 공망이면 財가 絶하고 命이 衰하니 비록 月建에 祿이 坐할지라도 財와 命이 無氣하므로 富하지 않다. 앞에서 말한 干인 祿의 향배(向背)로 빈부(貧富)를 정한다. 대개 財命의 양궁(兩宮)은 각각 旺地가 마땅하다고 지적하였는데, 八字뿐만 아니라 行運 모두 그러하다. 서[자평]의 說은, 財命이 有氣함은 甲 乙이 巳 午등의 月을 만난 것과 같고, 建祿으로 富하지 않음은 甲 乙생이 寅 卯등의 月과 같으니 마땅히 모두 자세히 알아야한다. (又如甲辰生人,得丙寅火,以金爲財,絕在寅,辰土至寅爲命鬼,兼通空亡,財絕命衰,雖月建坐祿,以財命無氣,故不富.前云以干爲祿,向背定其貧富,蓋指財命兩宮各宜旺地.不但八字,行運皆然.徐說,以財命有氣,如甲乙見巳午等月,建祿不富,如甲乙生寅卯等月.當並詳之.)

만약 身은 旺하고 鬼가 絶하면, 비록 破한 命일지라도 장수(長壽)하지만, 鬼가 旺하고 身이 衰하면 建[祿]인 命을 만나더라도 夭折한다. (若乃身旺鬼絶,雖破命而長年.鬼旺身衰,逢建命而夭壽.)

해석. 破한 命이 長壽함은 그 本命에서 旺한 官이 絶한 鬼를 만나는 것이다. 가령 火가 巳宮에 있으며 水를 지니고, 木이 寅地에 居하며 金을 만나고, 土가 申을 向하며 木을 만나고, 金이 亥중으로 돌아오며 火를 만난 것이다. 建[祿]인 命을 만나도 夭折함은 그 本命에서 衰鄕이 旺한 鬼를 만나는 것이다. 土가 寅중에서 木을 만나고, 火가 亥地에서 水를 만나고, 金이 巳鄕에서 火를 얻고, 火가 申위에서 金을 만나는 것인데, 모두 納音으로 그것을 取한 것이다. 五行의 이치는 制[剋]를 받으면 요절하고, 物을 制하면 長壽한다. (解.破命長年,以其本命,旺宮逢絶鬼者是也.如火在巳宮值水,木居寅地逢金,土向申鄕遇木,金歸亥中逢火.逢建命而夭壽,以其本命,衰鄕逢旺鬼是也.以土到寅中見木,火歸亥地逢水,金在巳鄕得火,火居申位逢金,俱以納音取之.五行之理,受制則夭,制物則壽.)

예전에 이르길, "建命은 長壽하고, 破命은 夭折한다."하였다. 그런데, 죽륜경에서 이르길, "建命이 반드시 長壽하는 것은 아니고, 破命이 반드시 요절하는 것은 아니다."하였다. 天元으로 貴를 論하고, 人元으로 富를 論하고, 財와 命으로 貧富를 論하고, 身과 鬼로 수요(壽夭)를 論하는데, 각각 그 중요한 것을 지적한 말이다. (舊云,建命主壽長,破命主夭殤.故竹輪經云,建命未必延長,破命未必夭壽.此珞琭子所以消息也.天元論貴,人元論富,財命論貧富,身鬼論壽夭,各指其重者言之也.)

消息賦(소식부)-14

배록축마(背祿逐馬)는 궁핍하며 처량하고, 록마동향(祿馬同鄕)은 삼태(三台=삼공)가 안 되면 팔좌(八座=육조)에 오른다. (背祿逐馬,守窮途而悽惶.祿馬同鄕,不三台而八座.)

해석. 록(祿)은, 작록(爵祿)을 말하고, 마(馬)는 차마(車馬)를 일컫는다. 人命에서 祿馬가 중요하므로 먼저 말하는데, 祿馬는 모두 富貴할 수 있다. 만약 背祿하여 제거되고 逐馬하여 흩어져서 둘[祿 馬]을 모두 잃으면 궁핍하며 처량하다. (解.祿者,爵祿之謂也.馬者,車馬之謂也.人命重祿馬,故先言之,祿馬皆可以致富貴.若祿背之而去,馬逐之而散,二者俱失,所以守窮途而悽惶.)

배(背)는, 陰陽이 서로 배반하는 것과 같으니 소위 向이 아니다. 축(逐)은, 달아나 흩어지는 축(逐)과 같으니 소위 추(追)는 아니다. 가령 癸亥인이 정월 甲寅을 얻으면 癸의 祿이 子에 있고, 寅은 [子]를 등지고, 祿馬는 巳에 있으며 寅이 [巳]를 刑한다. 앞에서는 刑하며 그 馬를 쫓아 제거하고, 뒤에서는 등지기에 祿에 미칠 수 없고, 馬는 전면(前面)에 있으며 祿은 배후(背後)에 있어 馬는 앞을 向해 달리고, 祿은 또 오지 않으니 祿을 향후(向後)에 기다리고, 馬는 또 점점 멀어지는데, 이것이 바로 막는 祿과 난간(欄干)인 馬와는 동향(同鄕)에 상반(相反)된다. (背,如陰陽

之相背,非所謂向也.逐,如逐散之逐.非所謂追也.如癸亥人得正月甲寅,癸祿在子,寅以背之.祿馬在巳,寅以刑之.前因刑而逐去其馬,後因背而不能及祿,馬在面前,祿在背後,向前趁馬,祿又不來,向後待祿,馬又漸遠,此正與捍祿欄馬相反同鄕.)

日干의 遁祿과 時干의 遁馬를 사용하여 五子의 처음에서 구하는 것을 가히 알 수 있다. 가령 庚午인이 壬辰일 丁未시라면, 丁壬은 庚子로써 遁하여 戊申에 이르니 庚祿이 午馬이기 때문에 申상에 함께 있으니 本과 命에서 서로 얻어 더욱 아름답다. (用日干遁祿,時干遁馬,五子元求之則可知.假令庚午人,得壬辰日,丁未時,便以丁壬庚子,遁至戊申,緣庚祿午馬,同在申上,與本命相得尤佳.)

又如甲申人,丁丑月,己亥日,丙寅時,命生時於帝座上,會同祿馬,兼甲申己亥丙寅,皆稟五行清旺生氣,故應晚年有非常之遇,所以位至三公,壽踰七十.

예) 명조
丙 己 丁 甲
寅 亥 丑 申
命의 生時인 제좌(帝座)상에서 祿馬가 함께 모이고 겸하여 甲申[천중水] 己亥[평지木] 丙寅[노중火]으로 모두 清하고 旺한 生氣를 받으므로 만년(晚年)에 특별함이 있어 지위(地位)가 삼공(三公)에 올랐고, 수명(壽命)은 칠십(七十)을 넘었다.

서[자평]의 설(說)은, 祿은 官이고 馬는 財가 되는데, 상관을 보면 背祿하고, 비겁을 만나면 逐馬하게 된다. 가령 甲인이 三春 九夏(여름90일)에 태어나고, 天元에 다시 丙 丁 甲 乙이 있고, 혹 亥 卯 未의 例가 동향(同鄕)이다. 壬午 癸巳일 등으로 柱에 丁 己, 丙 戊가 歸祿하는 午 巳의 例인데, 아울러 자세히 알아야한다. (徐說,以祿爲官,馬爲財,見傷官爲背祿,見比劫爲逐馬.如甲人生三春九夏,天元更帶丙丁甲乙,或亥卯未之例,同鄕.乃壬午癸巳等日,柱有丁己丙戊歸祿午巳之例,並當詳之.)

벼슬이 높고 지위를 드러내는 것은 협록(夾祿)이라는 것을 알아야한다. 작게 채워지고 크게 이지러지는 것은 겁재의 地支이니 두렵다. (官崇位顯,定知夾祿之鄕.小盈大虧,恐是劫財之地.)

해석. 협록(夾祿)은 곧 공록(拱祿)인데, 가령 癸丑이 癸亥를 얻은 例이다. 劫은 겁살인데, 가령 丁丑(간하水)이 丙寅(노중火)歲를 얻은 것인데, 水가 火를 剋하니 財가 되고, 丙寅은 自生하는 火로써 小盈이라고 할만하다. 丑인은 孤 劫이 寅에 있고, 丑土가 寅木의 制를 받으면 財가 鬼로 化하니 이것이 소위 대휴(大虧)인 것이다. 三命에서는 財官이 吉한데, 사람은 財가 있으면 福이 된다. 만약 劫地를 지니면 설령 祿 命에 한 둘의 吉한 곳이 있더라도 역시 대휴(大虧)를 면하지 못한다. (解.夾祿,即拱祿,如癸丑得癸亥之例.劫,劫煞,如丁丑得丙寅歲,水以剋火爲財,丙寅乃自生之火,可謂小盈.丑人以孤劫在寅,丑土受寅木之制,爲財化鬼,斯所謂大虧也.三命以財旺爲吉,人以有財爲

福.若値劫地,縱祿命有一二吉處,亦不免大虧.)

서[자평]이 論하길, 협록은, 가령 癸丑일 癸亥시라면, 本祿상에서 세수(歲首)가 합화(合化)하여 상해(相害)될 수가 없고, 다시 天干을 剋하여 붕괴할 수 없고, 地支를 충동(衝動)하면 협귀(夾貴)가 머물지 못하여 貴氣가 달아나므로 福이 모인 地支는 손상하여서는 안 된다. 화(禍)가 모인 地支는 敗가 없어서는 안 된다. 五陽干이 五陰을 만나면 겁재가 되고, 五陰干이 五陽을 보면 패재가 된다. 劫은 敗보다 더 凶한 그 해석이 더욱 두르러진다. (徐論,夾祿,如癸丑日癸亥時,不可本祿上爲歲首合化相害,更不可剋壞天干,衝動地支,夾貴不住,走了貴氣,所以福聚之地,不可有傷.禍聚之地,不可無敗.五陽干見五陰,爲劫財,五陰干見五陽,爲敗財.劫凶於敗,其解尤著.)

消息賦(소식부)-15

生月에 祿을 지니면 벼슬길에 나아가 대단히 빛나고 존중 받는다. [三]奇 [六]儀를 거듭 만나면 너그럽고 온화하여 출중한 도량으로 포용한다. (生月帶祿,入仕居赫奕之尊.重犯奇儀,蘊藉抱出群之器.)

해석. 왕정광의 해석은, 生月에 祿을 지니면 生月은 運元(運의 처음)이 되고, 天祿이 生旺한 氣를 지니며 順行하는 運이면 평생토록 온후(溫厚)하여 福이 가장 많다. 生月을 일으켜 生日 生時를 가히 알 수 있고, 四柱의 五行이 호상(互相)간에 祿을 지니고, 겸하여 生旺한 氣를 타면 貴하게 된다. 형화상의 해석은, 本命의 祿元은 生月과 함께 日干을 求하는데 사용한다. 가령 庚子인은 甲申월인데, 그러나 乙 庚일을 얻으면 쉽게 丙子로 추리하여 사용하니 甲申인 것이다. (解.王廷光解,生月帶祿,以生月爲運元,帶天祿生旺之氣,順行運者,主平生溫厚,爲福最多.擧生月,而生日生時可知矣,四柱五行,互相帶祿,兼乘生旺之氣爲貴.瑩和尚解,本命祿元,與生月同,用日干求之.如庚子人甲申月,但得乙庚日,便用丙子推之,甲申是也.)

서자평의 해석은, 甲 乙인의 秋절생과 丙 丁인의 冬절생은 正氣 관성이 生月에 있으니 父子의 氣가 근접하여 祿이 서로 필요하게 되고, 다시 生日의 地支내에 天元이 自旺하고, 生時에 休 敗가 머물지 않으며, 行年이 다시 祿鄕에 있으면 生月은 祿을 지니게 된다. (徐子平解,甲乙人,秋生,丙丁人,冬生,即正氣官星,生月帶之,則父子之氣近,爲祿相需,更生日支內,天元自旺,生時不居休敗,行年復在祿鄕,爲生月帶祿.)

나(저자)의 견해는, 戊일이 乙巳월을 만나거나, 壬일이 己亥월을 만나거나, 癸일이 戊子월을 만나면 干支에 官祿이 있고, 혹은 年 日 時에 坐한 地支가 月干에서 얻은 것으로써, 壬寅일이 甲辰월을 얻거나, 辛酉일이 辛巳월을 얻은 例인데, 벼슬길에 나아가 대단히 빛나고 존중 받는다.

(余見,以戊日逢乙巳月,壬日遇己亥月,癸日逢戊子月,干支帶官祿,或年日時所坐之支,得坐月干,以壬寅日得甲辰月,辛酉日得辛巳月之例,入仕定居赫奕之尊.)

중범기의(重犯奇儀)에서, 왕정광의 해석은, 乙 丙 丁은 삼기(三奇)이고, 戊 己 庚 辛 壬 癸는 육의(六儀)인데 十干에서 아홉을 사용하여 둔거(遁去)한 그 甲의 법식(法式)을 말한다. 가령 乙巳생이 辛巳의 月이나 日을 얻으면 辛은 의(儀)이고, 乙은 기(奇)가 된다. 乙은 辛巳가 官을 생성(生成)하고, 또 官祿 長生 學堂에 坐하며 두 개의 巳는 기(奇)의(儀)를 거듭 만난 것이다. 기의(奇儀)는, 天地의 陰陽이 짝하여 合하는 빼어난 氣이다. (重犯奇儀,王廷光解,乙丙丁爲三奇,戊己庚辛壬癸爲六儀,十干用九,而遁去其甲者之謂儀.如乙巳生,得辛巳月日,辛爲儀,乙爲奇.乙以辛巳爲生成官,又坐官祿,生長學堂,二巳乃重犯奇儀.奇儀者,天地陰陽耦合,英秀之氣也.)

형화상은, 甲 戊 庚, 乙 丙 丁,으로써 天地에 이의(二儀)의 法이다. 이동은 子에 寅을 더한 차례대로 이른 數로 年 月이 本命을 만난 것이다. 내가 살펴보니, 둔갑(遁甲)論인 삼기(三奇) 육의(六儀)는 왕정광의 해석이 옳다. (瑩和尚則以甲戊庚,乙丙丁,法天地二儀.李仝則以子加寅,順數至年月見本命.余觀遁甲論三奇六儀,王廷光之解爲是.)

이상으로 貴命의 根基를 論하였고, 차후(此後)에 運중의 회우(會遇=회합)를 論한다. 따라서 하문에서 운운(云云)한다. (此以上,論貴命根基,此以後,論運中會遇.故下文云云.)

음남양녀(陰男陽女)는 때로는 出入하는 年을 관찰해야하고, 양남음녀(陽男陰女)도 또한 元辰하는 歲를 살펴보아야한다. (陰男陽女,時觀出入之年.陰女陽男,更看元辰之歲.)

해석. 남녀를 구별하면 남존여비(男尊女卑)이다. 양위(陽位)는 본래 남자이고 음위(陰位)는 본래 여자인데, 오늘날 견해는 음남양녀로 그 序를 잃은 것이다. 이미 그 序를 잃어버렸으니 運은 역순(逆順)에 있다. 大運이 출입(出入=바뀌는)하는 年은 헤아릴 수 없는 잘못을 초래하였다. 양남음녀로 각각 마땅히 되어야한다. 大運이 변천(變遷)하는 年에 또한 元辰등의 煞을 살펴보고, 따라서 吉凶이 발생하는지 動하는지의 잘못을 깨닫는다. 行運은 三命에서 가장 필요한데, 서자평의 해석이 가장 자세하다. (解.男女之別,男尊女卑.陽位本男,陰位本女,今言陰男陽女,失其序矣.既失其序,則運有逆順.大運出入之年,應招不測之咎.陽男陰女,各得其宜.大運遷變之年,更看元辰等煞,是故吉凶悔吝生乎動者也.行運爲三命之最要,徐子平解此最詳.)

원진은, 마땅히 처음 발생하여 官印의 辰[神]에 害가 있게 된다. 앞에서 말한 출입(出入)의 年은 元辰의 歲를 論한 것인데, 그 이치가 둘이 아니다. 절기(節氣)의 심천(深淺)과 財官의 향배(向背)를 論한 것으로, 모두 선인(先人)들은 발달하지 못한 것이다. (元辰,是當生元有害官印之辰.前云出入之年,此論元辰之歲,其理無二.至於論節氣之淺深,財官之向背,皆前人所未發也.)

消息賦(소식부)-16

生地에서 서로 만나면, 退身하여 자리에서 물러나는데, 흉회(凶會)길회(吉會)는 복음 반음, 음착 양차, 천충 지격이다. (與生地之相逢,宜退身而避位.凶會吉會,伏吟反吟,陰錯陽差,天衝地擊.)

해석. 이 설(說)은 運중에서 길흉화복(吉凶禍福)을 만나는 것인데, 生地에서 서로 만난 것이다. 형화상은, 本年이 長生중에 鬼의 旺함을 만난 것인데, 가령 金이 乙巳[복등]火를 만나고, 土가 庚申[석류]木을 만나며, 火가 甲寅[대계]水를 보고, 木이 辛亥[차천]金을 만난 것과 같다. 왕정광은, 五行에서 父子가 서로 이어지는 道가 있어 父가 건장하면 子(자식)가 어리고, 子(자식)가 강하면 父가 衰하니, 子와 父가 동처(同處)이고, 자식이 오니 父는 功을 이루어 스스로 담당하여 물러나는데, 他가 나를 生하면 休함을 알 수 있으니 자식이 父의 자리를 대신하는 것이다. (解.此說運中所遇吉凶禍福,生地相逢.瑩和尚則以本年長生中逢鬼旺,如金逢乙巳火,土遇庚申木,火見甲寅水,木逢辛亥金.王廷光則以五行有父子相繼之道,父壯則子幼,子強則父衰,子父同處,子既來矣,父已成功,自當告退,是知他生我而休,子代父位也.)

易에서, 진(震)이 장남을 담당하고, 건(乾)의 父는 西北으로 물러나니 또한 이치이다. 서자평은 庚 辛생인은 申 酉運에 도달하면 火는 官祿이 되나, 火가 申 酉에 이르면 病 死[地]이다. 木은 재백(財帛)으로 木이 申 酉에 도달하면 死 絶[地]이다. 官과 財가 모두 없으면 建祿은 富하지 않다는 설(說)인데 賦[소식부]의 뜻이 아닐까 두렵다. 行年 歲 運 祿 馬의 다섯 곳 모두가 生旺한 地支에 있으며 함께 와서 나의 元命을 도우면 길회(吉會)라고 하고, 함께 나의 元命을 剋하면 흉회(凶會)라고 일컫는다. (易,震爲長男用事,而乾父退居西北.亦是此理.徐子平則以庚辛生人,運到申酉,以火爲官祿,火至申酉病死.木爲財帛,木到申酉死絕.官財俱無,即建祿不富之說也.恐非賦義.行年歲運祿馬,五處皆在生旺之地,共來扶我元命,謂之吉會.共剋我元命,謂之凶會.)

복음(伏吟)은, 大運과 元命을 서로 대조한다. 陰이 陰을 만나면 착(錯)이라 하고, 陽이 陽을 만나면 차(差)라고 말한다. 人命에서 陰陽이 섞이고, 사람은 運에서 陰陽이 교차(交差)하여 元命과 運은 東南에 있고, 太歲가 西北에 있으면 天衝이라고 말한다. 元命과 運은 西北에 있고, 太歲는 東南에 있으면 지격(地擊)이라고 말한다. 길회흉회(吉會凶會)라는 말은 運이 복음반음, 음착양차, 천충지격을 만나는 그 사이에도 吉이 모이거나 凶이 모이니, 반드시 모두 凶한 것은 아니다. (伏吟者,大運與元命相對.以陰遇陰曰錯,以陽遇陽曰差.人命有陰陽錯雜,人運有陰陽交差,元命與運在東南,而遇太歲在西北,謂之天衝.元命與運在西北,而遇太歲在東南,謂之地擊.吉會凶會,言運遇伏吟反吟,陰錯陽差,天衝地擊,其間亦有吉會凶會,未必皆凶也.)

가령 甲子[해중]金命에 복음으로 庚子[벽상]土는 吉하며 戊子[벽력]火는 凶하고, 반음으로 戊午[천상]火는 凶하며 庚午[노중]土는 吉하다. 西北이 東南을 衝하면 主가 動하여 出入을 바꾸니 안에서 바깥을 衝하는 것이다. 東南이 西北을 衝하면 비록 衝하여도 動하지 않으니 밖에서 안을 衝한 것이다. 이것을 만나면 모두 主가 편안하지 않으나, 그 사이에 吉凶이 모두 존재한다. (如甲子金命伏吟,庚子土爲吉,戊子火爲凶.反吟戊午火爲凶,庚午土爲吉.西北衝東南,主動改出入,是內衝外也.東南衝西北,雖衝而不動,是外衝內也.遇此者,皆主不寧,其間吉凶兩存.)

음양착차(陰陽錯差)는 즉 순음순양(純陰純陽)으로 불생(不生) 불성(不成)하여 기이(奇異)함이 많으나 짝하지는 않는다. 혹 말하길, 천충지격은 天干과 地支로써 大運과 元命이 서로 衝擊하는데, 오로지 五行의 陰陽이 절멸(絶滅)하는 지지(地支)를 가리키는 것은 아니다. 歲 運에서 이를 얻고 또 반음 복음上에 있으면 凶이 모이는 것을 가히 알 수 있다. 四柱의 그 위에 머무르면 설령 貴하더라도 수명은 길지 않다. (陰陽錯差,則純陰純陽,不生不成,所作多奇而不耦.或曰,天衝地擊,乃天干地支,大運與元命相衝擊,非專指五行陰陽絶滅之地也.歲運得此,更在反伏吟上,則其爲凶會可知.四柱寓於其上,縱貴不壽.)

消息賦(소식부)-17

혹 사살 오귀 육해 칠상 지망 천라가 三元과 九宮에서 만나 福이 모이면 경사스럽고, 禍가 아우르면 의심하여 불안하고, 부조(扶助)하면 매우 빠르고, 억제(抑制)하면 몹시 느리다. (或逢四煞五鬼,六害七傷,地網天羅,三元九宮,福臻成慶,禍併危疑,扶兮速速,抑乃遲遲.)

해석. 이 모두가 行運에서 神煞을 만난 것을 말한다. 命 앞의 네 번째 辰을 四煞이라하여 寅申 巳 亥인데 四衝은 겁살이다. 命 앞의 다섯 번째 辰을 五鬼라하여, 子인이 辰을 보고, 亥인이 卯를 보는 것이다. 혹 辰 戌 丑 未를 가리켜서 四煞이 되고, 五行에서 剋을 만나면 五鬼가 된다. 육해(六害)는 寅 巳의 例이다. 칠상(七傷)은 망신살 등이 신(神)이다. 혹 一吉,二凶,三生,四熬,五鬼,六害,七傷,八難,九厄은 모두 삼원과 구궁안에 있는 모든 신(神)煞의 이름인데, 歲 運에서 만나는데, 대부분 凶이 된다. (解.此皆言行運所遇之神然也.命前四辰曰四煞,乃寅申巳亥,四衝之劫煞也.命前五辰曰五鬼,乃子人見辰,亥人見卯也.或指辰戌丑未爲四煞,五行遇剋爲五鬼.六害,寅巳之例.七傷,亡煞等神.或以一吉,二凶,三生,四熬,五鬼,六害,七傷,八難,九厄,皆是三元九宮內諸神煞之名,歲運逢之,故多爲凶.)

만약 元命의 삼원과 구궁에서 五行이 生旺하면 福이 미치니 오히려 길경(吉慶)하게 되고, 五行이 神煞보다 먼저가 된다. 만약 삼원과 구궁에서 五行 四柱가 衰 敗한 地支에 있고, 歲 運에서 또 모두 凶煞이면 소위 禍가 아우르니 의심하여 불안한 것이로다! 煞을 扶助하면 매우 빠르게 재앙이 되고, 福을 抑制하면 몹시 더딘 경사가 된다. (若元命三元九宮,五行生旺,爲福之臻,尚可以成吉慶,以五行爲神煞之先也.若三元九宮,五行四柱,在衰敗之地,歲運又値諸凶煞,所謂禍併危疑者歟!煞扶乃速速成災,福抑乃遲遲爲慶.)

내가 이구(二句)의 화복(禍福)을 아울러 말하는데, 禍를 도우면 빠르며 福을 도우면 느리고, 福을 억제하면 빠르며 禍를 억제하면 느리다. 서[자평]의 說은, 元命에 辰 戌 丑 未를 犯하고, 大運이 또 行하여 그 上에 이르면 四煞이라 일컫는다. 大運의 干이 鬼를 制하고, 財 煞 官 印 太歲와 함께 五鬼라 일컫는다. 丑 未생인이 柱중에 元에 丑 未가 있으며 다시 大運에서 辰 戌 丑 未가 있으면, 오히려 太歲에서 子 午 卯 酉를 만나는 것을 六害라 일컫는다. (余以二句併兼禍福言,扶禍則速,扶福則遲,抑福則速,抑禍則遲.徐說,元命犯辰戌丑未,大運又行到其上,謂之四煞.大運干爲鬼制,財煞官印,與太歲同,謂之五鬼.丑未生人,柱中元有丑未,更大運在辰戌丑未,卻遇太歲在子午卯酉者,謂之六害.)

運중에서 칠살을 만나면 七傷이라 하는데, 가령 甲 乙인이면 庚 辛은 官이 되고, 運이 南方에 있으며 혹 寅 午 戌을 만나고, 巳와 未 太歲가 이것이다. 사살은 輕하고, 五鬼는 重하고, 육해는 輕하며, 칠상은 重하고, 運에서 만나면 輕하며, 歲에서 만나면 重하다. (運中逢七煞,謂之七傷,如甲乙人,用庚辛爲官,運在南方,或逢寅午戌,巳與未太歲是也.四煞輕,五鬼重,六害輕,七傷重,運逢之輕,歲遇之重.)

천라지망에서, 戌인이 亥를 만나지 않고 亥인이 戌을 만나지 않으면 正天羅라고 한다. 辰인이 巳를 만나지 않고 巳인이 辰을 만나지 않으면 眞地網이라고 한다. 중간에 또 亥가 戌을 보고, 辰이 巳를 보는 것을 나누면 더욱 重한데, 만니면 재앙과 질병이 연면(連綿)한다. 무릇 運을 추리하면 生年의 太歲와 運의 生剋을 살펴보고, 生剋을 정한 연후에 모든 神煞을 참작하면 吉凶이 징험하지 않을 수 없는 것이다. (天羅地網,戌人不得見亥,亥人不得見戌,謂之正天羅.辰人不得見巳,巳人不得見辰,謂之眞地網.中間又分亥見戌,辰見巳,爲尤重,遇之者,災病連綿.大凡推運,須看生年太歲與運生剋,生剋已定,然後參諸神煞,則吉凶無不驗矣.)

消息賦(소식부)-18

貴地를 지나면 때를 기다리고, 비견을 만나면 다툰다. 만약 사람이 피곤하며 馬가 용열하면 오히려 財旺한 곳에 의탁해야한다. (歷貴地而待時,遇比肩而爭競.至若人疲馬劣,猶託財旺之鄉.)

해석. 맹자가 이르길, 비록 자기(鎡基=괭이)가 있더라도 때를 기다리는 것만 못하다. 만약 運이 貴神의 地支에 들고 때를 기다려 數에 부합(符合)하면 福과 경사가 있지만 比肩을 가장 꺼리는 것이다. 만일 비견의 運으로 行하면 반드시 다툼이 있고, 弱한 것은 强한 것에 굴복하여 吉凶은 神煞의 승강(升降)에 있다는 말이다. 만약 祿馬의 氣가 衰하면 단지 祿財 命財 旺相함을 얻어야 부지(扶持)할 수 있다. 혹 말하길, 비견의 다툼은 가령 두 개의 庚이 하나의 丁을 탈취하거나 두 개의 丙이 하나의 戊를 食하면 그 福을 쪼개어 나누는데, 만일 이것이 서로 시비(是非)하면 사람이 피곤하며 馬가 용열하다. (解.孟子云,雖有鎡基,不如待時.若運入貴神之地,待時數符合,則有福慶,最忌者比肩也.如比肩並行之運,必有爭競,弱者伏強,在吉凶神煞升降言之.若祿馬氣衰,但得祿財命財旺相,亦可扶持.或曰,比肩爭競,如兩庚奪一丁,兩丙食一戊,分擘其福,如此者交相是非,人疲馬劣.)

본명(本命)의 地支를 말하길, 人元과 역마 모든 五行이 衰敗하여 無氣한 地支에 있어도 재앙이 되지는 않는데, 財旺은 가령 戊午[천상]火는 역마가 申인데, 申중에 金은 旺하고 火는 衰하는 이것이다. (本命支曰,人元兼驛馬,皆在五行衰敗無氣之地,其所以不爲災者,以財旺.如戊午火命,驛馬在申,申中金旺火衰是也.)

서[자평]의 해석은, 貴地를 지나면 때를 기다리는데, 가령 壬辰 癸巳[장류水]생인은 土가 官祿이고, 火는 財帛이 되니, 生月이 구하(九夏=여름)에 居하지 않으며 四季에 있지 않으면, 비록 貴地를 지날지라도 오히려 四時의 기본(基本)을 기다려야하니 원유원무(元有元無)하다. (徐解,歷貴地而待時,如壬辰癸巳生人,用土爲官祿,用火爲財帛,而生月不居九夏,不在四季,雖歷貴地,猶待四時基本,元有元無也.)

比肩을 만나면 다투는데, 가령 壬辰 癸巳[장류水]생인이 九夏 四季에 있으면, 官祿이 때를 얻고, 大運이 또 火 土분야에 있으면 오히려 太歲가 壬 癸년을 만나거나 亥 子 丑 [을 만나도]역시 같다. 혹 衝 刑 破 害하면 主의 의중(意中)이라도 요절함을 말한다. (遇比肩而爭競,如壬辰癸巳,更在九夏四季,得其官祿之時,大運又在火土分野,卻遇太歲是壬癸年.亥子丑亦同.或爲衝刑,或爲破害,主稱意中夭橫.)

인피(人疲)는 人元이 피핍(疲乏)한 것이고, 마열(馬劣)은 合하는 辰[神]의 馬가 弱한 것이다. 가령 甲午생인이 西方으로 運行하면, 午은 人元으로 火에 속하고, 火가 西方에 이르러 死絶하니 인피(人疲)인 것이다. 甲은 己가 財이며 午안에 己土가 있고, 己는 西方에 도달하면 역시 衰敗하므로 마열(馬劣)한 것이다. 午가 비록 피핍(疲乏)하더라도 오히려 西方의 金旺한 財를 의지하고, 秋金은 壬 癸를 간직하니 역시 己가 鬼를 破하고 財를 生할 수 있으니 이 說이 적합한 것이다. (人疲者,人元疲乏也.馬劣者,所合之辰馬弱也.如甲午生人,運行西方,午爲人元屬火,火到西方死絕,人疲也.甲以己爲財,午內有己土,己到西方,亦自衰敗,馬劣也.午雖疲乏,猶賴西方金旺爲財,秋金懷壬癸,亦可與己破鬼生財,此說得之.)

消息賦(소식부)-19

혹 財가 旺하고 祿이 衰한데 건마(建馬)가 어찌 엄충(掩衝)을 피하겠는가? 歲에 임하여도 오히려 재앙이 되지 않고, 연등(年登)하면 마땅히 福을 획득한다. (或乃財旺祿衰,建馬何避掩衝,歲臨尚不爲災,年登故宜獲福.)

해석. 극(剋)은 財라 하고, 우(寓)는 祿이라 하고, 승(乘)은 馬라고 일컫는다. 馬는 身을 돕는 근본이고, 祿은 양명(養命)의 근원이 된다. 祿이 貴를 타면 관직을 옮기고, 馬가 財를 만나면 福을 얻는다. 祿財 역마를 아울러 얻으면 부귀양전하나, 하나를 얻으면 그 다음이다. 혹 天祿이 비록 衰하여도 身財가 오히려 旺하고 겸하여 역마를 타고 오면, 설사 엄복(掩伏) 충격(衝擊)하는 歲運일지라도 오히려 재앙이 되지는 않는다. 더군다나 후에 歲 運에서 다시 五行이 生旺하고, 회합(會合)하여 풍등(豊登)한 곳이면 福을 많이 얻게 되는 것이다. (解.剋者之謂財,寓者之謂祿,乘者之謂馬.馬是扶身之本,祿爲養命之源.祿乘貴而遷官,馬遇財而獲福.祿財驛馬兼得之則富貴兩全,偏得之則次.或天祿雖衰,而身財猶旺,兼遇驛馬來乘,縱使掩伏衝擊歲運,尚不爲災.況後歲運,更在五行生旺,會合豊登之處,故宜獲福之多矣.)

엄(掩)은 복음(伏吟)이고, 충(衝)은 반음(反吟)이다. 가령 癸亥생이 乙巳[覆燈火]의 歲를 얻어 祿을 만나면, 水가 비록 巳에서 絶하더라도 水인은 火를 剋하니 財가 되고, 火는 巳에서 旺하고 아울러 巳상에 馬를 타니 비록 巳 亥가 상충(相衝)하더라도 反吟상에 臨하니 身旺한 財로써 재앙이나 허물이 되지는 않는다. 만약 歲 運에서 상충(相衝)하지 않고, 三合이나 六合이 있으며 五行이 生旺한 地支이고, 다시 財를 만나고 馬를 보면 해마다 풍등(豊登)할 수 있으므로 마땅히 福을 얻는 것이다. (掩者伏吟,衝者反吟也.假令癸亥生,得乙巳歲,遇祿,水雖絕在巳,而以水人剋火爲財,火旺在巳,兼巳上乘馬,雖巳亥相衝,臨於反吟之上,以身旺之財,不爲災咎.若歲運不相衝,臨在三合六合,五行生旺之地,又逢財遇馬,可謂年歲豊登,故宜獲福者與.)

서[자평]이 말하길, 이 節과 앞의 뜻은 같아도 이치는 다르다. 가령 丙午[天河水]인은 運이 西方에 이르면, 비록 財는 旺하며 祿이 衰하더라도 하원(下元)의 建馬가 돕고, 설명하면, 酉중의 辛이 丙을 合하니 엄충(掩衝=복음과 반음)을 두려워하지 않는데 이것과 中下가 흥륭(興隆)하여도 다르지 않다. 앞의 설(說)은 財運이 엄충(掩衝=복음과 반음)하여도 진실로 꺼리지 않고, 이 논리는 歲가 運의 자리에 臨하여도 凶과 허물이라 말하지 못한다. 太歲는 조화의 主로서 모든 煞의 존(尊)인데, 臨해 와서 運을 억압하면 凶은 많고 吉은 적다. (徐曰,此節與前意同,而理異也.如丙午人,運至西方,雖財旺而祿衰,下元建馬爲助,言酉中有辛合丙,則不畏掩衝,此與中下興隆不殊.前說財運掩衝,固不爲忌,此論歲臨運位,亦未可便言凶咎.大歲爲造化之主,百煞之尊,來臨壓運,多凶少吉.)

만약 三元에서 五行의 안팎으로 官印이 유용(有用)하면 가히 이견대인(利見大人=大人을 만나서 이롭다.)으로 吉이 모여 성공한다. 재백(財帛)이 유용(有用)하면 역시 貴人으로 말미암아 財帛을 發한다. 그리고 가령 生日이 壬午이고, 大運이 庚午이며, 歲가 戊午라면, 이 말은 歲 運이 병임(並臨)하니 역시 吉會가 된다. 다음 해는 辛未로 교차하니 그 氣가 다르지 않고, 官印 財帛이 有用하니 福을 얻음이 마땅하다. (若三元內外五行,官印有用,亦可以利見大人,而成吉會.財帛有用,亦可以因貴人而發財帛.且如生日是壬午,大運是庚午,歲是戊午,此言歲運並臨,亦爲吉會.次年交辛未,其氣不殊,官印財帛有用,其獲福宜也.)

消息賦(소식부)-20

大吉이 小吉을 逢生하면 도리어 장수(長壽)한다. 천강[辰]運이 천괴[戌]에 이르면 기생(寄生)하여 수명을 잇는다. (大吉生逢小吉,反壽長年.天罡運至天魁,寄生續壽.)

해석. 丑은 대길이고, 未는 소길인데, 가령 癸未일 생인이 丑運으로 行하거나, 혹 丁丑일 생인이 未運으로 行하면 반음(反吟)이라 할 수 없고, 모두 生氣라고 말한다. 癸는 巳에서 氣를 받으며 未에서 形을 이루고, 丁은 亥에서 氣를 받으며 丑에서 形을 이루기 때문에 逢生이라 말하는데, 가령 六壬의 [神]課로 발용(發用)하면, 丁(課)는 未에 있고, 癸는 丑에 있는데, 역시 이 뜻이다. (解.丑爲大吉,未爲小吉,如癸未日生人,行丑運,或丁丑日生人,行未運,不得謂之反吟,皆謂之生氣.癸受氣於巳,而成形於未,丁受氣於亥,而成形於丑,故曰生逢,如六壬課發用,丁課在未,癸在丑,亦此意也.)

丑 未는 陰陽중에 모여 天乙귀신이 임한 곳이니 主와 本에서 [天乙귀인을] 만나면 壽命이 길다. 辰은 천강(天罡)이고, 戌은 천괴(天魁)인데, 가령 庚戌생인이 辰運으로 行하거나, 혹 甲辰생인이 戌 運으로 行하면 반음(反吟)이라 말할 수 없다. 庚은 寅에서 氣를 받으며 辰에서 形을 이루고, 甲은 申에서 氣를 받으며 戌에서 形을 이루는데, 모두 生氣이다. (丑未爲陰陽之中會,天乙貴神所臨,主與本逢之,則有長年之壽.辰爲天罡,戌爲天魁,如庚戌生人,行辰運,或甲辰生人,行戌運,不得謂之反吟.庚受氣於寅,而成形於辰,甲受氣於申,而成形於戌,皆是生氣.)

귀곡자가 이르길, 강(罡)중에 乙이 있고, 괴(魁)속에 辛을 감추고 있는 것이다. 먼저 말한 生逢과 나중에 말한 寄生은 뜻이 다르지 않다. 혹 말하길, 차후(此後) 八句에서 거듭 반음의 吉凶을 밝히겠지만 반드시 참된 뜻은 없는데, 가령 乙丑 陰命의 남자가 6月생이면 둔(遁)하여 癸未[양류]木인데, 비록 本命과 生月이 相剋하여 主가 요상(夭傷)하여도 오히려 乙丑納音 金이 癸未納音 金을 剋하니 반대로 장수(長壽)한다. (鬼谷子云,罡中有乙,魁裏伏辛是也.前云生逢,後云寄生,義不殊也.或曰,此後八句,再明反吟吉凶,無固必之義,假令乙丑陰命男,在六月生,遁見癸未木,雖本命生月相剋,合主夭傷,卻爲乙丑納音金,剋癸未納音木,反壽長年.)

가(歌)에서 이르길, 生月을 身에 활용하면 오히려 納音으로써 만든 命으로 돌아온다. 身이 衰한데 命을 剋하면 타고난 수명이 짧고, 命이 身을 剋하면 장수(長壽)하는 命인 것이다. 가령 戊辰인 陽命의 남자가 三月생인데 계산하니 5歲에 運을 일으킨다. 순행(順行)하여 56歲에 運이 壬戌로 納音 水에 이르면 戊辰[대림]木을 生하고, 또 三月은 天 月德이 모두 壬인데, 戌상에 기생(寄生)하고 있는 또 木을 生하니 따라서 말하길, 기생(寄生)은 수명을 잇는다. (歌云,便將生月用爲身,卻以納音回作命.身衰剋命短天年,命往剋身長壽命是也.假令戊辰陽命男,在三月生,計五歲起運.

順行五十六,運至壬戌納音水,來生戊辰木,又三月天月德俱在壬,寄在戊上,又生木,故曰寄生續壽.)

형화상에서 말하길, 下 四節을 眞印으로 병용(竝用)하면 비로소 자세하게 알게 된다. 乙丑은 金印, 癸未는 木印, 壬辰은 水印, 甲戌은 土印이고, 長生하여 수명을 잇는데, 오직 寄와 反으로 五行을 제(除)하지만 그것이 그러한지 알지 못한다. 丑중에는 乙木이 있고, 未상에는 癸水가 있으니, 癸水가 그 乙木을 生하여 祿元을 증장(增長=늘어나 자람)하니 도리어 수명(壽命)이 길지 않은 수 없는 것이다. 戌중에 甲이 있고, 辰중에는 壬이 있으니, 壬水가 그 甲木을 生하여 그 丙火를 잇는다. 따라서 말하길, 천강運이 천괴에 이르면 기생(寄生)하여 수명을 잇는다. 대략 십간(十干)의 祿으로 사람[壽命]의 길이를 정하기 때문이다. (瑩和尚曰,以下四節,並用眞印,始得其詳.乙丑金印,癸未木印,壬辰水印,甲戌火印,戊辰土印.長生續壽,惟寄與反,除此五干,未有知其然也.緣丑中有乙木,未上有癸水,癸水生其乙木,增長祿元,反壽長年,莫非是也.戌中有甲,辰中有壬,壬水生其甲木,續其丙火,故曰天罡運至天魁,寄生續壽.大要十干爲祿,定人修短故也.)

消息賦(소식부)-21

종괴(酉)가 창용(卯)의 숙(宿)地를 부딪치면 財가 天으로부터 온다. 태충(卯)이 묘위(酉)의 鄕에 임하면 人元에 害가 있다. (從魁抵蒼龍之宿,財自天來.太衝臨昴胃之鄉,人元有害.)

해석. 酉는 묘위(昴胃)인 곳으로 종괴(從魁)인 것이다. 卯는 창용(蒼龍)의 숙(宿)地를 말하며 태충(太衝)인 것이다. 支元은 財를 取하며 요즘 말로 天來는, 酉상에 辛이 있고, 卯중에 乙이 있는데 辛金이 그 乙木을 制하기 때문에 財가 天으로부터 온다고 말한다. 酉金이 卯木을 剋하니, 乙木은 辛金을 두려워하고, 祿은 이미 손상을 당하고, 人元이 剋을 받는데, 그런데 만약 酉인이 卯를 만나면 吉하고, 卯인이 酉를 만나면 凶하게 된다. 자리의 순위는 존비(尊卑) 강유(剛柔)로 결단하는 것이다. (解.酉爲昴胃之鄉,從魁是也.卯曰蒼龍之宿,大衝是也.支元取財,今言天來者,緣酉上有辛,卯中有乙,辛金制其乙木,故云財自天來.以其酉金,剋其卯木,乙木畏於辛金,祿既被傷,人元受剋,若然,酉人遇卯爲吉,卯人逢酉爲凶.位列尊卑,剛柔斷矣.)

서[자평]이 말하길, 창용은 辰에 속하니 酉생인이 辰을 만나면 酉중의 辛金이 辰중의 乙木을 剋하니 財가 되고, 地支속의 天元을 사용하여 財가 된다. 卯인은 運이 酉에 이르면 金이 木을 剋하지만 그러나 도리어 相刑하여 地支에서 人元이 나타나므로 害롭다고 말한다. 害는 七殺인데 衝 刑 剋 制를 범하지 않아야하고, 다만 편음편양(偏陰偏陽)일 뿐이다. (徐曰,蒼龍屬辰,酉生人逢辰,是酉中辛金剋辰中乙木爲財,用支內天元爲財也.卯人運至酉,金剋木而反相刑,支作人元,故曰有害.害者是七煞,不犯衝刑剋制,亦偏陰偏陽也.)

金祿은 정수(正首=寅)에서 窮한데, 庚은 重하며 辛은 輕하다. 木인은 金鄕에서 困한데, 寅[木]

은 깊고 卯[木]은 얕다. (金祿窮於正首,庚重辛輕.木人困於金鄕,寅深卯淺.)

해석. 陰이 지극하면 陽을 生하고, 陽이 지극하면 陰을 生하는데, 陰陽은 자연의 이치이다. 陽金은 巳에서 [長]生하고, 子에서 死하며 寅에서 絶한다. 陰金은 子에서 生하고, 巳에서 死하며 卯에서 絶한다. 정사(正死) 정생(正生)은 重하고, 편생(偏生) 편사(偏死)는 輕하다고 일컫는다. 다음에, 陽木은 亥에서 生하고 申에서 絶하는데, 陰木은 午에서 生하고 酉에서 絶한다. 陽木은 申이 깊고 酉는 얕은데, 陰木은 申이 얕고 酉가 깊다. 대개 寅 卯는 군목(群木)의 情을 가리키고, 庚 辛은 중금(衆金)종류이고, 申은 水의 生地이니 木이 곤궁(困窮)하고, 寅은 火를 生하는 宮이니 金이 궁핍(窮乏)함을 말한다. 또 이르길, 丙 辛의 合이 있기 때문에 辛은 輕하고, 乙 庚의 合이 있기 때문에 卯는 얕다. (解.陰極生陽,陽極生陰,陰陽自然之理也.陽金生於巳,而死於子,絶於寅.陰金生於子,而死於巳,絶於卯.正死正生之謂重,偏生偏死之謂輕.次以陽木生亥絶申,陰木生午絶酉.陽木申深而酉淺,陰木申淺而酉深.蓋寅卯指群木之情,庚辛舉衆金之類,申是水生之地,木曰困,寅是生火之宮,金云窮也.一云,丙辛有合,故辛輕,乙庚有合,故卯淺.)

묘(妙)함은 그 통변을 아는데 있고, 졸렬한 설명이지만 마치 神과 같다. 무당과 소경이 악기를 조율함에 어두우니 율려(律呂)를 바라기 어렵다. (妙在識其通變,拙說猶神.巫瞽昧於調弦,難希律呂.)

해석. 무릇 命과 運의 길흉화복(吉凶禍福)은 위에서 설명한 것과 같이 賦에서 그 대부분을 특별히 말하였다. 묘(妙)함은 그 통변을 아는데 있으니, 부(賦)의 설명이 비록 졸렬하여도 묘(妙)한 이치가 神처럼 상응(相應)한다. 설령 통변할 수 없다면, 무당과 소경이 악기를 조율함에 어두우니 율려(律呂)를 바라는 것이 조화롭기 어려운 것을 비유한 것이다. (解.凡命運,吉凶禍福,如上所云,賦特言其大概.妙在識其通變,賦辭雖拙,而理妙應如神,設若不能通變,譬之巫瞽昧於調絃,希律呂之和難矣.)

消息賦(소식부)-22

庚 辛이 甲 乙에 임하면 君子는 벼슬을 구할 수 있다. 北인의 運이 南方에 있으면 무역(貿易)으로 후한 이익을 획득한다. (庚辛臨於甲乙,君子可以求官.北人運在南方,貿易獲其厚利.)

해석. 金 木은 서로 얻는 이치가 있고, 水 火는 기제(既濟)의 道가 있으므로 특별히 들어내어 설명하였다. 말하길, 庚 辛이 甲 乙에 임한 것으로, 나머지 八干도 알 수 있다. 北人의 運이 南方에 있는 것으로, 나머지 東西도 알 수 있다. 君子를 말하며 小人이 만나면 그렇지 않고, 北人을 말하면 반드시 亥 子方이라야 한다. (解.金木有相得之理,水火有既濟之道,故特舉而言之,曰,庚辛臨於甲乙,則餘八干可知也.北人運在南方,則餘東西可知也.言君子,見小人則不然,言北人,須亥子方爲是.)

甲은 辛이 官이고, 乙은 庚이 官인데, 가령 庚 辛의 運 歲가 와서 甲乙인에 臨한다면, 그래서 말하는데, 君子는 벼슬을 구할 수 있으나, 小人에게 있으면 도리어 鬼가 되는 것이다. 亥 子는 北方의 水이고, 巳 午는 南方의 火인데, 水의 行運이 火에 이르면, 내가 剋하는 것이 財이므로 무역(貿易)으로 후한 이익을 획득한다. 혹 壬 癸의 위치는 감괘(坎卦)에 속하고, 丙 丁의 위치는 이괘(離卦)에 속하는데, 水가 火地로 돌아오면 運이 財鄕에 이른다고 일컫는다. 壬 癸의 祿과 巳 午의 命을 알지 못하면 干支가 서로 들지 않는데, 가령 壬 癸가 丙 丁을 얻으면 祿財일 따름인데 무역(貿易)이라 설명하는 것은 불가하다. 명(命)을 論하는 사람들은 반드시 祿 命 身을 구분해야한다. (甲以辛爲官,乙以庚爲官,如庚辛之運歲來臨甲乙之人,故曰,君子可以求官,在小人反以爲鬼也.亥子北方之水,巳午南方之火,以水行運至火,我剋之爲財,所以貿易獲其厚利.或謂壬癸之位,其卦屬坎,丙丁之位,其卦屬離,水歸火地,運至財鄕.不知壬癸是祿,巳午是命,干支不相入,如壬癸得丙丁,止可謂之祿財而已,不可以貿易言也.談命者須當分祿命身.)

아침에 기뻐하는 소리를 듣고 저녁에 우는 것은 왕성한 火가 염양(炎陽)한 것이고, 禍福의 요원(遙遠)함을 살펴보면 대부분 水 土로 말미암는다. (聞朝歡而夕泣,爲盛火之炎陽.觀禍福之賒遙,則多因於水土.)

해석. 五行의 성질을 論하여 화복(禍福)의 빠르고 느린 것을 밝힌다. 火의 성질은 사나워 손상함이 많으므로 木을 파고들면 연기가 날리고, 돌을 부딪치면 빛이 일어나고, 아침에 기뻐하며 돌아서는 울고, 오늘은 옳고 어제는 그르니 火로 인해 땔나무를 퍼뜨려 그 지극(至極)함을 알 수 없다. 水 土는 物인데, 그 성질이 부드럽고 온화하여 화복(禍福)의 단서를 이루는데. 그 더디고 느린 뜻으로 대개 지혜와 믿음을 얻는 것이다. 火 木은 성질이 빨라서 쉽게 發하며 쉽게 휴(休)하고, 水 土는 성질이 느려서 성공하기 어렵지만 실패하기도 어렵다. (解.此論五行之性,明禍福之遲速也.火之性,暴而多傷,故鑽木而煙飛,擊石而光發,朝歡旋泣,今是昨非,由火傳薪,莫知其極也.水土爲物,其性柔和,致於禍福之端,得其遲緩之意,蓋智與信也.火木性快,易發易休,水土性遲,難成難敗.)

金 木이 그릇을 이루지 못한다면 슬픔과 즐거움을 들어도 명성을 [이루기]어렵고, 마치 木이 무성하여 꽃이 번화(繁華)할 것 같으나, 구름이 밀집(密集)하여도 비는 오지 않는다. (金木未能成器,聽哀樂以難名,似木盛而花繁,狀密雲而不雨.)

해석. 金을 말하면, 오히려 木은 金의 쓰임을 얻어야 木을 이루니 剛으로써 유(柔)를 구제하는 것이다. 木을 말하면, 오히려 金은 木이 그릇을 이루어야 金을 드러내니, 어진 것이 반드시 용기 있는 것이다. 만약 金은 있는데 木이 없으면 용감하여도 무례(無禮)하니 어지럽다. 木은 있는데 金이 없으면, 庚 辛이 이지러져 의리가 부족하다. 金은 西方의 器인데 主가 슬프고, 木은 東方의 物인데 主가 즐겁다. 즐거움이 음란하지 않으려면 木은 金을 만나야하고, 슬픔이 손상하지 않으려면 金은 木을 얻어야한다. (解.言金者則尚木,金得用而木乃成,是以剛濟柔也.言木者則尚金,木成

器而金得著,仁者必有勇也.若有金無木,勇而無禮則亂.有木無金,庚辛虧而義實[貧].金者,西方之器也,主哀,木者東方之物也,主樂.樂而不淫者,木遇金也,哀而不傷者,金得木也.)

무릇 이것은 모두 大人의 命이다. 만약 水火가 분명히 돌아오는 중에 金 木을 사용하면 사이가 뜨는데, 이로 말미암아 애락(哀樂)은 그 마음을 움직일 수 없으니 외방(外方)에서 명성 있는 사람이 되기는 어렵다. 만약 편음(偏陰)편양(偏陽)이면 나무가 무성하여 꽃이 번화(繁華)한 것 같이 편양(偏陽)은 복(伏)을 말한다. 짙은 구름이 끼여 있으나 비가 오지 않으니 편음(偏陰)은 드러남을 말한다. 人命은 陰陽이 둘 다 머물러야 格에 상응하는 命이되므로 아래 문장에서 운운(云云)한다. (凡此者皆大人之命也.若明水火之歸中,用乎金木之間隔,由是哀樂不能動其心,乃外方難名之人.若偏陰偏陽,似木盛花繁,偏陽之謂伏.密雲不雨,偏陰之謂見.人命要陰陽兩停,則爲應格之命,故下文云云.)

또 말하길, 金이 그릇을 이룰 수 없으면 火를 바탕으로 주조하여 그릇을 만들고, 木이 功을 이루지 못하면 金을 빌려 깎고 다듬어야한다. 따라서 악(樂)은 반드시 애(哀)를 主로 하고, 익(益)은 반드시 손(損)이 먼저가 된다. 木이 무성하여 꽃이 번화(繁華)하면 빼어남이 부실(不實)하다. 짙은 구름이 끼여 있으나 비가 오지 않으면 어둡고 밝기가 어렵다. 둘을 헤아리지 못하는 동안에 의의(擬議)가 발생하는 것이다. 따라서 旺하면 制가 없어서는 안 되고, 衰하면 生이 없어서는 안 되는데, 비화(比和)한 곳을 얻으면 다시 순수(純粹)하게 돌아간다. (又曰,金不能成器,藉火以陶鎔,木未能成功,假金以削刻.故樂必以哀爲主,益必以損爲先.木盛花繁,秀而不實.密雲不雨,晦而難明.兩在未測之間,擬議生矣.是故旺而不可無制,衰而不可無生,得處比和,復歸純粹.)

消息賦(소식부)-23

수레를 타고 면류관을 쓴 것은 金火가 어떻게 많은 것이고, 지위가 용열하며 서열이 낮은 것은 陰陽이 일정하지 않다. (乘軒衣冕,金火何多,位劣班卑,陰陽不定.)

해석. 앞에 論한 水火는 상제(相濟)함으로써 경사스럽고, 다음에 論한 金 木은 官鄕인데, 水는 상승하여 貴하며 火는 하강하여 貴함을 알 수 있고, 木은 유(柔)를 구제하여야 강(剛)하게 되고, 金 은 강(剛)을 덜어야 유(柔)함을 더하니, 서로 쓰임이 길(吉)하게 된다. 그 사이에 오직 금강(金剛)하며 화강(火强)함이 있음을 알지 못하면 안 된다. 金은 견고한 物이 되어 왕성한 火가 아니면 혁(革)이 化할 수 없다. (解.前論水火,以相濟而成慶,次論金木而爲官鄕,是知水貴升,火貴降,木要濟柔爲剛,金要損剛益柔,則互用爲慶.其間獨有金剛火強,不可不知也.金至堅之物,非盛火則不能革化.)

火는 사나운 物이 되어 金이 아니면 모든 쓰임을 나타낼 수 없다. 金과 火가 둘이 있어야 비로소 주인(鑄印)의 象이 되므로 부(賦)에서 말하길, 수레를 타고 면류관을 쓰는 군자(君子)의 그릇이니, 모름지기 金 火가 둘이 있어야 마땅한 것이다. 만약 火는 많은데 金이 적거나, 金은 많은데 火가 輕하면 모두 흉폭(凶暴)한 命이 된다. 金은 西方에서 旺하고, 火는 南方에서 旺하니 각각 그 세력을 믿어 스스로 刑하여 刑이 된다. 이와 같은 命은 비록 日時가 유용(有用)하여도 결국 지위가 용열하며 서열이 낮을 뿐인데, 이것은 음양(陰陽)이 일정하게 나누어지지 않았기 때문인 것이다. (火至暴之物,非金無以顯諸用.金火兩停,方爲鑄印之象,故賦云,乘軒衣冕,此君子之器也,須金火兩停者當之.若火多金少,金多火輕,皆爲凶暴之命.金旺於西方,火旺於南方,各恃其勢,則爲自刑之刑,如此之命,雖日時有用,終歸於位劣班卑而已,是陰陽不能定分故也.)

金은 陰이고 火는 陽이다. 이미 陰陽이 양편(兩偏)하였으면 귀천(貴賤) 고저(高低)가 정해져 나타나는 것이 없다. 하물며 金은 있는데 火가 없거나, 火가 있는데 金이 없으면 흉한 무리가 되는 것을 알 수 있다. 혹 말하길, 人命의 四柱에서 五行의 金 火가 많으면 貴가 不足하다. 金이 剛하면 物이 順하지 못하고, 火가 사나우면 生을 더하기 어렵고 氣가 일정치 않으므로 君子의 道는 깨끗한 것이다. 庚인이 丙을 얻거나, 辛인이 丁을 얻으면 순음순양(純陰純陽)으로 剋하여 鬼가 되는데, 이것은 陰陽이 일정하지 않으니, 비록 出身이 좋을 지라도 또한 지위가 용열하며 서열이 낮아 크게 나타낼 수 없지만 역시 通한다. (金,陰也.火,陽也.旣陰陽兩偏,則貴賤高卑,無所定著.況有金而無火,有火而無金,其爲凶徒,又可知也.或曰,人命四柱,五行金火多者不足貴.以金剛不能順物,火暴而難益其生,爲氣不常,故君子之道鮮矣.庚人得丙,辛人得丁,純陰純陽,爲剋爲鬼,是爲陰陽不定,雖有出身,亦位劣班卑,不能大顯.亦通.)

龍이 트림하고 범이 울부짖으면 비바람이 그 길상(吉祥)함을 돕는다. 화세(火勢)가 장차 일어나려면 먼저 연기가 난 후에 불꽃이 일어난다. (所以龍吟虎嘯,風雨助其休祥.火勢將興,故先煙而後焰.)

해석. 위의 문장은 五行의 相剋인데, 혹 그릇을 이루지 못하고 貴를 合하면 貴하지 않는데, 다시 말하면, 相剋 相生의 성질을 용호연염(龍虎煙焰)으로 비유한 것이다. 만약 五行이 각각 그 곳을 얻으면 용이 움직여 비를 내리고, 범이 울부짖어 바람이 발생하는 것과 같다. 가령 火가 旺하려면 먼저 연기가 있고 후에 불꽃이 있다. 혹 용음호소(龍吟虎嘯)의 이구(二句)는 사람의 年이 吉하고 歲 運이 또 吉한 것을 비유한 것이다. 만약 먼저는 凶하고 나중에 吉하다면 반드시 그렇지는 않다. 비유컨대, 만약 火가 처음에는 먼저 연기가 나고 후에 불꽃이 일어난다. 대개 연기가 火에서 발생하여도 火가 번성할 수 있다. 연기는 氣가 아직 通하지 않는 뜻이고, 어찌 火는 외경이 아니고 안이 어두우며 연기가 있는 후에 발생하니, 마치 사람이 처음에는 凶하지만 결국 吉하지 않겠는가! (解.此爲上文五行相剋,或未成器,合貴不貴,此又言相剋相生之性,因以龍虎煙焰爲喩.若五行各得其所,則如龍行雨降,虎嘯風生.又如火旺,先有其煙,後有其焰.或以龍吟虎嘯二句,喩人年吉,而歲運又吉.若初凶後吉者必不然.譬若火之始然,先煙而後燄也.蓋煙生於火而能鬱火.煙以有氣未通爲義,豈非火外景而內晦,煙達而後生,不猶人之始凶終吉者哉.)

서[자평]의 해석은, 용음호소(龍吟虎嘯)는 마땅히 戊辰 甲寅으로 그 뜻이 매우 자세한데 그렇지 않다. 다만 寅과 辰이 만나서 서로 얻는 것은 역시 옳지만 선연후염(先煙後焰)은 분명히 陰陽의 氣가 順하며 차례가 있는데, 그것과 氣가 다르지 않으나, 결국 부(賦)의 뜻은 아니다. (徐解,龍吟虎嘯,當以戊辰甲寅,其義甚詳,不然.但遇寅與辰相得亦是,先煙後焰,明陰陽氣順,有次序,與其爲氣也不殊.終非賦義.)

消息賦(소식부)-24

종종 凶중에 吉이 있음을 보는데, 吉은 凶보다 먼저이다. 吉중에 凶이 있으면 凶은 길조(吉兆)가 된다. (每見凶中有吉,吉乃先凶.吉中有凶,凶爲吉兆.)

해석. 본래 상문(上文)에서 말한 吉凶은 서로 인연(因緣)이 되어 일어나고 가라앉게 된다. 가령 앞에서 論한 "종괴(酉)가 창용(卯)의 숙(宿)地를 부딪치면 財가 天으로부터 온다."는 吉이다. 이것은 酉중의 辛이 辰중의 乙木을 剋하니 財가 되고, 辰은 水鄕[庫]인데 다시 辛金의 官을 탈취할 수 있으니, 論하면 財는 오히려 잃지 않으나 官을 잃어 凶하게 된다. "태충(卯)이 묘위(酉)의 鄕에 임하면 人元에 害가 있다."는 凶이다. 그런데 木은 金이 官이 되니 酉는 官祿을 배반하지 않아 凶중에 도리어 吉하다. 부(賦)의 뜻은 運을 설명으로 시작하고, 다음에는 五行을 논의한 후에 다시 자세히 말한다. 또 가령 火인이 水運으로 行하여 칠살이면 凶하다. 혹 水가 官이면 吉하다. 水가 巳 午運으로 行하면 南方에서 이로운 財를 획득하니 吉하다. 그런데 下에 戊 己칠살이 있으면 凶하다. 이와 같이 지극히 많으면 학인(學人)은 통변(通變)을 더욱 깊이 연구하여서 근본(根本)적으로 가장 重한 것을 取한다는 말이다. (解.此本上文,言吉凶相爲倚伏.如前論,從魁抵蒼龍之宿,財自天來,吉也.是酉中辛,剋辰中乙木爲財,辰乃水鄕,復能奪辛金之官,論財卻不失,而失官爲凶.大衝臨昴胃之鄕,人元有害,凶也.卻木用金爲官,酉則不背官祿,凶中反吉.賦意始於說運,次議五行之後,再詳言之.又如火人行水運,則是七煞,凶也.或用水爲官,吉也.水行巳午運,南方獲利爲財,吉也.卻下有戊己七煞,凶也.如此極多,要學人深造變通,以根本取最重者言之.)

담형이 말하길, 吉凶이 서로 빈번하고, 禍福은 서로로 인하기에 陰陽의 당연한 이치이다. 일생이 진실로 吉한 사람이 있으면 吉에서 凶하고, 凶한 사람은 凶한 것에서 吉하니, 君子도 도리에 어긋나는 곳에서는 역시 道가 보편적적일 뿐이다. 凶이 吉을 이길 것 같으면 吉을 凶중에 품는다. 吉이 凶을 이길 것 같으면 凶을 吉속에 감춘다. 박잡(駁雜;이것저것 뒤섞여서 순수하지 못함)은 순수(純粹)함에서 생기고. 비화(比和)함은 전쟁(戰爭)에서 나오니, 따라서 말하길, 吉한 가운데 凶이 있으면 凶은 길조(吉兆)가 된다. (曇瑩曰,吉凶之相仍,禍福之相因,陰陽之常理也.世固有吉人凶於吉,凶人吉於凶者,君子所不道也,亦道其常而已.凶若勝吉,吉蘊凶中.吉若勝凶,凶藏吉內.駁雜生於純粹,比和出於戰爭,故曰吉中有凶,凶爲吉兆.)

재앙의 순(旬=運)이 끝을 향하면 福을 맞이할 수 있다는 말이다. 갓 衰鄕에 들면 재앙을 거스르는 과정이 마땅하다고 論한다. 남자는 맞이하고 여자는 보내는데, 비색함과 태평함이 서로 머문다. 陰陽의 二氣는 역순(逆順)으로 절제(折除)한다. (禍旬向末,言福可以迎推.纔入衰鄕,論災宜其逆課.男迎女送,否泰交居.陰陽二氣,逆順折除.)

해석. 이 말은 화복(禍福)길흉(吉凶)은 行運으로 말미암는다. 재앙의 순(旬=運)이 끝을 향하는데, 가령 凶運을 만나면 10년이 다 끝나기 전에 吉運을 교체한다. 만약 마땅히 年 月의 氣가 두텁게 生하고 혹 行年 太歲가 부조(扶助)하며 向祿하여 財에 임하면 다시 交運을 기다릴 필요가 없고, 단지 이 運의 끝에 있으면 吉함을 맞이할 수 있다고 추리한다. 갓 衰鄕에 들고, 人命에서 福地를 오래 지내면 背祿하고 財가 絶하는 運으로 교체하는데, 그러나 쉽게 凶으로 말할 수 없으니 이것이 재앙을 거스르는 과정으로 論하는 것이다. (解.此言災福吉凶,由於行運.禍旬向末,如見凶運,十年終滿,前交吉運,若當生年月氣深,或行年太歲扶助,向祿臨財,更不須待交運,只在此運末,便可迎祥而推之.纔入衰鄕,人命久歷福地,方交背祿財絶之運,然未可便以凶言,是論災於逆課也.)

남자는 맞이하고 여자는 보내는 양남음녀의 運은 順行한다. 하나의 運은 10년인데 다시 前後로 각각 5年으로 나눈다. 무릇 吉運이 들고 節氣의 두터움을 얻으면 남자는 맞이하는 것이니 앞의 5年이 發福하고, 여자는 보내는 것이니 뒤의 5年이 發福한다. 혹 말하길, 남자는 大運이 처음 들어오는 年을 자세히 살피면 어떤 禍福을 맞이하므로 영(迎)이라 말한다. 여자는 大運이 장차 나가는 年을 자세히 살피면 어떤 禍福을 보내므로 송(送)이라 말한다. (男迎女送,陽男陰女,運順行也.一運十年,更分前後各五年,凡入吉運,得節氣深,男迎者,前五年發福,女送者,後五年發福.或曰,男詳大運初入之年,迎何災福,故云迎.女詳大運將出之年,送何災福,故云送.)

남자는 맞이하고 여자는 보내는데, 비색함과 태평함이 서로 머무니 같은 뜻으로 본다. 영길송흉(迎吉送凶)과 영흉송길(迎凶送吉)하는 이것이 비색함과 태평함이 서로 머무는 것이다. 음남양녀와 양남음녀는 역(逆)과 순(順)에 따라 運이 行하며 절제(切除)하면 앞에서 3歲를 절제(切除)하여 1年이 되고, 신구(新舊)의 運상에서 어떤 吉凶이 있는 가를 살펴보는데, 운수(運數)라 말한다. (男迎女送,否泰交居,作一義看.迎吉送凶,迎凶送吉,是否泰交居也.陰男陽女,陽男陰女,依逆順行運折除,即前折除三歲爲年也,看新舊運上有何吉凶,以運數言.)

담형이 말하길, 行運을 論하면 長生과 다음에 衰地를 각각 가리키는데, 가령 金은 巳에서 [長]生하고 戌에서 衰하니, 戌상이면, 남자는 死 囚 休 廢로 순행(順行)하고, 여자는 제왕 임관으로 역행(逆行)한다. 巳상이면, 남자는 申 酉의 鄕으로 순행하여 旺하고, 여자는 寅 卯의 地支로 역행하여 피곤(疲困)하니, 그래서 이르길, 禍의 순(旬=運)을 운운(云云)하였다. (曇瑩曰,此論行運,各指長生,次於衰地,如金生於巳而衰於戌,戌上,男順行於死囚休廢,女逆行於帝旺臨官.巳上,男順旺於申酉之鄕,女逆困於寅卯之地,故云禍旬云云.)

陰陽의 二氣는 대체로 小運을 말하는데, [小運은] 一年의 氣이다. 大運은 月의 氣인데, 일간의

運이 되는 月支의 氣가 된다. 小運은 生日을 따른 후에 교체하고, 大運은 그 氣가 지나서 두 번째 氣로 運行함을 論하니 나의 命에서 말미암은 것이다. 그래서 말하길, 陰陽의 二氣를 云云한다. (陰陽二氣,蓋言小運乃年之氣也.大運是月之氣也.日干爲運,月支爲氣.小運則從生日後交,大運則論其氣而過,二氣運行,由我命者也.故曰陰陽二氣云云.)

消息賦(소식부)-25

金 木의 안에서 점령(占領)하면 방소(方所=방국)의 분야에서 현달(顯達)한다. 南北의 사이를 표시(標示)하면 왕래(往來)에 불리함이 두렵다. 일순(一旬)안에는 年중에서 天干을 묻는다. 一歲중에는 月中에서 求하고 日에서 묻는다. 三을 향하고 五를 회피함은 방면(方面)에서 궁통(窮通)을 가리킨다. 吉을 살피고 凶을 헤아려서 歲중의 부태(否泰;비색함과 태평함)를 설명한다. (占其金木之內,顯於方所分野.標其南北之間,恐不利於往來.一旬之內,於年中而問干.一歲之中,求月中而問日.向三避五,指方面以窮通.審吉量凶,逑歲中之否泰.)

해석. 이 말은 東西南北을 運行하여 金 木 水 火의 鄕에 유리(有利)함에 불리(不利)함이 있고, 겸하여 歲중에 부태(否泰;비색함과 태평함)를 말한다. 왕씨가 말하길, 木 火 金 水의 사방(四方)에 전일(專一)한 氣가 각각 방소(方所=방위)의 분야를 점령한다. 가령 春절의 辛卯, 夏절의 戊午, 秋절의 癸酉, 冬절의 丙子는 四方에서 각각 自旺한 氣를 포용(包容)하여 서로 범할 수 없다. 따라서 五行의 旺氣인 중간의 一辰을 취하여 白虎살이라 일컫는다. 가령 東方의 木이 西方의 金을 만나고, 南方의 火가 北地의 水를 만나면 소위 煞로써 四仲을 꺼리며 物이 도리에 어긋남을 禁하고, 君을 말하고 父를 말하는데 둘이 亡할 수 없다. 相剋이 되면 반드시 불리하다. (解.此言運行東西南北,金木水火之鄕,有利有不利,兼歲中否泰言也.王氏曰,木火金水,乃四方專一之氣,各擅方所分野.如春之辛卯,夏之戊午,秋之癸酉,冬之丙子,四方各抱自旺之氣,而不可相犯.故五行旺氣,取仲一辰,謂之白虎煞.如東方之木,往西方逢金.南方之火,來北地遇水,所謂煞忌四仲,物禁失道,曰君曰父,不可兩亡.以其相剋,往必不利.)

만약 五行이 衰 絶하여 무기(無氣)한데 상충(相衝)이 왕래(往來)하면 도리어 서로에게 福이 된다. 가령 乙亥[산두]火가 癸巳[장류]水를 얻으면 火는 巳에서 旺하고, 水는 亥에서 旺하니 서로 바꾸어 旺하게 되는데, 왕래(往來)하니 어찌 손상하겠는가? 壬寅[금박]金은 臣으로 强하지 않고, 庚申[석류]木은 君을 섬김에 사납지 않고, 한 모퉁이를 독점(獨占)하는데 어찌 조화(造化)가 있겠는가? 대개 祿이 旺하면 자연히 형통하여 貴한데, 환난(患難)을 서로 구조하기 때문이다. 일순(一旬=運)안에서는 年중에 天干을 묻고, 年의 天干은 甲이 기우(寄寓)하는 곳을 아는데, 이것이 같은 순(旬)에서 生한다. (若五行衰絶無氣,逢相衝往來,則反互相爲福.如乙亥火,得癸巳水,火至巳而旺,水至亥而旺,互換逢旺,往來何傷?壬寅之金,爲臣不强.庚申之木,事君不暴,獨占一隅,奚有造化?蓋祿旺貴其自亨,患難欲得相救故也.一旬之內,於年中而問干,以年之干,則有以知甲之所寓,於是同旬之生也.)

一歲중에서는 月中에서 求하고 日에서 묻는다는 것은, 一歲중에서는 다른 것이 있고, 음남양녀의 命을 말하는 것이다. 月에서 求하고 日을 묻는 다는 것은, 節氣의 일수(日數)를 알아야 몇 歲를 정함으로써 大運이 行하는 法이 된다. 運이 行하면 마땅히 三元의 生氣를 향하고 오귀(五鬼) 절로(絶路)를 피해야한다. 늘어난 방면(方面)을 가리키면 陰陽을 궁통(窮通)하고, 祿馬의 향배(向背)를 관찰하고, 大運의 성쇠(盛衰)로 길흉(吉凶)을 살핀다. 불출지고간(不出指顧間), 歲중의 부태(否泰)를 설명할 수 있다. 혹 생기(生氣) 복덕(福德) 천의(天醫)는 향삼(向三)이 되고, 절체(絕體) 유혼(遊魂) 오귀(五鬼) 절명(絕命) 本宮은 피오(避五)가 된다. (一歲之中,求月中而問日,謂一歲之中,則有異者,陰陽男女之命也.求於月而問日者,欲知節氣日數,以定幾歲爲行大運之法也.運之行也,宜向三元生氣,避五鬼絕路.指陳方面,窮通陰陽,觀祿馬之向背,大運之盛衰,由此以審吉凶.不出指顧間,能述歲中之否泰.或以生氣福德天醫爲向三.絕體遊魂五鬼絕命本宮爲避五.)

서[자평]이 말하길, 독작거성(讀作去聲)을 점령하여 마땅히 태어난 歲 月이 점령한 곳을 살펴보아야한다. 가령 木은 金이 官인데, 陽命의 남자는 運이 未에서 나와 申에 들어오고, 陰命의 남자는 運이 亥에서 나와 戌에 들어오는데, 祿을 향하여 財에 임하니 金 木분야의 사이이다. 가령 金은 木이 財인데, 陽命의 남자는 運이 丑에서 나와 寅에서 들어오고, 陰命의 남자는 運이 巳에서 나와 辰에서 들어오는데, 祿을 향하여 財에 임하니 木 火의 방소(方所=方位)중에 있다. 다시 태세(太歲) 월령(月令)의 기후(氣候)를 더하여 함께 돕는다는 말이다. 표(標)에 대하여 본(本)을 말하면, 또 표준(標準)의 뜻이 있으니 즉 命의 기본인 것이다. (徐曰,占讀作去聲,看當生歲月所占.如木用金爲官,在陽命男,運出未入申.陰命男,運出亥入戌,是向祿臨財,於金木分野之際.如金用木爲財,陽命男,運出丑入寅.陰命男,運出巳入辰,是向祿臨財,在木火方所之中.更加太歲月令氣候,扶同言之.標對本言,又有標準之義.則是命基本也.)

南은 밝음을 향해 가는 것이고, 北은 北을 향해 돌아오는 것이다. 이 말은 운기(運氣)가 출입하는 동정(動靜)인데, 혹 吉凶이 박잡(駁雜)해서는 안 된다. 혹 교운(交運)의 年을 만나면 경솔하게 행동하여서는 안 된다. 일순(一旬)안에서는 年중에서 天干을 묻고, 月중에서 日을 구하는 것이다. 一歲중에서는 月중에서 日을 묻고, 年중에서 月을 구하는 것이다. 향삼 피오(向三避五)는 歲중에서 吉하고 이로운 방위(方位)를 구하는 것이다. 무릇 앉아서 진퇴(進退)를 지으니 吉을 향하고 凶을 피하는데, 이것보다 중대한 것은 없는 것이다. (南者向明而往也.北者向北而來也.此言運氣出入動靜,或吉或凶,不可駁雜.或遇交運之年,不可輕擧.一旬之內,於年中問干,是月中求日也.一歲之中,求月中問日,是年中求月也.向三避五,是歲中求吉利方所也.凡坐作進退,向吉避凶,莫大於此矣.)

일순(一旬)은 10日이고, 年중에 生日이다. 무릇 한 달 중에 있는 一旬의 안에서 生日天元이 配合한다는 말인데, 그 日중에 휴(休)상(祥)을 알고 生日을 정립(定立)하여 主를 삼는다. 一歲중에 月令을 취하여 生剋으로 配合한다는 말인데, 그 月중에 휴구(休咎)를 아는 것이다. 가령 사람이 得地하여 태어나면, 모름지기 太歲는 존(尊)이 되니, 一歲중에 生月이 祿을 차거나 혹 官印이 원래 있고 없고를 구하여 月에서 日을 묻는 것이 곧 看命하는 총법(總法)이다. (一旬,十日也.年中,生日也.凡在一月之中,一旬之內,將生日天元配合而言,則知其日中休祥,定立生日爲主也.一歲之中取月令,以生剋配合而言,則知其月中休咎也.如人生得地,須太歲爲尊,是一歲之中,求生月帶祿或官印,原有原無,是月而問日,乃看命總法也.)

消息賦(소식부)-26

壬 癸는 秋절에 生하며 冬절에 旺하고 亥 子도 동일하다. 甲 乙은 夏절에 死하며 春절에 영화롭고 寅 卯도 같다. (壬癸乃秋生而冬旺,亥子同途.甲乙乃夏死而春榮,寅卯一揆.)

해석. 이 말은, 人命에는 生旺 死絶이 있고, 行運에서는 적당한 것과 적당하지 않는 것이 있는데, 五行이 소통하는 것을 가리키는 말이다. 庚은 衆金의 주체이고, 申에 머무르며 水를 生하고, 水는 亥 子로 돌아오니 冬절에 旺하다. 壬은 水가 모이는 근원이고, 亥에 머무르며 木을 生하고, 木은 寅 卯로 돌아오니 春절에 旺하다. 甲은 郡木의 으뜸이고, 寅에 머무르며 火를 生하고, 火는 巳 午로 돌아오니 夏절에 旺하다. 戊는 衆土의 尊이고, 巳에 머무르며 金을 生하고, 金은 申 酉로 돌아오니 秋절에 旺하다. 壬 癸 亥 子는 같은 종류이고, 水는 申에서 [長]生하며 子에서 旺하다. 甲 乙 寅 卯는 같은 종류의 木이고, 木은 卯에서 旺하며 午에서 死하고, 壬 癸는 秋절에 生하며 冬절에 旺하고, 甲 乙은 夏절에 死하며 春절에 영화롭다. (解.此言人命有生旺死絕,而行運所値,有宜與不宜,通指五行言也.庚爲衆金之主,故居申而生水,水歸亥子,冬天而旺.壬爲聚水之源,故居亥而生木,木歸寅卯,春天而旺.甲爲群木之首,故居寅而生火,火歸巳午,夏天而旺.戊爲衆土之尊,故居巳而生金,金歸申酉,秋天而旺.壬癸亥子,一類水也,水生於申而旺於子.甲乙寅卯,一類木也.木旺於卯,而死於午,故壬癸秋生而冬旺,甲乙夏死而春榮.)

丙寅 丁卯는 秋절에도 마땅히 보존된다. 己巳 戊辰은 乾宮에서 재앙을 벗어난다. (丙寅丁卯,秋天宜以保持.己巳戊辰,度乾宮而脫厄.)

해석. 이것은 納音을 가리키는 말이다. 丙寅 丁卯의 노중火는 火가 旺하다. 秋절에 이르러도 마땅히 보존되지만, 火는 秋절에 이르면 死하는데, 하물며 다른 火는 어떻겠는가? 己巳 戊辰의 대림木은 木이 왕성하다. 乾宮에 이르면 화액을 벗어나고, 木이 亥에 이르면 [長]生하는데, 하물며 다른 木은 어떻겠는가? (解.此指納音言也.丙寅丁卯爐中火,火之旺也.至秋宜以保持,以火至秋而死,況他火乎?己巳戊辰大林木,木之盛也.度乾宮而脫厄,以木至亥而生也,況別木乎.)

또 丙寅 丁卯는 火를 일으키는 종류이고, 火가 金을 剋하지만 秋절에 보존되는 것은 무슨 까닭인가? 설명하면, 水가 秋절에 生하기 때문이다. 戊辰 己巳는 木을 일으키는 종류이고, 木이 亥

에서 生하지만 乾宮에서 재액을 벗어나는 것은 무슨 까닭인가? 설명하면, 亥가 乾[宮]의 金에 있기 때문이다. 五行에서 休旺의 道는 분명히 조화로운 자연의 이치인데, 혹 元命, 行運, 流歲(歲運)은 모두 신중해야한다. (又丙寅丁卯擧火之類,火旣剋金,秋天保持者何也?言水生於秋故也.己巳戊辰擧木之類,木旣生亥,乾宮脫厄者何也?言亥有乾金故也.明五行休旺之道,造化自然之理,或元命,或行運,或流歲,皆宜愼之.)

病을 지니면 病을 근심하고, 生을 만나면 生을 얻는다. 旺相하면 쟁영(崢嶸;한껏 높은 모양)하고, 休囚하여 멸절(滅絶)한다. 그 권속(眷屬)을 論하고, 그 死絶을 근심해야한다. (値病憂病,逢生得生.旺相崢嶸,休囚滅絕.論其眷屬,憂其死絕.)

해석. 치병우병(値病憂病)은 休囚하여 멸절(滅絶)한다는 말이다. 봉생득생(逢生得生)은 왕상(旺相)하여 쟁영(崢嶸)한다는 뜻이다. 치병우병(値病憂病)하는 것은, 五行이 病중에 鬼를 만나 것이다. 木은 辛巳[백랍]金을 지니고, 火가 甲申[천중]水를 지니고, 土가 庚寅[송백]木을 만나고, 金이 乙亥[산두]火를 만나는 이와 같은 종류인데, 休囚하여 멸절(滅絶)하게 된다. (解.値病憂病,以休囚滅絕爲言.逢生得生,以旺相崢嶸爲義.値病憂病者,五行病中逢鬼是.木値辛巳金,火値甲申水,土遇庚寅木,金逢乙亥火,如此之類,休囚滅絕.)

봉생득생(逢生得生)하는 것은, 五行의 生地에서 生을 만난 것이다. 木이 癸亥[대해]水가 임하고, 火가 庚寅[송백]木을 얻고, 水가 壬申[검봉]金을 지니고, 金이 丁巳[사중]土를 만나는 이와 같은 종류인데, 旺相하여 쟁영(崢嶸)하게 된다. 혹 生地를 두거나, 혹 歲 運에서 만나면 거듭 시종(始終)으로 살펴보고, 마땅히 소식(消息)을 따라야한다. (逢生得生者,五行生處逢生是,木臨癸亥水,火得庚寅木,水値壬申金,金逢丁巳土,如此之類,旺相崢嶸.或値當生,或逢歲運,更看始終,隨宜消息.)

五行에서 생아자는 父母이고, 아생자는 子孫이다. 극아자는 官鬼이고, 아극자는 妻財이고, 비화자는 형제인데, 공망 死絶의 地支를 꺼리고, 休囚 衰敗한 곳에 머물면 근심하고, 권속(眷屬=六親)이 얻는 곳을 따른다는 말이다. 五行을 총론(總論)하면, 천지(天地)간에서 태어나고, 12地支안에서 기우(寄寓)하는데, 장생 목욕 관대 임관, 제왕 쇠 병, 死 墓 絶 胎 養,안에 4길신과 4흉신과 4평신이 있다. (五行生我者父母,我生者子孫.剋我者官鬼,我剋者妻財,比和者兄弟,忌在空亡死絕之地,憂居休囚衰敗之鄕,隨眷屬所得言之.此總論正行,生乎天地之間,寓於十二支內,有長生沐浴冠帶臨官,帝旺衰病,死墓絕胎養,內有四吉四凶四平也.)

消息賦(소식부)-27

墓가 鬼[煞]중에 있으면, 의심하여 불안한 것이 심하게 된다. 족하(足下;친구에 대한 경칭)가 상문(喪門)에 임하면 면전(面前)에서 보게 된다. [譯註;족하(足下)는 권속(眷屬)으로 쓰이지 않았나 생각되고, 비겁이 상문이 임하면 凶象을 직접 보게 된다는 말 같다.] (墓在鬼中,危疑者甚.足下臨喪,面前可見.)

해석. 묘재귀중(墓在鬼中)은 五行이 墓중에 鬼를 만난 것인데, 가령 金은 己丑[벽력]火를 두려워하고, 木은 乙未[사중]金을 방비해야하고, 水는 丙辰[사중]土를 근심하고, 土는 戊辰[대림]木을 꺼리고, 火는 壬戌[대해]水를 두려워하는데, 이와 같은 格이 혹 歲 運에서 만나면 主는 의심하여 불안한 것이 심하게 된다. 족하임상(足下臨喪)은 命앞의 二辰이 상문인데, 가령 辛亥[차천金]인이 己丑[벽력火]을 보면 이미 입묘(入墓)하였고, 또 상문에 임하면 족하(足下)에게 재화(災禍)가 된다. 면전가견(面前可見)은 그 흉(凶)이 빠르게 온다는 말이다. 만약 太歲의 모든 煞이 대운 소운에 임하면 불측(不測)의 재앙을 근심하니, 외복지상(外服之象)을 방비해야한다. (解.墓在鬼中,乃五行墓中逢鬼,如金畏己丑火,木防乙未金,水患丙辰土.土忌戊辰木,火怕壬戌水,如此之格,或行乎歲運,主危疑之甚.足下臨喪,以命前二辰爲喪門,如辛亥人見己丑,旣入墓,又臨喪,乃足下同爲禍.面前可見,言其凶速也.若太歲諸煞,大小運臨之,憂其不測之災,防有外服之象.)

陰에 근거하여 陽의 재앙을 살피고, 세성(歲星)이 고신(孤辰)을 범해서는 안 된다. 陽에 근거하여 陰의 재액을 비추어보고, 천년(天年)이 과숙(寡宿)을 만나는 것을 꺼린다. (憑陰察其陽禍,歲星莫犯於孤辰.恃陽鑒以陰災,天年忌逢於寡宿.)

해석. 寅 卯 辰인은 巳가 孤辰이고, 丑은 과숙(寡宿)이 된다. 寅 辰은 양위이고, 丑 巳는 음위가 된다. 따라서 말하길, 陰에 근거하여 陽의 재앙을 살핀다. 세성(歲星)이 고신(孤辰)을 범해서는 안 된다. 巳 午 未인은 申이 고신(孤辰)이며 辰은 과숙(寡宿)이 된다. 未 巳는 음위이고, 申 辰은 양위가 된다. 따라서 말하길, 陽에 근거하여 陰의 재액을 비추어본다. 천년(天年)이 과숙(寡宿)을 만나는 것을 꺼리는 것은 천년(天年)은 마치 소운(小運)과 같고, 세성(歲星)은 마치 太歲와 같은 것이다. 陽은 고신이 重하고, 陰은 과숙이 重하다. (解.寅卯辰人,巳爲孤辰,丑爲寡宿.其寅辰爲陽之位,丑巳爲陰之位,故曰憑陰察其陽禍.歲星莫犯於孤辰,巳午未人,以申爲孤辰,辰爲寡宿,未巳爲陰之位,申辰爲陽之位,故曰恃陽鑒以陰災.天年忌逢於寡宿,天年,猶小運也.歲星,猶太歲也.陽以孤辰爲重,陰以寡宿爲重.)

서[자평]이 말하길, 陰이 陽을 상대(相對)하며 陽이 陰을 짝한다. 陽은 陰이 없어서는 안 된다는 말이고, 陰은 陽이 없어서는 안 된다는 말이다. 따라서 陰에 근거하여 陽을 살펴야하고, 陽에 근거하여 陰을 비추어 볼 수 있다. 세성은 太歲이고, 고신(孤辰)상에 있어서는 안 된다. 가령 寅 卯 辰인이 太歲에서 巳를 만나면, 寅인은 구교, 卯인은 상조[상문과 조객], 辰인은 공신煞 또는 요신煞이라고 일컫는데, 主가 어떤 일을 가로막아 방해하며 억눌러 가로막는다. 天年과 또한 太歲가 과숙(寡宿)상에 있어서는 안 되는데, 가령 寅 卯 辰인이 太歲에서 丑을 만나면, 辰인은 구교, 卯인은 상조[상문과 조객], 寅인은 규신煞 또는 박신煞이라 일컫는데, 主人이 도적질로 핍박이나 모함을 받는다. 혹 그 삼원이 형(刑)하여 다투고, 歲 運이 불화(不和)하는데, 이 五行이 祿

馬를 害하는 年이면 凶이 더욱 심하게 된다. (徐曰,陰以陽爲對,陽以陰爲耦,言陽則未嘗無陰,言陰則未嘗無陽,故憑陰可以察陽,恃陽可以鑒陰.歲星者,太歲也,不可在孤辰之上.假令寅卯辰人,遇太歲在巳,寅人勾絞,卯人喪吊,辰人謂之控神煞,又謂之邀神煞,主阻礙抑塞.天年亦太歲,不可在寡宿之上,如寅卯辰人,遇太歲在丑,辰人勾絞,卯人喪吊,寅人謂之窺神煞,又謂之迫神煞,主人窺竊,逼迫,陷害.其或三元刑戰,歲運不和,是五行祿馬爲害之年,則爲凶尤甚.)

消息賦(소식부)-28

먼저 [陰陽]二氣를 論하고, 다음에 연생(延生=命運)의 과정(課程)을 論한다. 父의 病은 그 子[자식]의 祿으로 추리하고, 妻의 재액은 夫[旺]年의 과정(課程)으로 추리한다. (先論二氣,次課延生.父病推其子祿,妻災課以夫年.)

해석. 五行이 相生하여 父子가 되고, 그것은 전수(傳受)하는 氣가 되는데, 靑 赤등의 종류인 것이다. 陰陽이 상제(相制)하면 부처(夫妻)가 되고, 그것은 교합(交合)하는 辰[神]이 되는데, 支干등의 종류인 것이다. 가령 金의 病이면 틀림없이 火가 두려우니, 급히 水로 구원해야하는데, 金이 水를 生하여, 子(자식)가 능히 火를 剋할 수 있기 때문이다. 또 金의 재액은 火를 두려워하는 것이니, 장차 火의 休 旺이 어떠한가를 살펴보고, 돕거나 화해시키는 이법(二法)을 가장 자세히 아는 것이 중요하게 된다. (解.五行相生爲父子,其爲傳受之氣,青赤等類是也.陰陽相制爲夫妻,其爲交合之辰,支干等類是也.假令金病,無疑畏火,急求水以救之,以金生水,爲子能剋火故也.又如金之災者,恐值火也,且看火之休旺何如,此乃救解二法,最爲詳要.)

서[자평]이 말하길, 二氣는 陰陽이고, 延生은 命運이다. 먼저 陰陽을 구별하고, 다음에 命運을 구분한다. 父病의 두 글귀는 陰陽이 進退하는 象이 분명한 것이다. 가령 庚辰인이 10월생이면, 庚金은 亥에서 病인데 이것이 父病이다. 庚은 壬을 生하여 子(자식)이 되고, 壬은 祿이 亥에 있으니 子(자식)은 祿이 있는 것이다. 庚은 乙로써 妻를 삼는데 大運이 巳에 이르면 乙木이 巳에서 病이니 妻의 災인 것이다. 그리고 庚金은 다시 연년(延年)을 얻는데, 五行이 모두 이와 같은 종류이다. 가령 壬 癸일 생인은 庚 辛이 父가 되고, 亥 子運으로 行하면, 金은 亥 子가 病 死[地]이니 主의 父母가 災이고, 혹 丁이 근심이다. (徐曰,二氣者陰陽也.延生者,命運也.先別陰陽,次分命運.父病二句,是明陰陽進退之象也.假令庚辰人,十月生,庚金病於亥,是父病也.庚生壬爲子,壬祿在亥,是子有祿也.庚以乙爲妻,大運到巳,乙木病於巳,是妻災也.而庚金得復延年,五行俱如此類,如壬癸日生人,以庚辛爲父,行亥子運,金病死亥子,主父母災,或丁憂.)

丙 丁일 생인은 庚 辛이 妻인데, 寅 卯運으로 行하면 金이 寅 卯에서 絶하니 妻의 재액인데 혹 상처(喪妻)한다. 또 丙寅[노중火]인은 大運이 戊申[[대역土]에 이르면, 火가 비록 病일지라도 丙寅은 戊申의 父가 되고, 土가 申에서 長生하니 子[자식]祿이 이미 生하여 父가 子祿을 음덕(蔭

德)으로 계승하니 비록 병(病)일지라도 죽음에 이르지는 않는다. (丙丁日生人,以庚辛爲妻,行寅卯運,金絕寅卯,主妻災,或喪偶.又如丙寅人,大運至戊申,火雖病,而丙寅爲戊申之父,土至申長生,子祿既生,父承子祿之蔭,雖病亦不至死)

가령 丁卯인은 行運이 甲午에 이르면, 火가 金을 剋하니 妻가 되는데, 金은 午에 이르러 敗[地]이니 妻의 재액이라 말할 수 있다. 丁卯[노중]火가 午에서 旺한데, 또 天祿을 만나 金火가 서로 얻으면 陰陽이 相合하니, 비록 五行에서 妻는 재액(災厄)이더라도 부(夫)年이 旺하여 凶이 되지 않는다. 대개 父子는 天[천륜]合이고, 부처(夫妻=夫婦)는 人[사람이 맺은]合으로 사람의 親 골육(骨肉)인 것이다. 그래서 그 남편과 자식의 命을 관찰하여 凶神 惡煞을 만나면 마땅히 父母 妻子가 형상(刑傷)을 당하는데, 父의 病은 반드시 심하고, 妻의 災(재앙)는 반드시 重하다. (如丁卯人,行運至甲午,火剋金爲妻,金至午而敗,可謂妻災.丁卯火旺於午,又逢天祿,金火相得,陰陽相合,雖五行妻災,以夫年旺而不爲凶.蓋父子天合,夫妻人合,是人之至親骨肉也.故觀其夫子之命,遇凶神惡煞,當刑傷父母妻子,則父病必深,妻災必重.)

消息賦(소식부)-29

三宮이 크게 吉하면, 禍를 만나도 지연되고, 처음과 끝이 모두 凶하면, 재앙이 신속하게 갑자기 온다. (三宮元吉,禍逢可以延推.始末皆凶,災忽來而迅速.)

三宮은 祿 命 身으로 [三宮은] 三元의 長生 宮이다. 四柱에 함께 居하는 宮에서 祿馬 貴人을 만나고, 五行이 生旺하면 元吉이라 일컫는다. 비록 行년 歲 運에서 凶神 惡煞을 만나 재화(災禍)가 되더라도 지연(遲延)되며 요절(夭折)하지는 않는다. 三元五行이 무기(無氣)하고 더하여 歲 運에 凶神惡煞이 臨하면, 처음부터 끝이 모두 凶하니 그 禍가 신속(迅速)하여 구원할 수 없다. (解.三宮,乃祿命身,三元長生之宮.四柱同居是宮,逢祿馬貴人,五行生旺,謂之元吉.雖行年歲運,逢凶神惡煞,欲爲之禍,亦遲延而不至於夭折.三元五行無氣,加以歲運凶神惡煞來臨.是始末皆凶,其禍之至,迅速而不可救.)

서[자평]이 말하길, 앞에서 論한 陰陽의 시종(始終)은 人命의 吉凶을 설명한 것인데, 가령 命에서 天元 人元 地元에 없지만, 안팎으로 歲 月 時중에 貴祿을 두고, 主와 本에서 근기(根基)가 休敗하지 않으면 三元은 크게 吉하다. 그런데 행년 태세 運 命이 위배되는 地支에 놓여도 역시 禍가 지연된다고 추리할 수 있다. 만약 三元의 안팎에 비록 祿馬 貴氣가 있더라도 오히려 八字중에서 刑 衝 破 害하면, 단지 貴가 있어도 貴하지 않을 뿐만 아니라 결국에는 凶人의 命이 된다. 만일 吉運을 만나면 福에 의해 禍의 발생을 방지하고, 凶運을 만나면 재앙이 갑자기 신속하게 찾아온다. 두 해석은 동일한 뜻이다. (徐曰,前論陰陽始終,此說人命吉凶.如命無天元人元支元,內外歲月時中,值貴祿,不居休敗,是根基主本,三元元吉.若值行年太歲運命乖違之地,然亦可以推禍至遲延

也.若三元內外,雖有祿馬貴氣,卻八字中衝刑破害,不唯有貴而不貴,又終爲凶人之命.如遇吉運,則防因福生禍.遇凶運,則災忽來而迅速.二解同一義也.)

택묘가 煞을 맞으면, 양진(梁塵)에 떨어져 신음(呻吟)한다. 상조(喪弔)가 人(元)에 임하면 궁상(宮商=음률소리)이 변하여 해로(薤露;상여소리)가 된다. (宅墓受煞,落梁塵以呻吟.喪弔臨人,變宮商爲薤露.)

해석. 命의 앞에 다섯 번째 辰은 宅이고, 命의 뒤에 다섯 번째辰이 墓가 되는데, 煞로 劫煞 災煞 歲煞이다. 命의 앞에 두 번째 辰은 상문이고, 命의 뒤에 두 번째 辰이 조객이다. 人은 人元이다. 예전에 노래를 잘하는 사람은 높고 낭랑한 소리였고, 창(唱)을 잘하는 사람은 궁상(宮商=음률)의 곡조에 부합(符合)하였다. 요즘에 신음(呻吟)하며 근심과 한탄으로 바뀌어 해로만가(薤露挽歌)로 변하니, 즉 상조가 門에 임하여 택묘가 煞을 맞았기 때문이다. (解.命前五辰爲宅,命後五辰爲墓.煞劫煞災煞歲煞也.命前二辰爲喪門.命後二辰爲弔客.人,人元也.古之善歌者,有遶梁之聲.善唱者,合宮商之曲.今易以呻吟愁嘆,變爲薤露挽歌,則喪弔臨門,宅墓受煞故也.)

[喪弔가] 혹 태세에서 凶殺이 아울러 임하고, 大運 小運에 刑 衝하면 반드시 흉화(凶禍)하니 절대로 예비(預備)해야 한다. 혹 택묘 二位가 만약 해마다 太歲에 상문과 조객, 황번 표미, 태음 대모 [대]장군의 모든 악살이 宅에 들면, 첫 번째 主가 신음하고, 두 번째 고통을 참고, 세 번째 이별하고, 네 번째 곡읍(哭泣)하는 이것이 사성입택(四聲入宅)이 된다. 혹 말하길, 거주지를 옮기고 집을 벗어나면 면할 수 있다. 이 말은 유세(流歲=세운)에서 凶煞을 만난 것이고, 人命의 원국(원래)에 있으면 더욱 重하다. (其或太歲凶煞臨併,大小運限刑衝,必致凶禍,切宜預備.或宅墓二位,若遇逐年太歲,喪門弔客,黃旛豹尾,太陰大耗將軍,諸惡煞入宅,一主呻吟,二主忍痛,三主分離,四主哭泣,此爲四聲入宅.或云,移居避舍可免.此言流歲所遇之凶煞也,人命原有尤重.)

[譯者註]해로가(薤露歌;상여(喪輿)가 나갈 때에 부르는 슬픈 노래. 사람의 목숨이 부추 위에 서린 이슬처럼 덧없이 사라져 없어진다는 뜻의 구슬픈 가사(歌辭)와 곡조(曲調)로 되었다.

消息賦(소식부)-30

[天]元에 [剋이] 둘로 重하면 머리사이[머리와 눈]에 재액을 방비해야한다. 地支에 三[刑]이 輕하여 꺾이면 팔 다리의 재난을 조심해야한다. 下元의 一氣[納音]는 거주(居住)하는 시기에 골고루 머문다. (干推兩重,防災於元首之間.支折三輕,愼禍於股肱之內.下元一氣,周居去住之期.)

간추양중(干推兩重)은 干은 天元이며 象의 으뜸은 머리가 된다. 德을 만나고 貴를 보면 吉하고, 煞이나 鬼를 만나면 凶하다. 天元이 둘에게 剋을 받는데, 가령 甲子생이 庚午월에 庚午일을 더한다면 重한 것이니 天元은 重剋되어 이기지 못하기 때문에 머리 눈 가슴과 등 사이의 재난을 방비해야한다. 지절삼경(支折三輕)에서 地支는 마치 사람의 지절(支節=肢節=팔다리의 마디뼈)과 같고, 主의 命에서 三合 六合이 있으면 吉하고, 四衝 三刑을 만나면 凶하다. 地支가 三刑으로 손상하여도,[아래 예 명조를 보라] (解.干推兩重者,干爲天元,以象元首.遇德見貴者,吉.逢煞值鬼者凶.天元兩值受剋,如甲子生,得庚午月,加以庚午日,謂之重者,干不勝重剋故也,防災於頭目胸背之間.支折三輕,支猶人之支節,主之於命,帶三合六合者吉.逢四衝三刑者凶.支辰三刑逢傷,如辛酉人得庚寅月,丁巳日,戊申時,謂之輕者,刑不至於本命故也.愼禍於腹臟股肱之內,或以三合逢傷亦通.)

예) 명조
戊 丁 庚 辛
申 巳 寅 酉
[三刑이] 가벼운 것은 刑이 本命에 이르지 않기 때문이다.
복부와 오장 팔과 다리의 안에 화난(禍難)을 조심해야하고, 혹 三合이 손상하여도 역시 통용(通用)된다.

하원일기(下元一氣)는 納音인데, 그 주재(主宰)하는 五行이 干支에 따라서 변천(變遷)하여 부태(否泰=吉凶)를 이루고, 그 재화(災禍)는 머리 팔과 다리에 구애받지 않으니, 그래서 말하길, 거주(居住)하는 시기에 골고루 머문다. 무릇 天元에 [剋이] 둘도 重한데, 하물며 셋은 어떻겠는가? 地支에 三[刑]이 輕하여도 꺾이는데, 하물며 둘은 어떻겠는가? 이것은 干支에서 輕重의 구별이다. 혹 말하길, 이것은 10干을 論하고, 大運에서 本年상의 干(天元)을 만나면 도리어 太歲를 剋하니, 剋을 받는 干은 이름이 귀임두(鬼臨頭)라 하여 두면(頭面)의 질병으로 근심한다. 12地支에서 生死 旺 五鬼를 만나면 반드시 사지(四肢)와 허리에 질병이 있는데, 干에 비해 가볍다. (下元一氣,納音是也.其主宰五行,逐干支,遷變而成否泰,其災禍不拘元首股肱,故云周居去住之期.夫干推兩重,況三乎?支折三輕,況兩乎?此干支輕重之別也.或曰,此論十干,逢大運在本年上値干,反剋太歲,干剋名爲鬼臨頭,患頭面之疾.十二支辰,若身命逢生死旺五鬼,須有四肢腰腳之疾,比於干爲輕也.)

다시 氣運을 설명하면, 도은거가(陶隱居歌)에서 말하길, 甲 己는 5년, 乙 庚은 4년, 丙 辛은 3歲, 丁 壬은 2歲, 戊 癸는 반드시 1歲를 따른다고 추리한다. 또한 納音[五行]으로 行하는 運氣가 相生하면 福德이고 相剋하면 凶하고, 五行이 공순(恭順)하면 모두 뜻대로 된다. 金인이 金을 만나면 흉화(凶禍)를 범하고, 木인이 木을 보면 경영을 마침내 구하고, 水인이 水를 지니면 主가 동요(動搖)하니, 運氣의 순역(順逆)을 반드시 다시 기억해야한다. (復言氣運,陶隱居歌曰,甲己五年乙庚四,丙辛三歲丁壬二,戊癸須從一歲推.又有納音行運氣,相生福德相剋凶,五行恭順皆如意.金人遇金犯凶禍,木人見木營求遂,水人値水主動搖,運氣順逆須還記.)

가령 癸酉[검봉金] 남자의 命이 3月생이면, 3月建은 丙辰인데, 丙辰[사중土]은 3歲에 일어나고 丁巳[사중土]는 2歲에 일어나니, 5년의 納音[五行]은 土인데 별도로 刑 剋함이 없다. 戊午[천상

火]는 1년에 멈추고 己未[천상火]는 5년에 멈추니, 6年의 納音[五行]은 火인데 金이 火를 만나서 凶하다. 庚申[석류木]은 4년이고 辛酉[석류木]은 3년이니 7年의 納音[五行]은 木인데, 12에서부터 18까지는 主가 경영하는 것을 구하고 이룬다. 나머지는 이것을 모방하는데, 순환(循環)하는 數이다. 혹 1宮이 5년에 멈추거나 1년에 멈추는데 그래서 말하길, 머물거나 가는 시기이다. 大運이 旺한 곳에 머물면 설사 서로 制할지라도 害가 되지 않는다. (假令癸酉男命,三月生,三月建丙辰,便從丙辰起三歲,丁巳土二歲,此五年納音是土,別無刑剋.戊午住一年,己未住五年,此六年納音是火,金遇火凶.庚申上四年,辛酉三年,此七年納音是木,自十二至十八,主營求稱遂.餘仿此,循環數之.或一宮住五年,或住一年,故云去住之期.大運住在旺鄕,設使有相制,則不能爲害.)

消息賦(소식부)-31

어질어도 어질지 못한 것은 戊 己[土]를 손상과 공격하는 것을 염려하여 침식(寢食)과 시위(侍衛)에 이른 것이다. 物에는 鬼物이 있고, 사람에 人鬼가 있으니 이를 만나면 재앙이 되고, 이를 제거하면 福이 된다. (仁而不仁,慮傷伐於戊己,至於寢食侍衛.物有鬼物,人有鬼人,逢之爲災,去之爲福.)

해석. 甲 乙木의 오상(五常)은 仁인데, 요즘에 도리어 不仁을 말하는데, 戊 己를 剋하기에 그런 것이다. 가령 甲이 戊를 보거나 乙이 己를 만나면 편음편양으로 극(剋) 벌(伐) 고(孤) 배(背)가 되니 五行이 불인(不仁)하는 것이다. 만약 甲이 己를 보거나, 乙이 戊를 만나면 강유(剛柔)가 상승(相乘)하여 둘을 얻기에 불인(不仁)이 아니라고 할 수 없다. 부(賦)중에서 甲乙 戊己로 例를 들었는데, 그 나머지 五行은 例로써 구할 수 있다. (解.甲乙木五常爲仁,今反言不仁,以其剋戊己凶也.如甲見戊,乙見己,偏陰偏陽,爲剋爲伐,爲孤爲背,則五行爲不仁也.若甲見己,乙見戊,剛柔相乘,兩得其所,未可以不仁言也.賦中擧甲乙戊己爲例,其餘五行.可以例求.)

五行의 변화는 인사(人事)와 서로 상통(相通)하고, 침식(寢食) 시위(侍衛)도 모두 仁을 벗어나지 않을 뿐이다. 五行에서 내가 剋하는 것을 財라 말하고, 나를 剋하는 것을 鬼라고 말한다. 비유컨대, 辛卯인이 丁酉를 만나면, 辛의 祿은 酉에 있으니 丁을 만나서 辛의 鬼가 되는데, 이를 일러 녹두봉귀(祿頭逢鬼)라 하여 物에 鬼物이 있는 것이다. 命(年)의 地支가 木에 속하면 酉의 地支가 金에 속하니, 金이 와서 木을 剋하는데, 이것을 일러 인원수극(人元受剋)이라 하여 사람에게 鬼人가 있는 것이다. 格局중에서 이런 종류를 運에서 만나면 재앙이 되니 이를 제거하면 福이 된다. 혹 말하길, 군자는 새벽에 일어나서 저녁에 잠자고, 항상 섭생을 잘하여 [몸을] 보호해야하는데, 그것이 혹 섭생과 생활이 조절되지 않으며 행동이 지나치면 재앙이 발생하고, 이것에 合하는 중에 鬼를 만나면 吉내에 凶을 감추는데, 비록 인정(人情)으로 하는 일이라도 陰陽이 주관하는 곳에서는 그러하다. (五行變化,與人事相通.至於寢食侍衛,皆不外於仁而已.五行我剋之謂財,剋我之謂鬼.譬之辛卯人,遇丁酉,辛祿在酉,逢丁爲辛之鬼,是之謂祿頭逢鬼,物有鬼物.命支屬木,酉支屬金,金來

剋木,是之謂人元受剋,人有鬼人.格局中類此者,運逢之則爲災,去之則爲福.或曰,君子晨興暮寢,常宜攝衛護持,其或食息弗調,動過生災.於是合中逢鬼,吉內藏凶.雖或人情所爲,亦被陰陽所宰然也.)

침식(寢食)은 조양(調養=조절과 수양)이 꼭 필요함을 말한다. 시위(侍位)는 [임금을] 좌우에서 가까이 모시는 것을 말한다. 둘[침식과 시위]은 가벼이 소홀히 하여서는 안 된다. 物중에 鬼 物이 있고, 人중에 鬼人이 있으면 吉凶이 변하여 가까운 곳에서부터 멀어져 매우 빠르게 된다. (寢食,言調養之至切也.侍衛,言左右之至近也.此二者,甚不可輕忽.以物中有鬼物,人中有鬼人,吉凶之變,自近及遠,爲速之甚也.)

또, 戊가 甲을 보면 불인(不仁)하는데 혹 歲 月 時중에 庚 辛을 만나면 인(仁)이 된다. 戊는 食神이 庚인데, 庚이 와서 甲을 制하고, 혹 己를 만나도 仁이 되는데 己가 甲을 合하여 甲을 시위(侍衛)할 수 있다. 戊가 甲木을 만나면 불인(不仁)하여 재앙이 되고, 庚 己의 침식(寢食)이나 시위(侍衛)가 있으면 제거하여 福이 된다고 말하는 것이다. (且如戊見甲爲不仁,或歲月時中見庚辛則爲仁.謂戊食庚,庚來制甲,或見己亦爲仁,謂己合甲,能侍衛甲也.戊逢甲木,不仁爲災,有庚己寢食侍衛,是謂去之爲福.)

[鬼物과 鬼人]就中에 나형(裸刑)이 俠煞하면 백(魄)이 풍도(酆都=평도, 현의 이름)로 간다. 침범하여 손상하면 혼(魂)이 대령(岱嶺=태산의 산봉우리)으로 돌아간다. (就中裸形俠煞,魄往酆都.所犯有傷,魂歸岱嶺.)

해석. 就中은 본 上文에서 鬼物과 鬼人을 말한다. 취중은 지극히 重한 것을 만난 것인데, 五行의 목욕地로써 나형을 일컫는다. 가령 本音의 목욕地를 大運에서 만나는 것은 재앙이다. 水 土인의 運에 酉가 있고, 木인의 運에 子가 있고, 火인의 運에 卯가 있고, 金인의 運에 午가 있으면 귀곡자는 파랑한(波浪限)이라 말하였다. (解.就中,是本上文鬼物鬼人言.就中所遇極重者,五行沐浴之地,謂之裸形,如本音沐浴,大運逢之者災.水土人運在酉,木人運在子,火人運在卯,金人運在午,鬼谷子謂之波浪限.)

협살은, 원진칠살인데, 가령 사람의 運이 목욕[地] 위에 있고 太歲와 아울러 있으면 재앙이다. 혹은 歲 時에 [협살이] 원국에 범하는 神이 있으면 혼(魂)이 대령(岱嶺=태산의 산봉우리)으로 돌아가고, 백(魄)은 풍도(酆都=평도, 현의 이름)로 간다는 이것은 凶함을 지칭한 것이다. 혹 이르길, 협살이 七殺을 공협한 것이다. 나형이 煞을 보면 더욱 不吉하게 된다. 午는 辛의 煞이고, 酉는 乙의 煞이고, 子는 丁의 煞이고, 卯는 己의 煞이다. (俠煞者,元辰七煞也,如人運在沐浴之上,與太歲併者,災.或當生歲時,原有所犯之神,則魂歸岱嶺,魄往酆都,此至凶之名也.或云,俠煞拱七煞也.裸形見煞,尤爲不吉.午乃辛煞,酉乃乙煞,乙[子]乃丁煞,卯乃己煞.)

假如辛巳日,乙未時,是裸形俠煞.餘仿此.或以甲子金人,得戊午歲,金裸形在午,加以戊午旺火,夾帶自刑,反吟災煞,破甲子之命.如此則所犯有傷.

예제)
時 日
乙 辛
未 巳
가령 辛巳일이 乙未時이면 이것이 나형협살인데 나머지는 이것을 모방하라.
[譯者註]첨언;巳가 나형이고 공협한 午가 협살이다.
혹은 甲子[해중]金인이 戊午歲를 얻으면, 金의 나형이 午에 있고, 戊午[천상]旺火를 더하고, 공협한 自刑을 차고, 반음 災煞이면 甲子의 命을 破한다. 이와 같이 범하는 것은 손상함이 있다.

消息賦(소식부)-32

혹 [運]行이 出入하여 凶方을 犯하면 배척하고, 가취(嫁娶)수영(修營)은 운로(運路)의 황도(黃道)와 흑도(黑道)에 오른다. (或乃行來出入,抵犯凶方,嫁娶修營,路登黃黑.)

해석. 행래출입(行來出入)은 동작(動作)이 펼치게 된다. 가취(嫁娶)수영(修營)은 동작(動作)을 펼치는 가운데 큰 것이 된다. 吉凶의 회린(悔吝)에서 움직임이 발생하므로 君子는 신중(愼重)하도다! 낙록자가 이미 삼명오행에서 말하였고, 또 출입하는 방위(方位)를 설명하였는데, 마땅히 사마 오귀 육해 칠상 팔난 구액은 凶方으로 피해야한다. 일덕(一德)과 이생(二生)은 吉方이 된다. 매년 太歲에서 신살을 취하여 살펴보고, 황도로 行하면 吉하고, 흑도는 凶하게 된다. (解.行來出入,動作施爲也.嫁娶修營,乃動作施爲中之大者.吉凶悔吝生乎動,故君子愼焉.珞琭子既談三命五行,又述出入方所,當避四魔五鬼六害七傷八難九厄爲凶方.一德二生爲吉方.取逐年太歲神煞看之,行黃道爲吉,黑道爲凶也.)

혹 말하길, 이것은 사람의 運氣를 論하는데, 運元으로부터 出入하는 吉凶의 地支로 行하여 五行의 相生 相剋을 만나면 가취(嫁娶) 수영(修營)의 이치가 있다. 五行에서 내가 剋하는 것을 妻라 하는데, 妻가 五行의 生旺한 地支에 있으면 아내를 맞이할 수 있고, 아내를 맞이하면 도움이 된다. 나를 剋하는 것을 夫라 하는데, 夫가 五行의 生旺한 地支에 있으면 시집갈 수 있고, 시집가면 福이 된다. 부부(夫婦)에서 나오는 말로 가취(嫁娶)의 뜻을 이룰 수 있다. (或曰,此論人運氣,自運元而行來出入吉凶之地,遇五行相剋相生,有嫁娶修營之理.五行我剋之謂妻,妻在五行生旺之地,則可娶,娶之則爲助.剋我之謂夫,夫在五行生旺之地,則可嫁,嫁之則爲福.言出於夫婦,可以成嫁娶之義也.)

수영(修營)은 말하면, 五行이 비록 정성(正性=바른 성품)이 있더라도 둘 사이에 자주 변하지는 않는데, 이것이 君子는 德을 닦으며 살아가고 때를 기다릴 뿐이다. 노등황흑(路登黃黑)은 運元의

月建상을 가리키며 흑도로 10년을 行하고, 순행하여 가득차면 황도로 行한다. 기령 運이 황도에 도달하면 모든 일이 이롭다. 運이 흑도에 이르면 모든 일이 막힌다. 무릇 사람은 수양하며 동작(動作)하고, 진퇴(進退)의 향배(向背)는 陰陽으로 本이 아닐 수 없고, 體가 運氣를 合하여 吉凶에서 모두 벗어날 수 없다. (修營者,言五行雖有正性,兩間有不常之變,是以君子修德營生,以待時而已.路登黃黑,指運元月建上,行黑道十年.順行至除滿上行黃道.如運到黃道,凡事皆利.運至黑道,凡事皆塞.凡人修爲動作,進退向背,莫不本乎陰陽,體合運氣,吉凶俱不能逃.)

재앙과 福은 歲年의 안에 있고, 발각(發覺)은 日時의 격양으로 말미암는다. 五神은 相剋하며 三生(三元)으로 命을 정한다. 항상 貴人 食祿을 만나면 祿馬의 鄕에서 어긋남이 없다. 근원이 혼탁한 복음은 헐궁(歇宮)의 地支를 한탄한다. (災福在歲年之位內,發覺由日時之擊揚.五神相剋,三生定命.每見貴人食祿,無非祿馬之鄕.源濁伏吟,惆悵歇宮之地.)

해석. 무릇 歲중의 휴(休)상(祥)을 설명하면, 전적으로 日時와 太歲의 生 剋 刑 衝을 살펴보는 것을 말한다. 生日은 妻가 되고 生時는 子(자식)이 된다. 日時와 太歲가 화합(和合)하고 재물(財物)이 有用하여 모두 파괴함이 없으면 事物에 의지한다는 말이다. 가령 太歲와 日時가 相刑하고 혹은 六合 三合중에 원진 칠살이 있으면 凶하다. 또한 [이러한] 종류를 보고 말하는 것이므로 아래의 문장에서 云云한다. (解.凡說歲中休祥,專看日時與太歲生剋刑衝言之.生日爲妻,生時爲子.日時與太歲和合,及財物有用無諸壞者,依事物而言之.如太歲與日時相刑,或六合三合中,有元辰七煞者凶.亦看類而言之,故下文云云.)

혹 말하길, 歲年은 태세와 행년을 가리키는 말이다. 무릇 人命에서 流年 歲君을 만나서 凶하면 재앙이 되고 吉하면 福이 되는데, 모두 五行중의 日時에서 격양(激揚)함으로써 歲位에서 호응(呼應)한다. 五神은 五行이고, 三生은 三元이다. (或曰,歲年,指太歲行年言.凡人命遇流年歲君,凶則爲災,吉則爲福,皆由五行中日時之激揚,嚮應於歲位.五神者,五行也.三生者,三元也.)

무릇, 人命을 살필 경우, 반드시 근기(根基)를 연구하고, 삼원으로 宮을 정하고 五行으로 서로 배합한다. 이 法은 日時에서 祿 馬 五子를 구하고, 혹 本命에서 相生하여 건왕한 곳이거나, 혹 마땅히 生하는 곳에서 박잡(駁雜)하며 剋하여 멸절(滅絶)하는 地支인데, 運이 더하여 임할 것 같으면 반드시 吉凶의 조짐이 있다. (凡觀人命,須究根基,用三元定宮,以五行相配.此法以日時祿馬五子元求之,或相生於本命建旺之鄕,或駁剋於當生滅絕之地.至若運限加臨,必有吉凶之兆.)

무릇 五行에서 造化가 滅絶 空亡을 만나고, 다시 運에서 刑 沖을 만나 악성(惡星)이 아울러 교류하면 主는 근심이 많고 즐거움이 적어 반드시 요절을 초래하니 한탄하며 신음(呻吟)하므로 헐궁지지(歇宮之地)라 부른다. 혹 추창은 살(煞)의 이름으로, 子인이 行를 보고, 卯인이 寅을 보고, 午인이 巳를 보고, 酉인이 申을 보는 것을 가리킨다. 五神은 절체 유혼 오귀 절명 본궁을 가리킨다. 三生은 생기 천의 복덕이 된다. 이상으로 출입 가취 수영의 法을 말하였으나 三命의 설(說)은 아니다. 太歲 五行의 안에서 그 災福을 살펴보고, 또한 반드시 吉日 吉時를 가려서 용사(用事)할 수 있다. 그 설(說) 역시 통한다. (凡遇五行而造化滅絕空亡,更逢運限刑沖,惡星交併,主多憂少樂,必招夭殞,惆悵呻吟,故號歇宮之地.或指惆悵爲煞名,子人見亥,卯人見寅,午人見巳,酉人見申.指五神爲絕體遊魂五鬼絕命本宮.三生爲生氣,天醫福德.此以上謂出入嫁娶修營之法,非三命之說.謂用太歲五行之位內,看其災福,亦須擇吉日吉時,乃可用事.其說亦通.)

消息賦(소식부)-33

사나운 횡액(橫厄)이 구교(勾絞)에서 일어나고, 화패(禍敗)는 원진 망신에서 발생한다. 택묘(宅墓)가 같은 곳이면 즐거움은 적고 근심이 많은 것이 두렵다. 먼 곳에서 다시 돌아오는 것은 三歸의 地支이기 때문이다. (狂橫起於勾絞,禍敗發於元亡.宅墓同處,恐少樂而多憂.萬里回還,乃是三歸之地.)

해석. 神煞은, 천지오행의 정기(精氣)로 각각 吉凶을 소유(所有)한다. 命을 말하는 사람은, 먼저 五行의 休旺과 格局을 추리한 연후에 神煞을 참작하고 그 사건의 종류를 관찰한다. 陽命은 앞에 三辰이 구(勾)이고, 뒤에 三辰이 교(絞)가 된다. 陰命은 앞에 三辰이 교(絞)이고, 뒤에 三辰이 구(勾)가 된다. 혹 [구교가] 교차하여 運에 임하면 사나운 횡액을 초래한다. 원진 망신에 다시 당생(當生=월령)이 凶煞을 지니고 歲運에서 성(星)을 刑하면 대부분 관사(官事)로 인해 구(勾)가 연이어져 경영에 엮이어 끝이 없다. 더하여 구교 원진 망신에 宅 墓가 같은 곳이면 더욱 凶하다. 비유컨대, 癸亥생은 앞의 五辰[甲子 乙丑 丙寅 丁卯 戊辰]인 戊辰을 보면 水의 墓[庫]인데, 流年歲運에서 만약 煞을 동반하고 와서 그 중에서 같은 곳이면 택묘동처(宅墓同處)인 것이다. (解.神煞者,天地五行精氣也,各有所主,吉凶.談命者,先推五行休旺格局,然後參以神煞,觀其事類.陽命以前三辰爲勾,後三辰爲絞.陰命以前三辰爲絞,後三辰爲勾.或交臨運限,乃招狂橫之災.元辰亡神,二煞名.更值當生凶煞,歲運刑星,多因官事勾連,無端營絆.加以宅墓同處於勾絞元亡之上,尤凶.譬癸亥生,前五辰見戊辰,乃水之墓,流年歲運,若帶煞來,同處其中,是宅墓同處也.)

삼귀(三歸)는, 辰 戌 丑 未로 이를 삼구(三丘)라 하고 또한 五墓라 말한다. 만물이 뿌리로 돌아가 복명(復命)하니 도리어 本으로 환원(還元)한다. 무릇 이 四辰은 다시 돌아오는 象에 應하고, 혹 삼원오행이 귀숙(歸宿)의 地支가 삼귀(三歸)가 된다. 가령 甲子인이 亥년을 얻으면 木祿의 一歸가 되고, 申월을 얻으면 水命의 二歸인 것이다. 巳運이면 身인 金의 三歸인데, 모두 三元이 本音으로 長生의 位를 가리키는 말이다. 비록 신(身)과 객(客)이 만리장도(萬里長途;아주 먼 거리의 길)일지라도 장차 다시 되돌아오는 이치가 있는 것이다. (三歸者,乃辰戌丑未,此云三丘,亦云五墓.萬物歸根複命,反本還元.凡此四辰,以應回環之象,或以三元五行歸宿之地爲三歸.如甲子人,得亥年,爲木祿之一歸.得申月,是水命之二歸.巳運是身金之三歸,皆指三元本音長生之位而言.雖身客萬里長途,將有迴還之理也.)

서[자평]이 말하길, 구교는 元命 日時 二運상에 있어서는 안 되고, 다시 혹 원진 칠살과 아우르면 더욱 凶하다. 宅墓는 가령 戊子생이 辛未 太歲를 만나고 또한 반드시 未 子일상이어야하고, 日時 혹은 大運이 同宮에 있으면 重한데, 主가 陰인으로 소구가택(小口家宅)은 불리하다. 이 말은 大運이 12辰의 사이에 있으며 순역(順逆)으로 둥글게 돌아와 三元이 本祿 本財가 결국 宿地에 있으니 이것을 만나면 편안하고 福을 누린다. (徐曰,勾絞不可在元命日時二運之上,更或與元辰七煞併者,尤凶.宅墓,如戊子生,遇辛未太歲,亦須未子日上,有日時或大運同宮者則重,主不利陰人小口家宅.此言大運在十二辰之間,順逆回環,在三元本祿本財終宿之地,遇此者,優安享福.)

消息賦(소식부)-34

四煞의 父는 대부분 五鬼의 男兒를 生한다. 六害의 무리는 命에 七傷[육친과 본신]의 事가 있다. (四煞之父,多生五鬼之男.六害之徒,命有七傷之事.)

해석. 이것은 오로지 骨肉을 논하였다. 四煞은 겁살 재살 천살 지살을 가리키는 말이다. 혹 辰戌 丑 未는 四陰煞이 된다. 五鬼는, 子인이 辰을 보고, 丑이 卯를 보고, 寅이 寅을 보고, 卯가 丑을 보고, 辰이 子를 보고, 巳가 亥를 보고, 午가 戌을 보고, 未가 酉를 보고, 申이 申을 보고, 酉가 未를 보고, 戌이 午를 보고, 亥가 巳를 보는 이것이다. (解.此專論骨肉.四煞,指劫災天地言.或以辰戌丑未爲四陰煞.五鬼,乃子人見辰,丑見卯,寅見寅,卯見丑,辰見子,巳見亥,午見戌,未見酉,申見申,酉見未,戌見午,亥見巳是也.)

三元이 年에 손상을 받으면 양자(養子)로 즉 五鬼의 男兒이고, 도리어 制하면 剋을 당하여 화순(和順)하지 못하다. 六害는 子가 未를 천(穿)하는 등의 例이다. 12支가 불순(不順)하고, 命에 한둘의 六害를 거듭 두거나, 혹 다시 凶煞이 아울러 衝하는 이와 같은 사람은 命에 七傷의 事가 있다고 결정한다. 七傷은 六親 및 本身을 害친다. 혹 四煞은 오직 四劫을 가리키며 五行의 사맹(四孟)에서 생긴다. (三元受傷於年,養子乃是五鬼之男,反制受剋,不和順也.六害,子穿未等例.十二支不順,命値一兩重六害.或展轉凶煞併衝,如此之人,命有七傷之事決矣.七傷乃害六親及本身也.或以四煞,專指四劫.五行生於四孟.)

生[地]은 만물의 父이고, 五行에서 나를 剋하는 것은 鬼가 되고, 사람이 生 敗 旺 死 絶을 만나는 곳이 五變하는 이것이다. 비유컨대, 甲申[천중水]는 自生하는 水이고 木인은 겁살의 父가 되고, 庚申[석류]木을 生하여 子[자식]가 되고, 甲은 즉 庚의 父이니 申에 이르면 絶하고 庚을 만나면 鬼가 된다. 丁亥[옥상土]를 더하면 甲申의 六害가 되는데, 이와 같으면 命에 七傷의 事가 있는 것이다. 七傷 역시 神煞의 이름이다. 살펴보면 賦의 앞에서 말하였고, 혹은 사살 오귀 육해 칠상을 만나 볼 수가 있다. (生者,萬物之父,五行剋我者爲鬼,人所遇生敗旺死絕五變者是也.譬之甲申自生之水,爲木人劫煞之父,而生庚申木爲子,甲乃庚之父,至申而絕,逢庚爲鬼,卯[加]以丁亥,因爲甲申之六害,如此,則命有七傷之事矣.七傷亦神煞名.觀賦前云,或逢四煞五鬼六害七傷可見.)

권속(眷屬=가족)의 정(情)은 水火와 같아도 목욕(沐浴)地를 서로 만나면, 골육이 중도에 헤어지고 고신 과숙에 격각[煞]을 더욱 꺼린다. (眷屬情同水火,相逢於沐浴之鄉.骨肉中道分離,孤宿尤嫌於隔角.)

해석. 위의 말이 합당하다. 목욕煞은 장생에서 두 번째 자리이며 子 午 卯 酉인 것이다. 고신 과숙은 이미 앞에서 論하였다. 격각[煞]은 寅 申 巳 亥인 것이다. 人命에서 목욕[煞]의 相剋을 만나고, 또 고신 과숙이 격각의 자리에 임한 것으로 卯일 丑시, 丑일 卯시의 例와 같다. 丑은 北方의 氣이며 卯는 東方의 神으로 그 취지가 같지 않으니, 권속의 情은 水火와 같아도 서로 合하지 않다는 말이다. 헤어지는 것이 더욱 심한 것이다. (解.此合上文言也.沐浴煞,長生第二位,子午卯酉是也.孤辰寡宿,已論於前.隔角,寅申巳亥是也.有人命逢沐浴相剋,又孤辰寡宿臨於隔角之位,如卯日丑時,丑日卯時之例.丑者北方之氣,卯者東方之神,其趣不同,眷屬情同水火,言不相合也.分離則又甚矣.)

消息賦(소식부)-35

모름지기 神煞을 명확히 하여 輕重을 비교하여 헤아려야한다. 身이 煞을 剋하면 오히려 輕하지만, 煞이 身을 剋하면 더욱 重하다. (須要明其神煞,輕重較量.身剋煞而尚輕,煞剋身而尤重.)

해석. 五行은 命을 주관하는 것이다. 命은 반드시 먼저 五行으로 四柱에서 格局을 論하고, 다음에 神煞 吉凶을 논하는데, 가히 禍福의 輕重을 비교하여 헤아릴 뿐이다. 먼저 五行으로 근기(根基)의 후박(厚薄)을 보고, 格局의 고저를 나누어 둘을 서로 참작하면 거의 착오(錯誤)가 없다. (解.五行所司者命也.論命必先之以五行四柱格局,次論神煞吉凶,可以較量禍福之輕重而已.先論五行,見根基之厚薄,分格局之高下,二者相參,庶不差誤.)

神煞은 상문에서, 구교 원진 망신 고신 과숙 격각 목욕 택묘 상문 조객 복음 반음 삼귀 사살 오귀 육해 칠상 등의 이름인 것이다. 록마 재관, 인수 식식은 五行에서 生剋의 바른 이치로 神煞의 이름이라 할 수 없다. 身은 歲(年)干을 가리키는 말이고, 혹은 歲(年)干支의 納音을 말한다. 吉凶의 神煞을 혹 日時에서 얻고, 혹 歲運에서 만날 경우에 다만 煞이 身을 剋하면 重하고, 身이 煞을 剋하면 輕하다. 더불어 五行으로 四柱의 格局을 따라야하는데, 소식(消息)을 자세히 살펴야한다. (神煞,上文勾絞元亡孤辰寡宿隔角沐浴宅墓喪吊伏吟反吟三歸四煞五鬼六害七傷等名是也.祿馬財官,印綬食神,乃五行生剋正理,不可以神煞名之.身指歲干言,或以歲干支納音言.吉凶神煞,或得

於日時之間,或逢於歲運之內.但以煞剋身而重,身剋煞而輕.更要隨五行四柱格局,詳審消息.)

순환(循環)하여 八卦에 이르는 것은 하도와 낙서의 유문(遺文)에 기인한다. 이것을 간략하게 한 부분을 정하고 연구하여 매우 많은 실마리를 다시 이룬다. (至於循環八卦,因河洛之遺文.略之定爲一端,究之翻成萬緒.)

해석. 낙록자의 말에서, 三命五行은 구궁팔괘를 벗어나지 못하니 순환(循環)을 추리하고 연구하면 매우 많은 도리(道理)를 나타낸다. 이것은 터무니없는 설명이 아니라 하도와 낙서의 유문(遺文)으로 인해 되는 것이다. 처음 한 부분이 나오는데, 역(易)에는 太極이 있는 것이다. 결국 매우 많은 실마리를 만들어 64卦에서 384爻로 변하여 吉凶의 회린(悔吝)에 그치지 않고 매우 많은 단서일 따름이다. 한 부분이 매우 많은 실마리로써, 학자는 간략한 것을 연구해야한다. 혹 말하길, 간략하게 한 부분을 정하면 곧 처음 一氣가 先天이고, 이것을 연구하면 매우 많은 실마리를 다시 이루는데, 곧 賦중에 五行 三元을 설명한 것으로 運氣 行年 祿馬 貴德이 모두 吉凶의 神煞인 것이다. (解.珞琭子言三命五行,不外九宮八卦,循環推究,便有許多道理出焉.此非臆說,乃因河洛遺文而爲之也.始出一端,易有太極是也.終成萬緒,變六十四卦,三百八十四爻,吉凶悔吝,不啻萬緒而已.一端萬緒,在學者略之究之.或曰,略之定爲一端,即元一氣兮先天也,究之翻成萬緒,即賦中所說五行三元,運氣行年祿馬貴德,諸吉凶神煞是也.)

消息賦(소식부)-36

만약 반안(攀鞍)과 祿을 만나면 패인(佩印;벼슬을 하다.)하고 수레를 탄다. 馬가 열악하며 財가 미약한데 이것을 만나면 [고향을 떠나서]떠돌며 되돌아오지 못한다. (若值攀鞍踐祿,逢之則佩印乘軒.馬劣財微,遇之則流而不返.)

해석. 數는 1에서 시작하여 9에서 마친다. 9를 연구하면 궁구(窮究)한 數가 마치고 9에서 다한다. 9는 9陽이 太過하여 궁극적으로 생화(生化)의 數이다. 사람의 귀천(貴賤)과 성패(成敗)의 이치는 數로 말미암지 않을 수 없을 뿐이다. 비유컨대,[아래를 보라] (解.數起於一,而終於九.九者究也.究窮數之終而極於九.九者,九陽太過,窮極生化之數也.人貴賤成敗之理,莫不由之於數而已.譬癸酉生壬戌月丁亥日庚子時,坐天祿,月日時中納音水土,得三陽生旺之成數.陰生,命三辰會祿馬攀鞍之上,斯命也,必致身於貴顯,故曰若值云云.)

예) 명조
庚 丁 壬 癸
子 亥 戌 酉
[癸酉(금봉金)은] 天祿에 坐하고, 月 日 時[壬戌(대해水), 丁亥(옥상土), 庚子(벽상土)]가 納音으로 水土인데, 三陽으로 生旺한 성수(成數)를 얻었다. 陰生으로 命의 三辰에 祿 馬 반안(攀鞍)이

모인 이 命은 반드시 귀현(貴顯)하게 된다. 따라서 말하길, 만나면 이와 같다고 운운(云云)한 것이다.

如乙酉生丁亥月己卯日丁亥時命,亥月雖乘水馬,遇丁亥土剋之,爲鬼,卯日雖坐天祿,以水土俱死於卯,而遇身鬼衝破本命,所謂祿馬,反以爲鬼災矣.祿馬既失,必藉身財爲資,而水以火財,自絕於亥,生月日時,皆臨三財死絕之地,此五行之窮數也.雖有祿馬身財,盡爲鬼物所奪,縱使得運,以數之終窮休敗,飄蕩無歸,故曰馬劣云云.

예) 명조

丁 己 丁 乙

亥 卯 亥 酉

亥월에 비록 水馬를 탔더라도 丁亥[옥상]土를 만나 [馬를] 剋하니 鬼가 되고, 卯일은 비록 天祿에 坐할지라도 水土가 함께 卯에서 死하며 身의 鬼를 만나 本命을 衝 破하니 소위 祿 馬가 도리어 鬼인 재액(在厄)이 되는 것이다. 祿 馬는 이미 잃었으니, 반드시 身의 財를 자본으로 하니, 水는 火가 財인데 亥에서 自絶하고, 生한 月 日 時가 모두 三財에 死絶의 地支에 임하니 五行의 궁(窮)한 數이다. 비록 祿 馬와 身의 財가 있더라도 鬼物에게 빼앗겨서 다 없어지면 설령 運을 얻더라도 數는 결국 궁(窮)하고 休敗하니 정처 없이 떠돌며 [고향으로] 되돌아가지 못하므로 말하길, 馬가 열악하다고 云云한 것이다.

혹 말하길, 馬 앞에 一辰은 반안(攀鞍)이고, 馬 뒤의 一辰은 편책(鞭策)이 된다. 반안이 位에 있고 天元과 合을 하면 사람이 貴를 얻는다. 반드시 吉將을 더하여 임해야하고, 歲 運에서 身의 자산이 다시 旺相한 宮이라야 비로소 福을 말할 수 있다. 역마가 열악하고, 財命이 休囚하면 곤궁하고 고생하니 결국 이루지 못한다. 四柱에 이것이 임하면 반드시 표령(飄零)[26]한다. (或曰,馬前一辰爲攀鞍,馬後一辰爲鞭策.攀鞍有位,與天元帶合者,人得之貴也.須要加臨吉將,歲運資身,更於旺相之宮,始可言福.驛馬微劣,財命休囚,則塗炭辛勤,終無成立.此以四柱臨之,定主飄零.)

궁전을 차지하여(占除) 절을 바라는 것[27]은, 甲午생인이 48세[小運 丁酉]을 기약하게 된다. 구설(口舌)과 문서(文書)는 己亥생인이 32세[小運 丁酉]를 삼가야한다. 善惡이 상반(相伴)하면 요동(搖動)하여 옮기게 된다. [四]煞을 공협하고 [三]丘를 가지면 친인(親姻)척을 곡(哭)으로 전송하게 된다. (占除望拜,甲午以四八爲期.口舌文書,己亥愼三十有二.善惡相伴,搖動遷移.夾煞持斤,親姻哭送.)

해석. 이것은 行年 대운 소운이 數에서 말미암은 것을 論하였는데, 數는 기수(奇數)와 우수(偶數)로 變하기에 吉凶이 이것으로부터 생기는 것이다. 甲午[사중金]생인이 48세 小運의 丁酉는 金家의 旺鄕이고, 乙丑 太歲는 本音[納音]의 바른 庫이고, 또 역마를 만나 宅에 들고 天乙이 가임

---

26) 표령(飄零);처지(處地)가 딱하게 되어 안착하지 못하고 이리저리 떠돌아 다님.

27) 점제망배(占除望拜);벼슬을 제수 받아 절을 바라는 것이다.

(加臨)하면 따라서 벼슬을 제수 받아 절을 바라는 기쁨이 된다. (解.此論行年大小運由之於數,數有奇偶之變,吉凶自此以生也.甲午生人,四十八小運丁酉,金家旺鄕,乙丑太歲,本音正庫,又逢驛馬入宅,天乙加臨,故占除望拜之喜.)

己亥[평지木]생인이 32세 小運의 丁酉는 조객(弔客)이 있고, 태세 庚午[노중土]는 死[鄕]에 있어 六厄의 宮으로 三元이 剋을 받으니, 따라서 口舌과 文書의 근심이 있다. 또 歲 運에서 宮이 교체하면 마땅히 뜻을 모으게 되니, 吉凶이 상반(相伴)하여 화복(禍福)이 오고가는데, 변천(變遷)으로 인하여 일어나지 않음이 없으니, 그래서 이르길, 선악상반(善惡相伴)하여 요동천이(搖動遷移)하면 吉凶이 회린(悔吝)하여 動하는 것이 발생한다. (己亥生人,三十二小運丁酉在弔客,太歲庚午在死鄕,仍爲六厄之宮,三元受剋,故有口舌文書之患.又歲運交宮,當須意會,吉凶相伴,禍福交攻,未有不因遷變而興,故云善惡相伴.搖動遷移,則吉凶悔吝生乎動者也.)

辰 戌 丑 未는 四煞이라 하고, 또한 삼구(三坵)의 地支라 말하며 각각 五行의 五墓이다. 가령 己巳[대림]木命이 乙未[사중金]일생이면 이것이 本家의 삼구(三坵)이고, 또 양인을 더하는데, 그래서 말하길, 협살지구(夾煞持丘)라 하여 의심이 나서 마음이 불안한 것이 심해진다. 자연히 運行하여 出入하면 협살지구(夾煞持丘)를 멈춘다. 이것은 하나의 문장이며 또한 陰陽 地理 三元 九宮의 例를 갖춘다. 流年 太歲를 사용하여 그 재액과 福을 결정하고, 아울러 三命의 이치를 다하였으나, 이곳에서 서술을 다하지 않았다. (辰戌丑未,謂之四煞,亦云三坵之地,各以五行五墓.假令己巳木命,得乙未日生,此是本家三坵,又加以羊刃,故曰夾煞持丘,危疑者甚.自行來出入,止夾煞持丘.此一節文,亦備陰陽地理,三元九宮之例.用遊[流]年太歲,決其災福,並盡三命之理,玆不盡述.)

消息賦(소식부)-37

아울러 반드시 그 가진 지조(志操)를 상세히 하고, 그 주도한 [성품을] 자세히 살펴보아야한다. 후박(厚薄)은 그 골상(骨相)으로 論하고, 성기(成器;자질을 갖추어 유용한 사람)는 심원(心源)을 바탕으로 한다. 木의 기운이 왕성하면 인(仁)이 창성하고, 庚 辛이 이지러지면 의리가 부족하다. (兼須詳其操執,觀其秉持.厚薄論其骨狀,成器藉於心源.木氣盛而仁昌,庚辛虧而義寡.)

해석. 이 말은, 비록 五行으로 命을 정하더라도, 그 귀천(貴賤)과 화복(禍福)을 보고 생각하면 특별히 걸출하여 비상(非常)한 사람이 있으니, 마치 빙서화구(冰鼠火龜)[28]처럼 헤아릴 자원이 드물고 궁구하기 어려우니 三元五行으로 다하기에 不足하다. 아울러 반드시 그 가진 지조(志操)와 주도한 [성품을] 자세히 하고, 골상(骨相)을 심원(心源)으로 살펴 그 까닭을 엿보고, 그 소유(所由)를 관찰하고, 그 편안한 곳을 살피고, 심술(心術)적인 행동을 삼가며 둘을 얻어야한다. 상모(相貌) 덕행(德行)을 서로 보아야 한다. 사람은 어찌 나약한 것인가? 사람이 어찌 나약하리오! (解.此言

28) 빙서화구(冰鼠火龜);북극에 쥐가 살고, 화산에 거북이가 살다.

雖用五行定命,見其貴賤災福,慮有特傑非常之人,似冰鼠火龜,難窮罕測之資,則三元五行,不足以盡之也.兼須詳其操執秉持,骨狀心源,則視其所以,觀其所由,察其所安,心術制行,兩得之矣.相貌德行,互見之矣.人焉瘦哉?人焉瘦哉.)

이것은 낙록자가 사람을 관찰하는 法이며 나는 유가(儒家)의 논리에 부합함이 있다. 마의[상서]에는 "마음이 있어도 相이 없으면, 相이 마음을 따라 생기고, 相이 있어도 마음이 없으면, 相은 마음을 따라 멸(滅)한다."하였는데, 또한 이 뜻이다. 甲 乙木의 主는 인(仁)이고, 丙 丁火의 主는 례(禮)이고, 戊 己土의 主는 신(信)이고, 庚 辛金의 主는 의(義)이고, 壬 癸水의 主는 지(智)이다. 木이 왕성하면 인(仁)이 창성하고, 金이 이지러지면 의(義)가 부족하니, 나머지 모두 일을 형상하여 기물을 알고, 일을 점쳐서 미래를 아는데, 五行에 오상(五常)을 배합함으로써 사람의 기량(器量)을 정하는 것이다. (此珞琭子觀人之法,而有合於吾儒之論也.麻衣有心無相,相逐心生.有相無心,心隨相滅,亦是此義.甲乙木主仁,丙丁火主禮,戊己土主信,庚辛金主義,壬癸水主智.木盛則仁昌,金虧則義寡,餘皆象事知器,占事知來,此以五行配五常,定人之器量也.)

악요(惡曜)가 가해져도 기쁨이 있으면 큰 인물(大器)에 비견된다. 복성(福星)이 임하여도 화(禍)가 발생하면 흉인(凶人)을 표시한다. (惡曜加而有喜,擬其大器.福星臨而禍發,以表凶人.)

해석. 몸을 수양하면 그 德이 참되니, 따라서 말하길, 충효인의(忠孝仁義)는 德의 순리이니, 비록 모든 煞이 임할지라도 도리어 권력이 된다. 부귀하여도 교만하면 자연히 재앙으로 남는데, 따라서 말하길, 오만하고 무례(無禮)하여 德을 거스른다. 善하여 선과(善果)를 잃지 않아야하고, 惡은 자연히 재앙을 초래한다. 이것이 낙녹자의 심계(深戒;깊이 경계함)이다. 의(擬)표(表)의 두 글자는 가장 의미(義味)가 있다. 惡이 비추면 마땅히 재앙을 더해야 하는데도 도리어 기쁨이 있는 것은 뛰어난 인물의 君子가 아니면 불가능한 것이다. (解.修之於身,其德乃眞,故曰忠孝仁義,德之順也.雖臨諸煞,反爲權星.富貴而驕,自貽厥咎.故曰,悖傲無禮,德之逆也.善不失善報,爲惡自招殃.此珞琭子深戒之也.擬表二字最有味.惡曜宜加禍,而反有喜,非大器之君子不能也.)

대개 도량과 식견이 원대(遠大)한 사람은 충효인의(忠孝仁義)하고 진실로 예법(禮法)을 지키는데 재앙이 어찌 가로막을 수 있겠는가? 그래서 그것에 비견된다고 말하였다. 복성(福星)이 임하면 마땅히 기쁨인데도 도리어 재앙이 있는 것은 小人이 命을 믿고 망령된 행동을 한 것이다. 불충불효(不忠不孝)하며 불인불의(不仁不義)하고, 패역무례(悖逆無禮)하면 재앙을 어찌 벗어날 수 있겠는가? 그래서 표(表;나타나다.)로써 말하였다. 논어(論語)에서 말하길, "凶人은 그 吉에서도 凶하고, 吉人은 그 凶에서도 吉하다."하였다. 이것은 위의 글을 계승한 것으로 지조를 지키고, 골상(骨相)과 심원(心源)이라는 말인데, 군자와 소인을 나타내는 것이다. (蓋器識遠大之人,忠孝仁義,愼禮守法,禍焉能干?故曰擬其,福星臨宜喜而反有禍,乃小人恃命而妄作也.不忠不孝,不仁不義,悖逆無禮,禍焉能逃?故曰以表.語曰,凶人凶其吉,吉人吉其凶.此之謂也.此承上文操執秉持,骨狀心源而言,君子小人見矣.)

안정된 곳에서 변동을 구하여도 剋이 미진(未盡)하면 옮기기 어렵다. 편히 머물면서 위태함을 물으면 가히 凶가운데서 吉을 점쳐야한다. (處定求動,剋未盡而難遷.居安問危,可凶中而卜吉.)

해석. 이것은 낙록자의 교훈(教訓)으로 사람이 변동을 도모하고 명성을 구하는 것이 피흉추길의 道이다. 天命은 德에 있으며, 또한 마땅히 나를 剋하는 것과 저것을 剋하는 것을 論한다. 내가 저것을 剋하면 權이 되고, 저것이 이것(나를)을 剋하면 鬼가 된다. 剋하는 것이 財인데 剋하지 않으면 食이 없다. 소위 안정된 곳에서 변동을 구하여도 剋이 미진(未盡)하면 옮기기 어려운 것은, 行年 歲 運의 五行이 本命을 극하면 官으로 이동(移動)할 수 없으니 마땅히 정(靜)을 지키고 기다려야한다. (解.此珞琭子教人求名謀動,趨吉避凶之道也.天命在德,亦當論剋我剋彼.我剋彼則爲權,彼剋此則爲鬼.是剋是財,不剋不食.所謂處定求動,剋未盡而難遷,行年歲運五行,來剋本命爲官,不能遷動,宜守靜以待之.)

또 가령 사인(士人;벼슬을 하지 않은 선비)이 공명(功名)을 물으면, 衝 剋하지 않으면 발월(發越)하기 어렵다. 편안한 곳에서 위태함을 물으면 가히 凶가운데서 吉을 점친다는 것은, 군자가 머물면 그 象을 관찰하며 그 시문(詩文)을 감상하고, 변동하면 그 변화를 관찰하고 그 점(占)을 감상하는데, 자연히 하늘이 도와 吉하고 불리(不利)함이 없다. 또 길흉화복(吉凶禍福)이 일어나는 것은, 성인(聖人)이 아니면 누가 변고가 일어나기 전에 [미리]살필 수 있겠는가? 만약 피흉추길할 수 있으면 편히 머물면서 위태함을 생각하고, 또한 재앙이 없는 것을 바란다. (又如士人問功名,不衝不剋,則難以發越.居安問危,可凶中而卜吉者.君子居則觀其象而玩其詞,動則觀其變而玩其占,是以自天佑之,吉無不利.且吉凶禍福之興也,非聖人,孰能察於未萌之前哉?若能趨吉避凶,居安慮危,亦庶乎其無咎矣.)

消息賦(소식부)-38

貴하여 賤함을 잊으면 사치로부터 재앙이 발생한다. 미혹함을 되돌리지 못하면 재앙이 따르고 번뇌가 일어난다. (貴而忘賤,災自奢生.迷而不返,禍從惑起.)

해석. 君子는 天命을 보고 감히 하늘에서 福을 구하지 않는다. 소인은 天命을 거슬려서 자신의 바른 福을 알지 못한다. 貴하여 賤함을 잊고 미혹함을 되돌리지 못하면 편안히 머무르지 못하여 위태함을 묻고, 다시 안정된 곳에서 변동을 구하는데, 이것이 사치로부터 재앙이 발생하니 재앙이 따르고 번뇌가 일어난다. 패가망신(敗家亡身)에 이르러도 뉘우치지 않으면 이 또한 매우 슬프지 아니한가? 사치는 궁극적으로 번잡하고 화려한데, 현혹되어 황음(荒淫)주색(酒色)을 탐하는 것이다. 이 두 구절은 진격(眞格)을 말한다. (解.君子見天命而不敢求福於天.小人慢天命而不知正福於己.貴而忘賤,迷而不返,不能居安問危,而轉處定求動,是以災自奢生,禍從惑起,至於亡身敗家而不悔,不

亦深可哀哉?奢是窮極紛華,惑是耽荒酒色.此二句眞格言也.)

평소와 다르게 옛 것을 바꾸면 變하는 곳이 발아(發芽)하게 된다. 善하면 福이고 음란(淫亂)하면 禍로써 吉凶의 조짐이 다르다. (殊常易舊,變處爲萌.福善禍淫,吉凶異兆.)

해석. 동정(動靜)은 이로움과 해로움의 중요한 부분이 되고, 지려(智慮;슬기롭고 민첩한 생각)는 화복(禍福)의 문호(門戶)이다. 술(術)은 진실하지 않으면 안 되고, 기(機)는 잘 살피지 않으면 안 된다. 小人은 天命을 알지 못하여 상도(常道)를 지키지 않아 가볍게 物을 바꾸어 발생하니 재앙과 음란함이 이것으로 말미암아 시작한다. 君子는 때를 얻으면 움직이고, 때를 잃으면 기다리고 천체(天體)가 行하는 道로 경거망동(輕擧妄動)함을 두려워하니 福과 善이 이것으로 말미암아 생긴다. (解.動靜爲利害之樞機,智慮乃禍福之門戶.術不可不愼,機不可不察.小人不知天命,不中常道,輕生易物,則禍淫由此而始也.君子得時而動,失時而守,體天行道,畏於輕動,則福善由此而生也.)

易에서 말하길, 吉凶의 회린(悔吝)으로 動하는 것이 발생한다. 또 말하길, 吉凶은 得失의 象이다. 善을 쌓는 집은 반드시 경사가 있고, 善을 쌓지 않는 집은 반드시 재앙이 있다. 또 말하길, 진퇴(進退)와 존망(存亡)의 道를 아는 것은 오직 성인(聖人)뿐이겠지? 이것이 낙록자 종편(終篇)의 대계(大戒)이다. (易曰,吉凶悔吝,生乎動者也.又曰,吉凶者,得失之象也.積善之家,必有餘慶.積不善之家,必有餘殃.又曰,知進退存亡之道者,其唯聖人乎?此珞琭子篇終之大戒也.)

消息賦(소식부)-39 [終]

공명과 계주에 이르러도 오히려 변화를 알 수 있는 문장이 없었다. 경순과 중서도 형(形)을 비유하는 기묘(奇妙)함을 싣지 않았다. (至於公明季主,尚無變識之文.景純仲舒,不載比形之妙.)

해석. 관[로]공명, 사마계주, 곽 경순, 동 중서, 네 현자(賢者)가 천인(天人)의 깊은 곳을 탐구하고 성명(性命)의 이치를 근원으로 陰陽의 상수(象數)를 궁구(窮究)하여 미래(未來)의 吉凶을 알지만, 오히려 變하여 아는 문장이 없는데 形의 기묘(奇妙)함을 비교하여 기재하지 않고, 조화(造化)가 깊이 숨은 것을 말하니 도량(度量)이 바뀌지 않는다. 낙록자는 성씨(姓氏)를 말하지 않아서 어느 시대의 사람인지 알지 못한다. 부(賦)를 살펴보면, 스스로 말하길 난야(蘭野)로부터 나왔고, 또 곽 경순으로도 칭(稱)하며 육조(六朝)시대의 사람으로 생각되고, 양 소명(梁昭明)과 아마 비슷하다. 소명(昭明)이 거(居)하는 곳은 난릉지야(蘭陵之野)이다. 혹 주령왕(周靈王)의 태자(太子)인 자진(子晉)이라는 것은 왜곡된 것이다. (解.管公明,司馬季主,郭景純,董仲舒,此四賢者,探天人之奧,原性命之理,窮陰陽象數,知未來吉凶,尚無變識之文,不載比形之妙,言造化深隱,不易度量.珞琭子不言姓氏,不知何時人.觀其賦中自云出自蘭野,又稱及於郭景純,疑六朝時人,梁昭明其近之.昭明所居,乃蘭陵之野也.或以爲周靈王太子子晉則誣.)

지나간 성인을 자세히 알며 앞의 현인(賢人)을 귀감으로 삼고, 혹 사물을 가리켜 도모하는 것을 진술하고, 혹 문장을 간략히 하여 이치에 적절하게하고, 많거나 혹 남은 것이 적어서 두 가지 뜻이 정미(精微)하기 어렵다. 지금은 득실(得失)을 자세하게 참작하여 남긴 흔적을 보완하였으니 규범을 마음의 거울로 삼아 영원히 청대(清臺)에 걸어 놓고, 인용하고 배열하여 편집을 마쳤으니 천(千)에 하나라도 얻기를 바란다. (詳其往聖,鑒以前賢,或指事以陳謀,或約文而切理,多或少剩,二義難精.今者參詳得失,補綴遺蹤,規爲心鑒,永掛清臺,引列終編,千希得一.)

해석. 무릇 五行을 論하면 道를 떠나는 것은 아니고, 세상의 법을 떠나는 것은 아니고, 인물(人物)을 떠나는 것도 또한 아니다. 혹 문장을 간략히 하여 이치에 적절하게하고, 혹 사물을 가리켜 도모하는 것을 진술하고, 그 가운데 神煞을 서로 참작하면 吉凶은 서로의 體이니 五行이 통하는 道를 알아야한다. 物의 뜻은 다하기 어려워 그 동안 유포(流布)하였는데 어찌 조금 돕는단 말인가? 낙녹[자]가 이 말을 마치면서 부(賦)의 지은 것을 말하길, 지나간 성인의 유문(遺文)을 자세히 알고, 앞 현인(賢人)의 득실(得失)을 귀감으로 삼아 풍부한 글로 언약(言約)하고, 묘(妙)한 道와 깊은 義로 仁을 나타내고 用을 감추니 곧 五行에서 三命을 가리키는 것이다. (解.凡論五行,離道者非也,離世法者非也,離人物者亦非也.或約文而切理,或指事以陳謀,於中神煞交參,吉凶互體,是知五行通道,志物難窮,流布其間,豈云小補?珞琭終於此談,言是賦之作,詳往聖之遺文,鑒前賢之得失,文博而言約,道妙而義深,顯仁藏用,乃五行三命之指南也.)

후학(後學)자들이 이것을 계승하고 발명(發明)하여서 귀머거리가 귀 밝아지고, 장님은 [눈이] 밝아져 오랜 세월을 지나도 무궁(無窮)한 통일성(統一性)이 항상 존재한다. 그 시말(始末)을 살펴서 통신(通神)하면 合하여 變하니 종횡(縱橫)으로 論하고, 모두 타술(他術)에 빠지지 않아야하는 훈계하는 말인데, 대부분 道에 이르는 것에 合이 있다. 만약 낙록자라면 어찌 완전한 조짐의 선비가 아니라도 고상(高尚)하게 흐르는 것이다. (後學者繼此而發明之,使聵者聰,瞽者明,歷百世而無窮,統一性之常在.觀其始末,通神合變,縱橫之論,皆不溺於他術.戒諭之言,多有合於至道.若珞琭者,豈非圓機之士,高尚之流也歟.)

5. 通玄子撰集(珞琭子賦註)-1

金은 寅 午 戌方을 만나면 吉하고, 丙 戊 巳 午는 德으로 매우 기쁘다. 甲 乙 寅 卯는 財神이고, 壬 癸 윤하는 剋 傷한다. (金逢寅午戌方吉,丙戊巳午喜慶德.甲乙寅卯是財神,壬癸潤下爲傷剋.)

해석. 庚은 丁을 官으로 用하고, 辛은 丙을 官으로 用하니 丙 丁을 기뻐하고, 寅 午 戌을 좋아한다. 巳 午 未 火旺한 地支가 이롭고 祿을 향하며 官이 임하는 辛巳 庚午는 貴하다. 가령 庚申 辛酉, 庚午 辛未, 庚寅 辛卯, 庚子 辛丑, 庚辰 辛巳, 庚戌 辛亥는 12宮의 命이다. 金家는 火가 官이 되고, 木은 財이다. 火는 申 酉 亥 子 丑에 이르면 無氣하고, 木은 申 酉 戌 子 丑에 도달하면 氣衰한데, 이것은 財命이 無氣하니 빈천(貧賤)한 命이다. 만약 生月日時에 旺相함을 만나고

午 巳 寅 位의 地支에 坐하면 가히 貴命이 된다. 그러나 火를 만나지 못하면 貴命이 아니다. 壬 癸 亥 子의 水를 보면 배관배록(背官背祿)이 되어 좋지 못하게 된다. 寅 午 戌 전부를 얻으면 官神이 入局하게 된다. 天元에 戊 癸가 완전하면 化하여 火의 官局이 된다. 地支에 巳 午가 완전하면 暗으로 官局이 되는데, 다시 木神의 보조(輔助)를 만나 함께하면 상국(上局)이 된다. 柱에 壬 癸 亥 申 子 辰의 水가 있으면 戊 己를 만나야 좋은데, 水를 剋하여 구원하고 또 印으로 貴하게 된다. 甲 乙 寅 卯 亥를 만나면 財가 되며 未는 財庫가 된다. 刑 害가 없고 財庫가 견실(堅實)하면 발재(發財)할 수 있다고 단정한다. 배록(背祿)하여 官 印의 貴地를 만나지 못하고, 단지 木旺함을 만나면 상인의 무리로써 發財하는 命이다. (解.庚用丁官,辛用丙官,喜丙丁,愛寅午戌.利巳午未火旺之地,向祿臨官.辛巳庚午爲貴.假如庚申辛酉,庚午辛未,庚寅辛卯,庚子辛丑,庚辰辛巳,庚戌辛亥,此十二宮命.金家以火爲官,木爲財.火到申酉亥子丑無氣,木到申酉戌子丑氣衰,是財命無氣,貧賤之命也.若生月日時遇旺相,坐午巳寅位之地,可爲貴命.若不遇火,則非貴命.見壬癸亥子水者,爲背官背祿,不成慶也.得寅午戌全,爲官神入局.天元戊癸全,爲化火官局.地支巳午全,爲暗官局.更遇木神輔助,並爲上局.柱有壬癸亥申子辰水,喜遇戊己剋水爲救,又爲印貴.見甲乙寅卯亥爲財,未爲財庫.無刑害,財庫受實,可作發財斷之.背祿不逢官印貴地,只遇木旺,商徒發財之命.)

壬 癸는 사계(四季)와 巳 午에 영화롭고, 戊 己는 官으로 영화로우며 丙 丁은 財이다. 甲 乙은 곡직(曲直)으로 모두 凶地이고, 庚 辛은 印으로 용린(龍鱗)을 나타낸다. (壬癸四季巳午榮,戊己榮官財丙丁.甲乙曲直皆凶地,庚辛印顯附龍鱗.)

해석. 壬癸는 진(眞)水이고, 戊 己 辰 戌 丑 未 巳 午의 方이 吉하다. 대개 壬은 己를 官으로 用하고 癸는 戊를 官으로 用하는데, 巳 午는 官祿의 地支이고, 4位의 土는 모두 自旺한 鄕이다. 4~5월의 상순(上旬), 6월의 중 상순, 및 3월의 하순(下旬)은 官을 生하여 有氣하니 경사로울 수 있다. 水는 土가 官位인데, 만약 甲 乙 亥 卯 未 寅의 木을 만나면 그 官을 破하는데, 剋 害가 輕하면 관직과 명성이 낮고, 剋 害가 重하면 관직을 얻지 못한다. 庚 辛의 金神이 旺相함을 얻어 구조(救助)할 수 있으면 도리어 貴하다. (解.壬癸者,眞水也,喜戊己辰戌丑未巳午方吉.蓋壬用己官,癸用戊官,巳午官祿之地.四位之土,皆歷自旺之鄉.四五月上旬,六月中上旬,及三月下旬,生官有氣,乃能成慶.水以土爲官位,若遇甲乙亥卯未寅木破其官.剋害輕者,則官卑名微.剋害重者,不得其官.得庚辛金神旺相,可爲救助,反主貴.)

火는 辰 申 亥 子의 宮을 좋아하고, 壬 癸의 官이 旺하면 土가 고독하며 窮하다. 戊 己가 退神하고 甲 乙이 進[神]하면, 金財가 영화로워 祿이 흥륭(興隆)함을 나타낸다. (火喜辰申亥子宮,壬癸官旺土孤窮.戊己退神甲乙進,金財榮顯祿興隆.)

해석. 火는 壬 癸를 보면, 대개 丙은 癸의 官을 用하고, 丁은 壬의 官을 用하니 참된 造化로써 기제(旣濟)의 道이다. 亥 子를 보면 정관의 位이니 丁[亥]猪 丙[子]鼠는 貴神이 되고, 辰 申 亥 子는 貴하다. 土를 만나 六害가 되어 구원이 없으면 가난하지만, 다시 甲 乙의 旺相함을 만나면 구원하게 되고, 庚 辛 巳 酉 丑은 財祿의 命이 된다. (解.火見壬癸,蓋丙用癸官,丁用壬官,眞造化既濟之道.見亥子爲正官位,丁豬丙鼠爲貴神,辰申亥子以爲貴.逢土爲六害,無救則貧.再逢甲乙旺相爲救,庚辛巳酉丑,爲財祿命也.)

通玄子撰集(珞琭子賦註)-2

土가 寅 卯 未 亥의 局을 지니면, 甲 乙은 官으로 영화롭고 金은 祿을 破한다. 庚 辛은 배록(背祿)하며 丙 丁을 좋아하고, 壬 癸는 辰중에 자라나니 福을 누린다. (土值寅卯未亥局,甲乙榮官金破祿.庚辛背祿愛丙丁,壬癸辰中長享福.)

해석. 戊 己는 亥 卯 未를 지녀야 貴하게 되고, 戊는 옥토(玉兔=卯)를 찾고 己는 저두(豬頭=亥)가 있어야 貴命이 된다. 또 旺한 祿 官의 方을 만나는데, 庚 辛 巳 酉 丑 申 戌을 보면 祿을 破하여 貴하지 않다. 4월 8월은 더욱 重하니 丙 丁을 얻으면 구원하는 神이 된다. 그런데 만일 戊가 丙을 보고, 己가 丁未를 보면 구원하지 못하는데, 편음편양(偏陰偏陽)이라 일컫는다. 만약 戊가 丁을 보거나 己가 丙을 보면 구신(救神)이다. 혹 7월[申月] 8월[酉月]생이면 火가 死 囚하여 무기(無氣)하니 구원하지 못한다. 亥 子 辰을 보면 財와 庫가 되어 發財한다. 적은 木이나 하나의 官도 또한 좋은 例로 본다. 巳 酉 丑 申 辛 庚을 기뻐하고, 丙 丁의 염상火局을 싫어한다. 壬 癸 亥 子를 좋아하는데 印으로 구조(救助)하게 되고, 戊 己 辰 戌 丑 未는 財가 된다. (解.戊己值亥卯未爲貴.戊尋玉兔己豬頭,爲貴命.又逢旺祿旺官之方,遇庚辛巳酉丑辛[申]戌,則破祿不貴.四月八月尤重.得丙丁爲救神.且如戊見丙,己見丁未,不能救,謂之偏陰偏陽.若戊見丁,己見丙,方是救神.或生七月八月,火死囚無氣,不能救.見亥子辰爲財庫,主發財.少木一官,亦可例見.喜巳酉丑申辛庚,惡丙丁炎上火局.愛壬癸亥子,爲印救助,戊己辰戌丑未爲財.)

현달(賢達)한 사람은 이 결(訣)에 밝지만, 우매(愚昧)한 사람은 오히려 왕성하여도 미혹하다. (賢達之人明此訣,愚昧之人迷轉盛.)

해석. 무릇 命을 論할 경우에, 먼저 天干을 밝힌 후에 地支를 論하고, 아울러 納音과 九宮 三元으로 天地人 三才를 구분한다. 五行 四柱를 論하면, 일음일양(一陰一陽)이 만나는 것을 道라 하고, 편음편양(偏陰偏陽)이 만나는 것을 질(疾)이라 일컫는다. (解.凡論命,先明天干,後論地支,並納音,爲九宮三元.分爲天地人三才.論五行四柱,遇一陰一陽之謂道,偏陰偏陽之謂疾.)

戊 己는 甲 乙木의 格에 머물면 官貴가 生旺하고 제왕이 임해야한다. (戊己甲乙木格停,生旺官貴帝王臨.)

해석. 戊 己가 干支에 木氣의 旺相함을 만나고, 혹시 己亥 癸亥를 보면 眞 장생이 관성이니 극품(極品)으로 貴하고, 生月이 다시 旺하고 刑 衝이 없으면 부귀쌍전(富貴雙全)하는데, 경중(輕重)을 살펴보고 말해야한다. (解.戊己若逢支干木氣旺相,或見己亥癸亥,眞長生官星.主極品貴,生月再旺,無刑衝,富貴雙全.看輕重言之.)

壬 癸가 戊 己의 土旺한 방향이면 대재(大材)로 구분하여 上格을 자세히 알아야한다. (壬癸戊己土旺方,大材分瑞上格詳.)

해석. 壬 癸가 戊 己 辰 戌 丑 未의 土를 보고, 巳 午월생이면 土가 旺相하여 貴하게 된다. (解.壬癸見戊己辰戌丑未土,巳午月生,土旺相爲貴.)

庚 辛이 동지에 一陽이 生하면 丙 丁의 生氣로 福이 숲과 같다. (庚辛冬至一陽生,丙丁生氣福如林.)

해석. 庚 辛생인은 冬至후에 一陽이 生하면 火에 난기(暖氣;따뜻한 기운)가 있다. 木이 점점 旺하면 丙 丁의 火를 生할 수 있고, 官 祿이 된다. (解.庚辛生人,冬至後一陽生,火有暖氣.木漸到旺,能生丙丁之火,爲官爲祿.)

丙子가 夏절에 生하여 一陰이 자라면 亥 子 壬 癸의 편관인 것이다. (丙子夏生一陰長,亥子壬癸偏官鄕.)

해석. 분명히 水火의 功이 있으니 기제(旣濟)의 象 이다. 가령 夏절의 氣가 얕으면 일찍 發한다. 夏至에 一陰이 자라나서 水가 점차 旺하므로 官祿이 生旺한 것이다. (解.此明水火有功,旣濟之象.如夏氣淺則發早.夏至一陰長,水漸旺,故官祿生旺也.)

通玄子撰集(珞琭子賦註)-3

6甲생인이 寅월이면 건록으로 차별 없이 부(富)하지 않다. (六甲生人在寅月,建祿不富無差別.)

해석. 6甲생인이 정월建은 丙寅으로 生月에 祿을 찬 것인데, 妻를 剋하고 후손이 끊어져 빈천(貧賤)한 命이 된다. 甲은 己가 妻가 되고, 辛은 관성으로 자식이 되니 모두 寅에서 絶한다. 金이 絶하고 土가 囚하여 祿馬 妻子 모두가 絶하므로 貴氣가 되지 않는다. 만약 丙寅을 用[神]하면 食神이 유기하니, 모름지기 이것은 甲寅이 庚申을 보고, 乙人이 辛이나 혹 酉 戌을 보게 되면 오히려 七殺인 鬼가 旺한 地支에 있으니 寅이 火를 生하여 鬼를 항복(降伏)시켜서 官으로 化하니 貴가 된다. (解.六甲生人,正月建丙寅,是生月帶祿.爲剋妻絶嗣,貧賤之命.甲以己爲妻,用辛爲官星爲子,皆絶於寅.謂之金絶土囚之地,祿馬妻子皆絶,不爲貴氣.若用丙寅,爲食神有氣,須是甲人見庚申,乙人見

辛,或酉戌,卻在七煞鬼旺之地,得寅生火,鬼降伏,化官爲貴.)

乙인이 酉월생에 辛이 많으면 鬼는 旺하고 身이 衰하여 질병이 있게 된다. (乙人辛多酉月生,鬼旺身衰帶疾侵.)

해석. 乙인이 辛을 보면 간두(干頭)에 鬼를 만나니 七煞이 된다. 乙인이 酉를 보고, 身이 백호(白虎)煞에 居하며 無氣한 地支이고, 또 七殺이 身을 剋하는데 어찌 질환(疾患)이 없겠는가? 甲인이 庚을 보는 것과 그 사람이 동일하고, 만약 질병이 있지 않으면 반드시 요절(夭折)한다. (解.乙人見辛,爲干頭見鬼,名爲七煞.乙人見酉,身居白虎無氣之地,又遇七煞剋身,豈無疾患?甲人見庚與同其人,若不帶疾須壽夭.)

사관 학당은 과거에 급제하는데 만약 官貴가 없으면 허명(虛名)에 불과하다. (詞館學堂主科名,若無官貴定虛名.)

해석. 命에서 사관 학당을 만나면, 사관은 官祿이 長生하는 地支이고, 학당은 本主가 長生하는 地支이다. 官貴가 있으면 과거에 급제하는 貴命이 된다고 본다. 官貴가 없으면 허명(虛名)에 불과한 사람이다. 앞의 글에서 印이 있다는 것은, 甲이 癸 亥 子를 보는 이것이다. (解.命逢詞館學堂,詞館是官祿長生之地,學堂是本主長生之地.有官貴者有科名,作貴命看.無官貴,則虛名之人.前文有印,甲見癸亥子是也.)

괴성(魁星)이 官位를 만나면 반드시 신동(神童)임을 감추며 貴하다. (魁星若也逢官位,定是神童腹隱貴.)

해석. 괴성(魁星)은, 甲辰 旬중에서 癸丑 10일까지인 이것이다. 만약 本命에서 관성(位)을 만나고, 官貴 학당을 만나면 신동(神童)으로 과거에 급제한다. 비유컨대, 癸丑인이 戊申을 보면, 甲辰과 같은 旬에 함께 있는 것이다. (解.魁星者,乃甲辰旬中至癸丑十日是也.若遇本命官星位,逢官貴學堂,則應神童科.譬之癸丑人見戊申,同在甲辰一旬是也.)

通玄子撰集(珞琭子賦註)-4

임관에 處한 사람을 만나면 기뻐하며 존경하고, 천마(天馬) 財庫는 貴命이 된다. (臨官逢處人欽敬,天馬財庫爲貴命.)

해석. 命에서 임관을 만나면 사람이 존경함이 많고, 天馬는 妻와 財로 論한다. 가령 甲이 己를 보면 妻와 財가 되며 辰은 財庫가 되어 發財하여 현달(顯達)한 命으로 볼 수 있다. 만약 妻가 旺

相하고, 두 運에 혹 太歲가 다시 만나면 主가 혼인(婚姻) 출입(出入) 수조(修造)하는 일이 많다. 가령 甲午인이면 己土가 妻와 馬인데, 運이 申 酉 戌에 이르면 午가 人元으로 西方에서 火가 死絶하는 地支에 이르니 己土는 自敗하고 金이 旺하다. 土는 財祿으로 人元의 財는 모두 무기(無氣)하다. 또 丙午생은 運이 西方에 이르면 丙이 癸를 보면 官인데, 癸水가 西方에서 敗하니 官이 衰하다. 丙은 辛이 財와 馬인데, 酉 戌에는 辛金이 있고, 金은 丙의 財가 되어 旺한 辛은 馬가 된다. 酉에 이르면 馬를 세우고, 本은 衝을 두려워하니 감추고 衝하지 않으면 역시 發財하는 命으로 단정한다. (解.命犯臨官,人多欽重,天馬爲妻財論之.如甲見己爲妻爲財,辰爲財庫,可作發財顯達命看.若妻臨旺相,二運或太歲再遇,多主婚姻出入修造之事.假如甲午人,己土爲妻爲馬,運到申酉戌.午爲人元,到西方火絶死之地,己土自敗,有金旺.土爲財祿,人元財皆無氣.又如丙午生,運至西方,丙見癸爲官,癸水敗西方,是官衰.丙以辛爲馬爲財,酉戌有辛金,金爲丙財,旺辛爲馬.到酉建馬,本畏衝,不衝掩藏,亦作發財命斷之.)

命에 貴地가 있으면 형통(亨通)하고, 命이 衰하면 旺을 만나도 福을 맞이하지 못한다. (命犯貴地得亨通,命衰遇旺福不迎.)

해석. 命에서 貴地에 坐하고, 祿과 財를 向하는 運으로 行하면 영화롭고 현달할 수 있다. 元命에서 官貴의 旺相함을 만나면 運이 비록 凶할지라도 반드시 재앙이 되지는 않는다. 가령 壬 癸생인이 巳 午 未의 運으로 行하면 發할 수 있다. 北人의 運이 南方에 이르면 무역(貿易)으로 많은 이익을 얻는다. 命이 休 囚를 만나고 官貴가 없으면 運이 貴地로 行하여도 경사로울 수 없다. 命이 旺하고 원래 관성이 命에 있는데 運에서 아울러 背祿하고 太歲를 衝 害하면 官이 있어도 休官한다. 主 本의 長生하는 運으로 行하여도 역시 파관(罷官) 실직(失職)하고, 生地가 休 囚하여도 같다. 가령 甲 乙인이 亥를 보면 대개 官은 병지(病地)이므로 休 囚하다는 말이다. 生地를 서로 만나도 관성이 病 絶한다는 말인데, 主가 官(벼슬하는)의 사람이라도 퇴신(退身)하여 자리에서 물러나게 된다. 만약 두 運과 太歲가 아울러 상조 구묘 협살이 임하면 主는 곡성(哭聲)이 있다. 라형 협살이면 主가 슬프도다! (解.命坐貴地,行向祿向財運,可言榮顯.元命逢官貴旺相,運雖凶,未必爲災.如壬癸生人,行巳午未運可發.北人運至南方,貿易獲其厚利.命遇休囚,無官貴,運行貴地,不能成慶.命旺,原有官星在命,運併背祿,太歲衝害,有官休官.行主本長生運,亦罷官失職,與生地休囚同.如甲乙人見亥,蓋官病地,故言休囚.生地相逢,亦言官星病絶,主爲官之人,宜退身避位.若二運太歲,併臨喪弔丘墓夾煞,主哭聲.裸形夾煞,自主嗚呼!)

팔고(八孤) 오묘(五墓)는 僧 道가 되고, 조업을 破하고 떠돌며 고독(孤獨)한 사람이다. (八孤五墓爲僧道,破祖飄蓬孤獨人.)

해석. 가령 甲子 旬중에서 戌 亥는 공망으로 육허(六虛)인데, 戌 亥는 乾[方]에 속한다. 戌이 南으로 行한 3位는 未이고, 未가 東으로 行한 3位는 辰이고, 辰이 北으로 行한 3位는 丑이고, 丑이 西로 行한 3位는 戌인데, 辰 戌 丑 未의 4位는 고과(孤寡) 오묘(五墓)가 되고, 대부분 조업을 破하고 고독하며 떠돌아다니는 사람으로 구류(九流)의 命이다. 三元을 剋 害하면 고단(孤單)한 命이다. 剋 害가 輕하면 입사(入舍)하는 命이다. 가령 眞 고신[煞]를 만나면 妻를 剋하며 자식을 害치는 命이다. 통현자의 해석이며 낙록[자]의 진본(眞本)이 아니고, 자신의 찬집(撰集)으로 서자평과 동일하다. (解.假甲子旬中,戌亥爲空亡,爲六虛,乾屬亥戌.戌南行三位是未,未東行三位是辰,辰北行三位是丑,丑西行三位是戌,辰戌丑未四位爲孤寡五墓,多爲破祖孤獨飄蓬之人,九流之命.三元剋害,爲孤單命.剋害若輕,入舍命.如遇眞孤神,剋妻害子之命.通玄子解,非珞琭本眞,乃自撰集,與徐子平同.)

6. 明通賦-1(東海徐子平撰,易水萬育吾解)

太極에서 天地로 나누어지고, 一氣를 나누면 陰陽이 되어 五行이 유출(流出)하여 만물(萬物)을 화생(化生)한다. 사람이 命을 내려 받으니 부귀하고 빈천하는 이유인데, 술사(術士)가 기미를 알고 길흉화복(吉凶禍福)을 정하는 것이다. (太極判爲天地,一氣分爲陰陽,流出五行,化生萬物.爲人稟命,貧富貴賤由之,術士知幾,吉凶禍福定矣.)

해석. 이것은 원래 조화(造化)의 시작이다. (解.此原造化之始.)

무릇 命을 볼 때에는 일간이 主가 된다. 三元으로하여 八字 干支를 배합한다. (凡看命,以日干爲主.統三元而配合八字干支.)

해석. 天에 사시(四時)가 있어 만물(萬物)이 조화롭다. 옥(屋)에 네 기둥이 있어 각각 규모(規模=규범)를 세운다. 命에 사주(四柱=네 기둥)가 있으니 풀어서 영고(榮枯)를 정한다. 論 하면, 오직 일진(日辰)의 天干으로 命元의 主로하고, 지(支)는 지원록(地元祿)이 된다. 地支내에 소장(所藏)된 것으로 인원(人元)의 수명(壽命)이 된다. 八字는 곧 四柱인데, 天干 地支가 모두 여덟 글자이다. 계선편에서 이르길, 四柱를 배정(排定)하고 삼재(三才)는 다음에 나누니, 오직 일간의 天元으로 八字干支를 배합하는 것이다. (解.天有四時,造化萬物.屋有四柱,各立規模.命有四柱,註定榮枯.論者專以日辰天干爲命元之主,支爲地元祿.支內所藏者爲人元壽.八字即四柱,天干地支,共八字也.繼善篇云,四柱排定,三才次分,專以日干天元,配合八字干支是也.)

運을 論하면, 月支를 처음으로 하여 사시(四時)를 나누고 五行의 소식(消息)으로 제기(提起=제강을 일으킨다.)한다. (論運者,以月支爲首.分四時而提起五行消息.)

해석. 大運은 월지에서 일으키므로 月은 제강(提綱)이 된다. 월지에서 절기의 심천(深淺)으로 사시(四時)에서 어느 節을 얻었는가를 살펴본다. 가령 春절은 木, 夏절은 火, 秋절은 金, 冬절은 水, 季절의 끝은 土인데, 초기 중기는 소장(消長)이 같지 않다. 行하는 곳의 運이 혹 順인지 逆인지, 혹 旺한지 衰한지, 그리고 八字가 혹 助하는지 泄하는지, 혹 剋하는지 生하는지, 이것이 근본이다. 먼저 일간을 말하고, 다음에 월지를 말하고, 그 필요한 것을 들추어내어 사람에게 알려주는 것이다. (解.大運以月支起,故月爲提綱.看月支節氣淺深,四時得何節.如春木夏火秋金冬水季土.初氣中氣,消長不同.所行之運,或順或逆,或旺或衰.與八字或助或泄,或剋或生者,本乎此.先言日干,次言月支,舉其所要者,以示人也.)

官旺을 향하면 성공하며 格局에 들면 貴를 이루는데, 官 印 財 食은 吉하다. 평온해야 결국 좋고, 煞 傷 梟 敗는 凶하지만 그러나 用[神]하면 福이 된다. (向官旺以成功,入格局而致貴,官印財食爲吉.平定遂良,煞傷梟敗爲凶,轉用爲福.)

해석. 五行의 임관 제왕이 四柱에 있으면 본래 官은 성공(成功)하는 地支가 된다. 格局에 들면 貴하고, 格局을 破하면 천(賤)하다. 가령 官 印 財 食은 본래 吉神으로 반드시 傷 剋 衝 刑 破 敗가 없으면 평온하여 결국 좋으니 곧 입격(入格)한 것이다. 煞 傷 梟 敗는 본래 凶殺인데, 만약 제복(制伏)하여 거류(去留) 합화(合化)하면 이것을 일러, 오히려 用신하여 福이 되고, 또한 入格한 것이다. 아래의 모든 格局을 取用하여 자세히 살펴보면 그 喜忌를 자연히 볼 수 있을 것이다. 4吉[神]과 4凶[神]이 格局에서 가장 중요한 것이므로 서두에 말한다. 賦에서 이르길, 일주는 가장 건왕(健旺)함이 마땅하고, 용신은 손상(損傷)하여서는 안 되는 것이다. (解.五行臨官帝旺,在四柱爲本官成功之地.入格局則貴,破格局則賤.如官印財食,本是吉神.須無傷剋衝刑破敗,則爲平定遂良,乃入格也.煞傷梟敗,本爲凶煞,若有制伏,去留合化,是謂轉用爲福,亦入格也.歡[觀]下取用諸格局,其喜忌自可見矣.四吉四凶,格局之重要者,故首言之.賦云,日主最宜健旺,用神不可損傷是也.)

明通賦(명통부)-2

완비한 辰 戌 丑 未에서 암장하여 모이고, 長生은 항상 寅 申 巳 亥에 居한다. 子 午는 成敗가 상반(相反)하고, 卯 酉는 번갈아 출입한다. (全備藏蓄於辰戌丑未,長生鎭居於巳亥寅申.子午則成敗相逆,卯酉乃出入交互.)

해석. 이 말은 十二支가 十干을 포장(包藏=암장)하여 각각 生死와 成敗가 있으며 번갈아 출입한다. 독보에 이르길, 辰 戌 丑 未는 사고(四庫)의 局이고, 寅 申 巳 亥는 사생(四生)의 局이고, 子 午 卯 酉는 사패(四敗)의 局이다. 희기편에서 이르길, 財 官 印綬의 완비는 四季중에서 축장(蓄藏)하고, 관성과 財氣는 항상 寅 申 巳 亥에 居하는 것이다. 혹 子 午는 天地의 기둥이 되고, 卯 酉는 日月의 문호(門戶)로서 그 地支를 가리키며 그 이치를 남긴다. (解.此言十二支包藏十干,各有生死成敗,出入交互.獨步云,辰戌丑未,四庫之局,寅申巳亥,四生之局,子午卯酉,四敗之局.喜忌篇云,財官印綬全備,藏蓄於四季之中,官星財氣長生,鎭居於寅申巳亥是也.或以子午爲天地之基柱,卯酉爲日月之門戶,是指其地而遺其理也.)

支干에는 보이지 않는 形이 있으니 無에서 有를 取한다. 節氣에는 남은 數가 있으니 섞인 부분을 분별하여 찾는다. (支干有不見之形,無中取有.節氣存有餘之數,混處求分.)

해석. 이것은 모두 造化의 묘(妙)를 말한다. 支[藏]干에 보이지 않는 形은 節氣에 남은 數이니 곧 上의 十二地중에 소장(所藏)된 人元이다. 無에서 有를 取하고, 섞인 부분을 분별하여 찾는데, 예컨대, [子]遙巳, 拱夾등의 格이다. 이것은 天干을 地支의 物에서 取하는데, 無에서 有를 取하지 아니하면 어찌하는가? 가령 子의 初 3刻은 구별하면 壬水에 속하고, 丑의 初 3刻은 구별하면 癸水에 속하고, 寅의 初 3刻은 구별하면 艮土에 속한다. 이것은 節氣가 한 글자를 암장하며 각각 소유주(所有主)인데, 섞인 부분을 분별하여 찾지 아니하면 어찌하는가? 부(賦)에서 이르길, 무합유합(無合有合)은 후학들이 알기 어려운데, 득일분삼(得一分三)은 선현(先賢)이 기재하지 않았다. 계선편에서 이르길, 견불견지형,무시불유(見不見之形,無時不有)[29]인 것이다. (解.此總言造化之妙.支干不見之形,節氣有餘之數,即上十二支中所包藏人元.乃無中取有,混處求分,如遙巳拱夾等格.是以天干而取地支之物,非無中取有而何?如子初三刻,分屬壬水,丑初三刻,分屬癸水,寅初三刻,分屬艮土.是節氣藏於一字,各有所主,非混處求分而何?賦云,無合有合,後學難知,得一分三,前賢不載.繼善篇云,見不見之形,無時不有是也.)

善惡이 서로 교류하면 오히려 惡을 化하고 善을 높여서 좋다. 吉凶이 혼잡(混雜)하면 吉을 害하고 凶을 더하여 두려워한다. (善惡相交,卻喜化惡崇善.吉凶混雜,至怕害吉添凶.)

해석. 下에서는 오로지 간명법(看命法)을 말하는데, 본래 上文은 있는 것을 取하여 구별하며 찾는다는 말인데, 가령 甲일이 丙 丁의 背祿을 보면 惡 凶이 되고, 戊 己재성을 보면 善 吉이 된다. 그리고 丙 丁이 化木하여 財를 도우면, 이것이 惡을 化하여 善을 높인다고 말한다. 乙木이 재성을 剋 害하면 두려운데, 이것이 吉을 害치고 凶을 더한다고 말한다. 下文에서 財 印의 교차(交差)를 자세히 살피면 官 煞로 化하여 좋다. 官煞이 혼잡하면 印綬로 化하면 좋다. 印이 없으면 財馬로 化하면 좋다. 財 印이 없으면 양인이 合하거나 혹 食神 상관이 制하면 좋다. 또 制煞이 破를 받으면 煞을 制하는 것이 머물지 못한다. 印이 化하는데 破를 보면, 財가 化하여 凶의 무리가 되는 모두이다. (解.此下專言看命之法,本上文取有求分而言.如甲日見丙丁背祿,爲惡爲凶.見戊己財星,爲善爲吉.而丙丁化木助財,是謂化惡崇善.怕乙木剋害財星,是謂害吉添凶.觀下文財印交差,喜官煞化之.官煞混雜,喜印綬化之.無印,喜財馬資化之.無財印,喜羊刃合之,或食神傷官制之.又如制煞受破,煞制不住.印化見破,財化爲凶之類皆是.)

明通賦(명통부)-3

그러므로 朝元이 局을 얻어 富하지 않으면 貴하다. 원(垣)이 파국(破局)되면 요절하지 않으면

29) 무시(無時)로;아무 때나. 見不見之形,無時不有;보이지 않는 形을 보는 것은 무시(無時)로 있지 않다.

가난하다. (是故得局朝元,非富則貴.犯垣破局,非夭則貧.)

해석. 局은, 삼합 사유(四維)하는 정국(正局)의 宮인데, 가령 亥 卯 未의 木局, 辰 戌 丑 未의 土局의 종류이다. 甲 乙이 亥 卯 未를 보면 본국(本局)이 되고, 丙 丁이 亥 卯 未를 보면 印局이 된다. 戊 己가 亥 卯 未를 보면 官局이 되고, 庚 辛이 亥 卯 未를 보면 財局이 되고, 壬 癸가 亥 卯 未를 보면 상관국의 종류가 된다. 元은 本元으로 원묘(垣廟)인데, 가령 子宮의 癸가 조원(朝元)이고, 丑 未의 己土가 조원인 종류이다. 무릇 元垣이 얻고, 혹 用이 命元이면 장수(長壽)하고, 官印이면 貴하고, 財이면 富하고, 背祿하여 財를 生하면 더욱 富하다. 단지 그 하나를 얻어도 衝 刑 剋 破가 없으면 부귀공명(富貴功名)하고, 반대면 그렇지 않다. 범원(犯垣)은, 가령 子가 貴이면 丑 未가 剋 破하고, 午가 衝 破하고, 卯가 刑 破하는 종류를 꺼린다. 1子 2午는 절반을 破하니 절반의 福을 얻는다. 破局은, 가령 申 子 辰은 寅 午 戌이 衝 破하는 종류를 꺼리는데, 크게 凶하다. 만약 虛[字]한 星을 用[神]하여 비천록마격을 이루면 도리어 貴하다. 나머지는 이것을 모방하라. (解.局者,三合四維正局之宮.如亥卯未木局,辰戌丑未土局之類.甲乙見亥卯未爲本局,丙丁見亥卯未爲印局.戊己見亥卯未爲官局,庚辛見亥卯未爲財局,壬癸見亥卯未爲傷局之類.元即本元垣廟.如子宮癸朝元,丑未己土朝元之類.凡元垣得之,或用爲命元則壽,爲官印則貴,爲財則富,爲背祿生財益富.但得其一,無衝刑剋玻者,功名富貴.反之則否.犯垣,如子貴,忌丑未剋破,午衝破,印[卯]刑破之類.一子二午,破盡一半,得半福.破局,如申子辰忌寅午戌衝破之類,大凶.若用星虛,成飛天祿馬格,反貴.餘仿此.)

得失이 아울러 고르면 진퇴(進退)가 거듭 반복한다. (得失均兼,進退仍復.)

해석. 조(朝)를 얻고 破를 犯하면, 造化의 得失이 있고, 進退가 있다. 이것을 얻으면 저것을 잃는데 强은 나아가며 弱은 물러나고 中間이 아울러 고르면 거듭 반복하여 변화를 헤아리기 어려우니, 정미(精微)하게 살피고 자세히 분별하지 않으면 구별할 수 없다. 가령 甲은 寅에서 조원하니 申의 衝 破를 꺼리는데, 만약 2寅에 1申이나 2甲에 1庚이 있으면 역시 害가 없고, 甲이 유력(有力)하면 진(進)한다. 또 寅이 申의 衝을 당하면 亥가 있어야 구원할 수 있고, 亥[字]가 견고하고 왕성하여야 福이 완전하게 된다. 亥가 혹 戊의 剋이나 巳의 衝을 받으면 敗하는데, 만약 亥[字]가 많으면 두려워하지 않고, 또한 强하면 진(進)한다. 진퇴(進退)를 서로 거듭하여 일성일패(一成一敗)하면 단지 歲 運에서 어느 주위를 돕고 일으키는지 살펴보면 福이 되는지 禍가 되는지 알 수 있다. (解.得朝犯破,此造化之有得有失,有進有退.此得則彼失,強進則弱退,中間均兼仍復,變化難測,非精察詳辨,不能分也.如甲朝垣於寅,忌申衝破,若有二寅一申,二甲一庚,亦無害,以甲有力而進也.又如寅被申衝,有亥可救,亥字堅盛,爲福十全.亥或受戊剋巳衝則敗.若亥字多不怕,亦強而進也.進退相仍,一成一敗,只看歲運助起何邊,爲福爲禍可知.)

神煞이 서로 얽어매면 輕重을 견주어 헤아린다. (神煞相絆,輕重較量.)

해석. 神煞은, 무릇 財 官 印 食 傷 煞 刃 敗로 모두이다. 중간(中間)에 喜忌는 같지 않고, 애증(愛憎)이 서로 다른 것은, 예컨대 下에 여러格을 論한 것이 이것이다. 반드시 輕重을 교량(較量)하여 어느 것이 당시(當時)에 重하면 用하고, 어느 것이 失令하여 輕하면 不用하니, 重한 것은 머무르고, 輕한 것은 제거해야한다. 이것과 위의 두 句節은 그 이치를 총괄하는 말인데, 마땅히 이것처럼 자세히 비교해야한다. 낙록賦를 고찰(考察)하면, 반드시 그 神煞에서 중요한 것을 밝히고 輕重을 교량(較量)해야 하는데, 이것은 모두 길흉(吉凶) 신살을 가리키는 것이다. 서자평은 오로지 官印 祿馬 貴賤의 명칭으로 구별하여 해석하였다. (解.神煞,凡財官印食傷煞刃敗皆是.中間喜忌不同,愛憎互異,如下諸格所論是也.須輕重較量,何者當時而重爲用,何者失令而輕不用.重者留之,輕者去之.此與上二句總言其理,當如此詳較.考珞琭賦,須要明其神煞,輕重較量.身剋煞而尚輕,煞剋身而尤重.是指諸吉凶神煞也.徐子平專以官印祿馬貴賤之別名解之.)

如甲申丙寅乙卯辛巳,乙用庚爲官,辛爲煞.庚官在申,得寅衝去,丙合辛煞,乙木生旺,故貴.

예) 명조
辛 乙 丙 甲
巳 卯 寅 申
乙이 庚을 官으로 삼고 辛은 煞이 된다. 庚官은 申에 있고, 寅을 충거(衝去)하며 丙은 辛煞을 合하니 乙木이 生旺하므로 貴하였다.

如甲寅丁卯癸丑丁巳,是身剋煞,身弱財旺,力不能任其財官,故夭.

예) 명조
丁 癸 丁 甲
巳 丑 卯 寅
身을 煞이 剋하고, 신약하며 財旺하니 힘이 그 財 官을 감당할 수 없으므로 요절하였다.

如乙丑辛巳丁巳己酉,身旺財亦旺,可任其財,所以至富.

예) 명조
己 丁 辛 乙
酉 巳 巳 丑
身旺하고 財가 또 旺하여 그 財를 감당할 수 있으니 부자(富者)가 되었다.

如甲子辛未乙卯甲申,乙日用庚官,以辛爲煞,庚在申內,六月生,官旺煞衰,此是正官得位,七煞失所,又喜身旺,變鬼爲官,故貴.

예) 명조
甲 乙 辛 甲
申 卯 未 子
乙일이 庚官을 用하며 辛은 煞인데, 庚은 申에 있고, 6월生으로 官은 旺하고 煞은 衰하니, 이것은 정관이 得位하며 칠살은 失한 것이고, 또 身旺을 기뻐하니 鬼가 변하여 官이 되므로 貴하였다.

辛丑庚寅乙巳甲申,官衰煞盛,乙木無力,化官爲煞,一生嗜酒落魄,至乙酉運,第五年,丙申歲八月十九日死.

예) 명조
甲 乙 庚 辛
申 巳 寅 丑
官은 쇠약하고 煞은 왕성한데, 乙木이 無力하니 官이 化하여 煞이 되고, 일생토록 술을 즐겨서 곤궁해졌다. 乙酉運 5年째에 이르러, 丙申년(歲) 8月 19일에 사망했다.

明通賦(명통부)-4

[四柱]내에 잡기가 있는데, 財官과 함께 偏正의 두 印이 祿馬가 同宮하면 內外의 삼기(三奇)라 부른다. (內有雜氣,財官相兼,偏正兩印,同宮祿馬,號爲內外三奇.)

해석. 이것은 正으로 神煞이 서로 얽매인 것을 가리키니, 八字중에 財 官이 있고, 偏正의 두 印이 있고, 혹 동궁하거나, 혹 다른 자리이거나 혹 암장하거나 혹 투출하여 서로 얽매이면 吉凶을 論하기 어려우니 輕重을 교량(校量)하여 用하는 것이 필요하다. 따라서 內에 삼기(三奇)가 있다고 말한다. 가(歌)에서 말하길, 寅 午 戌 酉는 三奇이고, 토(兎=卯) 사(蛇=巳)는 후(猴=申)을 따르나 동요하지 않는다. 巳 酉 丑중에서 子를 만나면 묘(妙)하고, 마(馬=午) 후(猴=申)는 저(猪=亥)를 보면 광휘(光輝)를 좋아한다. 辰 巳 子를 만나면 기이한 곳이고, 午 亥가 寅을 보면 책지(責墀)이다. 저(猪=亥)가 토(兎=卯) 마(馬=午)를 따라오면 마땅히 좋고, 寅 酉가 巳를 보면 적합하여 좋다. 저(猪=亥)가 마(馬=午)와 어린 사(蛇=巳)를 따르면 후원(後援)하고, 水서(鼠=子) 未인은 火구지(龜池)이다. 또 말하길, 神祿이 날아와서 馬를 타게 되면, 자재(資財=자산)와 관직(官職)이 둘 다 마땅하다. 旺한 중에 다시 本元의 도움을 얻으면 上格으로 영화(榮華)가 제일 기이(奇異)하다. (解.此正指神煞相絆,乃八字中有財有官,有偏正二印,或同宮,或異位,或包藏,或透出,相絆難論吉凶,要輕重較量用之,故曰內有三奇.歌曰,寅午戌酉是三奇,兎蛇隨猴不可移.巳酉丑中逢子妙,馬猴見豬好光輝.辰巳子逢即奇處,午亥見寅是責墀.豬來趕兎馬當歡,寅酉見巳喜相宜.豬逐馬兒蛇後援,水鼠未人火龜池.又曰,神祿飛來就馬騎,資財官職兩相宜.旺中更得本元助,上格榮華第一奇.如己丑丁卯壬午癸卯,

壬用己爲官,丁爲財,丁己歸祿於午,是此格也,故主大貴.)

如己丑丁卯壬午癸卯,壬用己爲官,丁爲財,丁己歸祿於午,是此格也,故主大貴.

예) 명조
癸 壬 丁 己
卯 午 卯 丑
壬이 己를 官으로 삼고, 丁은 財인데, 丁 己가 午에서 귀록하는 이 格은 올바르다. 따라서 主는 크게 貴하였다.

眞官을 時에서 만나 命이 强하면, 젊어서 존귀한 사람으로 봉해진다. (眞官時遇命強,早受金紫之封.)

解.此月令正官格也.以下詳言格局.如戊申甲寅己丑丙寅,翁仲益進士.
해석. 이것은 월령의 正官격이다. 아래의 格局에서 자세히 말한다.

예) 명조
丙 己 甲 戊
寅 丑 寅 申
옹 중익 進士이다. [참고]金紫;허리에 금띠를 두르고 자색 옷을 입으니, 존귀한 사람을 나타낸다.

양마(良馬)가 月을 타고 時가 건실(健實)하면, 은청(銀靑)한 직책으로 이동한다. (良馬月乘時健,末遷銀青之職.)

해석. 이것은 월령의 정재格이다. 財官의 두 格에서 官은 마땅히 貴를 취하고, 財는 마땅히 富를 취한다. 요즘은 함께 貴로 말하는데, 일간이 月안에 支[藏]干의 財를 취득(取得)하여 衝 剋하는 것이 없음을 말하며, 그 福은 정관과 동일하다. 詩에서 이르길, 일간이 월지의 財를 취하면 좋으니, 금옥(金玉)이 집의 곳간에 쌓인 것을 본다. 다시 天干에서 財를 보면 貴하고, 끊이지 않는 금백(金帛)이 하늘로부터 오는 것이다. (解.此月令正財格也.財官二格,官當取貴,財當取富.今俱以貴言,是從日干取得月內支干之財,無所衝剋者言之.其福與正官同.詩云,日干愛取月支財,金玉家藏看積堆.更看天干財爲貴,紛紛金帛自天來是也.)

明通賦(명통부)-5

月에 印이 있어 日의 財氣가 없으면 황방(黃榜)에 현인으로 초빙된다. (月印附日無財氣,爲黃榜招賢.)

해석. 이것은 월령의 정인格이다. 희기편에서 이르길, 月에서 일간을 生하고 天財가 없으면 이름이 인수(印綬)이다. 또 이르길, 印綬가 생월 歲 時에서 재성을 보는 것을 꺼린다. 運이 財鄕에 들면 마땅히 身이 퇴직하여 물러난다. 印綬는 財를 두려워하니 반드시 歲 時의 천간에 財가 없어야 취하고, 또 月의 印을 완전하게 얻기 어렵다. 가령 甲일의 亥월은 癸[字]가 투출하면 偏이 변하여 正이 되어 비로소 완전하니 主가 은총(恩寵)을 받아 貴하게 된다. 또 조부(祖와父)의 財를 얻지만 그러나 먼저 치욕(恥辱)을 당하여 피하기 어려운데, 혹 편생(偏生=반쪽짜리로 태어남)하여, 貧이 富하고, 비첩(婢妾)에서 정처(正妻)가 되고, 낮은 관리가 큰 벼슬을 하고, 병졸이 장수가 되니, 모두가 편인의 소치(所致)이다. 편정이 모두 있으면 가벼운 재앙이 있고, 혹 부모를 거듭하여 모시고, 혹 승속(僧俗)을 오고가고, 혹 양자로 길러지고, 혹 편생(偏生)이 정(正)으로 양육되고, 혹 정생(正生)이 편(偏)으로 양육된다. 또 비견이 은총을 쟁탈하여 나누는 것과, 양인이 많은 것을 꺼리고, 혹 合으로 제거하고, 혹 印이 미약하면 만나도 만나지 않은 것이니, 비록 천거(薦擧)가 있더라도 무리들 중에서 뛰어나거나 발췌(拔萃)되지 않는다. 부(賦)에서 이르길, 印이 旺한데 官이 生하면 반드시 인재를 고르는 임무를 주관하는 것이다. (解.此月令正印格也.喜忌篇云,月生日干無天財,乃印綬之名.又云,印綬生月歲時,忌見財星.運入財鄕,卻宜退身避職.印綬畏財,須天干歲時無財方取.又月印難得十全.如甲日亥月,透出癸字,變偏爲正.方爲十全,主招恩寵遇貴.又得祖父之財,然亦不免先遭恥辱,或偏生,以賤至貴,以貧至富,自婢爲婦,以吏爲官,以卒補將,皆偏印之所致也.偏正俱有,又有淺災,或重拜父母,或僧俗相離,或過房寄養,或偏生正養,或正生偏養,又忌比肩爭寵分恩,羊刃多,或合去,或印微,遇而不遇,雖有薦擧,亦不能拔萃超群.賦云,印旺官生,必掌鈞衡之任是也.)

일록(日祿)이 귀시(歸時)하고 관성이 몰(沒)하면 청운득로(靑雲得路)라 부른다. (日祿歸時沒官星,號靑雲得路.)

해석. 이것은 일록귀시格이다. 대체로 印綬는 식신 상관으로 行하는 것을 제일 좋아하며 財運 역시 發한다. 官이 양인을 刑 衝하는 것을 꺼린다. 이상(以上)의 진(眞)인 官 財 印 祿은 모두 十干으로 天地陰陽의 正氣로써 生剋의 이치에 이른다. 오직 月의 분야(分野)를 얻어 破가 없으면 경문(經文)에 준한다. 파괴(破壞)가 있으면 경중(輕重)을 따라서 말한다. 時는 發福이 비교적 늦지만 그러나 모두 스스로 구하고 창업수통(創業垂統)[30]할 수 있다. 귀록의 一格은 단지 시상(時上)에서 본 것이 좋은데, 만약 월지(月支)에서 거듭 보면 이름이 건록으로 富하지 않다. 月에 단독으로 보면, 時上에서 오히려 財 食이나 官을 보면 좋고, 이것은 별격(別格)으로 論한다. (解.此日歸祿時格也.大抵印綬,第一最好行傷官食神,財運亦發.忌官刑衝陽刃.以上眞官眞財眞印眞祿,皆十干天地陰陽正氣,生剋至理.惟月分得之無破,准經文.有破壞者,隨輕重言之.時得發福較晩,然皆自救,可以創業垂統.歸祿一格,只喜時上見之,若月支重見,名爲建祿不富.月單見,時上卻喜財食見官,是別格論.)

---

30) 창업수통(創業垂統): 사업을 먼저 일으켜 子孫이 이어받을 수 있도록 그 통서(統緖)를 전해 줌.

월영 칠살은 煞과 身이 함께 强하면 마땅히 흑두재상[31]이 된다. (月令七煞,而煞身俱強,當爲黑頭宰相.)

해석. 이것은 월영의 칠살格이다. 대저 월영이 煞이면, 중요한 것이 身과 煞이 모두 强하여야 비로소 主가 크게 貴하다. 만약 身은 强한데 煞이 얕으면 반드시 財로써 生해야하고, 煞은 强한데 身弱하면 반드시 印이 도우거나 혹 陽刃이 合하여야 모두 貴한 命이 된다. 만약 印이 合하며 制星이 공격하여 身弱하면 반드시 요절하고 그렇지 않으면 잔질(殘疾)이 있다. (解.此月令七煞格也.大抵月令煞,要身煞兩強,方主大貴.若身強煞淺,須財以生.煞強身弱,須印以助,或陽刃合之,皆爲貴命.若印合與制星相攻,身弱必夭,不然殘疾.)

如癸卯乙卯己巳乙丑.癸卯丁巳壬寅甲辰.壬寅乙巳庚寅丙子,俱身強煞旺有制,所以大貴.喜忌篇云,五行遇月支偏官,歲時中亦宜制伏,所以救賦之偏也.

예) 명조
乙 己 乙 癸
丑 巳 卯 卯

예) 명조
甲 壬 丁 癸
辰 寅 巳 卯

예) 명조
丙 庚 乙 壬
子 寅 巳 寅
[명조가] 모두 身强하고 煞旺한데 制가 있으므로 크게 貴하였다.
희기편에서 이르길, 五行으로 月支가 편관이면, 歲 時중에서 마땅히 제복(制伏)해야 하는데, 賦에서 한편으로 구원하는 까닭이다.

明通賦(명통부)-6

시상편재로 財命이 아울러 旺하면 반드시 한미(寒微)한 출신에서 정승이 된다. (時上偏財,而財命並旺,須出白屋公卿.)

31) 흑두재상(黑頭宰相);머리가 검은 재상(宰相)이라는 뜻으로, 젊은 재상을 말한다.

해석. 이것은 시상편재格이다. 단지 一位라야 吉하고, 合을 만나면 福이 되지 않고, 비견인 형제의 쟁탈과 刑 衝 剋 破를 꺼린다. (解.此時上偏財格也.只一位爲吉,見合不爲福,忌比肩兄弟爭奪,刑衝剋破.如丙戌戊戌戊子壬子,戊剋癸爲正財,重有子字壬字,爲偏財透露.)

예) 명조
壬 戊 戊 丙
子 子 戌 戌
戊는 癸를 剋하니 정재이고, 거듭 子[字]와 壬[字]인 편재가 투출하였다.

又如丁亥戊申壬申丙午,雖年有丁火,喜有合制,又陰火能奪陽火權,故貴.喜忌篇云,時上偏財,別宮忌見.所以補賦未備之義也.

예) 명조
丙 壬 戊 丁
午 申 申 亥
비록 年에 丁火가 있을지라도 合하는 制가 있어 기쁘고, 또 陰火는 陽火가 權을 빼앗을 수 있으므로 貴하다. 희기편에서 이르길, 시상편재[格]은 다른 宮에서 보는 것을 꺼린다. 그래서 賦의 미비(未備)한 뜻을 보충한다.

건록 좌록 혹은 귀록은 재(財) 관(官) 인수(印綬)를 만나면 부귀하며 장수한다. (建祿坐祿或歸祿,遇財官印綬,富貴長年.)

해석. 건록은 月을 말하고, 좌록은 日을 말하고, 귀록은 時를 말한다. 이 三祿의 格은 本身이 建旺하니 따라서 오직 財를 만나면 富하고, 官을 만나면 貴하고, 印을 만나면 수(秀)하다. [天]干이 旺하면 主가 장수(長壽)하고 안정된 福祿을 누린다. 만약 삼자(三者=財 官 印)가 모두 있으면 기묘(奇妙)하다. (解.建祿以月言,坐祿以日言,歸祿以時言.此三祿格本身健旺,故獨遇財則富,獨遇官則貴,獨遇印則秀.以其干旺,又主長命,安享福祿.若三者兼有亦妙.如丁亥己酉壬午辛亥,是日祿歸時,午中亦有官星,卻得酉月爲印,合格.)

예) 명조
辛 壬 己 丁
亥 午 酉 亥
이 명조는 일록귀시인데, 午중에 또한 관성이 있으니 오히려 酉월을 얻어 印綬가 되어 格에 부합(符合)한다.

월刃 일刃 및 시刃이 官 煞 영신(榮神=印綬)을 만나면 공명(功名)이 세상을 뒤덮는다. (月刃日

刃及時刃,逢官煞榮神,功名蓋世.)

해석. 이것은 삼인格인데, 官 煞 印綬가 서로 制化함이 필요하다. 영신은 印綬의 다른 이름이다. 官 煞은 있는데 印이 없거나, 煞은 있는데 官이 없어도 모두 얻어야하고, 印으로 化煞하면 더욱 좋은데, 단지 기반(羈絆)을 두려워한다. 가령 官이 있는데 상관을 만나면 옳지 않고, 印이 있는데 財를 만나면 옳지 않고, 煞이 있는데 식상의 압박을 만나면 옳지 않다. 혹 제거나 合去하여도 모두 正格을 이루지 못한다. (解.此三刃格,要官煞印綬相制化.榮神,印綬異名.有官煞無印,有煞無官俱得.有印化煞尤佳,只怕羈絆.如有官不可見傷,有印不可見財,有煞不可見食傷壓之.或制去合去,皆不成正格.)

如壬申壬子戊午乙卯,日刃有乙卯制伏.如丙戌癸巳戊午丁巳,日刃有印綬變化,故皆貴.

예) 명조
乙 戊 壬 壬
卯 午 子 申
日刃인데, 乙卯의 제복(制伏)함이 있다.

예) 명조
丁 戊 癸 丙
巳 午 巳 戌
日刃인데, 印綬로 變化하였다. 따라서 모두 貴하였다.

월영에서 오직 칠살을 制하고 身이 강건(剛健)하면 위엄을 떨친다. (月令專制七煞,身健鷹揚.)

해석. 희기편에서 이르길, 만약 時에서 七殺을 만나면, 반드시 凶으로 보지는 않는다. 月에서 强한 干을 制하면 그 煞이 도리어 권인(權印)이 되니 즉 이 뜻의 해석이다. 또 이르길,시상편관이 月氣에 通[根]하고 主가 旺하면 위엄을 떨치는데, 이것은 조금 다르다. (解.喜忌篇云,若乃時逢七煞,見之未必爲凶.月制干強,其煞反爲權印,即解此義也.一云,時上偏官通月氣,主旺鷹揚.與此少異.)

明通賦(명통부)-7

運元이 三才를 生하여 發하고 命이 强하면 표변(豹變)한다. (運元生發三財[才],命強豹變.)

해석. 運元은 월영이다. 삼재는 祿 命 身이다. 이것이 일간을 背祿하면 상관식신格이다. 재성을 만나면 좋은데, 가령 甲일이 巳 午월을 만나면 반드시 간두(干頭)에 戊(字)가 투출해야하며 丑

戊 未의 日時이고, 일주가 建旺하고 東方運으로 行하면, 財祿을 大發하며 백수성가(白手成家)한다. 또 이르길, 月중의 正祿이 財元에 모이고 身强하면 표변(豹變)[32]한다. 이것과 조금 다르다. (解.運元,月令也.三財,祿命身也.此是日干背祿,即傷食格也.喜逢財星,如甲日逢巳午月,須干頭透出戊字,丑戌未日時.日主健旺,行東方運,必然大發財祿,白手成家.一云,月中正祿會財元,身強豹變.與此少異.)

年에서 정록 정인 정재를 보고 破가 없으면 반드시 조상의 음덕을 계승하여 [후손에게] 좋게 전한다. (年見正祿正印正財,無破,必承祖蔭傳芳.)

해석. 거듭하여 無破가 존재한다는 것은 破가 있으면 안 된다는 이 論이다. 年은 조상이 된다. 그래서 云云한다. (解.重在無破,有破不以此論.年爲祖宗,故云云.)

日에 진官 진貴 진印이 坐하면 성공하고, 부르기를 복신치세(福神治世)라 말한다. (日坐眞官眞貴眞印,有成,號曰福神治世.)

해석. 거듭하여 이룸이 있다는 것인데, 이룸이 있으면 破가 없다. 眞은 곧 정의(正義)이다. 만약 편(偏)으로 간여하면 진정(眞正)이 아니다. 가령 丙子 丁亥 辛巳 庚午등의 日은 眞官이 된다. 丁酉 癸巳 癸卯 丁亥등의 日은 眞貴가 된다. 甲子 乙亥등의 日은 眞印이 되니 柱중에 破가 없고 도움이 있으면 福이 된다. (解.重在有成,有成即無破.眞即正義.若參之以偏,爲所假借,非眞正也.如丙子丁亥辛巳庚午等日爲眞官.丁酉癸巳癸卯丁亥等日爲眞貴.甲子乙亥等日爲眞印,柱中無破有助爲福.)

月안이 偏財이며 敗와 煞이 없으면 富한 출신의 사람이다. (月內偏財,而無敗無煞,富出人間.)

해석. 이것은 월영 편재格은 시상편재[格]과 대체로 같다. 비겁이 相剋하고 칠살의 설기(泄氣)를 두려워한다. (解.此月令偏財格,與時上偏財大同.怕比劫相剋,七煞洩氣.)

日하가 正馬이며 生助가 있으면 명성을 천하에 떨친다. (白[日]下正馬,而有助有生,名揚天下.)

해석. 甲午 戊子등의 日이다. 甲戌 乙丑등의 日은 偏이다. 日에 坐한 眞貴格과 동일하게 論한다. 다른 支의 財로 도움이 있어야한다. 다른 支의 食神 傷官으로 生함이 있어야한다. (解.乃甲午戊子等日.甲戌乙丑等日則偏.與日坐眞貴格同論.有助,是別支財.有生,是別支食傷.)

身弱하고 煞이 坐하는데, 運이 身旺한 곳으로 行하면 發財하여 발복(發福)한다. (身淺坐煞,運行身旺之鄕,發財發福.)

---

32) 표변(豹變);①허물을 고쳐 말과 행동이 뚜렷이 前과 달리 착해지는 일. ②마음과 행동이 분명히 달라지는 일.

해석. 坐煞은, 甲申 乙酉등의 日이다. 柱중에 土가 없어야 身이 淸하게 된다. 寅 卯의 運으로 行하면 財祿을 대발(大發)한다. 이 格은 印綬를 기뻐하고, 正官 食神을 꺼린다. 犯하면 청(淸)하지 않으니, 하급(下級)의 命이다. (解.坐煞,乃甲申乙酉等日.柱中無土,爲身淸.行寅卯運,大發財祿.此格喜印綬,忌正官食神.犯之非身淸,下等命也.)

明通賦(명통부)-8

오직 主가 임관하고, 運이 主의 貴地에 이르면 직책이 높아지고 봉작을 받는다. (獨主臨官,運至主貴之地,加職加封.)

해석. 독주임관(獨主臨官)은 丁巳 癸亥등의 日이며, 또 貴人을 만나고 관성을 衝하면 貴하게 된다. 歲 運에서 巳 亥를 거듭하여 만나면 봉작과 직책이 배가(倍加)된다. 혹 日에 관성을 만나고 運行이 다시 官地를 만나 해소(解消)하여도 역시 소통(疏通)한다. (解.獨主臨官,乃丁巳癸亥等日,又遇貴人衝官星爲貴.歲運逢巳亥重併者,倍加封職.或以日遇官星,行運再遇官地爲解,亦通.)

食神이 生旺한데 印綬의 刑 衝이 없으면 母와 子에게 食祿이 있다. (食神生旺,無印綬刑衝,乃母食子祿.)

해석. 이것은 식신格이다. (解.此食神格也.如戊辰丁巳壬辰甲辰,貴而且壽.丁未丙午甲午丙寅,食神化作脫局,丁傷辛官,飛來不得,故貧夭.)

예) 명조
甲 壬 丁 戊
辰 辰 巳 辰
貴하고 장수했다.

예) 명조
丙 甲 丙 丁
寅 午 午 未
食神이 化하여 탈국(脫局)되고, 丁이 辛官을 손상하니 날아와도 얻지 못하므로 가난하며 요절하였다.

主本이 임관하고 관성이 몰(沒)하고 煞이 敗하면 동생이 형의 자리를 물려받게 된다. (主本臨官,沒官星煞敗,爲弟襲兄班.)

해석. 丁巳 癸亥일이 寅 戌월을 얻는 종류이다. 관살 비견 형제가 없는데, 本身이 自旺하면 반드시 높은 자리를 얻어 가정과 업을 일으켜 세운다. 무엇인가? 丁의 祿은 午이고, 癸의 祿은 子에 있으니 癸亥는 水가 正旺한 곳이 되어 곧 壬家의 祿이다. 丁巳는 火로써 임관의 地支이니 곧 丙家의 祿이다. 이 格을 얻으면 丁 癸는 丙 壬의 아우를 일컬으며 巳 亥는 丙 壬의 祿位가 된다. 따라서 말하길, 동생이 형의 자리를 따른다. 반드시 형이 있기 때문인데 형과 같은 반열로 높아진다. 또 丙午 壬子일 역시 순수(純粹)하며 더욱 貴하다. 박잡(駁雜)하면 格에 들지 못한다. 만약 형제인 비견이 있고 干支가 박잡(駁雜)하여 형(兄)의 성(星)이 전실(塡實)하면 하급이 되는 것이다. 혹 관성이 전실(塡實)하면 형제 비견이 다투어 어긋나고, 身을 받아들일 곳이 없고, 凶하다고 단정한다. 만약 관성이 부실(不實)하고 天干에 홀로 투출하면 비록 星을 나누고 祿을 나눌지라도 다시 이룰 수 있다. (解.乃丁巳癸亥日,得寅戌月類也.無官煞比肩兄弟.本身自旺,必得高長之班,興家立業.何者?丁之祿在午,癸之祿在子,癸亥爲水正旺之鄕,乃壬家之祿也.丁巳爲火,臨官之地,乃丙家之祿也.得此格者,謂丁癸乃丙壬之弟,而巳亥爲丙壬之祿位,故曰,弟就兄班.必因兄有爲,高兄一班.又丙午壬子日亦是,純粹尤貴.駁雜者不入格.若有兄弟比肩,干支駁雜,爲兄星塡實,便爲下矣.或官星塡實,兄弟比肩爭差,身無容處,又作凶斷.若官星不實,單露天干,雖分星擘祿,亦可再成.)

도식인 본궁에 官旺함이 임하면 시신도록(侍臣叨祿)의 이름이다. (倒食本宮臨官旺,乃侍臣叨祿之名.)

해석. 가령 庚子가 戊子를 보고 歲 月의 편인이 나의 본궁의 위에 있으면 이름이 도식인데, 곧 나의 군부(君父)이다. 이것은 편인이 좌(坐)하는 곳에 일간과 동궁하고 官旺한 地支에 임하면 나의 命을 받아 나의 福氣를 生하니 임금을 가까이 모시는 신하로써 祿을 차지하니, 임금 곁에서 총애를 받는다. (解.如庚子見戊子,歲月偏印,在我本宮之上,名倒食,乃我之君父也.是偏印所坐,與日干同宮,臨於官旺之地,則受我命,生我福氣.侍臣叨祿,言近君之寵也.如庚子戊子庚子丙子,是此格也.)

예) 명조
丙 庚 戊 庚
子 子 子 子
이것이 이 格이다.

明通賦(명통부)-9

胎生 元命에 재성이 없으면 적자(赤子=갓난아기)때부터 은혜로운 총애를 받는다. (胎生元命無財星,爲赤子承恩之寵.)

해석. 이것은 庚寅 辛卯 甲申 乙酉등의 日이다. 모두 本主의 天元이 自坐한 絶地로 胎生의 宮

이 되니 곧 포태(胞胎)格이다. 그 生이 심히 미약한 것이므로 印綬를 기뻐하고 財의 剋을 두려워한다. 主는 少年시절에 황은(皇恩)을 받으니 대개 印格과 동일하게 論한다. (解.此庚寅辛卯甲申乙酉等日.皆本主天元,自坐絶地,爲胎生之宮,即胞胎格也.其生甚微,所以喜印綬,怕財剋.主少年招受皇恩,大概與印格同論.如乙酉乙酉乙酉甲申,是此格也.喜忌篇云,五行絶處,即是胎元,生日逢之,名曰受氣是也.)

예) 명조
甲 乙 乙 乙
申 酉 酉 酉
이 格이다.

희기편에서 이르길, 五行의 절처(絶處)는 곧 胎元인데 生日에서 이를 만나면 이름하여 수기(受氣)라고 말하는 것이다.

歲月의 정관이 칠살과 혼잡하면 하천(下賤)한 사람이다. 時日에서 오직 강하여 制하면 직책이 중하고 권력이 크다. 月時의 七殺이 정관과 잡란(雜亂)하면 병(病)이 침범한다. 歲 運에서 衝開나 合去하면 官이 淸하여 명성을 드러낸다. 오히려 지나치게 制하면 싫어하고, 강하게 다투는 것을 가장 꺼린다. (歲月正官,七煞混淆人下賤.時日獨強專制,職重權高.月時七煞,正官雜亂病交侵.歲運衝開合去,官清名顯.猶嫌過制,最忌爭強.)

해석. 희기편에서 이르길, 四柱에 순수한 煞을 制하면 분명히 一品의 존(尊)이 된다. 줄여서 일위(一位)의 정관을 보아야하고, 官煞이 혼잡하면 도리어 賤하다. 종류로는 거관유살(去官留煞)이 있고, 또한 거살유관(去煞留官)이 있다. 또 이르길, 월영에서 비록 건록을 만나더라도 煞이 모여 凶한 것을 절대 꺼리고, 官煞이 교차(交差)하면 오히려 合煞하여야 貴하게 되는 것이다. 이 두 格이 소유주(所有主)이다. 歲 月의 정관은 官이 主가 되며 煞이 섞이면 혐의한다. 月 時의 七殺은 煞이 主가 되며 官이 난잡함을 혐의한다. 時 日에서 오직 강하게 制하고, 運에서 충개(衝開) 합거(合去)하는, 서로의 글이 올바른 견해이다. 지나치게 制하면 七殺이 드러나지 않고, 强하게 다투면 거류(去留)가 어려우니 마땅히 그 이치를 자세히 살펴야한다. (解.喜忌篇云,四柱純煞有制,定居一品之尊.略見一位正官,官煞混雜反賤.類有去官留煞,亦有去煞留官.又云,四柱煞旺運純,身旺爲官清貴.又云,月令雖逢建祿,切忌會煞爲凶,官星七煞交差,卻有合煞爲貴是也.此二格各有所主.歲月正官,以官爲主,嫌煞混之.月時七煞,以煞爲主,嫌官亂之.時日獨強專制,歲運衝開合去,互文見義也.過制則七煞不顯,爭強則難以去留,其理當細詳之.)

如壬子甲辰己卯壬申,月時正官,日下卯爲七煞,得申內庚金,合卯中乙木之煞爲貴.又如張侍郎八字,乙日以庚爲正官,申內庚金,近七月生,庚旺辛衰,六月丁火旺,爲去煞留官.故貴.又如丙午丙申甲寅丁卯,丙丁雖多,不敵月令之煞,又行官旺運,身旺變鬼爲官,故貴.

예) 명조
壬 己 甲 壬
申 卯 辰 子
月時에 정관이고, 日下의 卯는 七殺인데, 申중의 庚金을 얻어 卯중 乙木의 煞을 合하여 貴하게 되었다.
또 예컨대, 장시랑(侍郎)의 八字는, 乙일에 庚이 정관인데, 申중의 庚金은 7月생과 가까우니 庚은 旺하고 辛은 衰하고, 6月은 丁火가 旺하여 거살유관하므로 貴하였다.

예)명조
丁 甲 丙 丙
卯 寅 申 午
丙丁이 비록 많을지라도 월영의 煞을 대적할 수 없고, 또 官旺한 運으로 行하지만, 身旺하니 鬼가 변하여 官이 되므로 貴하였다.
[譯者註]상기 명조는 제살태과인데 官煞運에 吉한 것이다.

天元이 무기(無氣)하면 오히려 中下가 흥륭(興隆)해야 한다. (天元無氣,卻宜中下興隆.)

해석. 이것은 인수格이다. 가령 甲 乙이 冬절에 生하고 天元이 無氣하면 地支에 亥 子水가 木을 生하니 흥륭(興隆)한 종류가 된다. 가령 丁亥 丁丑등의 日은, 丁火가 無氣하고, 다시 壬 癸가 있어 剋하며 亥 子를 얻은 무리가 되지만, 도리어 甲木을 生出할 수 있으니 地支가 흥륭(興隆)하게 된다. 土가 財를 剋하여 기쁜데, 丑중에 얻으니 財 도한 이로운 무리가 된다. 고인(古人)이 論한 中下는 日時의 地支를 말한다. 가령 일간(日干)이 월영에서 無氣한데, 만약 坐한 곳의 地支[日下] 및 時에서 得地하면, 역시 성실(成實)한 命이 된다. 만약 無氣하며 日時가 다시 衰敗한 곳에 있으면 종신(終身)토록 막히고 쓰러지는 것을 알 수 있다. 희기편에서 이르길, 무릇 天元이 太弱하여도, 內에는 弱한 곳에서 부생(復生)이 있다는 것이다. (解.此印綬格也.如甲乙生於冬月,天元無氣,地支有亥子水生木,爲興隆之類.又如丁亥丁丑等日,丁火無氣,又有壬癸來剋,亥子得之爲黨,反能生出甲木,爲地支興隆.喜土來剋財,丑中得之,爲財亦利之類.古人論中下,以日時支言.如日干月令無氣,若所坐之支,及時得地,亦爲成實之命.若無氣,而日時又在衰敗之鄕,則終身偃蹇可知矣.喜忌篇云,凡見天元太弱,內有弱處復生是也.)

明通賦(명통부)-10

年本이 편관이면 반드시 시종(始終)으로 剋 害를 꺼린다. (年本偏官,須忌始終剋害.)

해석. 이것은 세덕格이다. 가령 甲일이 庚申의 太歲를 만나면 年上편관으로 일명 元神이고 일명 고신(孤辰)인데, 그 살(煞)이 가장 중(重)하여 종신(終身)토록 제거할 수 없다. 따라서 主는 시종(始終)으로 剋 害된다. 剋害는 조부(祖父)와 육친(六親)을 가리킬 뿐만 아니라, 본신(本身) 역시 그 중에 해당되는 것이다. (解.此歲德格也.如甲日逢庚申太歲,爲年上偏官,一名元神,一名孤辰,其煞最重,終身不可除去,故主始終剋害.剋害,非專指祖父六親,本身亦在其中矣.如丁巳丁未辛巳壬辰,喜一壬合二丁爲制.乙卯丙子己卯丁卯,喜丁丙化去三乙,皆主貴,但剋害終不能免.或云,七煞多根,切忌始終剋害.亦通.)

예) 명조
壬 辛 丁 丁
辰 巳 未 巳
하나의 壬이 둘의 丁을 合하여 制한다.

예) 명조
丁 己 丙 乙
卯 卯 子 卯
丙 丁이 셋의 乙을 化하여 去하니 기쁘다.
모든 主가 貴하였으나, 단지 剋 害를 결국 면할 수 없었다. 혹 이르길, 七殺은 根이 많으면 始終으로 剋 害를 절대 꺼린다. 또한 通用된다.

양인은 편관을 지극히 좋아하고, 화란(禍亂)을 깎아 고르게 한다. (陽刃極喜偏官,削平禍亂.)

해석. 이것은 양인格이다. 대체로 양인은 財를 꺼리는데, 刃이 財를 破하며 財가 煞을 生하여 煞은 身을 剋한다. 그리고 刑 衝 三合 六合하여 煞을 제복(制伏)하면 좋고, 煞을 자제(自制)하면 또한 凶하다고 단정한다. (解.此陽刃格也.大抵陽刃忌財,以刃破財,財生煞,煞剋身.及刑衝三合六合,喜煞制伏.而煞自制者,又作凶斷.)

金神은 단지 제복(制伏)함이 마땅하고, 간웅(奸雄)을 항복시킨다. (金神只宜制伏,降肅奸雄.)

해석. 이것은 금신格이다. 대체로 금신은 지나치게 制하여도 두려워하지 않는데, 단지 破制와 失制를 꺼린다. 歲 運도 동일하다. 甲 己일이 이 三時를 얻는데, 오직 甲일이 얻으면 올바르다. (解.此金神格也.大抵金神不畏過制,只忌破制與失制.歲運同.甲己日得此三時,惟甲日得之爲正.)

陽德 陰貴가 旺하면 영화롭고 현달하며, 弱하면 명성을 보호할 수 있다. (陽德陰貴,旺則榮顯,而弱可保名.)

해석. 양덕은 천월이덕 및 일덕이다. 음귀는 천을귀신 및 日貴格이다. 弱하면 비록 미치지 못하더라도, 强하면 역시 스스로 지킬 수 있다. (解.陽德,天月二德,及日德.陰貴,天乙貴神,及日貴格也.弱雖不如,强亦可自守.)

천강 지괴는 衰하면 빈한(貧寒)하고, 强하면 마땅히 절세[기인]이다. (天罡地魁,衰則貧寒,而強當絕世.)

해석. 즉 괴강格이다. 强하면 좋고 衰하면 나쁘고, 財 官을 꺼리고, 아울러 살펴보는 것이 중요하다. (解.即魁罡格也.喜強惡衰,忌財官,要併踏.)

관고 재고를 충개(衝開)하면 영화로우며 작록(爵祿)을 받고, 폐색(閉塞)하면 가난하며 자재(資材)가 궁핍하다. (官庫財庫,衝開則榮封爵祿,塞閉則貧乏資財.)

해석. 이것은 잡기재관格이다. 가령 甲은 丑을 보면 관고이고, 辰을 보면 재고이며, 未를 만나면 본고이고, 戌을 보면 식신庫가 된다. 官이 최고이고, 財가 그 다음이며, 本庫는 다시 그 다음이다. 만약 庫가 年 月중에 있으면 맡은 업무는 매우 빠르나 소년(少年)시절에 발달하기 어렵다. 日下 및 時중에 있으면 좋은데, 비록 늦게 발달하더라도 조화(造化)로써 부귀를 잃지 않는다. 刑 衝 破 害를 보는 것이 중요하니 닫힌 局을 열어야하고, 星이 폐색(閉塞)하면 두렵다. 가령 丁은 辰이 官庫인데, 혹 戊[字]가 넘쳐나거나 혹 戊辰이 억누르는 이것이 폐색(閉塞)이다. 이와 같으면 丁에게 官이라할 수 없으니, 반드시 柱에 甲戌이 있어야하고, 혹 歲 運에서 이를 만나야 비로소 吉하다. (解.此雜氣財官格也.如甲見丑爲官庫,見辰爲財庫,見未爲本庫,見戌爲食庫.官爲上,財次之,本庫又次之.若庫在年月之中,管事太早,難發少年.喜在日下及時之中,雖晚發,不失爲富貴造化.要見衝刑破害,以開局鑰,怕有星閉塞.如丁用辰爲官庫,或戊字僭之,或戊辰壓之,是閉塞也.如此則丁不能官,須柱有甲戌,或歲遇之方吉.)

明通賦(명통부)-11

상관 정관이 상진(傷盡)하면 높은 권력을 장악하고, 반잔(半殘)하면 반드시 순탄하지 못하고 어려움을 만난다. (傷官正官,傷盡則獨握權高,半殘則必遭蹇難.)

해석. 이것은 상관格이다. 반잔(半殘)은 손상을 다하지 못한 것을 말한다. 희기편에서 이르길, 사주에서 상관은 運이 官鄉에 들면 반드시 破하는 것이다. (解.此傷官格也.半殘言傷不盡.喜忌篇云,四柱傷官,運入官鄉,必破是也.)

日月이 官 祿을 도충(倒衝)하는데, 전실(塡實)과 기반(羈絆)이 없으면 祿 馬가 날아온다. (日月倒衝官祿,無塡無絆,而祿馬飛來.)

해석. 이것은 비천록마格이다. (解.此飛天祿馬格也.)

天地에 神煞을 制나 合이 過하지 않고 잃지 않으면 명리(名利)가 갑자기 發한다. (天地制合煞神,不過不失,而名利驟發.)

해석. 天地에 神煞을 制나 合은 天干地支에서 혹 식신제살(食神制煞)이나 혹 양인합살(陽刃合煞)인 것이다. 단지 制合이 太過하면 마땅하지 않는데, 가령 1煞에 2食傷이나 2陽刃이면 지나치니 잘못된 것이다. 身煞이 양정(兩停)하면 制合이 지나치지 않는다. 煞은 凶神이므로 갑자기 發한다. 희기편에서 이르길, 편관은 제복(制伏)이 太過하면 가난한 선비에 불과하니 지나쳐서는 안된다. (解.天地制合煞神,乃天干地支,或是食神制煞,或是陽刃合煞.但制合不宜太過,如一煞二食二陽刃,則過而失也.身煞兩停,制合不過.煞乃凶神,故主驟發.喜忌篇云,偏官制伏太過,乃是貧儒.見不可過也.)

오직 官印이 서로 모이면 가장 좋고, 바른 정치를 하면 봉작을 받는다. (惟官印最宜相會,德政加封.)

해석. 이것은 관인格이다. 가령 甲일이 辛을 얻으면 官이 되고, 또 癸가 있으면 印이고, 혹 地支에 酉 子[字]가 모두 있는 것이다. 身에게 官印은 一剋 一生으로 陰陽이 배합하여 다시 相生한다. 따라서 主가 재상이 되면 임금을 보좌하는 재능이 있고, 장수가 되면 궁리하고 계획하는 지혜가 있는데, 재상을 맡으면 다시 어진 정사를 하게 된다. 중요한 것은 본신과 관인이 서로 비슷하면 극품(極品)으로 귀(貴)하다. 아니면 역량(力量)에 따라서 승강(升降)과 경중(輕重)을 말한다. (解.此官印格也.如甲日得辛爲官,又有癸爲印,或地支有酉子字皆是.官印於身,一剋一生.陰陽配合,而又自相生焉.故主爲相有王佐之才,爲將有運籌之智.爲守宰著循良之政,要本身與官印相等,乃極品貴也.否則隨力量升降輕重言之.)

祿馬가 동궁하여 있으면 지극히 좋고, 관직(官職)을 할 수 있다. (有祿馬極喜同居,官能稱職.)

해석. 이것은 재관格이다. 가령 甲일이 己丑 己酉와 壬午 癸巳등의 月을 보는 종류로 이것이 록마동거(祿馬同居)이다. 그리고 위에 官印이 서로 모인 모두가 삼기(三奇)格이 된다. 모름지기 본신의 힘이 旺해야하고, 혹 時氣를 만나면 이 格으로 부를 수 있다. 祿 身의 强弱이 고르지 않으면 강하(降下=아래로 떨어지다.)한다고 論하고, 身弱하면 수명을 [보존하기] 어렵다. (解.此財官格也.如甲日見己丑己酉,及壬午癸巳等月之類,是祿馬同居.與上官印相會,皆爲三奇格也.須要本身力旺,或遇時氣,可稱此格.祿身強弱不等,降下論之,身弱難壽.)

印綬는 煞을 만나면 발(發)하고, 合을 만나면 회(晦)하며, 財를 만나면 재액(災厄)인데, 財를 破하거나 합거(合去)하면 또한 發한다. (印綬逢煞則發,逢合則晦,逢財則災.破合去財亦發.)

해석. 이것은 印煞을 총론(總論)한 것인데, 煞을 만난 喜忌는 印은 煞의 生을 의지하면 공명(功名)이 현달(顯達)한다. 만약 편재의 合去나 정재의 剋去를 만나면 모두 主가 재액으로 어둡다. 柱중에서 일간이 건왕하고, 혹 비견이 있어 財를 破하거나 合去하면 印煞을 雙으로 거두어들일 수 있으니 主가 발달(發達)하는데, 다만 맑지 않다. 詩에서 이르길, 갑자기 甲 己에 金局을 더하면 심상(尋常)하여 탄식할 수 있다. 旺한 火가 身을 生하는 地支로 運行하면, 공명이 어느 곳에서도 찬란하게 빛나지 않겠는가! (解.此總論印煞,喜忌逢煞,謂之印賴煞生,功名顯達.若遇偏財合去,正財剋去,皆主災晦.柱中日干健旺,或有比肩,破合去財,則印煞可以雙收,亦主發達,但不清也.詩云,忽逢甲己加金局,丙火尋常便可嗟.運行旺火生身地,功名何處不光華是也.)

건록이 官을 만나면 貴하고, 財를 만나면 富하고, 印을 만나면 수(秀)한데, 敗財 破印은 불길(不吉)하다. (建祿遇官則貴,遇財則富.遇印則秀,敗財破印不吉.)

해석. 건록은 身왕하니 따라서 用官 用印 用財하면 모두 吉하다. 패재 양인 비견이 있으면 身이 태왕하여, 모두 나의 財를 겁탈하고, 나의 官을 나누며, 나의 印을 탈취한다. 건록은 印과 財를 더욱 기뻐하므로 패재 破印을 보면 편고(偏枯)하여 조화를 이루지 못한다. 財印이 모두 혼잡하면 富하지 않으며 秀하지 않아 이루지 못하는 命이다. (解.建祿則身旺.故用官用印用財皆吉.有敗財陽刃比肩,則身太旺.皆足以劫我之財,分我之官,奪我之印.建祿尤喜印與財,故見敗財破印,則偏枯不成造化.財印俱見混雜,不富不秀,無成之命也.)

官煞이 양정(兩停)하면 좋은 것은 남기고 나쁜 것은 버린다. 무(武)는 正을 제거할 수 있어偏이 머물면 官을 化하여 煞이 된다. 문(文)은 偏을 제거할 수 있어 正이 머물면 煞을 化하여 官이 된다. 신왕한 運을 만나면 반드시 봉록을 받는다. 財印이 교차(交差)하면 나아가려 하니 물러나는 것을 꺼린다. 貴는 義를 보고 利를 잊으니, 印을 取하고 財를 버린다. 富는 利을 보고 義를 잊으니, 財를 取하고 印을 버린다. 歲에서 命의 强함을 만나도 작위(爵位)에 오른다. (官煞兩停,喜者存之,憎者棄之.武能去正留偏,化官爲煞.文能去偏留正,化煞爲官.運逢身旺必加封.財印交差,欲其進也,忌其退也.貴能見義忘利,取印捨財.富則見利忘義,取財捨印.歲遇命強而進爵.)

해석. 官煞을 병용(倂用)하는 것은 不可하고, 財와 印이 근접하여 머물기는 어려우므로 희증존기(喜憎存棄)하여, 혹 거살유관(去煞留官) 혹 거관유살(去官留煞)하여 進退를 원하고 싫어하는데, 혹 印을 取하면 財를 버리고, 혹 財를 取하면 印을 버려서, 각각 그 有力한 것을 따르고 重한 것을 用한다. 문무(文武)의 富貴도 역시 그 종류로써 추리하여 말하지만 반드시 그렇지는 않다. 四

格은 모두 身旺함으로써 命이 强해야 主가 되고, 歲 運에서 생부(生扶)하면 기묘(奇妙)하니 조화롭게 論한다. 身과 財가 旺한 힘이 머물고 官煞을 얻는데, 財가 化하여 印을 도울 수 있으면 福이 더욱 두텁게 된다. 身弱한데 官煞의 化가 없으면 官煞을 이기지 못할 뿐만 아니라 財印이 교차(交差)하여, 身을 制하며 돕지 않아 의지할 데가 없으니 반드시 빈천(貧賤)하게 된다. (解.官煞不可並用,財印難以交留,故喜憎存棄,或去煞留官,或去官留煞,欲忌進退,或取印捨財,或取財捨印,各從其有力而重者用之.文武富貴,亦推言其類,未必盡然.四格皆以身旺命強爲主,歲運生扶爲妙.通融融論之.身與財旺力停,得官煞來,亦可化財助印,爲福益厚.身弱無官煞乘化,不惟不勝官煞.而財印交差,身制不護,無可爲倚,必定貧賤.)

明通賦(명통부)-13

十干이 배록(背祿)하면 財의 盛함을 만나야 좋다. 敗[財]가 비견 축마를 만나고, 官煞이 모두 있으면 마치 거살유관(去煞留官)과 같다. 印이 身强함을 도우면 반드시 功을 세워 벼슬을 받는다. (十干背祿,喜見財豐.敗逢比肩逐馬,官煞俱有,猶如去煞留官.印助身強,必定收功拜職.)

해석. 이것은 상관格을 말한다. 희기편에서 이르길, 十干이 배록하면 歲 時에서 재성을 만나면 좋다. 運이 比肩에 이르면 부르길, "배록축마"라고 말하는 것이다. (解.此言傷官格也.喜忌篇云,十干背祿,歲時喜見財星.運至比肩,號曰背祿逐馬是也.)

五行에서 食神은 馬가 盛한 곳에 타야하고, 정인과 효신으로 禍가 발생한다. 官煞이 오면 잘못되어 도리어 어질어도 德을 敗한다. 梟神과 印이 旺하면 破敗하여 身을 손상한다. (五行食神,許乘馬盛,禍生正印梟神.官煞一來,誤致反賢敗德.梟神印旺,立見破敗傷身.)

해석. 이것은 식신格을 말한다. 上文의 배록축마로 인하여 궁극(窮極)에는 장차 官煞이 다시 福이 된다. 따라서 이 문장의 말은 財로써 부자가 되고, 官煞이 印을 도와 화(禍)가 되어 도리어 대파(大破)한다. 서로의 글에서 뜻을 보고 자세히 살피지 않을 수 없다. 대개 食神은 財를 좋아하고 효신을 두려워하는데, 官煞이 印을 生하면 梟[神]이 점점 더 旺해진다. 상관은 印을 보면 좋고, 식신은 印을 보면 두려운데, 아울러 설명한다. (解.此言食神格也.此因上文背祿逐馬,窮極將官煞而轉爲福.故此章言因財致富,被官煞助印爲禍,而反大壞.互文見義,不可不詳察之.蓋食神喜財怕梟,官煞生印,則梟愈旺.傷喜見印,食怕見印,故並言之.)

戊일 午월는 刃으로 보아서는 안 되고, 時 歲에 火가 많으면 도리어 印綬가 된다. (戊日午月,勿作刃看.時歲火多,轉爲印綬.)

해석. 이것은 양인과 印이 동궁(同宮)하며, 火가 많으면 印이 旺하므로, 弱은 다시 强을 따를 수 있다. 그런데 刃이 身强을 돕고, 또 印의 도움을 얻으면 문리(文理)가 뛰어나니 나쁜 것은 숨기고 좋은 것은 드러낼 수 있다. 만약 己[字]가 투출해 있으면 刃으로 단정한다. 印과 刃이 함께 있으면 그 사람의 성품은 참을성이 없지만, 好運이 오면 성공(成功)한다. 運이 退하여 刃이 와서, 혹 財가 衝을 당하면 凶한데, 정관이 이를 制하면 기묘(奇妙)하여 좋다. (解.此陽刃與印同宮,火多則印旺,故能轉弱從強.然刃助身強,又得印助,則文理高致,可以隱惡而揚善.若有己字透出,仍以刃斷.印刃俱有,其人不免性忍.有好運來成功.運退刃來,或被財衝起亦凶.喜正官制之爲妙.如癸亥戊午戊午戊午,此命正合此論.)

예) 명조

戊 戊 戊 癸

午 午 午 亥

이 命은 논리에 바르게 부합(符合)한다.

丙일 丑시는 배록이 되지 않는다. 支干[地藏干]에 金旺하여 도리어 자재(資財)가 된다. (丙日丑時,非爲背祿.支干金旺,反作貲財.)

해석. 시(時)는 당시(當時;일이 생긴 그때)이니 월영(月令)을 가리킨다. 丙일생이 丑월을 만나면 丑중 己土는 상관으로 배록하니 主가 가난하다. 干支에 庚辛의 金氣가 旺盛함을 얻으면 土는 金을 生할 수 있으니 도리어 財로 단정한다. 반드시 丙일이 건실(健實)하고, 혹 寅 午 戌의 火局 또한 旺하여야 그 財를 감당할 수 있다. 時支가 丑이고, 支중의 巳 酉가 合하며, 庚 辛이 투출하고, 丙火가 生旺하면 이 格에 합당하다. 가령 丙일의 本身이 自旺한데 단순히 丑월을 보고, 庚辛의 투출 및 巳 酉 丑의 局이 없으면 眞배록인 것이다. (解.時,當時,指月令也.丙日生逢丑月,丑中己土傷官,背祿,主貧.得干支庚辛金氣旺盛,土能生金,卻爲財斷.須丙日健,或寅午戌火局亦旺,可任其財.時支是丑,支中巳酉合,庚辛透出,丙火生旺者,亦合此格.如丙日本身自旺,單見丑月,無庚辛透露,及巳酉丑局,眞背祿矣.)

明通賦(명통부)-14

官이 刃의 위에 坐하면 결국 형벌을 당하고, 貴가 三刑을 제압하면 반드시 정권(政權)을 잡는다. (官坐刃頭終被刑,貴壓三刑須執政.)

해석. 가령 甲일이 辛卯월 및 辛卯시를 보면 官이 得令하지 못하니 도리어 卯중 丁火의 剋傷을 당하고, 歲 運에서 다시 보면 반드시 형벌을 만난다. 만약 官煞의 제복(制伏)이 적절하면 비록 貴로 論하더라도 刃년을 만나면 결국 凶하니, 陽刃이 조화를 가장 파괴하는 것이다. 貴가 三刑을 제압하고 命중에 三刑을 犯하여 비록 凶할지라도, 만약 한 개의 天乙귀인의 정조(正照)를 얻고

生旺 得時하면 도리어 主는 형벌과 정사(政事)를 장악하여 정벌(征伐)할 수 있다. 貴人이 生旺하지 않아도 역시 정사(政事)에 종사한다고 단정할 수 있다. 貴神이 가장 吉한 煞인 것이다. (解.如甲日見辛卯月及辛卯時,官不得令,反被卯中丁火傷剋,歲運又見,定然遭刑.若官煞制伏得宜,雖以貴論,遇刃年終凶,是陽刃最壞造化也.貴壓三刑,乃命中犯三刑雖凶,若得一個天乙貴人正照.生旺得時,反主掌典刑政,可專征伐.貴人不生旺者,亦可作從政斷.是貴神最爲吉煞也.)

德이 칠살을 덮어씌우면 반드시 몸과 마음이 편안한 선비이다. 화(花=도화살)가 六合하면 어찌 음탕(淫蕩)한 사람이 아니리오! (德蓋七煞,必是安禪之士.花迎六合,豈非淫蕩之人.)

해석. 덕(德)은 곧 天 月德인데 善을 베푸는 神이다. 七殺은 고신(孤辰)煞이다. 德이 칠살을 덮어씌우면 主人은 도덕(道德)심이 있는데, 도덕(道德)심 때문에 富貴한다. 화(花)는 곧 도화煞로 음탕煞이다. 六合은 다정(多情)煞이다. 도화가 六合하면 호색(好色)하며 노래 부르길 좋아하여 대단한 선비는 아니다. 가령 戊午생인이 癸丑의 종류를 보면 支干이 교합(交合)하여 곤랑도화(滾浪桃花)가 된다.[33] 四柱에서 子 午 卯 酉는 편야도화(遍野桃花)인데, 남자는 중매하지 않고 혼인하고, 여자는 중매하지 않고 시집간다. (解.德,即天月德,乃慈善神也.七煞,乃孤辰煞也.德蓋七煞,主人有道德,因道德而生富貴.花即桃花煞,乃淫蕩煞也.六合,乃多情煞也.花迎六合,主好色歌唱,大非端士.又如戊午生人見癸丑之類,乃支干交合,爲滾浪桃花.四柱子午卯酉,爲遍野桃花,主男不媒而婚,女不媒而嫁.)

고신 과숙이 쌍전(雙全)하고, 官印이 있으면 마음속으로만 가질 뿐이고, [官印이] 없으면 다만 道로 나아가게 된다. (孤寡雙全,帶官印,當膺住持,無則只爲道行.)

해석. 고신 과숙의 두 煞은, 둘 다 중첩하여 보면 두려운데, 다만 일위(一位)는 論하지 않는다. 官印이 위에 있으면 비록 僧이나 道가 되더라도 역시 貴하고, 만일 [官印이 위에] 없으면 단지 평범한 僧이나 道일 뿐이다. (解.孤辰寡宿二煞,怕雙逢疊見,只一位不論.帶官印在上,雖爲僧道亦貴,如無,只平常僧道而已.如甲戌戊辰庚辰丙子,甲戌戊辰庚辰丁丑.俱是清高長老之命.)

예) 명조

丙 庚 戊 甲

子 辰 辰 戌

예) 명조

丁 庚 戊 甲

丑 辰 辰 戌

두 명조 모두 청고(淸高)한 장로(長老=나이 많은 노인)의 命이다.

---

33) 譯者註;문맥상으로 午가 子인듯 하다.

공요와 격각이 生旺하면 반드시 양자이고, 絶하면 결국 홀아비나 과부이다. (控邀隔角,逢生旺,必過房舍,絕則終守鰥孀.)

해석. 공신 요신은 고과煞이다. 가령 寅 卯 辰인이 巳를 보면 辰人은 공신煞, 또는 요신煞이라고 한다. 丑을 보면 寅인은 규신煞 또는 추신煞이라고 한다. 나머지는 이것을 모방하라. 다시 歲運에서 만나면 불화(不和)하고, 三元에서 刑으로 다투면 凶이 더욱 심하게 된다. (解.控神邀神,是孤寡煞也.假令寅卯辰人,見巳,辰人謂之控神煞,又謂之邀神煞.見丑,寅人謂之窺神煞,又謂之追神煞.餘仿此.更値歲運不和,三元刑戰,爲凶尤甚.)

明通賦(명통부)-15

탄담이 완전히 배척하면 가인(家人)이 흩어져 사라지고, 공망이 편견(偏見)하면 친족(親族)이 떠나거나 손상한다. (呑啗全排,家人消散,空亡偏見,親屬離傷.)

해석. 탄담 공망의 두 煞은 剋 害하는 고과의 辰(星)이다. 반드시 완전히 밀치거나 편견(偏見)하여야 비로소 경(經)처럼 단정한다. 만약 식신이 탄담[도식]을 만나고, 財 食神 貴祿등의 格이 공망을 보면 더욱 불길하게 된다. (解.呑啗空亡二煞,乃剋害孤寡之辰也.須全排偏見,方如經斷.若食遇呑啗,財食貴祿等格見空亡,尤爲不吉.)

財와 印이 모두 손상하면 반드시 上下가 없다고 단정한다. 官煞이 함께 제거되면 어려서 부모를 잃게 된다. (財印雙傷,斷其必無上下.官煞俱去,知其少失爺娘.)

해석. 이 두 구절은 오로지 골육(骨肉)에서만 論한다. (解.此二節專論骨肉.)

純耗[대모] 純刃[양인]이 교차(交差)하면 牛羊(소양)의 무리로 단정한다. 순음(純陰) 순양(純陽)이 剋하여 배척하면 저구(豬狗=개돼지)의 무리로 본다. (純耗純刃交差,牛羊類斷.純陰純陽排剋,豬狗徒看.)

해석. 대모 양인은 神煞에서 가장 나쁜 것이다. 고음 고양은 干支에서 조화롭지 않는 것이다. 대모 양인이 모여서 四柱상에서 교차하면 主가 지극히 천(賤)하니 우(牛)양(羊)의 무리로 단정한다. 天干이 모두 한쪽으로 치우치고, 地支가 刑 衝 破 害하면 반드시 올바른 성품을 가진 사람이 없으니 저구(豬狗=개돼지)의 무리로 論하게 된다. 만약 역마 육해 화개 겁살 망신은 年 月등의 煞인데 편음편양(偏陰偏陽)이면 더욱 凶하다. (解.大耗羊刃,乃神煞之最惡者.孤陰孤陽,乃干支之不調者.耗刃攢聚,交至四柱上,主賤之極,作牛羊之類斷之.天干皆是一偏,地支衝刑破害,必是無正性之人,作豬狗之徒論之.若驛馬六害華蓋劫煞亡神,年月等煞,見偏陰偏陽尤凶.)

如甲子庚午甲子庚午,甲用辛爲官,庚煞透出,又不得令.甲用己爲財,發祿午月,子午對衝,財又不成,作不仁不義斷之.

예) 명조
庚 甲 庚 甲
午 子 午 子
甲은 辛이 官인데, 庚煞이 투출하고 또 得令하지 못했다. 甲은 己가 財인데, 祿은 午월에 發하고, 子 午가 대충(對沖)하여 財도 이루지 못하고, 불인(不仁)불의(不義)하다고 단정한다.

又如甲午甲戌甲午甲子,三甲並見,用官官不顯,財印俱衝,並無所托,當是貪圖無厭,不認六親,薄情悖禮之人也.

예) 명조
甲 甲 甲 甲
子 午 戌 午
셋의 甲을 아울러 보고, 官을 用하려니 官이 나타나지 않았고, 財와 印이 함께 衝하여 의지할 곳이 없으니 당연히 탐욕이 끝이 없어 육친(六親)을 알지 못하고, 박정(薄情)하며 예의라곤 없는 사람이다.

衰弱한데 많은 효신을 만나면 소작인(머슴)으로 기식(寄食)한다. 絶한데 거듭 食神을 만나면 백정이나 거간꾼이 적합하다. (衰受衆梟,乃是寄食長工.絕逢重食,宜作屠行牙儈.)

해석. 梟와 食神은 상반(相反)하므로 나란히 들추어낸 것이고, 그 身이 衰 絶하면 하나같이 싫어한다. 衰弱한데 효신을 만나면 편인이 되기 어렵고, 絶한데 食神을 만나면 수성(壽星)이 되기 어려우므로 모두 불길하다. 기식장공(寄食長工=소작인)은 효신으로 인해 배불리 먹기 어렵다. 도행아쾌(屠行牙儈=백정이나 거간꾼)는 食神으로 인해 비록 배부를지라도 천(賤)하다. (解.梟與食相反,故並擧之,其身嫌衰絕一也.衰而逢梟,難作偏印,絕而逢食,難作壽星,故皆不吉.寄食長工,因梟難得飽食.屠行牙儈,因食雖得飽而賤.)

明通賦(명통부)-16

만약에 순관 술살 순마 순재로 身旺하고 섞이지 않으면 벼슬이 극품(極品)이 된다. (若也純官純煞純馬純財,身旺無雜,則官居極品.)

해석. 무릇 命은, 순수하고 섞이지 않으면 上格이고, 편고(偏枯)하고 혼란(混亂)하면 下格이 된다. 가령 甲일이면 辛은 官인데, 柱중에 단지 酉 辛[字]만 있으면 純官이라 한다. 庚은 煞인데, 柱중에 단지 申 庚[字]만 있어야 純煞이라 한다. 정재는 馬인데 柱중에 단지 丑 未 己[字]만 있고, 편재도 財인데 柱중에 단지 辰 戌 戊[字]만 있어야만 순마 순재라 일컫는다. 신왕하면 大富貴格이 된다. (解.凡命,以純粹不雜爲上,偏枯混亂爲下.且如甲日以辛爲官,柱中只有酉辛字,是謂純官.以庚爲煞,柱中只有申庚字,是謂純煞.以正財爲馬,柱中只有丑未己字.以偏財爲財,柱中只有辰戌戊字,謂之純馬純財.値身旺,爲大富貴格.)

건록을 格으로 얻으면 출신이 풍족하고, 日下는 그 다음이고, 時下는 다시 그 다음이다. 건록은 정관을 만나면 제일이고, 정재는 그 다음이고, 그러나 煞은 수명이 길지 않다. 만약 양인月이면 순煞이 제일이고, 財格이면 재난을 방비해야한다. (建祿得格,出身便是富足.日下次之,時下又次之.建祿遇正官第一,正財次之,惟煞壽不永.若陽刃之月,純煞第一,財格則防橫事.假如癸卯乙卯己巳乙丑,此命純煞,乃能盡善,亦貴爲極品.又甲戌丁卯己巳乙亥,官煞混雜,賴甲己合化爲貴.因雜化力過,不得善終.)

예) 명조
乙 己 乙 癸
丑 巳 卯 卯
이 命은 純煞로 상당히 善하고, 또한 貴가 極品이다.

예) 명조
乙 己 丁 甲
亥 巳 卯 戌
관살이 혼잡한데, 甲 己의 合化로 貴하였다. 혼잡 때문에 化의 힘이 過하여 선종(善終천수를 다하지 못함)하지 못했다.

전인 전충 전제 전식은 命이 强하고 破가 없으면 천종(千鍾)의 祿을 받는다. (全印全衝全制全食,命強無破,則祿受千鍾.)

해석. 全印은, 가령 甲일이 子 癸 壬 亥를 보고, 혹 正이나 偏으로 박잡(駁雜)한 것이 없다. 全衝은, 가령 地支가 순수한 巳 亥 子 午의 종류로 祿馬를 충출(衝出)하고, 혹 寅申巳亥, 子午卯酉, 辰戌丑未, 모두이다. 全制는 가령 甲일이 丁[字] 혹 午[字]를 보면 관성을 상진(傷盡)하여 허공(虛空)에서 土를 생출(生出)하니 財가 된다. 全食은. 가령 甲이 丙을 보고 柱중에 純寅의 종류인데, 반드시 일주가 生旺해야하는데, 正庫에 臨官하는 月 日 時면 모두 貴人이다. (解.全印,如甲日見子癸壬亥,或正或偏,無所駁雜.全衝,如地支純亥純巳純子純午之類,衝出祿馬.或寅申巳亥子午卯

酉辰戌丑未,皆是.全制,如甲日見丁字,或午字,傷盡官星,虛空生出土來爲財.全食,如甲見丙,柱中純寅之類,須得日主生旺,正庫臨官.月日時者,皆貴人也.)

如己未乙亥丙寅辛卯,此全印駁雜,又有辛財剋刑,運行身旺則貴顯.行身衰則刑陷.如辛亥己亥辛亥己亥,四柱純亥,衝出巳中丙戊.全衝爲貴.

예) 명조
辛 丙 乙 己
卯 寅 亥 未
이것은 전부 印으로 박잡(駁雜)하고, 또 辛의 財가 刑 剋하는데, 運行이 신왕하면 귀현(貴顯)하지만, 身이 衰로 行하면 형벌을 받는다.

예) 명조
己 辛 己 辛
亥 亥 亥 亥
四柱가 순수한 亥인데, 巳중의 丙 戊를 衝出하여, 전부 衝으로 貴하였다.

일간이 太旺하여 의지할 데가 없으면, 만일 승(僧)이 되지 않으면 진실로 도(道)를 하게 된다. 天元이 허약한데 도움이 없으면, 만일 기능인이 되지 않으면 마땅히 무당이 된다. (日干太旺無依,若不爲僧,固宜爲道.天元羸弱無輔,若不爲技,則當爲巫.)

해석. 이 말은 태과(太過)와 불급(不及)으로 모두 吉이 되지 않는다. 太過하면 財官이 死絶하므로 主가 외롭다. 不及하면 財官을 감당하기 어려우므로 主는 예능인이다. 造化를 나타내면 중화(中和)로 貴한데, 만약 의지할 데와 도움이 있으면 이렇게 論해서는 안 된다. 희기편에서 이르길, 柱중에 관성이 태왕하여 天元이 허약하거나, 일간이 심히 旺하여 의지할 데가 없으면, 중이 되지 않으면 도인인 것이다. (解.此言太過不及,皆不爲吉也.太過則財官死絕,所以主孤.不及則財官難任,所以主藝.見造化貴中和也.若有依有輔,則不可以是論.喜忌篇云,柱中官星太旺,天元羸弱之名.日干旺甚無依,若不爲僧即道是也.)

明通賦(명통부)-17

身弱한데 生함이 있으면 반드시 발달하고, 財馬는 손상함으로써 꺼린다. (身弱有生必發,忌財馬以相傷.)

해석. 이것은 身弱한데 用印하면 財가 印을 손상하여 꺼리는데, 탐재괴인(貪財壞印)의 설명으로 반드시 財와 印의 輕重을 구분하여 말해야한다. 희기편에서 이르길, 일간이 無氣하면 時에서 양인을 만나도 꺼리지 않는다. 양인은 겁재이니, 柱중에 재다신약(財多身弱)하면 양인을 꺼리지 않는다. 반드시 아울러 論해야한다. (解.此身弱用印,忌財傷印,爲貪財壞印之說,須分財印輕重言之.喜忌篇云,日干無氣,時逢陽刃不爲凶.陽刃所以劫財,柱中財多身弱,故陽刃不忌.須並論之.)

食神이 효신을 만나면 요절하는데, 재성을 生하여 구원하니 기뻐한다. (食神逢梟則夭,喜財星而生救.)

해석. 이것은 식신파효(食神怕梟)인데, 財가 梟를 制하여 용신을 구원하니 반드시 財와 효신의 輕重을 구분하여 말해야한다. 印은 財를 꺼리고, 食神은 財가 필요하니 각각의 뜻이 담당하는 것이 있다. (解.此食神怕梟,要財制梟爲用神有救,須分財梟輕重言之.印則忌財,食則要財,義各有所當也.)

甲子일이 子時를 만나고 庚 辛 申 酉 丑 午가 없으면 록마비래(祿馬飛來)라고 일컫는다. (甲子日逢子時,沒庚辛申酉丑午,謂之祿馬飛來.)

해석. 이것은 자요사격(子遙巳格)인데, 희기편의 문장과 뜻이 동일하다. (解.此子遙巳格也.喜忌篇文義同.)

庚申시가 戊일을 만나고 甲 丙 卯 寅 午 丁이 없으면 명칭이 식신명왕(食神明旺)이라고 말한다. (庚申時逢戊日,無甲丙卯寅午丁,名曰食神明旺.)

해석. 이것은 전식합록(專食合祿)格이다. 희기편에서 이르길, 庚申시가 戊일을 만나면 食神이 干旺한 곳이라 이름하고, 月에서 甲 丙 卯 寅을 범하면 이것은 만나도 만나지 않은 것이다. (解.此專食合祿格也.喜忌篇云,庚申時逢戊日,名食神干旺之方,月犯甲丙卯寅,此乃遇而不遇是也.)

庚 壬 子가 午祿을 衝하면 丙 丁을 저대 꺼린다. (庚壬子衝午祿,切忌丙丁.)

해석. 이것은 정충록마(正衝祿馬)格이다. (解.此正衝祿馬格也.)

辛 癸는 丑이 巳官을 合하면 모름지기 子 巳를 싫어한다. (辛癸丑合巳官,須嫌子巳.)

해석. 이것은 축요사(丑遙巳)格이다. 희기편에서 이르길, 辛 癸일이 丑地를 많이 만나면 관성을 좋아하지 않는다. 歲 時에서 子 巳의 두 宮을 만나면 허명(虛名)허리(虛利)인 것이다. (解.此丑遙巳格也.喜忌篇云,辛癸日多逢丑地,不喜官星.歲時逢子巳二宮,虛名虛利是也.)

丙午 丁巳는 이것에 준(准)하며 刑 衝을 가장 꺼린다. (丙午丁巳准此,最忌刑衝.)

해석. 이것은 도충록마(倒衝祿馬)格이다. (解.此倒衝祿馬格也.)

壬子 癸亥의 예(例)도 동일하며 역시 전실(塡實)을 방비해야한다. (壬子癸亥例同,亦防塡實.)

해석. 이상의 정충 도충 요합은 문장의 뜻을 보면 서로 통한다. 丙 丁과 巳를 들추면 전실(塡實)을 꺼리고, 子를 들추면 刑 衝을 꺼린다. (解.以上正衝倒衝遙合,通融互文見義.舉丙丁與巳,忌塡實也.舉子,忌刑衝也.如丙子庚寅丙午癸巳,庚寅壬午丙午戊戌,二命喜寅午戌全.)

예) 명조
癸 丙 庚 丙
巳 午 寅 子

예) 명조
戊 丙 壬 庚
戌 午 午 寅
두 명조는 寅 午 戌 전부를 좋아한다.

如辛酉癸巳丁巳乙巳,癸卯丁巳丁巳乙巳,二命喜巳字多,不論有合無合皆吉.惟忌辰字絆住,則不能衝.卻喜巳酉丑全,是正衝格也.

예) 명조
乙 丁 癸 辛
巳 巳 巳 酉
예) 명조
乙 丁 丁 癸
巳 巳 巳 卯
두 명조는 巳[字]가 많아 좋은데, 有合이나 無合을 論하지 않고 모두 吉하다. 오직 辰[字]가 기반(羈絆)하여 머물면 衝을 할 수 없으니 꺼린다. 그러나 巳 酉 丑 전부를 좋아하는 이것은 正衝格이다.

희기편에서 이르길, 만약 상관의 월건을 만나면, 가령 凶한 곳이지만 반드시 凶하지 않는데, 柱내에 정충 도충으로 祿이 날아오니 관성을 꺼리며 또한 기반을 싫어하는 것이다. (喜忌篇云,若逢傷官月建,如凶處未必爲凶,內有正倒祿飛,忌官星亦嫌羈絆是也.)

明通賦(명통부)-18

6辛일에 午[字]가 없으며 戊子시를 얻으면 辛이 丙을 合하여 貴하게 된다. (六辛日而無午字,得戊子時,辛合丙官爲貴.)

해석. 이것은 육음조양(六陰朝陽)格이다. (解.此六陰朝陽格也.如戊辰辛酉辛丑戊子,戊辰辛酉辛酉戊子,乙丑庚辰辛酉戊子,是此格也.喜忌篇云,六辛日時逢戊子,嫌午位,運喜西方是也.)

예)명조-1 -------예)명조-2 ------예)명조-3
戊 辛 辛 戊 --- 戊 辛 辛 戊 --- 戊 辛 庚 乙
子 丑 酉 辰 --- 子 酉 酉 辰 --- 子 酉 辰 丑
이것이 육음조양格이다.
희기편에서 이르길, 6辛일이 時에서 戊子를 만나면 午位를 꺼리고, 運은 西方을 기뻐하는 것이다.

6癸일이 干에 土가 없으며 甲寅시를 얻으면, 寅巳刑의 格으로 더욱 기묘(奇妙)하다. (六癸日而無干土,得甲寅時,寅刑巳格尤奇.)

해석. 이것은 형합(刑合)格이다. 이 格은 성격이 강(剛)하고, 빠르게 보지만 매우 자세히 살핀다. (解.此刑合格也.此格主性氣剛,而見快太察.如乙未甲申癸酉甲寅,嫌申中庚傷甲木,寅申對衝,故雖貴而減分數,利厚名低.喜忌篇云,六癸日時逢寅位,歲月怕己戊二方是也.)

예) 명조
甲 癸 甲 乙
寅 酉 申 未
申중의 庚이 甲木을 손상하여 꺼리고, 寅 申이 대충(對衝)하니 비록 貴할지라도 분수(分數)를 감(減)하고, 이로움은 두터우나 명성이 낮다.

癸가 丙火 戊 己 庚 申이 없으면 時에서 一己의 財官을 合한다.[譯者 註];이 구문은 己가 誤字 같기도 하고 짜임새의 추이가 옳지 않아 보인다. (癸無丙火戊己庚申,時合一己之財官.)

해석. 전인합록(專印合祿)格이다. 전식(專食)과 동일하게 본다. (解.此專印合祿格也.與專食同看.)

壬은 子 午 卯 酉의 정기(正氣)가 있으면, 柱에 사계(四季)의 土祿을 아울러야한다. (壬有子午卯酉正氣,柱兼四季之土祿.)

해석. 壬일이 主로 官煞이 없으니 오히려 子 午 卯 酉를 얻으면 四正이 된다. 능히 辰 戌 丑 未를 合出하여 官祿이 되는데, 반드시 사정(四正)이 함께 모이지는 않지만 그러나 사자(四字)를 전부 얻으면 기묘(奇妙)하게 된다. (解.壬日爲主,旣無官煞,卻得子午卯酉爲四正.能合出辰戌丑未爲官祿,不須四正俱會,但得四字全爲妙.)

癸일도 위와 동일한데, 土가 비추면[있으면] 침범하지 못한다. 얻으면 이해(利害)가 아울러 오고가니 벼슬이 높아도 몸에 병(病)이 있다. 만나면 형벌과 은혜가 확실(確實)하니 직책이 重해도 집은 가난하다. (癸日同上,土曜莫侵.得之者利害交併,官高身病.遇之者刑惠確實,職重家貧.)

해석. 癸일주는 오히려 土祿을 싫어하고, 子 午 卯 酉를 보면 壬일과 동일하니 吉凶이 상반(相伴)한다. (解.癸日爲主,卻嫌土祿,見子午卯酉,與壬日同,吉凶相伴也.)

明通賦(명통부)-19

甲의 곡직, 丙의 염상은 관직은 높으나 妻를 剋하며 부유하지 않다. 戊의 종혁, 庚의 윤하는 직책은 중하지만 자손이 드물며 가난하다. (甲曲直,丙炎上,官高剋妻而不富.戊從革,庚潤下,職重嗣少而自貧.)

해석. 甲이 亥 卯 未를 보면 곡직이라 말한다. 丙이 寅 午 戌을 보면 염상이라 말한다. 戊가 巳 酉 丑을 보면 종혁이라 말한다. 庚이 申 子 辰을 보면 윤하라 말한다. 甲 丙이 木 火局을 보면 태왕하고, 三合하여 다시 官局을 나드러낼 수 있으므로 主의 벼슬은 높은데, 그러나 陽刃 겁재가 있으므로 妻를 剋한다. 戊 庚이 金 水局을 보면 탈기(脫氣)하고, 능히 三合하여 다시 官局을 드러낼 수 있으므로 主의 직책이 重하다. 그러나 柱중의 원국에 官煞이 없으므로 자식이 적다. 이 四格은 모두 편당(偏黨)함을 알 수 있으므로 복록(福祿)이 완전하지 않다. (解.甲見亥卯未曰曲直.丙見寅午戌曰炎上.戊見巳酉丑曰從革.庚見申子辰曰潤下.甲丙見木火局,則太旺,能三合又出官局,故主官高.然有羊刃劫財,故剋妻.戊庚見金水局則脫氣,能三合又出官局,故主職重.然柱中原無官煞,故少子.要知此四格皆偏黨,所以福祿不全.)

身이 休 囚한 地支를 범하면 아울러 官貴를 衝하는데 어찌 탄식하겠는가! (身犯休囚之地,併衝官貴何嗟.)

해석. 가령 辛亥일은 이미 官煞이 없고, 身도 旺하지 않으니 어찌 한탄스럽지 않겠는가? [그러나] 亥[字]가 더 낫다는 것을 알지 못하고, 또한 巳중의 官印이 나타날 수 있어 貴하게 된다. 그래서 말하는데, 어찌 탄식하겠는가! (解.如辛亥日,旣無官煞,身又不旺,豈不惆帳?不知亥字多,亦能勾

出巳中官印,爲貴,故曰何嗟.)

자신이 오직 官旺한 支에서 祿과 子(자식)을 함께 구하니 오히려 貴하다. (自專官旺之支,同釣祿子猶貴.)

해석. 이것은 丁巳 癸亥 丙午 壬子등의 日인데, 자신이 임관 제왕의 宮에 좌하여 支神이 대궁(對宮)의 官祿을 충출(衝出)할 수 있다. 그리고 상문(上文)과 뜻이 동일하다. (解.此即丁巳癸亥丙午壬子等日,自坐臨官帝旺之宮,支神能衝出對宮官祿.與上文義同.)

陽木이 홀로 子時를 만나고 관성이 몰(沒=없다)하면 乙이 서(鼠=子)의 둥지를 진압하니 가장 貴하다.(陰木獨遇子時,沒官星,乙鎮鼠窠最貴.)

해석. 이것은 육을서귀(六乙鼠貴)格이다. 희기편의 글과 뜻이 같다. (解.此六乙鼠貴格也.喜忌篇文義同.如甲寅戊辰乙亥丙子,四柱別無他格動搖,丙子亦不動搖,安然爲貴.經云,用神不可動搖是也.)

예) 명조
丙 乙 戊 甲
子 亥 辰 寅
四柱에 달리 다른 格의 동요(動搖)가 없고, 丙子도 동요(動搖)하지 않으니 안연(安然)히 貴하게 되었다. 經에서 이르길, 용신은 동요하면 안 되는 것이다.

如甲寅癸酉乙亥丙子,月令偏官傷身,賴日下印旺,亦不失爲衣祿.如辛亥甲午乙亥丙子,此命貴被午破,兩亥自刑.本身既在死地,又見自刑,兩無所依,故主貧賤.

예) 명조
丙 乙 癸 甲
子 亥 酉 寅
월영의 상관이 身을 손상하니 日下의 印旺함에 힘입어 의록(衣祿)을 잃지 않았다.

예) 명조
丙 乙 甲 辛
子 亥 午 亥
이 命은 貴가 午에게 破를 당하고 양(兩)亥가 自刑한다. 本身은 이미 死地에 있고 또 자형(自刑)하니 양쪽에 의지할 곳이 없으므로 主가 빈천(貧賤)하였다.

陽水가 辰[位]를 중첩하여 만나고 衝 剋이 없으면 임기용배(壬騎龍背)로 예사롭지 않다. (陽水

疊逢辰位,無衝剋,壬騎龍背非常.)

해석. 이것은 임기용배(壬騎龍背)格이다. 희기편의 문장과 뜻이 동일하다. (解.此壬騎龍背格也.喜忌篇文義同.如壬辰甲辰壬辰壬寅,壬用己爲正官,丁爲正財.辰字多,衝出戌中官庫,虛合午中財官,寅午戌三合火局.壬人得之爲貴.如壬寅壬寅壬辰壬寅,壬人見丙火生在寅,已是財了.又寅字多,合起午戌財官,故利勝於名.)

예) 명조
壬 壬 甲 壬
寅 辰 辰 辰
壬은 己가 정관이고, 丁은 정재가 된다. 辰[字]가 많아 戌중의 官庫를 충출(衝出)하여 午중의 財官을 虛로 合하니 寅 午 戌로 三合하여 火局한다. 壬인이 이를 얻으면 貴하게 된다.

예) 명조
壬 壬 壬 壬
寅 辰 寅 寅
壬인이 丙火가 寅에서 長生하고 있으니 이미 財이다. 또 寅[字]가 많아 午 戌의 財官을 合으로 일으키므로 명성이 뛰어났다.

明通賦(명통부)-20

庚일이 윤하를 완전히 만나면 壬 癸 巳 午의 方을 꺼린다. 時에서 子 申을 만나면 그 福을 반감한다. (庚日全逢潤下,忌壬癸巳午之方.時遇子申,其福減半.)

해석. 이것은 정란차격(井攔叉格)이다. 희기편의 문장과 뜻이 같다. (解.此井攔叉格也.喜忌篇文義同.)

合官 合財하면 공경(公卿)이 되고, 休 囚 剋 害의 치욕을 방비해야한다. (合官合財作公卿,防休囚剋害之辱.)

해석. 合官은, 가령 乙일이 庚을 보는 例이다. 合財는, 甲일이 己를 보는 例이다. 十干이 변화하는 道이다. 부(賦)에서 이르길, 진화(眞化)는 이름이 높은 정승 판서의 벼슬을 하고, 가화(假化)는 이성(異性)의 고아(孤兒)이다. 乙庚의 化金은 水地를 보면 休하여 困하고, 火地를 보면 剋 害한다. 무릇 合이 있는데, 혹 독왕(獨旺)하면 스스로 就하려 하지 않는다. 혹 合중에 衝 破를 보거나, 혹 한 쪽이 剋 破하면 모두 合을 이루지 못한다. 혹 化가 休 囚 死 絶하는 地支에 있으면 잘못된 合으로 잃어버리니 반드시 막히고 함몰하여 불리(不利)하니 가화(假化)인 것이다. 가령 己가 甲을 보는데 己未를 보면 得地하여 己의 旺한 庫이다. (解.合官,如乙日見庚之例.合財,如甲日見己之例.乃十干變化之道也.賦云,化之眞者,名公巨卿,化之假者,孤兒異性.乙庚化金,見水地則休困,見火地則剋害.凡帶合,或獨旺,不肯自就.或合中見衝破,或一邊破剋,皆合不成.或化在休囚死絕之地,失誤與合,必然陷滯不利,是化之假也.如己見甲,見己未爲得地,己旺庫也.)

丙이 辛을 보는데 辛卯를 보면 失地하여 丙火가 卯에서 敗한다. 戊와 癸가 合하는데 丙午를 보면 得地하여 戊 癸가 火로 化하니 午는 火旺한 地支가 되기 때문이고, 또한 癸水가 먼저 得地하여 合을 얻는 가운데, 만약 失地하여 때를 얻지 못하면 수명을 감한다. 대개 化는 貴旺하고 身弱하면 감당할 수 없으니 설령 貴하더라도 잃는다. 또 丙과 辛이 合하고 辛未를 보면 陽火의 氣는 未에서 弱하니 요절함이 많고, 혹 색(色)으로 인해 손상한다. (丙見辛,見辛卯爲失地,丙火敗於卯也.戊與癸合,見戊午爲得地,戊癸化火,午爲火旺之地故也.亦須癸水先得地,方合得中.若失地不得時則損壽.蓋化爲貴旺,身弱不能勝,縱貴亦失.又丙與辛合,見辛未陽火氣弱於未,多夭折,或因色傷.)

柱에서 壬이 丙을 剋하고, 혹 壬이 申상에서 長生하는데 火의 生地인 寅宮을 대충(對衝)하면 요절이 틀림없다. 또한 탐합망관(貪合忘官)이 있는데, 가령 丁일이 2~3개의 壬[字]를 보면 丁은 하나인데 壬은 무리로써, 한 사람이 무리를 감당할 수 없으니 야합(野合)하는 선비로 우뚝 서지 못하는데 어찌 성공할 수 있겠는가? 丁이 조금 힘을 얻으면 반길(半吉)하다. 또 가령 甲과 己가 合하고, 甲木이 通하는 氣의 宮이 없고, 己土가 정의(正義)의 자리에 있으면 비록 合할지라도 그 正을 잃으니, 역시 上論과 동일하다. 만약 甲 己 둘 모두가 得位하면 귀현(貴顯)하여 지극히 높다. 경(經)에서 이르길, 甲 己[合]하면 土[鄕]에서 木盛하니 인의(仁義)를 발양(發揚)하여 명군(明君)을 보좌한다. 丙辛合하면 丙旺해도 辛이 生하니 위권(威權)의 직책을 지닌다. 乙 庚[合]하여 金局에 들고, 겸하여 木이 自旺하면 문무(文武)에서 인의(仁義)로 쌍전(雙全)한다. (柱有壬剋丙,或壬居申上自生,對衝寅宮火生之地,折壽無疑.亦有貪合忘官,如丁日見二三壬字,丁獨壬衆,一人不能勝衆,乃汚合之士,無所卓立,豈能成功?丁有力僅得半吉.又如甲與己合,甲木無通氣之宮,己土有正義之位,雖合而失其正,亦同上論.若甲己兩皆得位,貴顯高極.經云,甲己木盛於土鄕,發揚仁義佐明君.丙辛合丙旺辛生,鎭守威權之職.乙庚入金局,兼木自旺,文仁武義雙全.)

戊癸[合하는데] 火旺을 얻고 다시 水가 단지 旺하면 예절 율법 지혜 용맹을 모두 갖춘다. 丁壬[合]은 수화기제(水火旣濟)로 물고기와 물처럼 화합하고, 陰陽 干支가 相合하니 군신경회(君臣慶會)한다. 봉황은 높은 산등성이에서 울듯이 반드시 강토에 위엄을 떨치는 것이다. (戊癸得火旺,更水獨旺,禮律智勇俱備.丁壬水火旣濟兮,魚水和同,陰陽干支相合兮,君臣慶會.聽鳳鳴於高岡,必鷹揚於疆場是也.)

如甲辰戊辰己巳辛未,己日得甲爲正官,三月通氣,引於未上,兼爲正印,故主極貴.如戊申庚申癸亥戊午,癸生七月,印旺天德之地,合戊爲官,引於午時火旺之地,又能資戊土之官,官身俱旺,故主大貴.

예) 명조
辛 己 戊 甲
未 巳 辰 辰
己일이 甲 정관을 얻었는데, 3월에 氣가 通[根]하고, 未상에 인(引)하여 正印을 겸하게 되니 主가 극히 貴하였다.

예) 명조
戊 癸 庚 戊
午 亥 申 申
癸일이 7월에 生하여 印이 旺한 天德의 地支인데, 戊 官을 合하며 午時의 火旺한 地支를 끌어와서 다시 戊土 官의 자본이니 官과 身이 모두 旺하므로 主가 크게 貴하였다.

明通賦(명통부)-21

공귀 공록[格]은 장상(將相=장수와 재상)이 되고, 刑 衝 전실(塡實)로 凶함을 꺼린다. (拱貴拱祿爲將相,忌刑衝塡實之凶.)

해석. 이것은 공귀, 공록格이다. 희기편의 글과 뜻이 동일하다. (解.此拱貴拱祿格也.喜忌篇文義同.如丁巳丙午甲寅甲子,拱丑貴.如壬子丁未丁巳丁未,年支子字,衝出午字,故大貴.如癸卯庚申戊辰戊午,拱巳祿.如辛丑辛丑甲寅甲子,有丑字塡實,卻以辛爲正官論.己未戊辰戊寅戊午,官煞多,寅字衝申,爲衝開則拱不成.如壬辰戊申己未己巳,是此格也,故大貴.)

예) 명조-1
甲 甲 丙 丁
子 寅 午 巳
丑貴를 공협한다.

예) 명조-2
丁 丁 丁 壬
未 巳 未 子
년支의 子[字]가 午[字]를 衝出하므로 크게 貴하였다.

예) 명조-3
戊 戊 庚 癸

午 辰 申 卯
巳祿을 공협한다.

예) 명조-4
甲 甲 辛 辛
子 寅 丑 丑
丑[字]가 전실(塡實)하니 오히려 辛의 정관으로 論한다.

예) 명조-5
戊 戊 戊 己
午 寅 辰 未
官 煞이 많고, 寅[字]가 申을 衝하여, 충개(衝開)하게 되면 공협을 이루지 못한다.

예) 명조-6
己 己 戊 壬
巳 未 申 辰
이것은 공록格이므로 크게 貴하였다.

官印이 天地에 暗合하면 그 貴를 알 수 있다. 福德이 地支중에 감추어져 있으면 그 德이 더욱 모인다. (官印暗合天地,其貴可知.福德隱在支中,其德尤萃.)

해석. 官印의 暗合은, 食神은 정관을 暗合하고, 편재는 정인을 暗合한다. 가령 甲은 辛이 官인데, 丙이 盛하면 辛未 官을 暗合할 수 있다. 癸가 印인데 戊가 旺하면 癸丑의 印을 暗合할 수 있고, 다시 地支에 子가 丑을 合한다. 午가 未를 合하면 비로소 福德이 감추어지니 福은 곧 福星貴이고, 德은 곧 天月德인데, 혹 복덕(福德)수기(秀氣)를 가리키고, 혹 天乙貴人을 가리키는데, 암장한 地支중에 있으니 기묘(奇妙)하게 된다. 가령 甲 戊 庚이 丑 未를 보지 않고 단지 己[字]를 얻으면 곧 이것인데, 己를 만나고 丑 未宮에 있으면 더욱 기묘(奇妙)하다. 柱에 卯 乙의 破가 없고 다시 4季月에 生하여 己土가 得令하면 主는 貴人을 만나서 기쁘니 전정(前程=앞길)에 지위가 높이 드러나고, 미모의 妻와 妻의 재물을 얻는다. (解.官印暗合,即食神暗合正官,偏財暗合正印.如甲用辛官,丙盛能暗合辛未爲官.用癸爲印,戊旺能暗合癸丑爲印,更得地支有子合丑.有午合未,方是福德隱藏,福即福星貴.德即天月德,或指福德秀氣,或指天乙貴人,以藏在支中爲妙.如甲戊庚不見丑未,但得己字即是.見己在丑未宮尤妙.柱無卯乙破,更生四季月,己土得令,主貴人見喜,前程尊顯.妻貌及得妻財.)

또 이르길, 甲인이 丑을 보면 陽刃이 坐해야 기쁜데 天乙이 당직(當職)하게 되고, 未를 보면 밤에 태어나야 힘을 얻으니 福이 완전하게 된다. 이것에 반대면 절반으로 論한다. 四柱에 甲 戊

庚이 전부 있고, 乙丑을 얻으면 貴가 모여 다시 福力을 더한다. 혹 1庚 1甲인데 地支에 3~4개의 丑 未를 보면 貴가 모이니 역시 福力을 더한다. 만약 本主와 貴人이 모두 生旺하면 단지 한 자(字)만으로 그 福이 자연히 온전하다. 三合 六合을 좋아하고, 休 囚 공망 破를 싫어한다. 시(詩)에서 말하길, 貴人이 제좌(帝座)에서 생성(生成)되면 官旺한 곳에서 명성을 빠르게 이룬다. 만약 休 囚와 아울러 破 制를 만나면 허명(虛名)의 발자취로 삼공(三公)은 요원(遙遠)하다. (又云,甲人見丑,喜坐陽刃,爲天乙當職,見未,夜生得力,爲福十全.反此一半論.四柱帶甲戊庚全,得乙丑爲聚貴,更加福力.或一庚一甲,見支神三四丑未,爲會貴,亦加福力.若本主與貴人俱生旺,只消一字,其福自全.喜三合六合,忌休囚空破.詩曰,貴人帝座見生成,官旺之鄕名早成.若遇休囚並破制,虛名蹤跡遠三公.)

明通賦(명통부)-22

五行에서 正貴는 刑 衝 剋 害의 神을 두려워한다. 四柱의 吉神으로 官은 旺 生 合의 地支를 기뻐한다. (五行正貴,怕刑衝剋害之神.四柱吉神,喜官旺生合之地.)

해석. 五行의 正貴는 정기 관성인데, 가령 甲[일]이 酉월에 태어나는 例이다. 酉의 刑과 卯의 衝, 丁의 剋과 戌의 害로 貴氣가 손상함을 가장 두려워한다. 혹 貴는 貴神인데, 가령 甲이 丑을 보면 丑중에 辛이 있고, 또 甲의 정관이 되는 종류이다. 柱에 卯 乙있어 丑貴를 剋하여 파괴하면 巳 酉의 三合을 좋아하고, 乙木이 丑을 衝 剋함을 허용하지 않는다. 혹 子가 丑을 合하여도 또한 좋다. 사이가 떨어진 木의 剋은, 가령 乙卯가 있으면 子 卯가 相刑하여 丑 未를 剋할 수 없으니 天乙의 貴[人이]가 된다. 四柱에서 吉神은 官 印 財 食으로 기묘(奇妙)하게 貴하고, 福德등의 星이 모두이다. 단 하나의 星을 얻고 長生 제왕 임관 正庫에 임하여 三合 六合하는 자리면 富貴하지 않을 수 없다. 시(詩)에서 말하길, 人命의 生時에서 하나의 强함을 얻고, 日時가 혹 祿馬인 곳에 임하면 전후(前後)에서 부조(扶助)와 合을 살펴보아야하는데 반드시 비단 옷을 입고 중당(中堂;재상이 정무를 보는 곳)에 든다. 희기편에서 이르길, 五行에서 正貴는 刑 衝 破 害의 宮을 꺼리고, 四柱의 干支에서 三合 六合하는 地支를 좋아한다. 또 이르길, 地支와 天干에 合이 많으면, 또한 탐합망관(貪合忘官)이라한다. 두 뜻을 반드시 아울러 論해야한다. (解.五行正貴,乃正氣官星.如甲生酉月之例.最怕酉刑卯衝,丁剋戌[戌]害,傷了貴氣.或以貴爲貴神,如甲見丑,丑中有辛,又爲甲正官之類.柱有卯乙,剋壞丑貴,喜巳酉三合,乙木剋衝丑不入.或有子合丑亦可.隔木之剋,如有乙卯,子卯相刑,不能剋丑未,爲天乙之貴.四柱吉神,乃官印財食,奇貴,福德等星皆是.但得一星,臨長生帝旺臨官正庫,三合六合之位.無不富貴.詩曰,人命生時得一強,日時或臨祿馬鄕,須看前後扶助合,必然衣錦入中堂.喜忌篇云,五行正貴,忌刑衝破害之宮,四柱干支,喜三合六合之地.又云,地支天干合多,亦云貪合忘官.二義須並論之.)

만약에 목욕(沐浴)이 煞을 만나면 넋이 풍도(酆都)로 가고, [天]元을 범하여 거듭 손상하면 혼(魂)이 악부(岳府)로 돌아간다. (若也沐浴逢煞,魄往酆都,元犯再傷,魂歸岳府.)

해석. 이것은 상문(上文)의 刑 衝 剋 害로 인해 말한다. 나형(裸形)이 煞을 만나면 두려운데, 生하는 것은 작고, 剋하는 것은 重하다. 命元을 범하면 이미 不吉하고, 歲 運에서 거듭 범하면 틀림없이 죽는다. 가령 [天]元이 官煞을 범하여 거배(去配=衝으로 除去하거나 合함)가 불청(不淸)하며 柱에 食神의 해결이 없고, 歲 運에서 거듭 [官煞을]만나면 죽는다. 무릇 용신을 손상하는 것은 모두 이것이다. 이 네 구절은 낙록자의 본문(本文)이다. (解.此因上文刑衝剋害而言.怕裸形逢煞,以生之者微,而剋之者重.命元犯之,已爲不吉.歲運再犯,決死無疑.如元犯官煞,去配不清,柱無食神可解,歲運再見則死.若元犯破印,流年再犯則死.凡用神有損者皆是.此四句珞琭子本文.)

煞이 두려운데 煞을 만나면 요절하고, 우관 낙관은 곧 사망한다. (畏煞逢煞則夭,憂關落關即亡.)

해석. 이것도 上에 의해 거듭 밝힌 것이다. 柱중에 원래 관살(關煞)을 두려워하는데, 가령 甲이 庚申을 보면 煞이 되며 歲 運에서 거듭 만나고 柱에 구조하는 것이 없으면 요절한다. 년煞이 더욱 重한데, 印이 있으면 化하고, 食神이 있으면 制하고, 인(刃)이 있으면 合하고, 身旺하면 대적하지만 만약 煞旺한 運으로 行하면 역시 요절한다. 또 가령 甲일이 辰을 보면 陽의 數가 지극하며, 또 철사관이 된다. 壬이 丑을 보고, 庚이 戌을 보고, 丙이 未 申을 보면 모두 양관(陽關)으로 重함을 말한다. 乙이 辰을 보고, 癸가 丑을 보고, 辛이 戌을 보고, 丁이 未 申을 보면 음관(陰關)이 되어 점차 輕하다. 四柱에서 범하고, 流年에서 다시 범하며 運行에서 休 囚하면 主는 사망한다. 혹 神煞 鬼에게 도적질을 당하고, 혹 말하길, 관살(關煞)의 이름이 심히 많아, 칠살을 직언(直言)하면 양관(陽關)이 아니다. 자세히 알려면 앞에서 論한 수요(壽夭) 및 소아(小兒)관살(關煞)의 下를 보라. (解.此亦因上而申明之也.柱中原怕關煞,如甲見庚申爲煞,歲運再見,柱無救解者夭.年煞尤重.有印則化,有食則制,有刃則合,身旺則敵,若行煞旺運亦夭.又如甲日見辰,爲陽數極,又爲鐵蛇關.壬見丑,庚見戌,丙見未申,皆陽關,曰重.乙見辰,癸見丑,辛見戊[戌],丁見未申,爲陰關,稍輕.四柱犯,流年又犯,運行休囚,主死.或被神煞鬼賊,或曰關建[煞]之名甚多,非直言七煞陽關也.其詳見前論[壽夭及小兒關煞下].)

明通賦(명통부)-23

관살(關煞)을 끌어와 合하면 身을 손상하고, 중하(中下)가 절멸(絶滅)하면 비명횡사(非命横死)한다. (引合關煞誤傷身,中下滅絕横夭壽.)

해석. 인합관살(引合關煞)은, 가령 丙火가 쇠약한데 다시 辛未를 보면, 丙 辛이 이미 合하여 丙은 辛官을 따른다. 未位는 丙이 양관(陽關)이 지극한데 거듭 壬의 剋을 당하면 사망한다. 혹 辛亥는 煞地로 더욱 급박하니 범하면 뜻밖의 재앙을 당한다. (解.引合關煞,如丙火既弱,又見辛未,丙辛既合,丙就辛官.未位乃丙極陽關,再被壬來剋即亡.或是辛亥煞地尤緊,犯之橫罹其咎.一命丙戌丁

酉辛酉乙未,壬申年死是也.中下滅絕,如壬戌日爲坐財,又坐煞,日支能有之,是則壽.若行壬辰運,壬癸水聚於辰,剋破戌[戌]中火土,別無可救即夭.此名倒衝命元.土旺則水旺,土身自崩壞,何暇救之.水旺則火滅,故云中下絕滅.中下者,即地元人元中下之分也.餘仿此推.)

예) 명조
乙 辛 丁 丙
未 酉 酉 戌
壬申년에 사망한 것이다.

중하멸절(中下滅絕)은, 가령 壬戌일은 財와 煞이 坐하여 日支에 [財官이] 있으니 壽命이다. 만약 壬辰 運으로 行하면 壬 癸水가 辰에 모여 戌중의 火土를 剋破하니 별도로 구조가 없으면 요절한다. 이 명칭은 도충명원(倒衝命元)이다. 土旺하여 水旺하니 土身이 자연히 붕괴(崩壞)하는데 어찌 구할 틈이 있겠는가! 水旺하여 火滅하니 따라서 이르길, 중하(中下)가 절멸(絕滅)한다. 중하(中下)는, 地元 人元인데, 中下로 구분한다. 나머지는 이것을 모방하여 추리하라.

상관이 官을 보면 화환(禍患)이 수 없이 나타난다. 馬를 쫓아 馬를 만나면 수많은 노고(勞苦)가 있다. (傷官見官,禍患百端.逐馬逢馬,勞苦千般.)

해석. 이 말은 오로지 犯하는 것을 꺼리니 불길(不吉)하다. 상관견관(傷官見官)하면 단지 재성이 있으면 손상하는 해악을 풀 수 있고, 官의 노(怒)함을 인도하니 전화위복(轉禍爲福)한다. 축마봉마(逐馬逢馬)는 단지 官煞이 있으면 인(刃)의 겁탈을 制할 수 있으니, 비록 노고하더라도 그 財를 얻는다. 만약 비견이 많은데 다른 물건이 强하고 내가 弱하면, 비록 소모하더라도 그 財를 얻는다. 공평함(平均)을 얻지 못하면 3~4分의 1에 그치는 것이다. (解.此言獨犯所忌,故不吉.傷官見官,惟有財星可以解傷之毒,勸官之怒,轉禍爲祥.逐馬逢馬,惟有官煞可以制刃之劫,雖勞亦得其財.若比肩多,他強我弱,雖減耗亦得其財.不得均平,止三四分之一矣.)

財가 양인을 만나면 손상이 많고, 印은 妻財를 만나도 破하지 않는다. (財逢羊刃以多傷,印見妻財而不破.)

해석. 이것도 上文의 뜻과 동일하다. 무릇 命에서 양인을 가장 꺼리는데, 財格은 破하고, 印綬格은 피탈(被奪)하고, 官格은 衝하여 노(怒)하니 단지 칠살은 制해야 좋고, 양인의 힘이 작어면 무방(無妨)하다. 印이 妻財를 보면, 이것은 탐재괴인(貪財壞印)의 설(說)이다. 歲 運에서 다시 보면 主는 財를 破하며 妻를 손상하고, 혹 妻로 인해 송사(訟事)가 있다. 만약 원국에 재성이 없거나, 혹 재성의 힘이 미약한데, 歲 運에서 만나면 경미(輕微)하다. 단지 官煞이 해소(解消)하여 生하면 도리어 천거(薦擧)되어 명성을 이룬다. (解.此亦同上文之義.凡命最忌羊刃,財格被破,印格被奪,官格衝怒.只喜七煞制之.陰刃力微無妨.印見妻財,是貪財壞印之說也.歲運又見,主破財傷妻,或因妻致訟.若原無財星,或財星力微,歲運見之,稍輕.惟官煞進生解勸,反得舉薦成名.)

食神이 梟를 만나는데 財가 없으면 요절한다. 身弱한데 財가 있으면 거듭 正印을 만나도 凶하다. 煞을 制하며 印을 만나는데 衝이 있으면 처형된다. 命은 强하고 官이 없는데 하나의 칠살을 만나면 더욱 훌륭하다. (食神遇梟,無財則夭.身弱有財,重逢正印亦凶.制煞逢印,有衝則誅.命強無官,單逢七煞尤勝.)

해석. 희기편에서 이르길, 柱중에 칠살이 완전히 드러나는데, 身弱하여 地支에 없으면 극빈(極貧)하다. 이 뜻이다. (解.喜忌篇云,柱中七煞全彰,身弱極貧無地.是此義也.)

三刑이 대충(對沖)하면 횡액(橫厄)이 생기고, 양인이 合을 하면 재앙에 이르지는 아니한다. 목욕(沐浴)이 生을 쫓으면 가객(家客)이 없고, 休 囚한데 煞을 만나면 매장(埋葬)되지 못한다. (三刑對衝橫禍生,羊刃對合非殃至.沐浴從生無家客,休囚見煞不埋人.)

해석. 목욕 休 囚는 모두 身이 衰弱하다. 生을 쫓으면 범람하고, 煞을 만나면 손상된다. (解.沐浴休囚,皆身衰也.從生則泛,見煞則傷.)

明通賦(명통부)-24

月하가 겁재면 主는 財가 없어야 煞을 기뻐하고 印이 없으면 획득이 있다. (月下劫財主無財,喜煞無印而有獲.)

해석. 煞은 刃을 制할 수 있고, 印은 化煞할 수 있다. [煞이] 化하면 刃을 制할 수 없으므로 煞은 印이 제거되어야 좋다. (解.煞能制刃,印能化煞.化則不能制刃,故喜煞而去印.)

暗中에 印을 破하면 親[六親]으로 印이 파괴되고, 官이 기뻐하는 食이 없으면 봉작(封爵)을 받는다. (暗中破印親壞印,喜官無食以加封.)

해석. 財는 印을 破할 수 있고, 官은 印을 生할 수 있다. 食神이 있으면 官을 파괴하며 財를 生하고, 印에게 점차 손상받기 때문에 官이 기뻐하는 食神을 제거한다. (解.財能破印,官能生印.有食則壞官生財,印愈受傷,故喜官而去食.)

官煞이 혼잡하면 천(賤)하며 근심이고, 형제가 태다(太多)하면 분산(分散)한다. 인(印)을 기뻐하는데 制가 없으면 文[職]을 할 수 있고, 制를 기뻐하는데 印이 없으면 武[職]을 할 수 있다. 制와 印이 모두 있으면 보잘것없어 이루기 어렵다. (官煞混雜賤患兮,兄弟太多分散兮.喜印無制能文,喜制無印能武.制印俱有,碌碌難成.)

해석. 印은 煞을 化할 수 있고, 食神은 煞을 制할 수 있다. 化가 있으면 制하지 못하고, 制가 있으면 化하지 못한다. 制와 化가 太多하면 煞이 無氣하니 도리어 불길(不吉)하게 된다. 양인이 전부 번잡하면 煞이 制하고, 혹 印綬로 化하는데, 가령 戊일 午월의 종류면 制나 化로 멈추니 그 하나를 用하여 모두 이룰 수 있다. (解.印能化煞,食能制煞.有化莫制,有制莫化.制化太多則煞無氣,反爲不吉.羊刃全煩煞制,或化作印綬,如戊日午月之類.是制化止用其一,皆能有成.)

祿馬가 배축(背逐)하면 기한(飢寒)하고, 財와 印이 서로 破하면 낭(囊)을 동여맨다. 官을 기뻐하는데 煞을 차면 권세가 되고, 煞을 좋아하는데 官을 차면 貴가 된다. 官煞은 하나만 보면 부스러져 이루지 못한다. (祿馬背逐饑寒兮,財印相破括囊兮.喜官帶煞爲權,愛煞帶官爲貴.官煞單見,瑣瑣不遂.)

해석. 祿馬가 뒤를 따르고 財印이 相破하면 반드시 官煞을 중첩하게 보아야 비로소 비겁을 制할 수 있고 財가 生하면, 印綬를 生하며 財를 化한다. 홀로 보면 힘이 박약(薄弱)한데 어찌 뜻을 이룰 수 있겠는가? (解.祿馬背逐,財印相破,須官煞疊見,方能制比劫而生財,生印綬而化財.單見則力薄弱,豈能遂意?)

梟와 印綬가 雜되면 총애와 수치이고, 財馬가 매우 많으면 도기(盜氣)이다. 신왕을 기뻐하며 福이 되고,[身]弱한 運을 꺼리며 재앙이 생긴다. (梟印相雜寵辱兮,財馬太多盜氣兮.喜身旺而爲福,忌運弱以生災.)

해석. 偏正의 두 印이 서로 섞이거나, 편정의 두 財가 모두 있어도, 身弱하면 그 生을 雙으로 이룰 수 없고, 아울러 그 財를 얻으면 중간(中間)에 편정(偏正)의 强弱을 나누어야한다. 만약 편인 편재가 强한데 신왕하고 運에서 强하면 돌연히 발복(發福)한다. 정인 정재도 역시 그러하다. (解.偏正二印相雜,偏正二財俱有.若身弱不能雙成其生,並受其財,中間要分偏正強弱.若偏印偏財強,身旺運強,驟然發福.正印正財亦然.)

明通賦(명통부)-25

官祿을 剋 破하면 요절하고, 庫 墓가 衝하여 흩어지면 끼니가 없다. 거듭 破하면 꺼리니 의지할 데가 없고, 비견을 기뻐하며 구원할 수 있다. (官祿剋破夭死兮,庫墓衝散無餐兮.忌重破而無依,喜比肩而可救.)

해석. 官은 관성이고, 祿은 정록이다. 가령 甲이 辛 寅을 보고, 또 庚申이 巳와 午를 보는 종류인데, 歲 運에서 재차 만나면 요절한다. 만약 비견이 있어 신왕하면 역시 旺하다고 論할 수 있다. 또 가령 甲은 丑이 官庫인데, 未[字]를 얻어 衝하여 열어야하고, 未를 쓰면 두개의 丑을 보아서는 안 되고, 丑이 있으면 두 개의 未를 만나서는 안 된다. 또 丁丑 丁未는 丁이 辛官을 손상하는 종류로 꺼린다. 癸未 癸丑을 보면 癸水는 丁火를 制할 수 있다. 己丑 己未는 己土는 辛官을 生할 수 있다. 己는 甲의 財이고, 癸는 甲의 印이고, 丙은 甲의 食神인데, 支干이 生旺하고 破가 없으면 부귀(富貴)한다. 작은 衝 剋을 만나면 분수(分數)를 감(減)하고, 衝 剋이 매우 심하면 반대로 빈궁(貧窮)하게 된다. 이상(以上)의 인수 식신 상관 관살 양인 비견 효신을 섞어서 들추어내었고, 상기 상수, 상제 상합을 번갈아 설명하였는데, 용신이 어떤 것이며 일간의 强弱이 어떠한가를 살펴봐야한다. 경(經)에서 이르길, "일주는 건왕함이 가장 마땅하고 용신을 손상해서는 안 된다." 이것이 간단하면서도 뜻을 전부 말한 것이다. (解.官,官星.祿,正祿.如甲見辛寅,又見庚申,及巳與午之類,歲運再見即夭.若身旺有比肩,亦可作旺論.又如甲以丑爲官庫,要得未字衝開,用未不可見二丑.有丑不可見二未.又忌丁丑丁未,丁傷辛官之類.見癸未癸丑,癸水能制丁火.己丑己未,己土能生辛官.己爲甲財,癸爲甲印,丙爲甲食,支干生旺無破者富貴.稍見衝剋,則減分數.衝剋太甚,反爲貧窘.以上雜舉財官,印綬,食神,傷官,官煞,羊刃,比肩,梟神.相忌相須,相制相合,交互言之,看所用之神何如.日干強弱如何.經云,日主最宜健旺,用神不可損傷.斯言簡而意盡也.)

겁재 양인은 시(時)에서 만나는 것을 절대로 꺼리는데, 歲와 運에서 아울러 임하면 재앙이 미친다. 歲에서 運을 衝하면 붕괴되고, 運에서 歲를 剋하면 암울해진다. (劫財羊刃,切忌時逢.歲運並臨,災殃立至.歲衝運則崩,運剋歲則晦.)

해석. 이것은 오로지 歲 運을 論하였다. 歲는 天으로 덮는 것이고, 運은 地로써 싣는 것이다. 歲와 運은 둘이 서로 충격(衝擊)해서는 안 되는데, 重하면 붕괴하고, 輕하면 암울하다. 命중에 相合이 가장 중요하니 天地가 형통하면 福祿이 저절로 모인다. 太歲가 運을 衝하면 그 禍가 重하고, 運에서 太歲를 衝하면 禍가 輕하다. 상고(上考)하면, 연원 연해의 모든 설(說)은, 모두 運이 歲를 剋하면 重하고, 歲가 運을 剋하면 輕하니, 곧 日이 歲君을 범하는 뜻이다. 나의 命을 시험해보았는데, 丁巳 運으로 行하여 癸亥 流年을 만나니, 癸가 丁을 손상하고, 亥는 巳를 衝하였는데, 歲가 運을 衝하니, 그 年(해)에 파직(罷職)되고 모친을 잃었는데(손상), 가장 참혹한 禍를 당하였다. 例로써 추리할 수 있는 것이다. (解.此下專論歲運.歲者天之所蓋,運者地之所載.歲運不可兩相衝激,重則崩,輕則晦.命中最要相合,則天地亨泰,福祿自臻.太歲衝運其禍重,運剋太歲則禍輕.考淵源淵海諸說,俱以運剋歲爲重,歲剋運爲輕,即日犯歲君之義也.驗余命,行丁巳運,遇癸亥流年,癸傷丁,亥衝巳,是歲衝運也.其年罷官傷母,受禍最慘,可以例推矣.)

[참고]

명조) 육오 산인

丙 庚 癸 壬

戌 寅 丑 午

明通賦(명통부)-26

陰氣가 끝나며 陽氣가 끊어지면 죽지 않고 견디리오! 陽數가 極하여 陰命이 따르면 죽지 않음을 어찌 기대하겠는가? (陰氣終而陽氣斷,未死堪嗟.陽數極而陰命追,不殂何待?)

해석. 甲이 辰을 보거나, 丙이 未, 戊가 丑, 庚이 戌, 壬이 丑을 보면 陽氣의 극(極)이 된다. 乙이 戌, 丁이 丑 巳, 癸가 未, 辛이 辰을 보면 음수(陰數)가 끝나게 된다. 歲 運에서 이를 만나면 더욱 凶하다. 또 이르길, 乙 辰, 丁 未, 己 丑, 辛 戌도 역시 음부(陰符)가 쫓아오니 양수(陽數)가 먼저 끊어지는데, 만약 長生에서 멈추면 四柱에 害가 없다. 長生을 이미 범하였으면 가장 두려운데, 歲 運에서 다시 만나면 사망한다. 또 이르길, 陰干이 陽極을 만나면 陰이 陽關을 만나게 되고, 陰干이 陰終에 있으면 陽이 陰關을 만나게 된다. 身弱한데 척력(隻力)하면 모두 요절하고, 신왕한데 비견의 무리를 도우면 害가 없다. (解.甲見辰,丙見未,戊見丑,庚見戌,壬見丑,爲陽氣極.乙見戌,丁見丑巳,癸見未,辛見辰,爲陰數終.歲運見之尤凶.又云,乙辰,丁未,己丑,辛戌,亦是陰符來追,陽數先斷,若止當生,四柱無害.最怕生旣犯,歲運又見立死.又云,陰干遇陽極,爲陰遇陽關,陽干在陰終,爲陽遇陰關.身弱隻力皆夭,身旺得比肩黨助則無害.)

五行에 구원함이 있으면 근심이 있어도 근심하지 않고, 사시(四時)에서 공망을 만나면 기쁜 일을 들어도 기쁘지 않다. (五行有救,當憂不憂,四時逢空,聞喜不喜.)

해석. 人命에서 歲 運의 凶을 만남을 말한다. 이상은 衝 剋, 氣 數, 終 極의 종류인데, 가령 五行에 구원함이 있으면 근심이 있어도 근심하지 않고, 사시(四時)에서 공망을 만나면 流年 太歲가 吉神을 만나도 오히려 공망을 가지니 기쁜 일을 들어도 기쁘지 않다. 혹 말하길, 甲은 庚이 근심인데 乙을 얻으면 구원할 수 있고, 春절에 土가 없으면, 土가 凶이라도 두려워하지 않고, 土가 福이라도 기쁘지 않는 종류이다. 경(經)에서 이르길, 庚 辛이 甲 乙을 손상하려해도 丙 丁을 먼저 보면 위태로움이 없다. 또 이르길, 春절에 土가 없고, 夏절에 金이 없고, 秋절에 木이 없고, 冬절에 火가 없는 이것이다. 이하는 부인(婦人)의 20句[구절]로 論하였는데, 婦人의 부분만 오직 論한 것이다. 그러므로 거듭 기록하지 않는다. (解.言人命遇歲運之凶.以上衝剋氣數終極之類,如五行有救,則當憂不憂.四時逢空,是流年太歲遇吉神,卻値空亡,則聞喜不喜.或曰,甲憂庚,得乙可救,春無土,不怕土爲凶,不喜土爲福之類.經云,庚辛來傷甲乙,丙丁先見無危.又云,春無土,夏無金,秋無木,冬無火是也.以下有論婦人二十句[句],已引專論婦人門.故所以不重錄.)

陰陽은 헤아리기 어려우니 한 가지 방법으로 추리가 불가(不可)하고, 귀천(貴賤)은 구별하기 어려우니 양단(兩端)을 잡아서 단정해야한다. 간략한 옛 성인의 유문을 궁구하고, 헤아려 이제 현명하게 자세히 연구한다. 만약 이 法을 쫓아서 참작하여 깨달으면, 命을 거울삼아 거의 틀리지 아니한다. (是以陰陽罕測,不可一途而推,貴賤難分,要執兩端而斷.略究古聖之遺文,約以今賢之硏詳.若

遵此法参悟,鑒命庶無差忒.)

해석. 이 총결(總結)에서 상문(上文)은 모두 格의 뜻이다. 이상으로 모든 格을 밝혔는데, 전권(前卷)에서 모든 格을 전부 論하였으므로 자세한 주해는 하지 않았다. 희기篇, 계선篇은 이 부(賦)의 변화를 따라서 나왔는데, 금인(今人)은 단지 이 두 편(篇)만 알고 있을 뿐이며 이 부(명통賦)가 있음을 알지 못하기 때문에 기록하는 것이다. (解.此總結上文諸格之義.以上指出諸格,俱論前卷諸格下,故不詳註.喜忌篇,繼善篇,是從此賦變化而出,今人但知有此二篇,而不知有此賦.故錄之.)

7. 喜忌篇(희기편)-1

사주를 배정하고, 삼재는 다음에 구별한다. 오로지 日상의 천원으로 팔자 干支를 配合한다. 보이고 보이지 않는 形은 무시(無時=아무 때)로 있지 않다. 神煞이 서로 얽히면 경중을 비교하고 헤아려본다. 만약에 時가 칠살을 만나면 반드시 凶이 되지는 않는다. 月이 强한 干을 制하면 그 煞은 도리어 벼슬의 권력이 된다. (四柱排定,三才次分.專以日上天元,配合八字干支.有見不見之形,無時不有.神煞相絆,輕重較量.若乃時逢七煞,見之未必爲凶.月制干強,其煞反爲權印.)

財 官 印綬를 전부 갖추면 사계(四季)중에 축장(蓄藏)한다. 관성 財氣의 長生은 항상 寅 辛 巳 亥에 머문다. 庚申시가 戊일을 만나면 食神의 干이 旺한 방향이다. 歲 月에 甲 丙 卯 寅을 범하면 이것은 만나도 만나지 않는 것이다. (財官印綬全備,藏蓄於四季之中.官星財氣長生,鎭居於寅申巳亥.庚申時逢戊日,名食神干旺之方.歲月犯甲丙卯寅,此乃遇而不遇.)

月에서 일간을 生하고 天財가 없으면 印綬[格]의 이름이다. 일록 歸時하고 관성이 없으면 청운득로(青雲得路=벼슬길을 얻는다.)라 부른다. 陽水는 辰[位]를 중첩으로 만나면 임기용배(壬騎龍背)格이다. 陰木이 단지 子時를 만나면 육을서귀(六乙鼠貴)의 地支가 된다. (月生日干無天財,乃印綬之名.日祿歸時沒官星,號青雲得路.陽水疊逢辰位,是壬騎龍背之鄕.陰木獨遇子時,爲六乙鼠貴之地.)

庚일이 윤하를 완전히 만나면 壬 癸 巳 午의 방위를 꺼린다. 時에서 子 申을 만나면 그 福이 반감한다. 만약 월건(月建)에서 상관을 만나면 凶한 곳인지는 알지만 반드시 凶하지는 않다. 四柱 안에 도충록마나 비천록마가 있으면 관성을 꺼리고 기반을 싫어한다. (庚日全逢潤下,忌壬癸巳午之方.時遇子申,其福減半.若逢傷官月建,知凶處未必爲凶.內有正倒祿飛,忌官星亦嫌羈絆.)

6癸일이 寅시를 만나면 歲 月에 戊 己의 방위를 두려워한다. 甲子일이 재차 子시를 만나면 庚 辛 申 酉 丑 午를 두려워한다. 辛 癸일이 丑地를 많이 만나면 관성을 좋아하지 않는다. 歲 時에서 子 巳 두 宮을 만나면 名利가 헛된 것이다. (六癸日時逢寅位,歲月怕戊己二方.甲子日再逢子時,畏庚辛申酉丑午.辛癸日多逢丑地,不喜官星.歲時逢子巳二宮,虛利虛名.)

공록 공귀는 전실이 되면 凶하다. 시상이 편재면 다른 宮에서 보는 것을 꺼린다. 6辛일이 戊子시를 만나면 午[位]를 싫어하고 運은 西方을 좋아한다. 五行으로 月支에 편관을 만나면 歲나 時중에서 마땅히 制伏해야한다. (拱祿拱貴,塡實則凶.時上偏財,別宮忌見.六辛日時逢戊子,嫌午位運喜西方.五行遇月支偏官,歲時中亦宜制伏.)

종류로는 거관유살이 있고, 또 거살유관이 있다. 사주에 순수한 煞은 制가 있으면 반드시 一品으로 존귀하다. 단순히 一位의 정관이 있는데 관살혼잡하면 반대로 賤하다. 戊일 午월은 刃으로 보지 말라. 時 歲에 火가 많으면 오히려 印綬가 된다. (類有去官留煞,亦有去煞留官.四柱純煞有制,定居一品之尊.略有一位正官,官煞混雜反賤.戊日午月,勿作刃看.時歲火多,卻爲印綬.)

喜忌篇(희기편)-2

월영에서 비록 건록을 만날지라도 煞이 모이면 凶하니 절대 꺼린다. 관성과 칠살이 교차(交差)하면 오히려 合煞하여야 貴하게 된다. 柱중에 관성이 태왕하면 天元이 이약(羸弱=약해지다.)한 이름이다. 일간이 심히 旺하여 의지할 데가 없으면 만약 승(僧)이 되지 않으면 도(道=도인)이 된다. (月令雖逢建祿,切忌會煞爲凶.官星七煞交差,卻以合煞爲貴.柱中官星大旺,天元羸弱之名.日干旺甚無依,若不爲僧即道.)

生月이 印綬면 歲 時에서 재성을 만나는 것을 꺼린다. 運이 財[鄕]에 들면 마땅히 관직에서 물러난다. 겁재와 양인은 時에서 만나는 것을 절대 꺼린다. 歲 運에서 아울러 임하면 재앙이 닥친다. 十干이 背祿하면 歲 時에서 재성을 만나야 좋다. 運이 비견에 이르면 부르기를 "배록축마"라고 말한다. (印綬生月,歲時忌見財星.運入財鄕,卻宜退身避位.劫財陽刃,切忌時逢.歲運併臨,災殃立至.十干背祿,歲時喜見財星.運至比肩,號曰背祿逐馬.)

五行으로 正貴(정기 관성)은 刑 衝 剋 破하는 宮을 꺼린다. 四柱의 干支는 三合 六合하는 地支를 좋아한다. 일간이 無氣하면 時에서 양인을 만나도 凶이 되지 않는다. 官 煞이 양정(兩停)하면 좋은 것은 있어야하고, 미워하는 것은 버려야한다. (五行正貴,忌衝刑剋破之宮.四柱干支,喜三合六合之地.日干無氣,時逢陽刃不爲凶.官煞兩停,喜者存之憎者棄之.)

地支와 天干에 合이 많으면 탐합망관(貪合忘官)이라 한다. 四柱에 煞旺하고 運이 순수하면 신왕하여야 官이 淸貴해진다. 무릇 天元이 太弱하면 內에서 弱한 곳을 다시 生해야한다. 支중에 칠살이 전부 드러나고 신왕하면 극히 가난하며 장수하지 못한다.[또 이르길, 구원이 없다.] (地支天干合多,亦云貪合忘官.四柱煞旺運純,身旺爲官清貴.凡見天元太弱,內有弱處復生.支中七煞全彰,身旺極貧無壽.[一云,無救])

煞이 없는 女人의 命은 一貴로써 어진사람이 될 수 있다. 貴의 무리가 合이 많으면 반드시 비구니 창녀 소실이 된다. 時가 편관인데 제복을 만나 太過하면 가난한 선비이다. 四柱에서 상관은 運이 官[鄕]에 들면 반드시 破한다. (無煞女人之命,一貴可作良人.貴衆合多,定是師尼娼婢.偏官時遇制伏,太過乃是貧儒.四柱傷官,運入官鄕必破.)

五行으로 絶處가 胎元인데, 生日에서 이를 만나면 이름을 受氣라고 한다. 이것은 陰陽으로 헤아리기 어려우니 하나의 例로 추리하는 것은 不可하다. 반드시 中和의 氣를 품수(稟受)하여 신(神)은 귀천(貴賤)을 구별한다. 옛 성인(聖人)이 남긴 서적을 오늘날 현자(賢者)들이 책을 널리 많이 읽고 헤아려야한다. 만약 이 法을 자세히 참작하여 通하면 命을 거울삼아 차오(差誤)가 없다. (五行絶處,即是胎元.生日逢之,名曰受氣.是以陰陽罕測,不可一例而推.務稟中和之氣,神分貴賤.略敷古聖之遺書,約以今賢之博覽.若通此法參詳,鑒命無差無誤.)

8. 繼善篇(계선편)-1

사람은 天地에서 [氣運을] 받으니 命은 陰陽에 속한다. 복재(覆載)한 가운데 태어나 居하며 모두 五行안에 존재한다. 귀천(貴賤)을 알고자하면 먼저 월영인 제강을 살펴본다. 다음에 吉凶을 판단하려면 오직 일간을 用하여 主의 本을 삼는다. 三元으로 格局을 이루어야한다. 四柱에서 財 官을 보면 좋다. 용신은 손상함이 不可하고, 일주는 건왕해야 가장 마땅하다. (人稟天地,命屬陰陽.生居覆載之中,盡在五行之內.欲知貴賤,先觀月令乃提綱.次斷吉凶,專用日干爲主本.三元要成格局.四柱喜見財官.用神不可損傷.日主最宜健旺.)

年니 일간을 손상하면 本과 主가 불화(不和)하게 된다. 歲 月 時중에 官煞이 혼잡하면 크게 두렵다. 生月에 의지하여 用[神]을 取하고, 마땅히 그 심천(深淺)을 연구하여 추리해야한다. 日時에 드러난 것을 보고 强弱을 소상(消詳)히 해야 한다. 정기 관성은 刑 衝을 꺼린다. 시상편재는 형제[비겁]을 만나면 두려워한다. (年傷日干,名爲本主不和.歲月時中,大怕官煞混雜.取用憑於生月,當推究其淺深.發覺在於日時,要消詳於強弱.官星正氣,忌見刑衝.時上偏財,怕逢兄弟.)

生氣인 印綬는 官運은 이롭고, 財鄕에 들면 두려워한다. 칠살 편관은 制伏을 좋아하지만 太過하면 마땅하지 않다. 상관은 다시 官運으로 行으로 行하면 예축하지 못한 재앙이 온다. 양인이 歲君을 衝 合하면 돌연히 화액이 이른다. 富하고 또 貴한 것은 반드시 財旺하여 官을 生하기 때문이다. 요절하지 아니하면 가난함은 필시 身衰한데 鬼를 만난 것이다. (生氣印綬,利官運畏入財鄕.七煞偏官,喜制伏不宜太過.傷官復行官運,不測災來.陽刃衝合歲君,勃然禍至.富而且貴,定因財旺生官.非夭即貧,必是身衰遇鬼.)

6壬생이 午[位]에 임하면 부르길 록마동향이라고 말한다. 癸일이 巳宮에 坐하면 재관쌍미이다. 재다신약은 참으로 부옥빈인이 된다. 煞이 권(權)으로 化하면 반드시 가난한 집에서 고귀한사람이 된다. 등과하여 장원급제는 관성이 破하지 않는 宮에 임해야한다. 곡식을 바치고(納粟) 명성을 이루는 것은 財庫가 생왕한 地支에 거해야한다. (六壬生臨午位,號曰祿馬同鄕.癸日坐向巳宮,乃是財官雙美.財多身弱,正爲富屋貧人.以煞化權,定顯寒門貴客.登科甲第,官星臨無破之宮.納粟奏名,財庫居生旺之地.)

官貴가 크게 盛하고 財가 旺한 곳에 임하면 반드시 기울어진다. 印綬가 손상을 당하면 아마 영화스러워도 길지 않다. 官이 있고 印이 있는데 破가 없으면 낭묘(廊廟)의 재목이 된다. 印도 없고 官도 없어도 格이 있으면 조정(朝廷)에 쓰임이 있다. 이름이 금방(金榜)에 붙으려면 반드시 신왕하여 官을 만나야한다. 성군(聖君)을 보좌하려면 貴함이 官을 衝하고 合을 만나는데 있다. (官貴太盛,纔臨旺處必傾.印綬被傷,倘若榮華不久.有官有印無破,作廊廟之材.無印無官有格,乃朝廷之用.名題金榜,須還身旺逢官.得佐聖君,貴在衝官逢合.)

繼善篇(계선편)-2

格과 局이 되지 않으면 보아도 어찌 기묘(奇妙)하게 되겠는가! 身弱한데 官을 만나면 얻은 후에 쓸데없이 힘을 소비한다. 小人의 命에도 정인과 관성이 있다. 君子의 格중에도 양인이나 칠살을 범한다. 평생토록 질병이 적은 것은 일주가 고강(高强)한 것이다. 일생이 편안한 것은 財命이 有氣한 것이다. (非格非局,見之焉得爲奇.身弱遇官,得後徒然費力.小人命內,亦有正印官星.君子格中,也犯羊刃七煞.生平少病,日主高強.一世安然,財命有氣.)

官刑이 범하지 않는 것은 印綬와 天德이 同宮한 것이다. 즐거움이 적고 근심이 많은 것은 대개 일주가 스스로 弱하기 때문이다. 신강하고 살천(煞淺)하면 煞을 빌려 權을 삼는다. 煞이 重하고 身이 輕하면 종신토록 손실이 있다. [身이] 衰하면 官이 변하여 鬼가 된다. 旺하면 鬼를 化하여 官이 된다. 月이 일간을 生하면 運은 財鄕으로 行하는 것을 좋아하지 않는다. 일주가 의지할 데가 없으면 오히려 運은 財地로 行하는 것을 좋아한다. (官刑不犯,印綬天德同宮.少樂多憂,蓋緣日主自弱.身強煞淺,假煞爲權.煞重身輕,終身有損.衰則變官爲鬼.旺則化鬼爲官.月生日干,運行不喜財鄕.日主無依,卻喜運行財地.)

日祿이 時에 있으면 평생 관성을 좋아하지 않는다. 陰이 만약 陽을 조회(朝會)하면 丙 丁 리위(離位=午)를 절대로 꺼린다. 太歲는 많은 煞들의 主[君]인데 命에 들어도 반드시 재앙이 되지는 않는다. 만약 전투(戰鬪)하는 곳을 만나면 반드시 主는 本命을 刑한다. 歲가 일간을 손상하면 禍가 있으나 반드시 輕하다. 日이 歲君을 범하면 재앙이 반드시 重하다. (時歸日祿,生平不喜官星.陰若朝陽,切忌丙丁離位.太歲乃衆煞之主,入命未必爲殃.若遇戰鬥之鄕,必主刑於本命.歲傷日干,有禍

必輕.日犯歲君,災殃必重.)

五行은 구원하는 것이 있으면 그 해에 반드시 財(재물)가 된다. 사주가 무정(無情)한 것은 歲를 剋하기 때문이다. 庚 辛이 甲 乙을 손상한다면 丙 丁을 먼저 보아야 위험이 없다. 丙 丁이 도리어 庚 辛을 剋한다면 壬 癸를 만나야 두렵지 않다. 戊 己가 甲 乙을 만나 근심하면 干頭(天干)에 반드시 庚 辛이 필요하다. 壬 癸가 戊 己를 만나 근심하면 甲 乙이 임해야 구원된다. (五行有救,其年反必爲財.四柱無情,故論名爲剋歲.庚辛來傷甲乙,丙丁先見無危.丙丁反剋庚辛,壬癸遇之不畏.戊己愁逢甲乙,干頭須要庚辛.壬癸慮遭戊己,甲乙臨之有救.)

壬이 丙을 剋한다면 반드시 戊[字]가 두(頭=天干)에 필요하다. 癸가 丁을 손상하면 오히려 己가 와서 돕는 것을 좋아한다. 庚이 壬男[庚의 아들]을 얻어 丙을 制하면 노인이 되어서 죽는다. 甲이 乙의 누이동생으로 庚의 妻로 맞아들이게 하면 凶이 길조(吉兆)가 된다. 天元이 비록 旺할지라도 의지할 데가 없으면 보통사람이다. 일주가 크게 유약(幼弱)하면 설령 財官을 만나더라도 가난한 선비가 된다. (壬來剋丙,須要戊字當頭.癸去傷丁,卻喜己來相助.庚得壬男制丙,夭作長年.甲以乙妹妻庚,凶爲吉兆.天元雖旺,若無依倚是常人.日主太柔,縱遇財官爲寒士.)

繼善篇(계선편)-3

女人에게 煞이 없고 [天月]二德이 있으면 두 나라의 봉작을 받는다. 남자의 命이 신강하고 삼기(三奇)를 만나면 一品으로 貴하게 된다. 甲이 己를 만나며 生旺하면 반드시 中正한 마음을 가진다. 丁이 壬을 만나며 태과하면 반드시 음란하여 잘못된 어지러움을 범한다. 丙이 申[位]에 임하고 陽水를 만나면 장수(長壽)하기 어렵다. 月에서 印綬를 만나면 부자로 편안하며 존귀하고 영화롭다. (女人無煞,帶二德作兩國之封.男命身強,遇三奇爲一品之貴.甲逢己而生旺,定懷中正之心.丁遇壬而太過,必犯淫訛之亂.丙臨申位逢陽水,難獲延年,月逢印綬,則安富尊榮.)

己가 亥宮에 들고 陰木을 보면 결국은 수명이 손상된다. 時에서 丙寅을 보면 높은 벼슬자리에 이른다. 庚이 寅을 지니고 丙을 만나면 主가 旺하여야 위태로움이 없다. 乙이 巳를 만나고 辛을 보면 身이 衰하여 화(禍)가 있다. 乙이 庚의 旺함을 만나면 항상 인의(仁義)의 마음이 존재한다. 丙이 辛을 合하여 生하면 위권(威權)의 직책을 장악한다. 하나의 木이 火[位]를 거듭 만나면 氣가 흩어진 문장으로 이름난다. 하나의 水가 셋의 庚 辛을 범하면, 부르기를 체전지상(體全之象)이라 말한다. (己入亥宮見陰木,終爲損壽.時遇丙寅,則冠帶簪纓.庚値寅而遇丙,主旺無危.乙遇巳而見辛,身衰有禍.乙遇庚旺,常存仁義之心.丙合辛生,鎭掌威權之職.一木疊逢火位,名爲氣散之文.獨水三犯庚辛,號曰體全之象.)

水가 冬절로 旺하면 평생토록 즐거우며 근심이 없다. 木이 春절생이면 처세가 편안하고 반드시 장수한다. 金이 弱한데 화염(火炎)한 地支를 만나면 혈질(血疾)은 의심할 것이 없다. 土가 허약한데 木旺한 곳을 만나면 비장(脾腸)이 손상하는 것이 정론(定論)이다. 근골(筋骨)의 통증은 모두 木이 金에게 손상당하기 때문이다. 눈이 어두운 것은 반드시 火가 水의 剋을 만난 것이다. (水歸冬旺,生平樂自無憂.木在春生,處世安然必壽.金弱遇火炎之地,血疾無疑.土虛逢木旺之鄕,脾傷定論.筋疼骨痛,皆因木被金傷.眼暗目昏,必是火遭水剋.)

金이 간방(艮方)을 만나도 土를 만나면 환혼(還魂)이라고 부른다. 水가 손방(巽方)에 들어도 金을 보면 絶하지 않는다. 土가 卯[位]에 임하면 末年이 아닌데도 의기소침해진다. 金이 火를 만나면 젊은 나이에 씩씩할지라도 반드시 뜻을 좌절한다. 金과 木이 서로 다투고 형전(刑戰)하면 인의(仁義)가 모두 없다. 水火가 서로 번갈아 손상하면 시비가 매일 있다. (金逢艮而遇土,號曰還魂.水入巽而見金,名爲不絕.土臨卯位,未終年便欲灰心.金遇火鄕,雖少壯必然挫志.金木交爭刑戰,仁義俱無.水火遞互相傷,是非日有.)

木은 水의 양생(養生)을 따르지만, 水가 왕성하면 木이 표류(漂流)한다. 金이 土의 生을 의지하지만 土가 [지나치게]두터우면 金이 매몰(埋沒)된다. 이로써, 五行은 편고(偏枯)해서는 안 되고, 중화(中和)의 氣를 받아야한다. 다시 잡념을 잊고 끊어낼 수 있으면 命을 거울삼아 차오(差誤)가 없다. (木從水養,水盛而木則漂流.金賴土生,土厚而金遭埋沒.是以五行不可偏枯,務稟中和之氣.更能絕慮忘思,鑑命無差無誤.)

제 11권 終

1. 元理賦(원리부)-1 (徐大升著. 萬育吾解.)
서대승 저술. 만육오 해석.

처음 하나의 氣가 五行을 生하여 삼재(三才)를 거느린다. 건곤(乾坤)의 묘용(妙用)이 일어나니 陰陽의 중요한 부분으로 나눈다. 존재하는 사방(四季)에서 그 귀천(貴賤)을 나누고, 그 중도(中道)를 얻는다. 八字는 영고(榮枯)가 일정(一定)하니, 그 生剋과 制化, 청탁(淸濁)과 귀천(貴賤), 수요(壽夭)와 현우(賢愚)를 분명히 밝힌다.[이것이 원래 조화의 시작이다.] (元一氣,生五行,統三才.發乾坤之妙用,剖陰陽之樞機.在乎推四方,分其貴賤,得其中道.八字一定榮枯,是以強明其生剋制化,淸濁貴賤,壽夭賢愚. [此原造化之始.])

해석. 金은 土의 生을 의지하는데, 土가 많으면 金이 매몰한다. 土는 火의 生을 의지하는데, 火가 많으면 土가 그을린다. 火는 木의 生을 의지하는데, 木이 많으면 火가 치열한다. 木은 水의 生을 의지하는데, 水가 많으면 木이 표류한다. 水는 金의 生을 의지하는데, 金이 많으면 水가 탁해진다. 金은 水를 生하지만 水가 많으면 金이 가라앉는다. 水는 木을 生하지만 木이 盛하면 水가 축소한다. 木은 火를 生하지만, 火가 많으면 木이 불살라진다. 火는 土를 生하지만, 土가 많으면 火가 어두워진다. 土가 金을 生하지만, 金이 많으면 土가 변한다. 金은 木을 剋하지만, 木이 견고하면 金이 이지러진다. 木은 土를 剋하지만, 土가 重하면 木이 꺾인다. 土는 水를 剋하지만, 水가 많으면 土가 질펀해진다. 水는 火를 剋하지만, 火가 타오르면 水가 가열된다. 火는 金을 剋하지만, 金이 많으면 火가 꺼진다. 金이 쇠약한데 火를 만나면, 반드시 녹는다. 火가 弱한데 水를 만나면, 반드시 꺼진다. 水가 弱한데 土를 만나면 흙에 막힌다. 土가 衰한데 木을 만나면, 반드시 기울고 함몰된다. 木이 弱한데 金을 만나면, 반드시 잘리고 꺾어진다.[이상은 태과 불급을 말하는데, 각각 그 害가 이와 같이 있으니, 五行을 四柱에서 보면 中和하지 않으면 안된다.] (解.金賴土生,土多金埋.土賴火生.火多土焦.火賴木生,木多火熾.木賴水生,水多木漂.水賴金生,金多水濁.金能生水,水多金沉.水能生木,木盛水縮.木能生火,火多木焚.火能生土,土多火晦.土能生金,金多土變.金能剋木,木堅金缺.木能剋土,土重木折.土能剋水,水多土流.水能剋火,火炎水熱.火能剋金,金多火熄.金衰遇火,必見銷熔.火弱逢水,必爲熄滅.水弱逢土,必爲淤塞.土衰遇木,必遭傾陷.木弱逢金,必爲砍折.[以上言太過不及,各有其害如此.見五行四柱不可不中和也.])

强金이 水를 얻으면 그 예리함이 꺾인다. 强水가 木을 얻으면 그 세력을 누설한다. 强木이 火를 얻으면 그 완고함을 化한다. 强火가 土를 얻으면 그 불꽃을 멈춘다. 强土가 金을 얻으면 그 해로움을 制한다. (強金得水,方挫其鋒,強水得木,方泄其勢.強木得火,方化其頑.強火得土,方止其焰.強土得金,方制其害.)

해석. 이상은 五行의 剋 制를 말하는데, 中和를 얻는 것이 중요하고, 태과 불급은 모두 잘못된 것이다. 따라서 上文을 깨우쳐야한다. (解.以上言五行剋制,要得中和,而太過不及,胥失之矣.所以照破上文.)

사람이 이치를 꿰뚫으면 그 깊고 오묘(奧妙)한 그 나타나는 것을 살필 수 있다. 그 體가 되는 것을 깊이 통변할 수 있으니 현미(玄微)함을 비교하고 연구하여 그것을 사용하게 된다. 그 輕重을 論하면 원래 있고 원래 없는 것은 천리부(天理賦)에서 吉凶과 動靜이 온다. 人生에서 비태(否泰)와 영휴(盈虧)를 나누어 정한다. (理貫人融者,妙其幽,察其顯也.其爲體也,深能通變,較究玄微,其爲用也.論其輕重,原有原無,天理賦來,吉凶動靜.人生分定,否泰盈虧.)

해석. 이상은 干支에 통하는 논리인데, 陰陽으로 生 剋 制 化의 결과로 체유 용현, 경중의 유무. 그리고 길흉 동정, 비태 영휴는 모두 이것으로부터 생기는 것이다. 오묘한 그 통변 알고, 그 현미(玄微)함을 연구하여 드러난 것을 말미암아 은밀한 것을 추리하여 그 이치를 얻는다. 이하에서 상세히 말한다. (解.以上通論干支,陰陽生剋制化之實.體幽用顯,輕重有無,而吉凶動靜,否泰盈虧,皆自此而生之也.妙在識其通變,究其玄微,由顯推幽,斯得其理.以下則詳言之.)

元理賦(원리부)-2

煞은 刃이 없으면 위세가 없고, 刃은 煞이 없으면 드러내지 못한다. (煞無刃不威,刃無煞不顯.)

해석. 煞은 나를 剋하고, 刃은 나를 겁박하니 命중에 가장 凶한 것이다. 처음에 煞 刃을 말하는데 소중(所重)한 것을 알아야한다. 부(賦)에서 말하길, 刃은 병기(兵器)로 煞이 없으면 존재하기 어렵다. 煞은 군령(軍令)으로 刃이 없으면 존귀하지 못한다. 刃과 煞이 함께 나타나면 天地에 위세를 떨치는 것이다. 서대승의 희기 계선의 두 편을 보면 人命을 다하기에 부족하다. 따라서 다시 이 부(賦)를 편찬하여 그 미비(未備)함을 보충한다. (解.煞乃剋我,刃乃劫我,命中之最凶者.首言煞刃,其知所重者歟.賦云,刃爲兵器,無煞難存.煞爲軍令,無刃不尊.刃煞雙顯,威鎭乾坤是也.徐大升因見喜忌,繼善二篇,不足以盡人之命.故復撰此賦,所以補其未備也.)

煞과 刃이 함께 나타나고 균정(均停)하면 제왕이나 제후의 지위에 이른다. 刃煞이 輕하거나 重한데 制함이 없으면 身은 하급관리가 된다. (煞刃雙顯,均停位至王侯.刃煞輕重,無制身爲胥吏.)

해석. 煞 刃이 상정(相停)하면 지극히 貴하고, 상정(相停)하지 못하면 지극히 賤하다는 말이다. 煞刃이 [함께]머무르거나 머물지 못하면 貴賤이 이렇게 서로 떨어진다. (解.言煞刃相停者極貴.不相停者極賤.煞刃停不停,而貴賤之相縣如此.)

평생토록 富하고 또 貴한 것은 煞이 重하고 身이 유약(柔弱) 것이다. 중도(中道)에 갑자기 죽거나 혹 위태로운 것은 運에서 干의 旺함을 도와서이다. (生平富而且貴,煞重身柔.中途忽死或危,運扶干旺.)

해석. 이미 상정(相停)하지 않으면 從煞함만 못하다. 從할 수 있으면 반드시 煞은 重하고 身이 유약(柔弱)한 후에 從할 수 있다. 그렇지 않으면 從하지 못한다. 이미 從煞하였으면, 단지 煞로 論하고, 재차 身旺하여 대적하면 안 되고, 대적하면 도리어 재앙이 생기는 것이다. (解.既不相停,不如從煞.能從者必煞重身柔,而後可從.不然不能從也.既從煞,只以煞論,不可再遇身旺相敵,敵則反生禍矣.)

처신(處身)이 승(僧)이나 도(道)의 우두머리인 것은, 煞을 用하지만 도리어 輕하기 때문이다. 대간(臺諫)의 직책을 임명받는 것은 편관이 得地한 것이다. (處身僧道之首,用煞反輕.受職臺諫之除,偏官得地.)

해석. 칠살은 권성(權星)이며 또 고성(孤星)이 된다. 身과 煞이 둘 다 强하여 칠살의 制가 있거나, 신약하여 종살하면 모두 貴하다. 煞이 많으면 대간(臺諫)의 벼슬을 하는데, 만약 신왕하고 煞이 輕하여 다시 청기(淸奇)하면 반드시 승(僧)이나 도(道)의 우두머리가 되는 것이다. (解.七煞爲權星,又爲孤星.身煞兩強,七煞有制,身弱從煞皆貴.煞多爲臺諫之官.若身旺煞輕,更入淸奇,必爲僧道之首矣.)

어찌 크게 貴한 것을 아는가! 財를 用하고, 官을 用하지 않는다. 당권(當權)한 것은 煞을 用하고 印綬를 用하지 않는다. 印綬는 煞의 生을 의지하지만 官은 財로 인해 旺하다. (豈知大貴者,用財而不用官.當權者,用煞而不用印.印賴煞生,官因財旺.)

해석. 財를 用하면 煞을 用하지 않는 것은 財가 官을 生하기 때문이고, 煞을 用하면 印綬를 用하지 않는 것은 煞이 印綬를 生하기 때문이다. 그래서 말하길, 印綬는 煞의 生함을 의지하고, 官은 財로 인해 旺하니, 用印 用官하지 않는 것이 아니고, 오직 財나 煞을 用하니 官 印이 그 중에 있는 것이다. 印綬가 의지하는 두 구절은 上文의 네 구절을 연결함이 꼭 필요하니 스스로 분명히 밝혀야한다. (解.用財不用官,財生官也.用煞不用印,煞生印也,.故云印賴煞生,官因財旺,非不用印用官,而專用財煞.則官印在其中矣.印賴二句緊承上文四句,自發明之.)

元理賦(원리부)-3

五行의 소식(消息)으로 오묘(奧妙)한 이치를 가히 알 수 있고, 四柱를 분명히 추리하면 용신을 볼 수 있다. 食神이 먼저 居하고 煞이 뒤에 居하면 공명(功名)이 쌍전(雙全)한다. 酉卯 破, 卯午 破하면 재관쌍미다. (五行消息,玄理可知,四柱推明,用神可見.食居先,煞居後,功名兩全.酉破卯,卯破午,財官雙美.)

해석. 사람의 팔자는 전부 용신으로 살펴본다. 용신은 소용(所用)의 神이다. 가령 上에서 용살 용刃 용재하면 용관 용印을 하지 않는 그 이치가 매우 오묘하니 사람은 소식(消息)[34]이 있을 뿐이다. 論하면, 煞은 마땅히 刃이 필요하고 刃이 없으면 制가 있어야하고, 煞이 强한데 制가 있으면 모두 貴로 論한다. 煞은 主의 명성이고, 食神은 이로움이니 따라서 공명(功名)이 양전(兩全)한다고 말한다. 酉卯 破, 卯午 破는 역시 食神은 앞이고 煞이 後라는 뜻이다. 酉는 卯가 財이고, 午는 煞이 된다. 財와 煞이 아울러 있으므로 主는 재관쌍미이다. 그러나 相破하는 것이 그 相剋이니 반드시 4正이 서로 破한다. (解.人之八字,全看用神.用神者,所用之神也.如上用煞用刃用財,而不用官用印,其理甚玄,在人消息之耳.論煞當要刃,無刃要有制,煞強有制,皆爲貴論.煞主名,食主利,故曰功名兩全.酉破卯,卯破午,亦食前煞後之意.酉以卯爲財,午爲煞.財煞兼有,故主財官兩美.然所以相破者,以其相剋也,必四正相破.)

福을 누리는 것은 五行의 歸祿이기 때문이다. 장수(長壽)하는 것은 팔자가 상정(相停)하기 때문이다. (享福,五行歸祿,眉壽,八字相停.)

해석. 이것이 들추어 命중에 가장 중요한 것을 말한다. 귀록이 필요하며 상정이 필요하고, 死絶 편당(偏黨)을 하면 안 된다. 향복(享福)은 歸祿에 해당하고, 장수(長壽)는 상정(相停)에 속하니 뜻을 각각 取하는 것이 있다. (解.此舉命中最要者言之.要歸祿,要相停,不可死絕偏黨.享福屬歸祿,眉壽屬相停,義各有所取也.)

가색(稼穡)에서 火가 어두워지면 빛이 없고, 木의 도기(盜氣)는 丙 丁으로 대부분 기인한다. (晦火無光於稼穡,盜木多困於丙丁.)

해석. 이것이 이하(以下)의 바른 말인데, 귀록하지 않고, 상정하지 않으면 향복(享福)과 장수(長壽)를 얻지 못한다. 土는 火가 빛을 가리면 土는 木을 의지하여 소통하고, 木은 본래 火를 生한다. 火가 많으면 도리어 盜氣하니 중화(中和)허지 못한다. (解.此以下正言不歸祿,不相停,故不得享福眉壽.土掩火光,土賴木疏,木本生火.火多則反盜氣,見不中和.)

火는 虛한 불꽃이 있다. (火虛有焰.)

---

34) 소식(消息);천지(天地) 시운(時運)이 돌고 돌아 자꾸 변화(變化)하는 것

해석. 火가 어두워지면 두렵고, 虛하여도 불꽃이 있으면 어둡지 않다. (解.火怕晦,虛則有燄不晦.)

金이 견실(堅實)하면 소리가 없다. (金實無聲.)

해석. 金은 火가 필요한데 火의 단련함이 없으면 견실한 그릇을 이루지 못하니 어찌 소리를 내겠는가? (解.金要火,無火煉則不成器實.何以發聲?)

元理賦(원리부)-4

水가 범람하면 木이 뜨는 것은 활목(活木)이고, 土가 重하면 金이 매몰하는 것은 陽金이다. 水가 盛하면 위태롭고, 火가 밝으면 소멸한다. (水泛木浮者活木,土重金埋者陽金.水盛則危,火明則滅.)

해석. 이것은 또 오행(五行)을 세분(細分)하면 상정(相停)하지 않아도 陰陽의 구별이 있다. 五行이 太過해서는 안 되는데, 가령 水가 범람하면 木이 뜨는데, 乙木은 두려우나 甲木은 그렇지 않다. 土가 重하면 金이 매몰하고, 庚金은 두려우나 辛金은 그렇지 않다. 乙木은 亥에서 死하고, 甲木은 亥에서 長生한다. 庚金은 土에서 나오는 金으로 巳에서 長生한다. 辛金은 水를가진 金으로 子에서 長生한다. 水가 盛하면 범람(氾濫)하여 위태롭다. 火가 밝으면 불타므로 소멸(消滅)한다. (解.此又細分五行不相停,而有陰陽之別.見五行不可太過,如水泛則木浮,在乙木則怕,甲木則否.土重金埋,在庚金則畏,辛金則否.以乙木死於亥,甲木生於亥.庚金出土之金,所以生巳.辛金帶水之金,所以生子.水盛則氾濫,故危.火明則煨燼,故滅.)

陽金은 단련이 太過하면, 변혁(變革)하여 분주하다. 陰木이 귀원(歸垣)하여 失令하면 결국 身弱하게 된다. (陽金得煉太過,變革奔波.陰木歸垣失令,終爲身弱.)

해석. 금실무성(金實無聲)으로 단련이 지나쳐 변혁하여 귀록(歸祿)하면 福을 누리고, 失令하여 身弱하면 중화(中和)를 필요로 한다. 陽金은 土가 重하면 매몰하고, 단련이 太過한데 土가 없으면 두렵다. 陰木이 失令하면 弱한데, 설령 귀원(歸垣)하더라도 수명을 손실한다. 이것은 본래 上文에서 활木과 陽金을 말하고, 또 水土의 양생(養生)이 없으면 안 된다. (解.金實無聲,煉過變革,歸祿享福,失令身弱,見要中和.陽金土重則埋,怕煉大過,是無土也.陰木失令則弱,縱是歸垣,亦損壽也.此本上文活木陽金而言,又不可無水土生養也.)

土가 두터우면 火를 가려서 빛이 없고, 水가 盛하면 木이 표류하여 머무르지 못한다. 五行은 크게 왕성하면 안 되니 八字는 반드시 중화(中和)되어야 한다. (土厚而掩火無光,水盛則漂木無定.

五行不可太盛,八字須得中和.)

해석. 土가 두터우면 火를 어둡게 하여 빛이 없다는 뜻이고, 水가 旺盛하면 水 가 범람하여 木이 뜬다는 뜻이다. 五行의 두 구절로 그것을 총결(總結)한 것인데, 중화(中和)로 돌아갈 뿐이다. (解.土厚即晦火無光之意,水盛即水泛木浮之意.五行二句,又所以總結之,歸於中和而已.)

土가 水의 흐름을 멈추면 福과 수명이 온전하고, 水는 土의 멈춤이 없으면 반드시 상잔한다. (土止水流全福壽,水無土止必傷殘.)

해석. 이것은 아래에서 말할 중화(中和)를 잃어도 五行의 구원이 있으면 吉하다고 論하고, 구조가 없으면 凶하다. 가령 水가 흐르는데 土의 멈춤이 있으면 祿과 壽를 양전(兩全)한다. 나머지는 예(例)를 보고 할 수 있다. (解.此下言失中和,而五行有救,亦作吉論,無救助方凶.如水流而有土止,則祿壽兩全.餘可例見.)

木이 왕성하면 대부분 어질고, 土가 엷으면 신의(信義)가 적다. 水旺하여 원(垣)에 머물면 반드시 지혜가 있고, 金이 견고(堅固)하면 主가 의리를 오히려 행할 수 있다. 金 水는 총명(聰明)하지만 호색(好色)하고, 水土가 혼잡하면 반드시 매우 어리석다. (木盛多仁,土薄寡信.水旺居垣須有智,金堅主義卻能爲.金水聰明而好色,水土混雜必多愚.)

해석. 이 말은 五行의 성품과 기운이 太過한 중에도 각각 왕성한 곳이 있으니 한쪽으로 치우치면 害가 된다. 五行은 사시(四時)로 나누고, 오상(五常)은 五行에 배속하는 것이 자연의 이치이다. 혹 성(盛)하고, 박(薄)하고, 왕(旺)하고, 많고, 혼잡하다. 그리고 인(仁) 의(義) 지(智) 신(信)과 총명하거나 우둔한데, 각각 그 종류를 따를 뿐이다. (解.此言五行性氣太過中,亦各有所盛,偏之爲害也.五行分四時,五常配五行,自然之理也.或盛,或薄,或旺,或多,或混雜.而仁義智信,聰明愚魯,亦各從其類耳.)

장수(長壽)하려면 중화(中和)를 얻어야하고, 요절하는 것은 편고(偏枯)하기 때문이다. (遐齡得於中和,夭壽喪於偏枯.)

해석. 이것은 또 거듭 말하는데, 人命은 중화(中和)를 받는 것이 중요하고, 앞에서 장수하는 팔자는 균정(均停)하다는 뜻이다. 만약 태과(太過)하거나 불급(不及)하면 편고(偏枯)하여 잃은 것인데, 어찌 장수(長壽)를 누릴 수 있겠는가? (解.此又申言人命要稟中和,即前眉壽八字停均之義.若太過不及,失於偏枯,安得遐齡之享哉?)

元理賦(원리부)-5

辰 戌이 剋 制하고 아울러 衝하면 반드시 형법을 범한다. 子 卯가 門戶에서 相刑하면 예절과 德이 전혀 없다. (辰戌剋制併衝,必犯刑名.子卯相刑門戶,全無禮德.)

해석, 이것은 이하에서 제기(提起)할 地支의 相衝 相刑을 말한다. 辰 戌은 괴강인데 반드시 衝하면 凶하다. 子 卯는 母子인데 相刑하면 반드시 혼란하니 衝 刑이 가장 重한 것이고 나머지는 약간 輕하다. 寅 申 巳 亥는 四生의 局인데, 설령 剋 制 刑 衝을 범하더라도 큰 害가 없다. (解.此以下提起地支相衝相刑言之.辰戌魁罡必併衝凶.子卯母子相刑必亂.乃衝刑之最重者.餘稍輕.寅申巳亥爲四生之局,縱犯剋制刑衝,亦無大害.)

印을 버리고 財를 따르면 偏正을 밝힌다. (棄印就財明偏正.)

해석. 앞에서 말한 大貴는, 財를 用하고 印을 用하지 않는다. 財는 偏正이 있고, 印도 역시 偏正이 있다. 정인이 [正]財를 보면 화(禍)가 있지만, 편재가 [正]印을 보면 무방(無妨)하다. 정재가 [正]印을 보면 좋지 않지만 편재가 [正]印을 보면 꺼리지 않는다. 이치가 동일하다. (解.前言大貴者,用財不用印.財有財[偏]正,印亦有偏正.正印見財有禍,偏財見印無妨.正財不喜見印,偏財不忌見印.同此理也.)

[天]干을 버리고 煞을 從하면 강유(剛柔)를 論한다. (棄干從煞論剛柔.)

해석. 앞에서 말한 당권者는 煞을 用하고 印을 用하지 않는다. 煞은 강유가 있으니 天干을 버리고 地支를 從한다. 陽은 剛하고 陰은 柔하고, 金 水 土는 從할 수 있지만 木 火는 從할 수 없다. 從할 수 있고, 從할 수 없는 이치를 밝힌 연후에 印을 用할 수 있는지, 用할 수 없는지 알게 된다. (解.前言當權者,用煞不用印.煞有剛柔,棄天干而從地支.陽剛陰柔,金水土可從,木火不可從.明可從不可從之理,然後知印可用不可用也.)

상관은 財에게 의지할 수 없으면 비록 교모할지라도 반드시 가난하다. 食神이 煞을 制하는데 梟[神]을 만나면 가난하지 않으면 요절한다. (傷官無財可倚,雖巧必貧.食神制煞逢梟,不貧則夭.)

해석. 상관과 食神은 같은 종류지만, 상관은 官을 손상하니 命중에서 가장 꺼린다. 財가 있으면 좋은데, 상관이 財를 生하고, 財는 官을 生하기 때문이다. 무시(無時)로 가난하다고 단정한다. 食神이 煞을 制하는데 命에서 효신을 만나면 가장 두려운데, 효신은 식신을 겁탈하고, 煞은 制가 없으면 身을 剋하기 때문에 요절한다. (解.傷官食神同類,傷官剝官,命中最忌.有財亦好,以傷生財,財生官故也.無時則以貧斷.食神制煞,命中最怕逢梟,以梟奪食,煞無制則剋身故夭.)

남자는 양인이 많으면 반드시 중혼(重婚)하고, 여자가 상관을 범하면 반드시 재가(再嫁)한다. (男多陽刃必重婚,女犯傷官須再嫁.)

해석. 양인이 煞을 만나 상정(相停)하면 진실로 主는 貴하지만 대부분 妻를 손상한다. 남자는 財가 妻인데, 刃이 剋 制하므로 중혼(重婚)한다. 상관은 財가 있으면 의지할 수 있으니 진실로 主가 貴하지만 여자는 남편을 손상한다. 여자는 官이 남편인데 상관이 剋 制하기 때문에 재가(再嫁)한다. (解.羊刃逢煞相停,固主貴矣,多則傷妻.男以財爲妻,刃則剋制,故重婚.傷官有財可倚,固主貴矣,女則傷夫.女以官爲夫,傷則剋制,故再嫁.)

元理賦(원리부)-6

빈천한 것은 모두 官이 손상당한 때문이다. 孤寡는 단지 財神이 겁탈당한 것이다. (貧賤者,皆因官處遭傷.孤寡者,只爲財神被劫.)

해석. 官은 祿이고, 祿이 있는데 어찌 빈천하겠는가? 신왕하고 官이 미약한데 다시 상관運으로 行하면 배록(背祿)이라 하여 官이 없으니 어찌 빈천하지 않겠는가? 財는 妻인데, 妻가 있으면 어찌 고독(孤獨)하겠는가? 財가 적은데 신왕을 만나고, 다시 겁재運으로 行하면 축마(逐馬)라 하여 妻가 없으니 마땅히 고과(孤寡)에 해당한다. 人命에서 財官이 가장 중요한 것이로다! (解.官爲祿,有祿,安得貧賤?身旺,得官微,復行傷官運,謂之背祿,則無官矣.安得不貧賤?財爲妻 , 有妻安得孤獨?財少遇身旺,複行劫財運,謂之逐馬,則無妻矣,宜乎該孤寡.財官其人命之最要者歟!)

財가 旺地에 임한 사람은 福이 많고, 官이 長生을 만난 命은 반드시 영화롭다. (財臨旺地人多福,官遇長生命必榮.)

해석. 앞에서 말한 식상이 財를 生하면 旺한데, 이것을 직언(直言)하면 財가 旺地에 임한 것이다. 가령 甲은 戊 己가 財인데, 巳 午의 地支에 居하면 旺하게 된다. 앞에서 말한 財旺하여 官을 生하는 이것을 직언(直言)하면 官이 長生을 만난 것이다. 가령 甲은 庚 辛이 官인데, 巳 子의 地支에 居하면 長生이 된다. 둘은 반드시 신왕해야 비로소 主는 福이 있고 영화로우며 貴하다. (解.前言食傷生財爲旺,此則直言財臨旺地.如甲以戊己爲財,居巳午之地爲旺.前言財旺生官,此則直言官遇長生.如甲以庚辛爲官,居巳子之地爲生.二者必須身旺,方主有福榮貴.)

거살유관(去煞留官)하면 福으로 論하고, 거관유살(去官留煞)하면 [지위가] 낮게 되지는 않는다. (去煞留官方論福,去官留煞不爲卑.)

해석. 人命에서 관살혼잡을 가장 두려워하고, 官을 用하면 단지 官을 用하고, 煞을 用하면 단지 煞을 用한다. 따라서 거류(去留)가 있어야 비로소 貴를 말할 수 있다. 상관과 양인은 人命에서 만나면 대부분 吉하지 않다. 거관유살 거살유관을 用하면 혹자(或者)도 福으로 論하였다. (解.

人命最怕官煞混雜,用官只用官,用煞只用煞.故有去留,方可言貴.如傷官羊刃,人命逢之多不吉.用之去官留煞,去煞留官,或者亦作福論.)

정관을 보면 결국 녹봉(祿俸)인 것과 칠살을 만나면 명성이 있는 것을 어찌 아는가? (豈知遇正官卻終俸祿.逢七煞乃有聲名.)

해석. 정관과 칠살은 군자와 소인으로 구분한다. 어찌 군자가 소인보다 못하겠는가? 정관이 비록 순수(純粹)할지라도 칠살 하나가 제복(制伏)되면 貴와 명예가 있다. 만약 순수한 정관이면 발복(發福)이 장구(長久)한데, 어찌 칠살과 비교하겠는가? 이것은 그 편중(偏重)한 것을 들추어내어 말한다. (解.正官七煞,君子小人之分也.豈君子不如小人?正官雖得純粹,七煞一有制伏,便發貴有聲.若正官純粹,發福悠長,豈七煞之比?此舉其偏重者言之.)

상관을 만나는데 도리어 夫를 보면 財命이 氣가 있어야하고, 효신을 만나면 子(자식)의 상(喪)을 당하고, 福氣가 의지할 데가 없다 .(逢傷官反見夫,財命有氣.遇梟神而喪子,福氣無依.)

해석. 여자의 命에서는 상관을 가장 두려워하는데, [상관이]있으면 夫를 손상하는 그 이치를 알기 쉽다. [柱]내에 상관이 있어도 도리어 夫를 보면 재명이 유기해야 상관이 財를 生하고, 財가 관성을 生하여 夫가 되는 까닭이다. 여자의 命에서 食神은 子(자식)이고, 효신을 만나면 食神을 겁탈하는데, 비록 자식이 태어나더라도 존재하지 못한다. 여자는 자식을 의지하여 福이 되고, 이미 자식이 없는데, 또 어찌 福이라 말할 수 있겠는가? 여자의 命은 부자(夫子)의 두 星이 중요하기 때문에 상관 식신을 들어 말하는 것이다. (解.女命最怕傷官,有則傷夫,其理易曉.內有傷而反見夫者,乃財命有氣,傷官生財,財生官星爲夫故也.女命以食神爲子,遇梟奪食,雖生子不存.女倚子爲福,既無子,又何福之可言?女命重夫子二星,故舉傷官食神言之.)

元理賦(원리부)-7

天干에 煞이 나타나고 制가 없으면 賤하다. 地支에 財가 숨어 暗으로 生하면 기묘(奇妙)하다. (天干煞顯,無制者賤.地支財伏,暗生者奇.)

해석. 人命에서 煞이 重하니, 앞에서 오직 煞을 말하는데, 刃合, 食制, 從煞이 필요하다. 만일 不合, 不制, 不從하고 天干에 나타나면 煞은 무정(無情)하기 때문에 主는 빈천(貧賤)하다. 人命에서 財는 福이니, 앞에서 오직 財를 말하는데, 상관의 生, 衝破, 食神의 旺함이 필요하다. 단지 財는 노출을 좋아하지 않으며 암장이 필요하고, 地支중에 暗物이 있어 生하면 主가 풍후(豐厚)하기 때문에 특히 기묘(奇妙)하게 된다. (解.人命以煞爲重,前專以煞言,要刃合,要食制,要從煞.如不合不制不從,天干顯,則煞爲無情,故主貧賤.人命以財爲福,前專以財言,要傷生,要衝破,要食旺.但財不喜露,要

藏,地支中有暗物以生之,則主豐厚,故爲奇特.)

셋의 戌이 辰을 衝하면 禍가 적지 않다. (三戌衝辰禍不淺.)

해석. 괴강이 相衝하면 가장 두려우니 不吉하다. 만약 상정(相停)하면 財官의 庫가 되니 꺼리지 않는다. 가령 셋의 戌과 하나의 辰으로 甲辰 일주면 財를 탐하여 禍가 발생하는데, 지망(地網)이 천라(天羅)를 衝하므로 꺼리는 것이다. (解.尅[魁]罡最怕相衝,不吉.若相停,爲財官庫不忌.如三戌一辰,甲辰日主,貪財生禍,以地網衝天羅,所以忌之.)

양간(兩干)이 부잡(不雜)하면 명리(名利)를 고루 갖춘다. (兩干不雜利名齊.)

해석. 양간(兩干)은 부잡(不雜)을 얻기 어려우니, 主가 명리(名利)를 겸전(兼全)하지만, 그러나 전부 貴하다고 말해서는 안 된다. 혹시 財 煞이거나, 官 印이거나, 煞 刃이거나, 五行이 成象하여 다시 格局에 들어야 貴하다고 論한다. (解.兩干難得不雜,故主利名兼有,然不可一概言貴.或是財煞,或是官印,或是煞刃,或五行成象,更入格局,方作貴論.)

丙子 辛卯는 相刑하여 황음곤랑(荒淫滾浪;음탕한 짓을 계속한다.)이다. (丙子辛卯相刑,荒淫滾浪.)

해석. 丙 辛의 合, 子 卯의 刑으로 天干은 合하고 地支는 刑한다. 丙 辛은 水의 象이고 子 卯는 무례(無禮)하다. 따라서 主가 황음곤랑(荒淫滾浪)한데, 지극히 음란하다고 말한다. 여자의 命은 더욱 꺼린다. (解.丙辛合,子卯刑,干合支刑.丙辛水象,子卯無禮.故主荒淫滾浪,言極淫也.女命尤忌之.)

子 午 卯 酉를 전부 갖추면 주색(酒色)으로 정신이 혼미하다. (子午卯酉全備,酒色昏迷.)

해석. 上의 子 卯가 重하고, 아울러 午 酉를 論하면 사패(四敗)의 局인데, 부르길, 편야도화(遍野桃花)煞이라 말한다. 전부 갖추면 대부분 貴하지만 단지 主가 주색으로 정신이 혼미 한데, 女命에서는 더욱 꺼린다. (解.上重子卯,此併論午酉,爲四敗之局,號曰遍野桃花煞.全備者多貴,但主酒色昏迷.女命尤忌之.)

元理賦(원리부)-8

財로 인해 禍가 이르는데, 食神을 탐하면 여러 질병이 생긴다. 조카가 후사(後嗣)를 잇고, 의붓딸이 있는 여자가 妻가 된다. (因財致禍,貪食種疾.姪男爲嗣,義女爲妻.)

해석. 위의 말은, 財는 복장(伏藏)해야 기이(奇異)하고, 그런데 財의 무리는 다투는 것이 있는데, 따라서 양인 겁재가 있으면 財로 인해 禍가 이르니, 財를 단독으로 보아서는 안 된다. 위의 말은, 食神이 煞을 제하면 기묘(奇妙)한데, 그러나 食神은 사람이 탐하는 것이기 때문에 효신이 있어 탈식(奪食)하면 食神으로 인해 질병이 생기고, 食神을 보면 탐내서는 안 된다. 남자는 官煞이 子[자식]인데, 가령 양인이 財 官 煞을 겁탈하는 그것을 用하면 이것은 아우와 형은 자식이 있어도 나는 자식이 없기 때문에 조카로 후사를 잇게 된다. 편재 정재는 妻인데, 만일 柱중에 財가 정위(正位)에 없고 다른 官에 기생(寄生)하면, 이것은 다른 사람을 아내로 맞아 양녀(養女)가 있으므로 主는 의붓딸이 있는 여자를 妻로 삼는다. (解.上言財要伏藏爲奇,然財者衆所爭,故有羊刃劫則因財致禍,見財不可專也.上言食神制煞爲妙,然食者人所貪,故有梟神奪,則因食生疾,見食不可食[貪]也.男以官煞爲子,如羊刃劫財官煞爲彼用,是弟兄有子,而我無子,故以姪男爲嗣.以偏正財爲妻,如柱中無財正位,而寄生別官,是娶他人所養女,故主義女爲妻.)

日時가 卯 酉로 相衝하면 시생(始生)하니 반드시 主가 옮긴다. 조화(造化)로 인해 戌 亥를 만나면 평생토록 신기(神祇)를 믿고 공경한다. (日時相衝卯酉,始生必主遷移.造化因逢戌亥,平生敬信神祇.)

해석. 이것은 다시 말하면, 地支중의 卯 酉는 日 月의 문호(門戶)인데, 日 時에서 이를 만나면 主는 옮겨서 일정하지 못한다. 戌 亥는 天門으로 日 月에서 이를 만나면 대부분 신기(神祇)를 믿으며 공경하고, 혹 승(僧)도(道)가 된다. (解.此又言地支中卯酉日月門戶,日時遇之,主遷移不定.戌亥爲天門,日月逢之,多敬信神祇,或僧道也.)

陰이 陰을 剋하고, 陽이 陽을 剋하는 財神은 유용(有用)하다. 官은 官이 없고, 鬼는 鬼가 없어도 태왕하면 기울며 위태롭다. (陰剋陰,陽剋陽,財神有用.官無官,鬼無鬼,太旺傾危.)

해석. 人命은 財 官이 중요하므로 다시 들추어서 이를 설명한다. 사람은 모두 정재만 用하는 줄 알지만 陰이 陰을 剋할 수 있고, 陽이 陽을 剋할 수 있음을 알지 못한다. 편재가 정재보다 뛰어나니 조화로 도리어 用을 얻게 된다. 官은 없으면 안 되는데 官이 많으면 도리어 主는 무관(無官)으로 불길(不吉)하다. 煞은 있으면 안 되는데 煞이 많아 그 鬼를 從하면 도리어 害가 되지 않는다. 요지는 모두 태왕한데 身이 衰弱하면 대적할 수 없으니 위태로운 것이다. (解.人命以財官爲重,故又舉而言之.人皆知正財爲用,不知陰能剋陰,陽能剋陽.偏財勝乎正財,造化反爲得用.官不可無,官多反主無官,不吉.煞不可有,煞多得從其鬼,反不爲害.要之皆爲太旺,身衰不能敵,傾危之道也.)

局을 얻고 원(垣)을 잃으면 평생토록 뜻을 이루지 못한다. 귀원(歸垣)하고 局을 얻으면 젊은 나이에 헌헌장부이다. (得局失垣,平生不遂.歸垣得局,早歲軒昂.)

해석. 득국은 삼합局이다. 귀원은 천간의 귀祿이다. 人命은 生旺한 국세(局勢)를 이루어야 福이 된다는 말이다. 만약 得局하여도 실원하면 비록 천간이 류상(類象)이고 地支가 三合할지라도 오히려 일간이 休 囚 死 敗한 地支가 되어 평생토록 뜻을 이루지 못한다. 만약 得局하고 다시 귀원(歸垣)하면 五星이 승전입원(升殿入垣)하니 득지 得時를 일컫는데, 반드시 主는 젊은 나이에 發福한다. 곡직 윤하등의 格은 곧 得局 귀원한 것이다. (解.得局,三合局也.歸垣,干歸祿也.此言人命要生旺成局勢爲福.若得局失垣,雖天干類象.而地支三合,卻爲日干休囚死絕之地,亦平生不遂.若得局又歸垣,如五星升殿入垣,乃得地得時之謂也.決主早歲發福.曲直潤下等格,即得局歸垣.)

元理賦(원리부)-9

命에서 효신을 만나도 부잣집은 운영(運營)한다. 용장(龍藏)의 亥 卯는 장사로 재물의 이익이 있다. 財 官이 함께 敗하면 죽고, 食神이 梟를 만나면 凶하다. (命遇梟神,而與富家營運.龍藏亥卯,經商利賂絲緡.財官俱敗者死,食神逢梟者凶.)

해석. 효신은 진실로 나쁘다 할 수 있는데, 소인이 얻으면 有用하다. 그것을 부가영운(富家營運)이라 일컫는다. 가령 甲은 丙火가 食神인데, 丙이 戊土를 生할 수 있으니 甲의 財이고, 壬水는 오히려 甲木의 효신으로 戊를 얻으면 구사(驅使)하고, 丙火는 甲木을 의탁하여 도리어 相生을 바꾸는데, 주객(主客)의 道이기 때문이다. 또한 장사를 스스로 운영하게 되는 것을 용장해묘(龍藏亥卯)라 일컫는다. 寅은 청룡, 巳는 태상, 亥 卯 未는 木局이다. 八字에 용장(龍藏)하는 亥 卯 未는 용신이 되거나, 혹 用財하면, 모두 主는 사민(絲緡)의 이익이 있다. 財官은 祿馬로 사람에게 가장 긴요(緊要)하다. 만약 모두 敗 絶하는 地支에 있고 혹 行運에서 다시 敗 絶에 이르면 용신은 氣를 손실하는데, 어찌 죽지 않을 수 있겠는가? 食神은 사람에게 작성(爵星)으로 財를 生하고 煞을 制하여 命중에 긴요(緊要)하다. 효(梟)를 만나면 食神을 빼앗겨 煞을 制하지 못하거나, 財를 生하지 못하는데 어찌 凶하지 않을 수 있겠는가? (解.梟神固可惡,小人得之有用,謂其與富家營運.如甲用丙火爲食,丙能生戊土,爲甲之財,壬水卻爲甲木梟神,受戊驅使,丙火以托甲木,反換相生,爲主客之道故也.亦有爲商自營運者,謂龍藏亥卯.寅爲青龍,巳爲太常,亥卯未木局.八字龍藏亥卯未爲用神者,或用財,皆主絲緡之利.財官爲祿馬,人最緊要.若俱在敗絕之地,或行運又到敗絕,用神損氣,安得不死?食神人之爵星,生財制煞,命中緊要.逢梟奪食,煞無所制,財無所生,安得不凶?)

命에서 丁巳 고란[煞]을 만나면, 총명한 시녀(詩女:詩를 짓는 여자)이고, 라형 목욕日을 범하면 음탕한 기운이 넘쳐흐른다. (丁巳孤鸞命遇,聰明詩女,裸形沐浴日犯,濁濫荒淫.)

해석. 이것은 女命을 論하는데 남자도 동일하다. 고란[煞]은 甲寅 丁巳 戊申 辛亥등의 日로 四生地에 坐하므로 대부분 총명하다. 라형(裸形) 목욕(沐浴)은 곧 子 午 卯 酉로 사패지인데, 月 時에서 범하면 무방(無妨)하지만 단 일간에 坐하면 두렵다. 가령 甲子 庚午 丁酉 癸酉등의 日이면 身이 도화살에 坐하고 다시 合을 만나면 음탕한 기운이 넘쳐흐른다. (解.此論女命,男亦同.孤鸞乃

甲寅丁巳戊申辛亥等日,坐四生之地,故多聰明.裸形沐浴,即子午卯酉四敗之地也.月時犯無妨,只怕日干自坐.如甲子庚午丁卯癸酉等日.身坐桃花煞,再遇帶合,故主濁濫荒淫.)

丁이 卯일을 만나고 己土를 보면 음식을 탐하는 사람이다. 亥는 장신(漿神=음료)인데 酉金을 만나면 기배(嗜盃)의 客이다. (丁逢卯日,遇己土饕食之人.亥乃漿神,逢酉金嗜盃之客.)

해석. 丁의 干이 卯木에 坐하면 梟인데, 만약 己土를 만나면 食神이 되므로 主가 음식을 탐하거나, 혹 음식으로 인해 재앙이 발생한다. 亥는 등명인데, 酉는 水를 더하면 주(酒=술)가 되니, 酉일 生인이 亥를 만나면 반드시 술[잔]을 탐하고, 다시 刑 衝을 하면 主는 낙백(落魄=넋을 잃다.)하는데, 혹 술로 인해 죽는다. (解.丁干坐卯木爲梟,若遇己爲食,故主貪食,或因食生災.亥爲登明,酉加水爲酒,酉日生人逢亥,必主貪盃,更帶刑衝,主落魄,或酒死.)

귀록은 財가 있으면 福을 얻고, 財가 없는 귀록은 반드시 가난하게 된다. (歸祿得財而獲福,無財歸祿必須貧.)

해석. 귀록하여 신왕하면 財를 用하고, 財가 없으면 귀록은 쓰임이 없다. 상관 식신을 얻으면 財月을 生하니 吉하다. 다시 官煞을 만나면 財氣를 훔쳐가기에 두렵다. (解.歸祿身旺,故用財,無財而專歸祿無用.得傷官食神生財月吉.又怕見官煞,竊財之氣.)

元理賦(원리부)-10

財와 印이 혼잡하면 결국 곤욕을 당하게 되고, 편정(偏正)이 착란(錯亂)하면 반드시 身을 손상한다. (財印混雜,終爲受困,偏正錯亂,必致傷身.)

해석. 탐재괴인(貪財壞印)하며 혼잡을 꺼린다. 만약 먼저는 財이고 후에 印이면 도리어 主는 그 福을 이루지만 이것을 論하지는 않는다. 관살혼잡하면 거류(去留)하여도 길(吉)하다. 만약 착란(錯亂)하면 身을 손상하여 凶이 된다. 女命에 편정(偏正)이 착란(錯亂)하면 더욱 불길하다. 여자를 선택할 경우 반드시 알아야한다. 혹 말하길, 偏正은 財의 편정과 印의 편정을 가리키는 말인데, 그러나 身을 손상하면 通하기 어렵다. (解.貪財壞印,故忌混雜,若先財後印,反主成其福,不以此論.官煞混雜,有去留亦吉.若錯亂,則傷身爲凶.女命偏正錯亂,尤爲不吉.擇婦者須知之.或曰,偏正就指財之偏正印之偏正言,但於傷身難通.)

太歲는 전투(戰鬪)하는 것을 꺼리고, 양인은 刑 衝을 좋아하지 않는다. (太歲忌逢戰鬥,羊刃不喜刑衝.)

해석. 이것은 일간과 세군이 서로 범한 禍福을 論하는데, 만약 日이 세군을 범하면 歲로써 용신하여도 허물이 없다. 가령 6壬일은 丙 丁이 財인데, 柱중에 원래 根이 있으면 비록 太歲를 범할지라도 도리어 吉하게 된다. 신왕하면 凶하고, 身弱하면 허물이 없다. 日과 運이 함께 범하면 主는 大凶하다. 五行의 구원이 있어도 분수(分數)를 감한다. 천충지격(天衝地擊)을 가장 두려워하는데, 마땅히 오묘한 性情 陰陽 物元 眞理를 살펴야한다. 또 6乙인이 己의 歲運을 만나면 활木이 활土를 剋하여 오히려 생의(生意)가 있고, 財의 근원을 더한다. 6甲생인이 戊의 歲運을 만나면 死木이 死土를 剋하여 不吉한데 重하면 상신(喪身)한다. 양인格은 歲運에서 刑 衝하면 좋지 않는데 소인이 그것을 범하면 안 된다. 가령 八字에 이미 양인이 있어 많은 煞을 제복(制伏)하는데, 양인의 歲運으로 行하면 역시 凶하다. 처음에 財가 있는데 거듭 重하고 刑 衝 전투(戰鬪)로 손상하면 主는 헤아릴 수 없는 재앙이 나타난다. 經에서 이르길, 양인이 세군을 衝 合하면 갑자기 재앙에 이르는 것이다. 전투는 太歲를 들고, 刑 衝은 양인을 들어서 그 가장 중요한 것을 말한다. (解.此論日干與歲君相犯禍福.若日犯歲君,以歲爲用神者無咎.如六壬日,以丙丁爲財,柱中原有根,雖犯太歲,反爲吉.身旺者凶,弱者無咎.日與運俱犯之,方主大凶.五行有救,亦減分數.最怕天衝地擊,當妙察性情陰陽物元眞理.且如六乙人,逢己歲運,活木剋活土,卻有生意,財源倍有.六甲生人,逢戊歲運,死木剋死土則不吉,重者喪身.羊刃格不喜歲運刑衝,小人不可犯之.如八字既有羊刃,多煞制伏,行羊刃歲運亦凶.元有財者更重.帶傷衝刑戰鬥,主禍出不測.經云,羊刃衝合歲君,勃然禍至是也.戰鬥獨舉太歲,刑衝獨舉羊刃,指其所最重言也.)

庚이 丙을 만나 혼란하면 대부분 어질지 못하고, 癸가 戊를 쫓아 合하면 소장(少長=젊은이와 늙은이)이나 무정(無情)하다. (庚逢丙擾,多有不仁.癸從戊合,少長無情.)

해석. 이것은 사람의 성정(性情) 심술(心術)을 말하는데, 金 火가 相刑하면 이 病이 있고, 또 主人이 강폭(剛暴)하다. 癸는 소음(少陰)이고 戊는 노양(老陽)인데, 癸 戊가 비록 合하여 化할지라도 無情한 合이기 때문에 소장(少長)으로 말한다. 男命은 戊일이 癸를 보면 어린나이의 아내에게 장가든다. 女命은 癸일이 戊를 보면 반드시 나이 많은 남편에게 시집간다. (解.此言人之性情心術.金火相刑,故有此病,且主人剛暴.癸爲少陰,戊爲老陽,癸戊雖合化,乃無情之合,故以少長言之.男命戊日見癸,當娶少年之婦.女命癸日見戊,必嫁老年之夫.)

부종불화(不從不化)하면 벼슬길에 오래 머무는 사람이고, 득화득종(得化得從)하면 현달(顯達)하여 공명(功名)있는 선비이다. (不從不化,淹留仕路之人.得化得從,顯達功名之士.)

해석. 月氣에 통근하지 못하며 時에도 귀(歸)하는 것이 없고, 다시 고신(孤神)을 범하면 부종불화(不從不化)한다. 만약 월기에 통근하며 時에 귀(歸)하는 것이 있으면 종화(從化)로 論한다. 夫가 旺하면 夫로 化하여 從하고, 妻가 旺하면 妻로 化하여 從한다. 사람의 행적이 어찌 하나의 일에 멈추어 수립하고 종신토록 개정이 없기 때문에 종화格을 이루면 富貴를 갖추는 것이다. 먼저 종화(從化)를 論하고, 후에 財官을 論한다. 從은 天干에 地支를 從하는데, 가령 乙이 8月에 生하면

地支에 金이 重하니 金으로 論하는 것이다. (解.不通月氣,時無所歸,又犯孤神,不從不化也.若通月氣,時有所歸,則以從化論.夫旺從夫化,妻旺從妻化.人之行藏,豈止一事而立,終身無改,故從化成格,則富貴備矣.先論從化,後論財官.從以天干從地支,如乙生八月,地支重金,則以金論是也.)

元理賦(원리부)-11

化는 祿이 旺한 곳으로 나아가면 生하고, 化는 祿이 絶한 곳으로 돌아가면 死한다. (化行祿旺者生,化歸祿絶者死.)

해석. 이것은 得化 得從을 말하는데, 祿이 旺해야하고 死絶해서는 안 된다. 대개 化는 조화를 이루고, 本局은 祿이 旺하게 나아간다. 가령 丁 壬의 化木하여 월영이 春절이고, 혹 東南방 運은 生하는데, 金鄕으로 行하고 혹 時에서 申 酉의 地支를 만나면 死한다. (解.此言得化得從,要得祿旺,不要死絶.蓋化成造化,行本局祿旺.如丁壬化木,月令春,或東南方運爲生.行金鄕,或時遇申酉之地爲死.)

生地가 서로 만나면 장년(壯年)에 불록(不祿)한다. 時가 敗地로 돌아가면 노후(老後)는 끝내 없다. (生地相逢,壯年不祿.時歸敗地,老後無終.)

해석. 生地가 상봉(相逢)하면 命은 이미 장생 임관에 있고, 행운에서 다시 이를 만난 것이다. 가령 庚 辛의 임관 제왕은 申 酉에 있고, 丙 丁은 官이고, 甲 乙은 財가 된다. 火는 申 酉運에 이르면 病 死로 庚 辛은 官이 없는 것이다. 木은 申 酉運에 이르면 死 絶로 庚 辛은 財가 없는 것이다. 財 官이 함께 敗하여 용신이 破하고 손상하면 비록 장년(壯年)이더라도 불록(不祿=사망)한다. 時는 결과(結果)인데, 사람의 생시(生時)는 五行의 敗地에 머물러서는 가장 안 된다. 金은 午에서 敗하고, 木은 子에서 敗하고, 水 土는 酉에서 敗하고, 火는 卯에서 敗한다. 時는 末의 主가 되는데, 만약 敗地에 머물면 主가 만년(晩年=노년)에 암담하며 막히고, 파(破)敗가 끝이 없다. (解.生地相逢,是命已有長生臨官,行運復遇之.如庚辛臨官帝旺在申酉,用丙丁爲官,用甲乙爲財.火至申酉運則病死,是庚辛無官也.木至申酉運則死絶,是庚辛無財也.財官俱敗,用神破傷,雖壯年不祿.時爲結果,人之生時,最不可居於五行敗地.金敗午,木敗子,水土敗於酉,火敗卯.時爲末主,若居敗地,主晩年晦滯,破敗無終.)

丁이 酉金에 坐하여 丙辛을 만나면 후손이 끊어지고, 財가 煞(位)에 임하면 父가 사망하여 집으로 돌아오지 못한다. (丁坐酉金,丙辛遇之絶嗣,財臨煞位,父死而不歸家.)

해석. 丙은 壬이 子(자식)인데, 壬은 酉에서 敗[地]이고, 辛은 丙이 자식인데 丙은 酉에서 死한다. 時는 자식宮으로 이미 敗 또는 死인데, 어찌 후손이 있을 수 있겠는가? 만일 후손이 있다면

父는 반드시 사망한다. 人命에서 財는 父인데, 財煞이 동궁하면 父가 있기 어렵다. 가령 庚 辛은 甲이 父인데, 年 月 時에 甲申을 만나 煞宮에 坐하고, 歲運에서 煞旺하면 主의 父는 타향에서 사망한다. 혹 이르길, 煞 劫殺은, 財가 劫煞에 坐하고, 다시 父位이면 부(賦)의 뜻에 준(准)하여도 역시 통한다. (解.丙用壬爲子,壬敗於酉,辛用丙爲子,丙始[死]於酉.時乃子宮,既敗且死,豈有嗣乎?如有嗣,則父必不祿.人命以財爲父,財煞同宮,則難爲父.如庚辛用甲爲父,年月時見甲申,坐煞宮,歲運煞旺,主父死他鄉.或云,煞,劫殺,財坐劫煞,更父位,准賦義亦通.)

八字의 干支가 같은 종류인데, 歲運에서 煞이 모이면 凶이 많다. (八字干支同類,歲運會煞多凶.)

해석. 干支가 같은 종류인데, 가령 甲寅 乙卯 丙午 丁未, 庚申 辛酉 壬子 癸丑, 戊午 己未 戊戌 己丑인 것이다. 歲運에서 煞이 모이면 반드시 主가 사망한다. 그것은 强함을 믿고 煞과 상쟁(相爭)함으로써 煞이 마침내 身을 剋하기 때문이다. (解.支干同類,如甲寅乙卯丙午丁未,庚申辛酉壬子癸丑,戊午己未戊戌己丑是也.歲運會煞,必主不祿.以其恃強與煞相爭,煞竟剋身故也.)

만약 관심을 갖고 자세히 살펴볼 수 있으면 귀천(貴賤)은 조금도 실수가 없다. (若能詳觀玩覽,貴賤萬不失一.)

해석. 내의 견해로 옛 주해(註解)를 분석하고 파쇄(破碎)하여 부(賦)의 의도를 잃은 것도 있다. 따라서 간략하게 아래에 주해(註解)하여 분명히 저자(著者)의 뜻을 말하였다. (解.余見舊註分析破碎,有失賦旨.故略註於下,以明作者之意云.)

2. 眞寶賦(진보부)-1

명나라, 병부상서 만기찬, 만육오 해석. (明兵部尚書萬騏撰,萬育吾解.)

관성에 刃이 있는데 剋 破가 없으면 병권과 형권을 장악한다. 財와 印이 서로 돕고 刑 衝이 없으면 정승의 貴에 오른다. (官星帶刃無剋破,掌兵刑之大權.財印相資沒刑衝,登黃閣三公之貴.)

해석. 정관格은 양인 및 財와 印이 서로 도우면 좋다. 상관이 있으면 剋하고, 刑 衝하면 破한다. 印이 없고 刃이 없는데, 단지 재성의 도움이 있어도 역시 吉하다. 歲도 동일하다. (解.正官格.喜羊刃及財印相資.有傷則剋,有刑衝則破.無印無刃,只有財星資助亦吉.歲同.)

財官이 生旺한데 印綬를 만나면 미원헌부(薇垣憲府)의 존경을 받는다. 印財가 三合하여 온전히 회국(會局)하면 오마제후(五馬諸侯)의 貴에 오른다. (財官生旺逢印綬,拜薇垣憲府之尊.三合印財會

局全,登五馬諸侯之貴.)

해석. 財官이 生旺한 格인데, 柱에 편인 정인이 있고, 다시 三合하여 印局이나 혹 財局이 되면 吉하다. (解.財官生旺格.柱有偏正印,再三合印局或財局,吉.)

상관이 劫 刃을 만나면 명시(明時)에 장상(將相)을 겸하고, 印綬가 도우면 어린나이에 입신출세 한다. (傷官逢劫刃,兼將相於明時.印綬若相扶,登龍門於早歲.)

해석. 상관格은 身弱하면 양인과 印綬가 도우는 것을 기뻐하니 곧 吉하다. (解.傷官格身弱,喜刃印相資扶則吉.)

상관이 食神의 거듭된 도움을 얻으면 인각(麟閣=공신각)에 위상(魏相)의 功을 도모하고, 歲運에서 제복 刑 衝을 견디는데 재차 상관을 만나면 재앙이 된다. (傷官得食神重輔,麟閣圖魏相之功.歲運忍制伏刑衝,再傷官而禍至.)

해석. 상관이 식신을 얻어 중첩(重疊)하여 서로 도우면 吉하다. 刑 衝을 꺼리는데 제복이 태과하고 다시 상관運으로 行하면 헤아릴 수 없는 재앙이 찾아온다. 柱중에 官이 없는데 財官運으로 行하면 좋다. 印이 없는데 印綬運으로 行하면 좋으니 主가 관직을 옮긴다. 歲運도 동일하다. (解.傷官得食神,重疊相扶,吉.所忌刑衝,及制伏太過.復行傷官運,不測災來.柱中無官,喜行財官運.無印,喜行印綬運,主遷官.歲運同.)

財가 칠살을 도우면 권위(權威)가 만인(萬人)을 압도한다. 印이 도우면 관직이 극품에 머문다고 단정한다.(財資七煞,威權獨壓萬人.印若相扶,斷定官居極品.)

해석. 칠살格은 財가 도우면 기쁘고, 또 印의 化를 얻으면 가장 吉하다. 그런데 煞은 主에게 권력이 있음으로 印을 얻으면 主는 극품(極品)이 된다. (解.七煞格.喜財資助,又得印化最吉.惟煞故主有權,得印故主極品.)

月에 煞 刃이 함께 모였으면 영명(英名)한 한실(漢室)의 곽광(霍光)받는 무리이고, 時歲에 다시 印 財를 지니면 높은 자리에 중흥(中興)하는 등우(鄧禹)와 같다. (月會既同煞刃,英名儔漢室之霍光.時歲復帶印財.高位埒中興之鄧禹.)

해석. 칠살 劫 刃이 월령에 함께 있고, 歲 時에 財 印이 있으면 가장 貴하다. 뜻은 상문(上文)과 같으나 단지 이것은 刃을 겸한다는 말이다. (解.七煞劫刃,同在月令,歲時有財有印最貴.義同上文,但此又兼刃言也.)

眞寶賦(진보부)-2

煞은 실시(失時)하며 印이 무기(無氣)한데 다시 主가 旺하면 평범함을 담당한다. (煞失時而印無氣,更主旺而任常流.)

해석. 칠살 印綬가 權을 갖지 못하고 일간이 自旺하면 용신이 경미(輕微)하니 청랭한 한직에 불과하다. 歲運에서 財 煞로 行하면 吉하다. (解.七煞印綬,若不當令司權,而日干自旺,用神輕微,不過清閒冷淡之職.歲運行財煞則吉.)

印이 사령(司令)하고 煞이 상부(相扶)하는데 다시 財를 만나면 관직이 한원(翰苑=한림원, 예문관)이다. (印司令而煞相扶,再見財而官翰苑.)

해석. 인수格은 월령이 필요하고, 일지가 거듭 生을 얻으면 氣가 旺하여 刑 衝 破 害를 만나지 않는다. 하나의 煞과 하나의 財를 얻으면 妙한데 太過는 좋지 않다. 財와 印이 함께 머물면 평범하게 흘러간다. 부(賦)에서 또 이르길, 印綬를 거듭 만나면 관직이 한원에 머무는 것이다. (解.印綬格要當時月令,日支又得重生,氣旺不見刑衝破害.稍得一煞一財爲妙,太過不宜.財印兩停乃常流也.賦又云,印綬重逢,官居翰苑是也.)

시상편재가 官을 보면 젊은 나이에 과거에 급제하여 이름이 붙고, 다시 食神이 도우면 소년시절에 용안(龍顔)을 뵙는다. (偏財時上見官,早歲名標金榜.更得食神相輔,少年日近天顔.)

해석. 시상편재格이 歲 月에 관성이 있으며 다시 식신의 도움을 얻으면 上文에 준한다. 비겁을 꺼리는데 비[겁]을 만나면 백에 하나도 이룰 것이 없다. (解.時上偏財格,歲月有官星,又得食助,准上文.忌比劫逢比,百無一遂.)

福德은 財를 보고 官이 숨으면 지극히 높은 곳에 머물러 중책을 맡는다. 柱와 運에서 印을 만나고 土가 없으면 지위가 낮으며 고독한 형벌에 처해진다. (福德見財而隱官,居極高之重任.柱運逢印而無土,處至下之孤刑.)

해석. 복덕은, 가령 壬 癸일이 冬절의 3개월에 태어난 例인데, 財 官이 도우면 좋다. 干支가 合하고, 혹 火局을 얻고 辰 戌 丑 未중에 단지 하나의 글자를 만나도 妙하다. 四柱에 財 官은 없고 印綬를 만나는데, 財 官으로 行하지 않고 印綬나 北方의 運으로 行하면 妻를 刑하며 자식을 剋하는 고독하고 빈천한 命이다. (解.福德,如壬癸日,生冬三月之例,喜財官資助.干支作合,或得火局,及辰戌丑未,但逢一字爲妙.柱無財官,而逢印綬,不行財官,而行印綬及北方之運.刑妻剋子,孤寡貧賤之命也.)

육임추간은 財와 印이 투출하여야 뛰어나게 된다. 官煞이 같이 침범하면 도리어 빈궁하며 하천한 사람이다. (六壬趨艮,透財印以爲奇.官煞相侵,反貧窮而下賤.)

해석. 6壬일이 壬寅시를 만나면 [육임]추간格이다. 歲 月에서 거듭 寅을 보고 天干에 丁 辛이 투출하면 기묘(奇妙)하여 부귀가 쌍전(雙全)한다. 官 煞을 가장 꺼리는데, 혹 行運에서 이를 만나면 육친(六親)과 골육(骨肉)이 흩어지고, 가난하며 박복한 노복(奴僕)인 사람이다. (解.六壬日逢壬寅時,乃趨艮格也.歲月再見寅,天干透丁辛爲妙,富貴雙全.最忌官煞,或行運見之,六親骨肉分散,貧薄婢僕之人也.)

육갑추건은 財 印을 좋아하며 지위가 重하고 명성이 높다. 歲運에서 刑 衝하고 아울러 官煞을 보면 재앙이 일어나 禍를 당한다. (六甲趨乾,喜財印而位重名高.歲運衝刑,倂煞官而災興禍至.)

해석. 甲일이 乙亥시를 만나면 [六甲]추건格이다. 歲 月에서 亥를 보면 가장 좋은데, 다시 재성을 거듭 만나면 印綬가 身을 生하니 정관은 자연히 출현(出現)하는데, 재차 財旺한 地支로 行하면 吉하다. 巳[字]의 刑 衝을 꺼리는데 官 煞을 剋 破하면 甲 乙이 겁탈(劫奪)한다.[35] 歲運도 동일하다. (解.甲日時逢乙亥,乃趨乾格也.歲月最喜見亥,又得財星重遇,印綬生身,正官自然出現,再行財旺之地,吉.忌巳字刑衝,官煞剋破,甲乙劫奪.歲運同.)

眞寶賦(진보부)-3

財가 중첩한데 印의 生을 얻으면 소년시절에 福을 받는다. (財宿疊逢得印生,少年受福.)

해석. 먼저 財이고 후에 印이면 도리어 그 福을 이루는데, 財는 印을 파괴할 수 없으니 꺼리지 않는다. (解.即先財後印,反成其福,不可以財壞印爲嫌.)

도충에 印이 있는데 財 食을 만나면 젊은 나이에 명성을 이룬다. (倒衝帶印遇財食,早歲成名.)

해석. 도충록마格은 丙午 丁巳 辛亥 癸亥등의 日인데, 四柱에 편인이 있고 다시 財 食의 運으로 行하면 貴하게 된다. 전실을 꺼리니 官 煞은 적합하지 않다. 賦에서 또 이르길, 도충에 印이 있으면 젊은 나이에 명성을 이루는데, 財와 食이 아울러 도와야 身이 붉은 섬돌계단(丹墀)에 가까운 것이다. (解.倒衝祿馬格.乃丙午丁巳辛亥癸亥等日,柱有偏印,又行財食運爲貴.忌塡實,官煞不中.賦又云,倒衝帶印,早歲成名,財食兼資,身近丹墀是也.)

---

35) 전실하여 刑 衝하면 官 煞이 剋 破되니 비겁이 쟁탈하는 것이다.

세덕(歲德)이 干을 도우면 재성을 좋아하고 제복을 꺼린다. 인성運에서 양인을 회합하면 병권과 형권을 장악한다. (歲德扶干,喜財星而嫌制伏.印星在運,會羊刃而掌兵刑.)

해석. 年干의 칠살이 세덕인데, 거듭 보면 좋지 않고, 재성과 인수 양인을 가장 좋아하고, 제복해서는 안 되고, 歲運도 동일하다. (解.年干七煞爲歲德,不宜重見,最喜財星,及印綬羊刃,不可制伏,歲運同.如甲申己巳戊子癸亥,歲德無制,有財生七煞得用,有印化煞助身,有刃合煞扶身,故大貴.)

예) 명조
癸 戊 己 甲
亥 子 巳 申
세덕(歲德)은 制가 없고 財가 七殺을 生하여 得用하고, 印이 있어 化煞하니 身을 돕고, 刃이 合煞하여 身을 도우므로 크게 貴하였다.

이덕(二德)이 官을 짝하면 왕을 능멸하는 한조(漢朝)의 재상이 된다. (二德配官,王陵爲漢朝之相.)

해석. 가령 辛일이 9월에 生하면 丙은 천월二德이고, 또 정관인데, 재성이 도와야 좋고, 상관이 制剋하면 싫어한다. 부(賦)에서 또 이르길, 나라를 평정하고 육사(六師)를 거느리면, 官이 변하여 이덕(二德)이 되는 것이다. (解.如辛日生九月,以丙爲天月二德,又爲正官,喜財星資助,忌傷官剋制.賦又云,平邦國,統六師,賴官變爲二德是也.如乙亥丙戌辛丑戊子,合格.又官變德,居官無禍,財變德,得善中財帛.印變德,主受父祖貽慶無禍.日干變德,則主本身.)

예) 명조
戊 辛 丙 乙
子 丑 戌 亥
格에 부합한다. 또 官이 德으로 변하니 官이 머물러 재앙이 없다. 財가 德으로 변하여 善한 가운데 재백(財帛)을 얻는다. 印이 德으로 변하니 主는 조부(祖와父)의 복(福)을 받아 재앙이 없다. 일간이 德으로 변하면 主는 본신(本身)이다.

재성이 덕수(德秀)면 사안(謝安)은 진(晋) 시대의 공(公)이 된다. (財星德秀,謝安爲晉代之公.)

해석. 가령 戊 己는 甲 乙이 官이고 壬 癸는 財인데, 이덕(二德)이 透干하면 덕수(德秀)의 辰이 된다. 庚 辛의 제복이 없으면 비겁이 쟁탈당하지 않으니 크게 貴하다. 또 乙일이면 庚이 官인데 巳 酉 丑월에 生하고, 丙 丁은 庚 辛이 財인데 巳 酉 丑월에 태어난 例이다. 부(賦)에서 다시 이르길, 왕의 장사꾼이 한나라를 돕고, 財 官으로 인해 덕수(德秀)의 영화가 되는 것이다. 덕수(德秀)는 복덕수기인데, 다시 財 官을 만나면 더욱 오묘(奧妙)하다. (解.如戊己以甲乙爲官,壬癸爲財,

二德透干,爲德秀之辰.無庚辛制伏,不被比劫爭奪,大貴.又如乙日,以庚爲官,生巳酉丑月.丙丁用庚辛爲財,生巳酉丑月之例.賦又云,王商扶漢,因財官而爲德秀之榮是也.或以德秀爲福德秀氣,更逢財官尤妙.)

眞寶賦(진보부)-4

상관이 많은데 官을 보면 돌멩이에서 玉이 생산된다. 원래 官이 있는데 다시 보면 재화(災禍)가 연이어 생긴다. (傷官多而見官,頑石產玉.原有官而再見,災禍連綿.)

해석. 상관格은 柱중에 상관을 거듭 보아야한다. 만일 일위의 정관이 있으면 貴하고, 官이 없으면 官運으로 行하여야 좋다. 상관은 돌과 같고 정관은 玉과 같으니, 만약 官이 있는데 재차 官運으로 行하면 禍가 된다.[36] (解.傷官格,要柱中重見傷官,如有一位正官爲貴.無官喜行官運.傷官如石,正官如玉,若有官再行官運則禍.)

상관은 煞 刃이 있을 것 같으면 장상(將相)에서 출발하여 공후(公侯)에 들어간다. (傷官如帶煞刃,出將相而入公侯.)

해석. 상관이 主로서 사주에 煞 刃이 있고, 또 印綬를 얻은 그 때에 득령하면 유익(有益)한 情이 있고, 刑 衝을 당하지 않으면 지극히 貴한 格이다. 賦에서 또 이르길, 상관[格]은 刃과 印을 전부 갖추고 있으면 병부(兵符)의 중임을 맡는 것이다. (解.傷官爲主,柱帶煞刃,又得印綬,當時得令,有相益之情,不被刑衝,乃極貴之格.賦又云,傷官帶刃印全備,掌兵符之重任是也.)

덕수(德秀)가 상관을 도우면 병권을 잡아 부월(鈇鉞)을 굴복시킨다. (德秀若助傷官,握兵權而伏鈇鉞.)

해석. 이것은 또 덕수(德秀)를 아울러하는 말인데, 모두 상관格이 主가 된다. (解.此又兼德秀言之,皆以傷官格爲主.)

地支가 子 午 卯 酉로 완전하면 大格을 이루어 문무(文武)로써 나라를 다스린다. (地全子午卯酉,成大格而文武經邦.)

해석. 사중(四仲)이 완전하면 天干이 어떠한가를 살펴보고, 반드시 대격을 이루어야 오묘(奧妙)하게 된다. (解.四仲全,看天干何如,須成大格爲妙.)

---

36) 眞상관格에서 官을 보는데 官運을 만나면 禍가 된다는 말.

사주에 巳 亥 寅 申를 배열하고 다시 기의(奇儀)하면 위권(威權)을 떨친다. (柱列巳亥寅申,更奇儀而威權震主.)

해석. 사맹(四孟)이 완전하면 天干이 어떠한가를 살펴보고, 다시 기의(奇儀)하여야 오묘(奧妙)하게 된다.(解.四孟全,看天干何如,更得奇儀爲妙.)

木이 卯월에 生하고 時에 午를 만나면 확실하게 세상을 진동시키고, 運이 西南에 이르면 벼슬이 극품이 된다. (木生卯月,時會午而震動離明,運至西南,官居極品.)

해석. 이것은 목화통명格이다. (解.此木火通明格也.)

食神이 印綬를 많이 만나고 재차 衝으로 겁박하면 타고난 수명은 반드시 요절한다. (食遇印多再劫衝,天年必夭.)

해석. 이것은 식신格에서 꺼리는 것이다. (解.此食格所忌.)

眞寶賦(진보부)-5

사주에 食神이 왕성한데 運이 財鄕이면 공명(功名)이 확실히 있다. (柱盛食神運財鄕,功名有准.)

해석. 한마디로 말하면 궁 안의 벼슬아치인 권신(權臣)이다. 이것은 식신格에서 좋은 것이다.(解.一云權臣內使.此食格所喜.)

조양(朝陽)에 印이 있으면 마숙(馬宿) 청쇄황문(青瑣黃門=궁궐문의 이름)이고, 사주에 財와 印이 없으면 직책이 목민(牧民;백성을 다스리는 일)에 머문다. 歲運에서 전실을 가장 꺼린다. (朝陽帶印資馬宿,青瑣黃門.柱無財印,職居民牧.歲運最嫌塡實.)

해석. 육음조양格은 印綬와 재성을 좋아하고, 歲 月중에 있어야 入格하고 財와 印이 없으면 분수(分數)를 감한다. 運이 財印으로 行하면 관직이 다시 옮기고, 刑 衝 전실을 꺼린다. 賦에서 다시 이르길, 조양(朝陽)이 印을 지니면 청조(淸朝)의 달사(達士)이고, 재성이 도우면 청쇄(青瑣;문에 장식하던 무늬)의 영화가 아니고 풍기(風紀=남녀 간의 예절)를 담당한다. 四柱에 印이 없고 財가 많으면 백성을 다스리고 직무는 오직 성(城)을 지키는 것이다. (解.六陰朝陽格.喜印綬財星,在歲月之中,入格而無財印,則減分數.運行財印,官居轉運,忌衝刑塡實.賦又云,朝陽帶印,淸朝達士,財星資助,非青瑣之榮,即風紀之任.柱無印,財多,居民牧,職守專城是也.)

서귀가 식자(食資)와 인요(印曜)를 지니면 미원(薇垣;사간원, 포정사)을 시찰한다. 사주에 官煞이 없으면 빈궁하며 하천하고, 운로(運路)가 刑 衝하면 좋지 않다. (鼠貴帶食資印曜,薇垣藩省.柱有官煞,貧窮下賤,運途不喜刑衝.)

해석. 육을서귀格인데, 食神을 거듭 보면 좋고 印綬는 吉하다. 官 煞 刑 衝 害를 꺼린다. (解.六乙鼠貴格.喜食神重見及印綬則吉.忌官煞衝刑害.)

子나 丑이 巳宮을 요합(遙合)하고 柱에 財印이 있으면 보귀(寶貴)하게 된다. 세운(歲運)에서 보좌(輔佐)하지 않으면 벼슬이 낮고 한전(寒氈;낡은 담요)에 자리한다. (子丑遙合巳宮,柱印財而爲極寶.歲運若無輔佐,登卑秩而坐寒氈.)

해석. 子나 丑遙巳의 두 格인데, 사주에 財 印이 있어야 반드시 貴하고, 없으면 그렇지 않다. 運에서 財 印을 만나도 역시 발달한다. 賦에서 또 이르길, 子나 丑이 巳宮을 合하고 財印을 얻으면 지극히 보배로운 것이다. (解.子丑遙巳二格.要柱有財印必貴.無則否.運遇財印亦發.賦又云,子丑遙合巳宮,得財印而爲至寶是也.)

도경방(道經邦) 論하면 財官의 자록(自祿)과 自旺함을 좋아한다. (論道經邦,喜財官自祿而自旺.)

해석. 만일 甲일이면 辛이 官으로 酉를 얻으면 건록이고, 己土는 財로 長生이 酉에 있는 例이다. 이 象에 들면 크게 貴하다. 刑 衝 상관運을 꺼리며 歲도 동일하다. (解.如甲日以辛爲官,得酉建祿,己土爲財,長生在酉之例.入斯象大貴.忌刑衝傷官運,歲同.如吳嶽尚書,甲子癸酉甲辰甲子,合格.庚午年卒,平生正氣君子.)

예) 명조
甲 甲 癸 甲
子 辰 酉 子
오악상서의 命인데 格에 부합한다. 庚午년에 卒하였고, 평생을 바른 기풍으로 살아온 君子이다.

眞寶賦(진보부)-6

조원지화(調元贊化)로 인해 삼기(三奇)가 自旺하며 자생(自生)한다. (調元贊化,因三奇自旺而自生.)

해석. 정관 정인 정재는 삼기(三奇)이고, 乙일은 庚이 정관인데 巳[字]를 얻으면 長生이다. 壬

은 정인인데 申에서 장생한다. 戊土는 정재인데 申에서 장생하니 이 象에 들면 크게 貴하다. (解.正官正印正財爲三奇,乙日以庚爲正官,得巳字長生.壬爲正印,生於申.戊土正財,生於申,入斯象大貴.如譚論尚書,庚辰甲申丁未丙午,財官印俱旺.胡宗憲尚書,壬申辛亥丁酉壬寅,財官建祿,印長生,火自生於酉,爲貴神之地,又化木成象.所以威制四省,官居一品.)

예) 명조
丙 丁 甲 庚
午 未 申 辰
담론 상서의 命인데, 財 官 印이 모두 旺하다.

예) 명조
壬 丁 辛 壬
寅 酉 亥 申
호종헌 상서의 命인데, 財 官은 건록이고 印은 長生이고, [丁]火는 酉에서 自生하여 貴神의 地支이고, 다시 化木하여 象을 이룬다. 위엄이 사성(司省)을 제(制)하므로 벼슬이 일품(一品)에 머물렀다.

란차(欄叉)가 印祿의 도움을 얻으면 벼슬이 재상에 머문다. 火가 겁박하며 아울러 歲 運과 불화(不和)하면 도리어 빈궁하며 하천하게 된다. (欄叉得印祿之相助,官居輔袞阿衡.火劫兼歲運之不和,反作貧窮而下賤.)

해석. 이 格은 柱중에 祿神 편인 정인이 있으며 天干에 財 印을 얻어야 妙하다. 만약 火神을 만나면 劫 刃이 太重하고, 歲運에서 불화(不和)하면 빈천(貧賤)하다. (解.此格柱中有祿神偏正印,天干得財印爲妙.若見火神,劫刃太重,歲運不和,貧賤.)

祿이 財 印을 만나면 청년시절에 과거에 급제한다. 歲運이 刑 衝하면 官煞이 이를 만나도 妙하지 않다. (祿逢財印,青年及第登科.歲運刑衝,官煞逢之不妙.)

해석. 귀록格인데, 歲 月 時중에 印과 財가 있고, 地支가 三合하면 妙하게 된다. 運이 財 印의 地支로 行하면 吉하다. 刑衝 破害를 꺼리고 官煞은 破格이다. (解.歸祿格.歲月時中有印有財,地支三合爲妙.運行財印之地,吉.忌刑衝破害,官煞破格.)

金 水가 청징(淸澄;맑고 깨끗함)하여 손상을 당하면, 문장(文章)은 현달(顯達)하여도 수명은 늘이기 어렵다. (金水清澄被傷,文章顯達,而壽算難延.)

해석. 주(柱)중에 巳 酉 丑 金局과 申 子 辰水局의 두 局이 완전하면 금백수청(金白水淸)이라 말한다. 그러나 天干의 丙 丁 戊 己가 섞여 剋을 당하면 학문은 있어도 수명이 길지 않다. 賦에서 이르길, 金 水가 청징(淸澄;맑고 깨끗함)하여 손상을 당하면, 안자(顔子)[37]가 빼어나도 부실(不實)한 것이다. (解.柱中巳酉丑金局,申子辰水局,二局全,乃曰金白水清.卻被天干丙丁戊己混剋,則文而不壽.賦云,金水清澄被傷,顔子秀而不實是也.)

木火가 衰弱하거나 旺盛하여 고르지 않으면 공명(功名)이 층등(蹭蹬;어정거림)하고 요절(夭折)은 의심할 것이 없다. (木火衰盛不均,功名蹭蹬,而夭折無疑.)

해석. 五行의 이치는, 木이 春절에 旺하고, 火는 夏절에 旺한데, 가령 乙木이 夏절에 生하면 火旺하여 木을 설기하고, 年 月 時 日의 干支에 火는 旺盛한데 水가 없으며 土가 重하고 金이 미약함을 더하면 공명(功名)이 층등(蹭蹬)거릴 뿐만 아니라 수족(手足)이나 父母가 일찍 손상한다. 四柱중에 만일 亥 子 壬 癸가 삼분(三分)이 있으면 조금은 해갈(解渴)되고, 亥 子 壬 癸가 삼분(三分)이 없으면 火가 木(元)을 소모하여 재로 만드니 요절은 의심할 것이 없다. (解.五行之理,木旺於春,火旺於夏,如乙木夏生,火旺木洩,如年月時日干支,火盛無水,加以土重金微,不但功名蹭蹬,而手足父母早損.柱中如有亥子壬癸三分,稍解煩渴,如無亥子壬癸三分,火耗木元,晝成灰炭,夭折無疑矣.)

眞寶賦(진보부)-7

龍은 구름을 虎는 바람을 서로 따르면 어진 임금이 다스리는 조정의 큰 인물에 비견된다. (雲龍風虎若相從,擬作聖朝之大器.)

해석. 운룡풍호(雲龍風虎)는, 가령 甲 乙이 春절의 3月이나 혹 亥 卯 未月에 生하면 청룡(青龍)의 숙(宿)이 되고, 天干에는 壬 癸水가 필요하니 龍은 구름을 따른다고 한다. 혹 庚申 辛酉의 단 한 글자를 얻어도 西方 백호(白虎)의 神이 되어 亥 卯 未를 좋아하고, 巳[字]를 요합(遙合)하니 손풍(巽風)으로 貴하다. 만약 전실하고 또 비구름이 없으면 한용(旱龍)이라 일컫는다. 陽은 있어도 陰은 없고, 임금은 있어도 신하가 없어, 강유(剛柔)가 상제(相濟)하지 못하면 도리어 중용(中庸)의 달사(達士)는 안 된다. 혹 辰은 龍이고, 寅은 虎이고, 壬은 구름이고, 巳는 바람인데, 局이 寅 辰 巳 壬으로 완전하면 크게 貴하다. (解.雲龍風虎,如甲乙生春三月,或亥卯未月,爲青龍之宿,天干要壬癸水,謂之雲龍相從.或庚申辛酉,但得一字,爲西方白虎之神,愛亥卯未,邀合巳字,爲巽風則貴.若見塡實,又無雲雨,謂之旱龍.有陽而無陰,有君而無臣,剛柔不相濟,反爲中庸不達之士也.或以辰爲龍,寅爲虎,壬爲雲,巳爲風,局全寅辰巳壬者,大貴.)

비록(飛祿) 란차(攔叉)가 印綬를 겸하면 반드시 소대(昭代)의 유명한 재상이 된다. (飛祿攔叉兼印綬,必爲昭代之名公.)

---

37) 안자(顔子):공자의 제자인 안회를 높여 부르는 말.

해석. 年支에 일주의 祿이 있고, 四支에 도충(倒衝)을 만나거나 혹 일주의 祿을 암충(暗衝)하면 비록(飛祿)이 된다. 天干의 셋이 동일하고, 申 子 辰이 회합(會合)하면 란차(攔叉)가 된다. 이 格은 적어도 印綬가 있으면 반드시 소대(昭代)[38]의 벼슬을 한다. (解.年支有日主之祿,遇四支倒衝,或日主暗衝祿,亦爲飛祿,天干三同,得申子辰相會,爲攔叉.此格微有印綬,必爲昭代之官.)

身이 비록 旺할지라도 官祿이 경미(輕微)하면, 마씨(馬氏)는 강장(絳帳;스승의 자리)에서 육아(蓼莪)한다. (身雖旺而官祿微輕,馬氏育莪於絳帳.)

해석. 가령 甲寅일은 辛이 官祿인데, 冬절의 3개월, 혹 4월 5월에 태어나면 용신이 이미 얕고, 또 재성의 도움이 없으면 사유(師儒;道를 가르치는 儒者)의 命에 그친다. 만일 夏절에 生하여도 재성이 도우면 부유(富裕)한 도주(陶朱)에 비견된다. 만약 剋 破 제복(制伏)하고 火가 重하면 그렇지 않다. (解.如甲寅日,用辛爲官祿,生冬三月,或四五月,用神既淺,又無財星資助,止爲師儒之命.如生夏而財星資助,富擬陶朱.若剋破制伏,火重則否.)

格이 맑지 않아도 용신이 폐(廢)하지 않으면 소조(蕭曹)[39]가 서진(西秦)[40]에서 도필(刀筆)을 일으킨다. (格不清而用神不廢,蕭曹起刀筆於西秦.)

해석. 뜻이 위와 동일하다. (解.義同上.)

甲 乙이 건궁(乾宮)에 들면 辰龍을 만나 반드시 貴하다. (甲乙若入乾宮,會辰龍而必貴.)

해석. 甲 乙의 두 글자가 天干에 많이 투출하고, 地支에 亥[字]를 만나는데 年 月 時의 사이에 1~2位 있고, 다시 辰[字]를 얻으면, 육갑추건通明格 이라한다. 만일 이 象에 들면 主는 大貴하다. (解.甲乙二字,多透干頭,地支見亥字,在年月時間,有一二位又得辰字.名六甲趨乾通明格,如四柱入斯象,主大貴.)

眞寶賦(진보부)-8

金神이 만일 壬 癸를 만나면 巳 午를 만나야 아름답게 된다. (金神如逢壬癸,得巳午以爲佳.)

해석. 甲 乙일 生인이 壬 癸가 와서 생부(生扶)하고, 支神이 巳 午면 火가 있으니 수화기제(水

38) 소대(昭代);임금이 나라를 잘 다스리어 태평한 세상.
39) 소조(蕭曹);소하와 도참.
40) 서진(西秦);중국(中國)의 오호십육국(五胡十六國)의 하나. 선비족(鮮卑族)의 걸복국인(乞伏國人)이 감숙(甘肅)의 원천(苑川)에 도읍(都邑)하여 세운 나라,

火既濟)로 龍이 날아오르는 象을 얻기에 구름을 유행하여 비를 내리는 功이 된다. 命에서 이러한 象을 가지면 지위가 청광(淸光)에 근접한다. (解.甲乙日生人,得壬癸來生扶,支神巳午.是有火,爲水火既濟,龍得飛騰之象,雲行雨施之功.命値斯象,位近淸光.)

庚이 壬 癸를 만나 煞印에 坐하면 주유(周瑜)[41]처럼 중요한 자리이다. (庚遇壬癸,坐煞印而周瑜位重.)

해석. 6庚일생은 柱중에 壬 癸가 많고, 身이 칠살 印綬가 坐하면 主가 大貴하다. (解.六庚日生,柱中壬癸多,身坐七煞印綬者,主大貴.如何尚書,壬子癸丑庚午丙子.余命,壬午癸丑庚寅丙戌,俱合此象.)

예) 명조
丙 庚 癸 壬
子 午 丑 子
하 상서의 命이다.

예) 명조
丙 庚 癸 壬
戌 寅 丑 午
나(만 육오)의 命이다. 두 命이 모두 이 象에 부합한다.

구사(龜蛇)가 검(劍)을 잡고, 金刃을 겸하면 상인으로 명성이 높다. (龜蛇持劍,兼金刃而賈復名高.)

해석. 壬 癸일생이 柱중에 丙火가 많고, 혹 寅 午 戌, 申 子 辰 두 局이다. 水는 귀(龜)에 속하고, 火는 사(蛇)에 속하니, 구사지검(龜蛇持劍)의 象이라 한다. 柱에 金이 없으면 그 검(劍)이 나타나지 않는다. (解.壬癸日生,柱中丙火多,或寅午戌,申子辰二局.水屬龜,火屬蛇,名龜蛇持劍之象.柱無金,其劍不出.)

庚 辛이 重하고 時에서 巳 亥를 만나면, 범이 울부짖어 바람을 일으킨다. 戊 己를 얻어 도우면 벼슬이 극품에 머문다. (庚辛重而時見巳亥,虎嘯風生.得戊己以相資,官居極品.)

해석. 庚 辛일생이 다시 庚 辛의 천간을 보고, 歲 月 時중에 하나의 巳를 얻으면 손풍(巽風)이 된다. 혹 亥를 얻어도 된다. 甲 乙 亥 卯 未를 좋아하며, 運이 東南으로 行하면 권력이 높고 祿

41) 주유(周瑜);중국 삼국 시대, 오나라의 명신(名臣)(175~210). 자는 공근(公瑾)이다. 손책을 섬겨 양쯔 강 하류지방을 평정하였다. 손책이 죽은 후에는 그의 동생 손권을 섬겼다. 208년에 조조가 군사를 이끌고 남하하자, 친히 군사를 이끌고 제갈공명과 함께 적벽에서 조조의 군대를 대파했다.

이 重하다. 北方으로 行하면 부유하고, 西方에 들면 재앙을 헤아릴 수가 없다. (解.庚辛日生,再見庚辛干,歲月時中,得一巳爲巽風.或得亥亦可.喜甲乙亥卯未,運行東南,權高祿重.行北方富.入西禍莫測.)

一氣의 相生을 五行으로 칭하면 순순한 食神으로 지위는 三公에 접급한다. (一氣相生,稱五行之順食,位近三台.)

해석. 一氣의 相生은, 甲이 丙을 生하고, 丙이 戊를 生하고, 戊는 庚을 生하여 五行의 순수한 食神이다. 다시 地支에서 서로 더하면 大貴하다. 혹 천원일기(天元一氣)의 해석은 아니다. (解.一氣相生,即甲生丙,丙生戊,戊生庚,五行順食.更地支互益者大貴.或以天元一氣解之則非.)

금신에 刃이 있는데 火地의 밝은 불꽃을 만나면 벼슬이 내각(內閣)에 머문다. (金神帶刃,遇火地之炎明,官居內閣.)

해석. 금인(金刃)格인데, 柱중에 양인이 있고, 다시 火鄕으로 行하면 大貴한다. (解.金刃格.柱中有陽刃,又行火鄕,大貴.)

眞寶賦(진보부)-9

시상편관은 劫 刃 印 財라도 歲 月에 居하면 좋다. (時上偏官,喜劫刃印財而居歲月.)

해석. 시상편관格인데, 歲 月 時중에 財의 도움이 있으면 印이 化하고, 刃은 신강함을 도우니 主는 풍헌(風憲)의 권(權)이 있다. (解.時上偏官格.歲月時中,有財資印化,刃扶身強,主風憲之權.)

父는 자식에게 道를 전하니 문무(文武)를 겸한 장상(將相)으로 조정(朝廷)에 드러난다. (父傳子道兼文武,將相而顯朝廷.)

해석. 乙일생이 壬午시를 만난 것이다. 乙은 東方에 속하는 청제(靑帝)의 神이고, 午는 南方에 속하는 화제(火帝=염제)의 神이다. 乙은 父이고, 午는 자식인데 干상에 壬水를 얻으면 도리어 乙木을 生하는 이것이 부전자도(父傳子道)의 象이니 청적(靑赤)이 상속(相續)하여 묘(妙)하다. 이 格에 들면 일생동안 功이 크고, 영화가 모든 관리를 압도한다. 水가 왕성하면 좋지 않는데 乙木이 뜨니, 앞의 木이 卯월에 生하고 時에 午가 모이면 震[宮]이 動하여 離[宮]의 밝고, 運이 西南에 이르면 벼슬이 극품(極品)에 머무는 것이다. (解.乙日生逢壬午時者是.乙屬東方靑帝之神,午屬南方火帝之神.乙爲父,午爲子,得干上壬水反生乙木,是父傳子道之象.靑赤相續之妙.入此格者,功高一世,寵壓千官.不宜水盛,乙木有泛.即前木生卯月,時會午而震動離明,運至西南,官居極品是也.)

상관은 투출하고 정관은 숨어서 煞 印을 만나면 지위가 重하며 권력이 크다. (傷官透而正官隱,遇煞印而位重權高.)

해석. 상관은 歲 月 時의 天干에 투출하고, 정관이 地支에 숨었는데, 四柱내에 財 印 칠살이 완전하면 大貴하다. (解.傷官透於歲月時干,正官隱於地支,柱內財印七煞全者,大貴.)

地와 天이 교류하여 陰과 陽이 감응하고, 戊 己를 얻으면 삼태(三台=삼공) 팔좌(八座)가 된다. (地天交而陰陽感,得戊己而三台八座.)

해석. 日時에 亥의 乾天을 얻고, 歲 月에서 申의 坤地를 얻고, 天干에 戊 己가 투출하면 이것은 地가 天보다 위에 있으니, 陰陽이 교감(交感)하는 뜻이 있고, 내양외음(內陽外陰)으로 순수한 象을 세운다. 이 格에 들면 大貴하다. (解.日時得亥爲乾天,歲月得申爲坤地,而干透戊己,是地在天上,有陰陽交感之意,內陽外陰建順之象.入此格者大貴.)

木이 왕성하고 金이 번성한데 離[宮]이 밝음을 얻으면 공평하며 충성하고 정직하다. (木盛金繁,得離明而公忠正直.)

해석. 木은 金의 삭(削=깎다.)을 의지하는데, 번성하여 金이 太多하면 火가 金을 制함이 필요하다. 공평 충성 정직함은 金木으로 말한다. (解.木賴金削,繁則金太多,要火制金.公忠正直,因金木而言也.)

금백수청(金白水淸)한데 長生을 만나면 총명하고 출중하다. (金白水淸,遇長生而聰明出衆.)

해석. 庚 辛일이 申 子 辰월에 生하여 地支에 巳가 坐하고, 柱 에 壬 癸가 있으며 火土가 섞여있지 않으면 主는 총명하여 文學이 있다. (解.庚辛日,生於申子辰月,地支坐巳,柱有壬癸,無火土夾雜,主聰明有文學.)

眞寶賦(진보부)-10

木이 빼어나 火가 밝으면 土가 나타나니 예전부터 오두(鰲頭)이다. (火明木秀,逢土現而早古鰲頭.)

해석. 甲 乙일생이 柱중에 巳 혹은 丙 丁 寅 戌[字]이 있는데 春절에 태어나면 기특(奇特)함이 있다. 만약 地支에 午 水 亥 卯 未를 각각 한 글자라도 얻어도 역시 그렇다. 甲 乙일생에만 제한

되지 않는다. (解.甲乙日生,柱中有巳或丙丁寅戌字,在春生奇特.若地支有午戌亥卯未,各得一字,亦是.不拘甲乙日生.)

水 木이 春절에 생하여 土 金을 만나면 공작과 후작의 貴가 된다. (水木在春生,遇土金而作公侯之貴.)

해석. 水가 土를 보거나, 木이 金을 보면 官이 된다. 水가 金을 보면 印이고, 木이 土를 보면 財이고, 春절은 木이 旺하고 水는 休한데, 상호 財의 바탕이 되기 때문에 貴하다. (解.水見土,木見金,爲官.水見金印,木見土財,春則木旺水休,互相資財,故貴.)

金은 火로 단련하면 젊은 나이에 출사(出仕)한다. 木은 金으로 다듬으면 어린나이에 명성을 얻는다. (金逢火煉,早年出仕.木得金裁,幼歲成名.)

해석. 이것은 五行의 상제(相濟)를 말한다. (解.此言五行之相濟也.)

金이 많아 火가 손실하면 성품과 법도가 凶하고 완고하여 탄식한다. 木이 왕성한데 金이 없으면 功名이 따르지 않음을 탄식한다. 土가 重한데 木의 소통이 없으면 매우 곤고(困苦)한 무리이다. 水가 왕성한데 土의 제복(制伏)이 없으면 음탕한 사람으로 파가(破家)한다. 火가 왕성한데 水로 구제함이 없으면 죽어도 폭부(暴夫)로 뉘우침이 없다. 木이 쇠약한데 火가 왕성하면 재로 변하여 날리니 功名이 더디고 요절을 피하기 어렵다. 금백수청(金白水清)한데 효신의 害를 당하면 文章은 빼어나도 타고난 수명이 길지 않다. (金多失火,嗟性度之凶頑.木盛無金,歎功名之不遂.土重而無木疏通,困苦奔波之輩.水盛而無土制伏,破家淫蕩之人.火盛而無水濟,死而無悔之暴夫.木衰火盛變灰飛,功名遲而難逃夭折.金白水清被梟害,文章秀而莫永天年.)

해석. 이것은 五行의 편당(偏黨)을 총론한 말인데, 제화(制化)가 없으면 모두 불길(不吉)하다. (解.此總言五行偏黨,無制化,皆爲不吉.)

금백수청(金白水清)한데 효신을 벗어나면 문장(文章)이 더욱 드러난다.(金白水清,脫梟神而文章益顯.)

해석. 앞의 금백수청(金白水清)과 더불어 장생을 만나면 총명하고 출중하다고 본다. (解.與前金白水清,遇長生而聰明出衆互看.)

煞과 官이 둘 다 드러나고 이덕(二德)을 만나면 작위(爵位)가 숭고(崇高)하다. (煞官兩露遇,二德而爵位崇高.)

해석. 이덕(二德)은 천월이덕이다. 煞과 官이 둘 다 드러나면 혼잡을 의심해보고, 이것이(혼잡이)해결되어야 貴하다. (解.二德,天月二德也.煞官兩露疑混,得此解之,故貴.)

眞寶賦(진보부)-11

財가 칠살을 도우면 자의(子儀)[42]가 장상(將相)의 높은 권력을 맡는다. (財資七煞,子儀司將相之高權.)

해석. 柱중에 財旺하여 煞을 生하면 煞은 印을 生하고, 또 長生의 地支를 얻으며, 일간이 旺하고 格局이 순수하면 大貴하다. (解.柱中財旺生煞,煞生印,又得長生之地.日干旺,格局純,大貴.)

금신이 煞을 지니면 도적을 평정하여 묘당(廟堂)의 큰 인물이 된다. (金神帶煞,寇準擅廟堂之大器.)

해석. 금신을 거듭 범(犯)하고 歲 時 월영에서 오히려 칠살을 만나면 大貴하다. 刑衝을 꺼린다. (解.金神重犯,歲時月令卻逢七煞,大貴.忌刑衝.)

세덕에서 財煞의 배양하는 뿌리를 만나면 일찍 벼슬에 오른다. 다시 印 刃을 더하고 투합(妒合)이 없으면 일찍 과거에 우등으로 급제한다. (歲德逢財煞栽根,早登顯仕.更加印刃無妒合,預擬高科.)

해석. 앞과 같이 歲德에서 干을 도우면 재성을 좋아하고 제복(制伏)을 꺼린다. 인성의 運에 있는데 양인을 만나면 병권과 형권을 장악한다. 뜻은 동일하다. (解.與前歲德扶干,喜財星而嫌制伏.印星在運,會羊刃而掌兵刑.義同.)

歲德이 財를 만나면 少年에 일어나고, 歲德에 刃을 지니면 어린나이에 명성을 얻는다. (歲德逢財,少年請舉.歲德帶刃,早歲成名.)

해석. 歲德은 重煞이 되는 것을 자주 말하였다. 들추어 묻는데, 어린나이에 명성을 얻고, 일찍 과거에 우등으로 급제하여 발탁되어 벼슬자리에 오른다. 초년(初年)에 벼슬을 맡으니 煞은 主의 위풍(威風)이기 때문이다. 가령 甲일이 庚년을 만나면 歲德으로 柱중에 戊 己가 煞을 도와야하고, 巳 酉 丑으로 뿌리를 배양하고 刃을 지니고, 印綬로 行하면 좋고, 정관이 투합하는 辰[神]을 싫어한다. (解.歲德爲重煞,故屢言之.請舉,少而成名,早擢高科,而登顯仕.以年管初年,煞主威風故也.假

42) (子儀);당(唐)나라 안사(安史) 난리에 공을 세워 분양왕을 봉했음)

如甲日見庚年爲歲德,柱中要戊己資煞,巳酉丑栽根帶刃,喜行印綬,忌正官妒合之辰.)

月은 칠살이고 時 歲가 식신이면 숙헌부풍상(肅憲府風霜)으로 호령(號令)한다. (月七煞而時歲食,肅憲府風霜之號令.)

해석. 食神이 制煞하면 이치가 진실로 그러하다. (解.食神制煞,理固然也.)

月은 煞 印이며 時가 상관이면 봉각용루(鳳閣龍樓)를 받으며 총애가 두텁다. (月煞印而時傷官,受鳳閣龍樓之厚寵.)

해석. 월영에 煞 印이 있으며 歲의 干支에 이를 얻으면 지극히 妙하다. 時에 상관이 투출하면 印의 妻가 되고, 煞을 制하기 때문에 主는 大貴하다. (解.月令有煞印,歲干支得此爲極妙.要時透傷官,爲印之妻,作煞之制,故主大貴.)

日이 丙火인데 時에 亥[宮]가 들면 天[干]이 아름답고, 문명(文明)을 사해(四海)에 떨친다. (日丙火而時入亥宮,麗乎天而文明四海.)

해석. 6丙일이 己亥시를 얻으면 亥는 건위천(乾爲天)에 속하고, 火는 天[干]상에 있어 비추지 않는 곳이 없다. 命이 이 象에 있으면 어릴 때부터 늙을 때까지 貴가 숭고(崇高)하게 나타나서 병권 형권의 벼슬을 장악한다. 위로는 천자(天子)를 보좌하고 아래로는 사시(四時)를 순(順)하고, 밖으로는 사방의 오랑캐를 다스린다. 刑 衝 破 害를 꺼리지만 구조하는 것이 있으면 吉하다. 賦에서 이르길, 丙火가 時에서 亥[位]를 만나면 文明의 빛이 四海에 두루 비추는 것이다. (解.六丙日時得己亥,亥屬乾爲天,火在天上,無所不照.命値斯象,自幼至老,貴顯崇高,掌兵刑之任.上佐天子,下順四時,外撫四夷.所忌刑衝破害,有救者吉.賦云,陽火時逢亥位,文明光照乎四海,是也.)

眞寶賦(진보부)-12

[天]干에 陽의 등불이 己丑시를 만나면 地로부터 나와 山川을 밝게 비춘다. (干陽熒而時逢己丑,出乎地而照耀山川.)

해석. 丙일이 己丑시를 만나면 일출지상(日出地上=태양이 땅위로 떠오르다.)의 象이다. 順하면 天이 아름다워 대명(大明)의 德인데, 만일 나라와 제후가 편안하면 대부분 큰 은덕을 하사받는다. 命에 이것을 지니면 매우 중요한 임무를 맡는다. (解.丙日逢己丑時,是日出地上之象.順而麗乎天,大明之德.如安國康侯,多受大賜,命之値此,心膂股肱之任.如姚淶狀元,戊申戊午丙辰己丑合格.賦又云,六丙時臨己丑,日,在地上爲極顯是也.)

예) 명조
己 丙 戊 戊
丑 辰 午 申
요래상원(姚涞狀元)의 命인데 格에 부합한다.
賦에서 이르길, 6丙일이 己丑시면 태양이 地上에 있으니 지위가 지극히 높게 되는 것이다.

辛亥시에 丁일을 만나면 時가 삼기(三奇)인데 일찍 과거에 급제하는 인물이다. (時辛亥而日逢丁,乃時三奇而科名早中.)

해석. 6丁일이 辛亥시를 만나면 辛은 편재이고, 亥중의 甲木은 정인이고 壬水는 정관으로 시상삼기라 일컬어 富貴가 장구(長久)하다. 부(賦)에서 이르길, 음(陰)火로 亥時면 富貴가 아주 긴 것이다. (解.六丁日見辛亥時,辛爲偏財,亥中甲木正印.壬水正官,謂之時上三奇.必主少年登科.富貴長久.賦又云,陰火時亥,富貴悠悠是也.)

월건이 申인데 歲 時에 子를 만나면 坤과 坎으로 순하게 되어 장상(將相;장수와 재상)이 될 수 있다. (月建申而歲時遇子,爲坤坎順而將相可期.)

해석. 富貴를 알고자하면 먼저 월영 즉 제강을 살펴봐야한다. 월건의 申은 坤에 속하며 地가 되고, 年支의 子는 坎에 居하는 水가 되어 지수사(地水師)의 괘(卦)로 水는 地(땅)를 벗어나지 못하고, 군사는 백성을 벗어나지 못하니 이 象을 얻으면 大貴하다. 子時 역시 그러하고 日支가 子라면 그렇지 않다. (解.欲知富貴,先觀月令,乃提綱.月建申屬坤,爲地,年支子,居坎爲水,地水師卦,水不外乎地,兵不外乎民.得此象者大貴.子時亦然,日支子者則非.)

時는 離[宮]이며 歲가 巽[宮]이고 日이 陰金인데 甲 乙이 투출하면 삼태(三台=삼정승)의 貴가 된다. (時離歲巽日陰金,透甲乙爲三台之貴.)

해석. 午時생인이 年支에 巳[字]를 얻고, 辛金의 일주를 얻으면 金은 巽[宮]木이 財이고 離[宮]火는 官인데, 이름하여, 안으로 巽[宮]의 順함을 얻으며 밖으로 離[宮]의 밝음을 얻은 象이라 말한다. 유진(柔進)하면 상행(上行)하고, 득중(得中=알맞음)하면 강(剛)함에 상응한다. 만약 巽[宮]이 월영에 居하면 아니다. 格에 들면 大貴하다. (解.午時生人,年支得巳字,日得辛金爲主,金用巽木爲財,離火爲官,名曰內得巽順而外得離明之象.柔進而上行,得中而應乎剛.若巽居月令則非.入格大貴.)

목수화명(木秀火明)한데 春절이 令을 잡은 이 象에 들면 방안(榜眼)[43]의 우두머리에 오른다. (木秀火明春秉令,入斯象登榜眼之魁.)

---

43) 방안(榜眼);갑과(甲科)에 둘째로 급제(及第)한 사람.

해석. 중요함이 春절생이고, 앞의 화명목수(火明木秀)하여 土가 나타나니 일찍 오두(鼇頭=자라머리=장원)의 뜻을 차지한다. (解.重在春生,即前火明木秀逢土現而早占鰲頭之義.)

食神에 刃이 있어 局을 만들면 지위(地位)가 삼공(三公)에 이른다.(食神帶刃,結局而位至三公.)

해석. 가령 甲인이면 食神인 丙火가 필요한 局이고, 己인이면 食神인 辛金이 필요한 局이다. 단지 한 글자를 얻고 다시 刃의 도움이 있어야 大貴하다. (解.如甲人食丙要火局.己人食辛要金局.但得一字,更有刃助,大貴.)

食神에 刃이 있고 官이 坐하면 공로가 일품으로 높다. (食神帶刃,坐官而勳高一品.)

해석. 일주가 下에 관성이 坐하고, 歲 月 時중에 다시 刃과 食神이 나타나 있어야 大貴하다. 편인 刑 衝을 싫어하는 것인데, 만약 財나 官의 두 運으로 行하면 발연히 일어난다. (解.日主坐下官星,歲月時中又有刃食之現,大貴.所嫌者偏印衝刑,若行財官二運,勃然驟發.)

眞寶賦(진보부)-13

관성이 刃을 지니면 자리가 萬里를 초월하는 제후에 봉해진다. 歲 月에 때를 얻으면 두루 일어나고 특별히 재상에 든다. (官星帶刃,班超萬里封侯.歲月得時,周勃特然入相.)

해석. 관성格은 용신이 당시(當時)에 필요하다. 柱에 劫 刃이 있고 정관 妻財가 되면 강유(剛柔)가 상제(相濟)하니 오히려 재성을 얻어야 貴하게 된다. 관성 劫이나 刃이 둘 다 天干의 위에 나타나면 더욱 貴하다. 賦에서 이르길, 관성이 刃을 지니면 貴함은 말할 필요가 없다. 歲 月에 투출하면 두루 일어나고 특별히 재상에 드는 것이다. 득시(得時)는 관성이 승왕(乘旺)하다는 말이다. 대인(帶刃)은 干支에 구애받지 않는다는 말이다. 투로(透露)하면 곧바로 소중한 것을 가리키는 말이다. 刃은 凶煞인데, 官 食神이 그것을 지니면 모두 권력으로 貴하다고 본다. (解.正星之格,用神要當時.柱有劫刃,爲正官妻財,則剛柔相濟,卻得財星爲貴.官星劫刃,兩現天干之上尤貴.賦又云,官星帶刃,貴不可言.歲月透露,周勃特然入相是也.得時以官星乘旺言.帶刃以不拘干支言.透露則直指所重者言之也.刃爲凶煞,官食帶之,皆作權貴看.如李邦珍都憲,癸酉己未壬子庚子,合格.)

예) 명조
庚 壬 己 癸
子 子 未 酉
이방진 도헌의 命인데, 格에 부합한다.

재관쌍미(財官雙美)한데, 財 印이 투출하면 대성(臺省)[44]의 존귀한곳에 거(居)한다. 運이 비견에 이르고, 다시 刑 衝하면 어리석어서 변동할 줄 모르고 고집하며 옹졸하다. (財官雙美,透財印而居臺省之尊.運至比肩,更刑衝而抱守株之拙.)

해석. 癸巳일 四월에 坐하여 向한다. 壬午일 午월에 坐하여 向한다. 天干에 財 印이 투출하면 貴하다. 북방運은 좋지 않고, 또 刑 衝을 두려워하니 마땅히 짐작(斟酌)해야 한다. (解.癸巳日,坐向四月.壬午日,坐向午月.天干透財印貴.不宜北方運,又怕刑衝,宜斟酌.)

財官이 生旺한데 天干에 투출하면 뛰어나게 되어 자주색(당상관 이상의 고위관직이 입는 색깔의 옷) 옷을 입는다. (財官生旺,天干透露爲奇,而曳紫拖朱.)

해석. 四柱에 재성이 旺하면 정관이 투출할 필요는 없고, 財가 官을 自生하여 몹시 기이하다. 혹 財官이 둘 다 투출하여 生旺한 地支에 머물면 모두 主가 大貴하다. (解.四柱財星旺,不必正官透,財自生官,絕奇.或財官兩透,居生旺之地,皆主大貴.)

財旺하여 官을 生하고 印과 刃이 서로 도우면 기묘(奇妙)하여 삼태(三台) 팔좌(八座)가 된다. (財旺生官,印刃相扶爲妙,而三台八座.)

해석. 柱중에 재성이 득령하여 旺하고, 또 印 劫이 도우면 大貴하다. 다시 財[鄕]運으로 行해선 안 된다. (解.柱中財星旺得令,又印劫扶持,大貴.再莫行財鄕運.)

干은 食神이고 時에 祿馬를 타면 초년에 과거에 붙는 영광스런 명예가 있다. (干食神而時騎祿馬,初年題虎榜之榮名.)

해석. 庚일이 壬午시를 만나거나, 辛일이 癸巳시를 만나는 것이다. (解.庚日見壬午時,辛日見癸巳時是也.)

印綬를 투출하고 格은 財官을 얻으면 젊은 나이에 변방을 진압하는 중임을 맡는다. (透印綬而格得財官,早歲鎮邊隅之重任.)

해석. 財官格이 歲 時에 印이 투출하면 오묘(奧妙)하다. (解.財官之格,要歲時透印干爲妙.)

일간이 건왕한데 印과 刃이 서로 도우니 공승이 한가(漢家)에서 죽음으로 절개를 지킨 것이다.

---

44) 대성(臺省);어사대, 대관(臺官)과 중서문하성, 성랑(省郞)을 합하여 말함.

(日干健旺,而印刃相扶,龔勝盡漢家之死節.)

해석. 부(賦)에서 또 이르길, 煞旺한데 印과 刃의 도움을 얻으면 공승이 서한(西漢)에서 죽음으로 절개를 지킨 이것이 四柱에서 순수한 煞이다. 혹 관성이 煞을 從하고 印과 刃을 얻어 天干에 투출하면 충절(忠節)로 양신(良臣)이다. 앞에서 말한 일간이 旺한데 印과 刃이 서로 도우면 太過한 것이다. 좋은 곳을 마땅히 얻은 후에 바르게 된다. 고찰해보면, 공승[45]은 한(漢)의 처사(處士)로 죽음으로써 절개를 지킬 수 있었으니, 어찌 五行의 太過로 손상하지 아니하겠는가? (解.賦又云,煞旺而得印刃之扶,龔勝死節於西漢,是四柱純煞.或官星從煞,得印刃透出天干,乃忠節之良臣也.前言日干旺而印刃相扶,則太過焉.得好處當以後爲正.考龔勝漢之處士,而能死節,豈非五行太過之傷歟?)

眞寶賦(진보부)-14

관성이 刃을 지니고, 그리고 印綬가 煞을 지니면 나이가 들어 당대(唐代)의 영주(瀛洲)[46]를 노닌다. 삼공(三公=삼정승)을 역임하면 煞 刃이 있어야 권력을 관장하는데, 각각 長生을 만나고 다시 財의 도움을 얻으면 극귀(極貴)하다. (官星帶刃,而印綬帶煞,玄齡步唐代之瀛洲.三公之任,在乎煞刃司權,各遇長生,更得財資極貴.)

해석. 가령 甲은 庚이 煞이고, 乙은 辛이 煞인데, 柱에 巳 子가 있으면 煞이 長生한다. 甲이 乙을 보거나 乙이 甲을 보면 刃인데, 柱중에 亥 午가 있으면 刃이 長生한다. 다시 財가 煞을 도우면 印이 刃으로 化하여 극귀(極貴)하다. (解.如甲用庚爲煞,乙用辛爲煞,柱有巳子,則煞長生.甲見乙,乙見甲爲刃,柱有亥午,爲刃長生.更得財資煞,印化刃,極貴.)

중요한 부분인 총융사를 맡는 것은, 劫이 印을 지니고 있음으로써 官을 돕는다.(司要樞,總戎政,因劫帶印以資官.)

해석. 월영과 시상의 정관은 양인이 돕는 것이 필요하다. (解.月令時上正官,要羊刃資之.如甲用辛爲官,得乙字資官是也.)

굽거나 억눌린 것을 펼치거나 원통함을 다스리는 것은 財가 煞을 生하여 印을 돕는 것이다.(伸枉抑,理冤愆,爲財生煞而助印.)

해석. 四柱에 칠살이 중첩하고, 또 財 官의 도움을 얻으면 煞이 세력을 얻어 다시 印을 生하는 것이다. (解.四柱七煞重疊,又得財官資助,則煞得勢,復生乎印矣.)

---

45) 공승(龔勝);전한 말기의 정치가로, 자는 군빈(君賓)이며 초(楚)나라 사람이다.
46) 영주(瀛洲);중국 전설에서, 신선이 산다는 삼신산(三神山)의 하나.

직언(直言)하러 궁궐로 향하는 것은 煞과 印이 天干에 둘 다 투출하기 때문이다. (進直言而趨金闕,因煞刃兩露於天干.)

해석. 이것은 煞格인데, 煞과 刃이 歲 月 時중에 나란히 나타난 것이다. 주로 언로(言路=進言)이다.(解.此是煞格.而煞刃並現歲月時中.主言路.)

한원(翰苑)에 머물러 사륜(絲綸=조칙의 글)을 맡으면 四柱에서 정관이 귀록(歸祿)하게 된다. (居翰苑而掌絲綸,爲正官歸祿於四柱.)

해석. 귀록은 정관인데, 가령 丙은 癸가 官인데 子[字]가 있으면 癸의 祿이 子에 居하니 冬절의 3개월에 生하면 오묘(奧妙)하다. 부(賦)에서 또 이르길, 사륜(絲綸)을 맡는 命은 직위가 옥당(玉堂)의 반열인데 貴祿으로 인해 청기(淸奇)함을 얻는 것이다. (解.歸祿乃正官.如丙用癸爲官,有子字則癸祿居子,在冬三月生妙.賦又云,掌絲綸之命,列玉堂之職,因貴祿而得淸奇是也.)

年이 정인이고 月이 정관이면 국감(國監)하는 한림(翰林=예문관)의 임무를 맡는다. (年正印而月正官,居國監翰林之任.)

해석. 정관은 月令중에 나타나면 좋고, 정인은 歲元의 上에 노출해야한다. 衝剋하는 神을 만나지 않으면 위의 글에 따른다. (解.正官喜現於月令之中,正印要露於歲元之上.不見衝剋之神,准上文.)

格이 청기(淸奇)하고 時에서 得令하면 홍로(鴻臚=중추원)로 옥전(玉殿)에 명성을 울린다. (格淸奇而時得令,唱鴻臚玉殿之名.)

해석. 格局이 순수하고 화목하여 부잡(不雜)하고, 용신이 得令하여 有氣하며 刑 衝 破 害가 없으면 大貴한 명조이다. 賦에서 또 이르길, 格이 맑고 局이 바르면 옥전전려(玉殿傳臚)인 것이다. (解.格局純和不雜,用神得令有氣,無刑衝破害,大貴之造.賦又云,格淸局正,玉殿傳臚是也.)

眞寶賦(진보부)-15

나라를 평정하며 육사(六師)를 거느림은 관성의 변화로 천덕(天德)이 된다. (平邦國,統六師,賴官星變爲天德.)

해석. 해석은 앞을 보라. (解.解見前.)

陰陽의 이치로 재상에 오르는데, 祿馬가 長生을 지니기 때문이다. (理陰陽,登宰輔,因祿馬又帶

長生.)

해석. 정재 정관이 함께 장생에 있고, 刃이 食神을 生하고, 食神이 財를 生하고, 財가 官을 生하고, 官이 印을 生하고, 印이 身을 生하면 주류(周流)하여 불식(不息)하는 妙가 있으니 반드시 主가 大貴한다. 賦에서 또 이르길, 財官이 체(蒂)가 있으면 조화(調和)의 섭리(燮理)로 권력이 된다. 유체(有蒂)는 長生인 것이다. 단지 財官의 長生은 貴를 就하고, 長生은 長生하는 地支에 머무는 것을 가리키는 말이고, 刃과 食神이 相生하는 해석이 필요하지 않다. (解.正財正官,俱有長生.得刃生食,食生財,財生官,官生印,印生身,有周流不息之妙,必主大貴.賦又云,財官有蒂,調和燮理之權.有蒂,長生是也.只財官長生就貴,長生,指所居長生之地言,不必要刃食相生解.)

格局이 순수하며 화목하고 일간이 自弱하면 山川의 경치를 바라보며 조용히 휴식함을 좋아한다. (格局純和,而日干自弱,覽泉石而好幽棲.)

해석. 용신이 비록 得時할지라도 일주가 衰하여 이기지 못하면 오히려 은거하는 사람이다. 身을 돕는 運을 만나면 발달한다. (解.用神雖得時,日主衰不勝,卻爲林泉晦跡之人.遇運扶身亦發.)

格局이 박약(薄弱)하고 용신이 경미(輕微)하면 설령 生으로 돕더라도 작은 직책에 지나지 않는다. (格局薄弱,而用神輕微,縱資生而無過小職.)

해석. 가령 그 소용(所用)되는 神이 時令을 얻지 못하면 설령 돕는 글자를 얻더라도 작은 관직에 불과하다. 앞의 格局에서 순수하고 화목한 것을 비교하면 동일하지 않다. (解.如其所用之神,不得時令,縱得資益之字,不過小官.比前格局純和者不同.)

土가 重한데 支神이 두텁게 실어주면 현무(玄武)를 싫어하고 청룡(靑龍)을 좋아한다. 참된 格局을 만나면 반드시 大貴한다. (土重而支神厚載,畏玄武而喜青龍.格局苟逢,必膺大貴.)

해석. 가령 戊 己일이 柱중에 다시 戊 己를 거듭하고, 혹 하나의 申[字]가 地支에 있으면 이것이 순수하며 유순(柔順)한 道이다. 賦에서 形이 정해진 방향이 있으면 德合이 무강(無疆)하니 곤(坤)이 크다. 이 象을 두면 大貴하고, 壬 癸를 싫어하고, 甲 乙를 좋아한다. 運은 동일하다. (解.且如戊己日,柱中又重戊己字,或得一申字在地支,是純柔順之道.賦形有定之方,德合無疆,坤之大也.值此象大貴.忌壬癸,喜甲乙.運同.)

木이 왕성하고 土가 두터운데 등불(빛)을 만나면 東方을 따라서 坤地로 行한다. 柱運이 순하고 화목하면 반드시 功名이 나타난다. (木盛而土厚逢焚,順東方而行坤地.柱運順和,定顯功名.)

해석. 天干이 甲 乙의 一氣이고, 地支가 戊 己로 중첩하면 오히려 寅 午 戌의 한 글자를 얻어야 東方을 따라서 木이 得地한다. 坤地로 行하면 土가 得位한다. 이와 같으면 木이 점차 왕성하고 土가 차츰 두터워진다. 四九가 上下로 상응한다. (解.天干甲乙一氣,地支戊己重疊,卻得寅午戌一字,順東方,木得地也.行坤地,土得位也.如是則木愈盛而土愈厚.四九上下應之.)

土가 많아 坤과 艮의 위에 머물면 天道가 아래를 구제하여 光明하다. (土多而居坤艮之上,則天道下濟而光明.)

해석. 戊 己가 歲 月에 머물고 時의 地支에 다시 그 根(뿌리)이 있으면 제강에 寅이 있어야한다. 土는 곤위지(坤爲地)이고, 寅은 간위산(艮爲山)으로 안은 멈추고 밖은 유순하니 겸손함을 뜻한다. 산은 높고 땅이 낮으니 굴복하여 그 아래에 멈춘다. 이 象을 두면 귀현(貴顯)하여 형통(亨通)한다. (解.戊己居於歲月,時于地支,又有其根,得提綱在寅.土爲坤爲地,寅爲艮爲山,止乎內而順乎外,謙之義也.山至高而地至卑,乃屈而止乎其下.値此象,貴顯亨通.)

眞寶賦(진보부)-16

刃이 祿馬 三奇를 만나고 得令한 財가 투출하면 공후(公侯)로써 일품으로 貴하다. (刃逢祿馬三奇,得令透財,爲公侯一品之貴.)

四柱에 水火의 두 局이 모여 金을 노출하며 土를 암장하면 구사지검(龜蛇持劍)의 形이 된다. (柱會水火二局,露金藏土,爲龜蛇持劍之形.)

해석. 앞의 구사지검(龜蛇持劍)에 金刃을 겸하면 명성이 높은 뜻을 회복한다. (解.即前龜蛇持劍兼金刃而賈復名高之義.)

재성이 변한 德이 煞에 坐하면 이정(李靖)[47]처럼 문무(文武)를 겸한 완전한 재목이다. (財星變德而坐煞,李靖兼文武全材.)

해석. 가령 丙申일은 辛金이 정재인데 4月중에 태어나면 申중 壬水에 自坐하면 煞이 된다. 己卯는 壬水가 정재인데 申 子 辰월에 태어나면 天 月德의 종류가 된다. 둘은 모두 德秀이고 또 재성이 변한 德이고 生旺하며 겁탈이 없어야한다. 武는 서강진폭(鋤強殄暴)하고, 文은 조토분모(胙土分茅)한다. 賦에서 또 이르길, 재성이 변한 德은 추요(樞要)하며 고굉(股肱)을 담당하는 것이다. (解.如丙申日,以辛金爲正財,要在四月中生,自坐申中壬水爲煞.己卯以壬水爲正財,要在申子辰月生,爲天月德之類.二者俱變爲德秀,又是財星變德,値生旺,無劫奪.武則鋤強殄暴,文則胙土分茅.賦又云,財星變德,登樞要而任股肱是也.)

47) 이정(李靖, 571년~649년)은 중국 당나라의 명장으로, 중국 섬서성 장안(長安)에서 출생하였고, 당나라의 대표적인 병서《위공병법》(衛公兵法), 《이위공문대》(李衛公問對)를 저술하였다.

煞刃이 印을 얻어 서로 도우면 급암(汲黯)하여 조정의 이목(耳目)을 만든다. (煞刃得印以相資, 汲黯作朝廷之耳目.)

해석. 煞이 印을 生하고 刃이 合煞이 온전하면 大貴하다. (解.煞生印,刃合煞,全者大貴.)

상관이 財印을 지니는데 生旺을 겸하면 기강(紀綱;기율과 법도)을 가진다. (傷帶財印,兼生旺而持綱持紀.)

해석. 이것은 상관用財 상관用印의 뜻인데, 반드시 財와 印이 生旺하여야 비로소 妙하다. (解.此傷官用財用印之義也.須財印生旺方妙.)

四柱에 火土가 고르고 木氣를 만나면 나라와 백성이 된다. (柱均火土,逢木氣而爲國爲民.)

해석. 火가 土를 生하는 食傷이고, 木은 火의 印綬이며 土의 官이되기 때문이다. (解.火生土爲食傷,木爲火印,爲土官故也.)

왕증[48]은 선비들 중에 우두머리인데, 官印이 食神을 지니고 서로 돕기 때문이다. 엽정(葉正)이 오두(鼇頭)를 점령하는데, 재성이 自官과 自祿을 의지함이다. 신왕한데 財官의 도움이 없으면 기예(技藝)가 아니면 반드시 방랑하는 승려이다. 여인이 二德을 범하고 순수하면 문장을 사랑하고 봉황의 직첩을 받는다. (王曾魁衆士,因官印帶食以相扶.葉正占鰲頭,賴印星自官而自祿.身旺無財官之輔,非技藝而必僧流.女人犯二德之純,受寵章而沾鳳誥.)

해석. 내가(육오) 이 賦를 살펴보니 자평[法]을 벗어나지 않았는데, 단지 칠살과 양인 상관과 식신 그리고 財 官 印綬를 여러 번 중복하고 아울러 돕는 것을 함께 取하였다. 성격(成格) 합국(合局)이 작당(作黨)하여 제화(制化)로 변한 德은 모두 대권(大權) 大貴하였고, 만공이 귀로 듣고 목격(目擊)하였으므로 자평의 法으로 광범위하게 추리하였다. 만공도 그 또한 세밀히 알고 있는 선비이던가? (解.余觀此賦,不外子平,但多重七煞羊刃,傷官食神,而財官印綬,兼資並取.成格合局,作黨制化變德者,皆作大權大貴,萬公耳聞目擊,故以子平之法而推廣之.萬公其亦識微之士耶.)

48) 왕증(王曾);송나라 제4대 인종(仁宗) 때의 재상이다.

3. 金聲玉振賦[금성옥진부]-1

(玄虛道人著현허도인 저, 育吾居士解육오거사 해석)

命을 받아도 동일하지 않으니 마치 形을 받는 것과 같다. 이치를 헤아리면 精이 어려우니 바다를 헤아리듯 하다. 陰은 우울하고 陽은 유쾌한데 영허(盈虛)의 數가 있음을 알고 天은 높고 地는 멀어 지극히 복재(覆載)하여 한계가 없다. 혹 운한(雲漢;은하)에 올라도 사사로운 것이 있지 않다. 혹 연천(淵泉)에 떨어져도 惡한 것이 있지 않다. 그 氣數가 太初에 정해져 그 배복(培覆)함이 모두 草木에 비유된다. 妙訣에는 여러 말이 있지 않는데, 지인(至人=성인)에게 어찌 요란스러운 일이겠는가! 만일 類 屬 從 化라면 格의 旺衰를 판단하고, 照 伏 拱 遙라면 局의 明暗을 구분해야 한다. (受命之不同也,有如受形.測理之難精也,過於測海.陰慘陽舒,知盈虛之有數,天高地迥,極覆載之無疆.或升之雲漢兮,而非有所私.或墜之淵泉兮,而非有所惡.其氣數定於太初,其培覆譬諸草木.妙訣不在於多言,至人奚事於強聒.且如類屬從化,格判旺衰,照伏拱遙,局分明暗.)

해석. 類[象] 屬[象]을 보면 旺해야하고, 從化는 衰함이 필요하다. 照[象] 伏[象]의 둘은 모두 분명한 局을 취한다. 遙[象] 拱[夾]의 둘은 보이지 않는 形의 局을 취하므로 暗이라 일컫는다. 이미 자세한 주해(註解)는 앞의 간명팔법(看命八法)에서 하였다. (解.見類屬要旺,從化要衰.照伏二者,皆取局於明.遙拱二者,乃取局於不見之形,故謂之暗.已詳註前看命八法下.)

용신을 論하고 일주를 論하면 각각 마땅한 것이 있다. 지맥(地脈)을 취하고 천원(天元)을 취하는 이것은 혹 하나의 道이다. (論用神,論日主,各有所宜.取地脈,取天元,是或一道.)

해석. 이것은 들추어내어 조화(造化)를 말하면 사물의 한 부분은 아니다. 혹 말하길, 이 여섯 구절을 자세히 밝히면 위의 八格의 뜻으로 옳은 것에 通한다.(解.此泛擧談造化者之非一端也.或曰,此六句是申明以上八格之意.於義亦通.)

거류서배(去留舒配)를 유념하고, 희기애증(喜忌愛憎)을 결의(決意)한다. (游心於去留舒配,決意於喜忌愛憎.)

해석. 이 약언(約言)에서 造化는 여러 술수가 없다. 중간(中間)의 묘리(妙理)는 한마디의 말로 다할 수 없다. 가령 용신을 취하고, 일간을 用하고, 地脈을 취하고, 天元을 취하면 희기(喜忌)와 애증(愛憎)은 만물이 동일하지 않다. 만약 거류서배(去留舒配)하지 않으면 어찌 造化를 이루고 貴賤을 구분하며 성명(性命)을 말하고 생사(生死)를 결정하겠는가? 따라서 마땅히 자세히 살필 것을 유념하고 전념으로 살필 것을 결의(決意)해야 한다. (解.此約言造化者之無多術也.中間妙理,則不能一言盡.如論用神,用日干,取地脈,取天元,喜忌愛憎,萬有不同.若不去留舒配,何以成造化而分貴賤,談性命而決生死?所以當游心詳玩,決意專察也.)

또한 원탁(源濁)과 유청(流清)이 있는데, 어찌 근첨(根甜)과 예고(裔苦)가 없겠는가? (亦有源濁而流清,豈無根甜而裔苦.)

해석. 가령 水가 土令에서 生하면 그 근원이 본래 濁하다. 運이 西北으로 行하면 土는 金으로 化하고 金이 水로 化하여 흐르지 않아도 淸한 것인가? 이 같으면 먼저는 主가 凶하지만 후에는 主가 吉하다. 홍범(洪範)에서 말하길, 가색(稼穡)은 감(甘)이 되고, 염상(炎上)은 고(苦)가 되는데, 木이 土令을 生하여 南方으로 行하면 근감예고(根甘裔苦)라 일컫는다. 비록 상관이 財를 生하더라도 水가 南으로 달려서는 안 되는데 어찌 그것을 감당하겠는가? 혹 이 두 구절로 五行과 命運을 전부 깨우치는데 전적으로 水火만을 가리키는 것은 아니나 역시 通한다. 낙록자는 처음에 凶하지만 나중에 吉하고, 시작은 吉하여도 결국 凶한 것이 있었는데, 이것을 비유(譬喩)한 것이다. 이는 그 이치를 직언(直言)한 것일 뿐이다. (解.如水生於土令,其源本濁.運行西北,土化金,金化水,其流不亦清乎?若此者,先主凶,後主吉.洪範曰,稼穡作甘,炎上作苦,木生土令,行南方,根甘裔苦之謂也.雖傷官能生財,然水不南奔,何以任之?或謂此二句總喩五行命運,不專指水火.亦通.珞琭子有初凶後吉,始吉終凶,則是譬喩.此則直言其理耳.)

원앙(鴛鴦)이 날개를 나란히 하여 강과 호수를 만나면 반드시 평생을 같이한다. (鴛鴦比翼見江湖必遂平生.)

[해석]
예) 명조
壬 丁 辛 丙
寅 巳 丑 戌
丙辛合, 丁壬合, 寅戌合, 丑巳合은 만약 원앙(鴛鴦)이라면 날개를 나란히 하여 같이 나는 것이다. 壬水가 사주에 있고, 다시 丙 辛이 化水하니 강호(江湖)의 象으로 그것은 서지(棲遲)[49]한 성품이라 할 수 있는 것이다. 혹 말하길, 원앙비익(鴛鴦比翼)은 그 둘과 둘만이 서로 合할 뿐이니, 덕합쌍앙(德合雙鴦)格이다. 강호(江湖)의 글자에 얽매일 필요가 없다. (解.如丙戌辛丑丁巳壬寅,丙辛合,丁壬合,寅戌合,丑巳合,若鴛鴦之比翼聯飛也.有壬水在柱,而又丙辛化水,是江湖之象,可以遂其棲遲之性矣.或曰,鴛鴦比翼,只取其兩兩相合,即德合雙鴦格也.江湖字不必拘.)

金聲玉振賦[금성옥진부]-2

나비가 짝하여 날아서 동산을 만나면 비로소 얻는 것이 있다. (蝴蝶雙飛,逢園囿方爲得所.)

[해석]

49) 서지(棲遲);벼슬을 하지 않고 세상(世上)을 피(避)하여 시골에서 삶. 천천히 돌아다니며 마음껏 놂.

예) 명조
戊 辛 戊 辛
戌 未 戌 未
未는 木의 庫이고, 戊戌은 納音으로 평지(平地)木이 되니 동산이 되는 것이므로 格에 부합하니 貴하다. 만약 일점의 水氣가 없으면 어찌 名利가 헛된 사람이 아니겠는가? (解.如辛未戊戌辛未戊戌,未爲木庫,戊戌納音又爲平地木,乃園囿之所,故合格而貴.若無一點水氣,豈非虛名虛利之人乎?)

精한 金은 청사(靑沙)와 황적(黃磧)에서 파내고, 이기(利器;날카로운 병기)로 반근착절(盤根錯節)[50]을 나눈다. (採精金於青沙黃磧,別利器於錯節盤根.)

해석. 甲午일이 己巳시를 만나거나, 乙未일이 戊寅시를 만난 것이다. 무릇 甲午 乙未는 본래 사중금(砂中金)이고, 戊寅은 청사(靑沙)이며 己巳는 황적(黃磧)이다. 甲 乙이 卯월에 태어나면 木旺한 때이니 四柱에 壬申 癸酉의 검봉(劍鋒)金을 지니면 이 格에 바르게 부합한다. 나머지 金은 아니다. (解.甲午日見己巳時,乙未日見戊寅時.蓋甲午乙未本是沙中金,而戊寅則青沙,己巳乃黃磧也.甲乙生卯月木旺之時,柱帶壬申癸酉劍鋒之金,正合此格.餘金則非.)

내가 生하는 것이 어찌 나를 生하는 것처럼 편안하겠으며, 나를 剋하는 것이 내가 剋하는 것처럼 나타나겠는가? (我生者,豈若生我之爲安.剋我者,曾如我剋者之爲顯.)

해석. 이 말은 상관이 印綬만 못하고, 用煞이 用財보다 못하다. 대개 상관과 칠살은 비록 혹 大貴할지라도 그러나 대부분 재앙을 얻으니, 순수하게 財 印을 用하는 것만 못하지만 자연의 福을 누린다. 혹 用財하면 마치 富에서 멈출 것같이 말하지만 財旺하여 官을 生하는 것은 말하지 않았다. 따라서 用財하면 사람을 억제하고, 官 煞을 用하면 사람에게 억제 당한다. (解.此言傷官不及印綬,用煞不如用財也.蓋傷官七煞,雖或大貴,然多有得其禍者,弗若純用財印,爲享自然之福也.或謂用財似止於富,不曰財旺生官耶.故用財者制人,用官煞者制於人.)

만일 기제(既濟)와 미제(未濟)를 만나면 휴의(休疑)와 衝을 아우른다. 휴의(休疑)는 의지할 데가 없다. (如逢既濟未濟,休疑衝併.休疑無依.)

[해석]
예) 명조
丙 壬 丙 壬
午 子 午 子
기제(既濟)의 格이다.

50) 반근착절(盤根錯節);구부러진 나무뿌리와 울퉁불퉁한 나무의 마디란 뜻으로, 얽히고설켜서 처리하기에 곤란한 사건.

예) 명조
甲 丙 丙 丁
午 戌 午 卯
미제(未濟)의 格이다. 둘 모두 大貴하였다.
만일 속된 안목으로 그것을 살펴보면, 앞의 한 命은 衝을 함으로써 혐의하고, 뒤의 한 命은 의지할 것이 없음으로써 혐의하는 것이다. 혹 미제(未濟)로써 火가 위에 있고, 四柱중에서 太旺하다고 해석하게 되니 곧 취정회신(聚精會神)格이다. (解.如壬子丙午壬子丙午,既濟之格也.如丁卯丙午丙戌甲午,未濟之格也.二者俱大貴.如以俗眼觀之,則前一命嫌於衝併,後一命嫌於無依矣.或以未濟,以火在上,水在下,柱中太旺爲解,即聚精會神之格也.)

[四柱] 안에는 三正과 三偏이 있으면 生扶함이 필요하지 않고, 투출하여 노출하는 것도 필요하지 않다. (內有三正三偏,不必生扶,不必透露.)

해석. 6壬일이 4월에 태어나면 巳중의 戊는 편관이고, 丙은 편재이며 長生하는 金은 편인이 되므로 三偏이라 일컫는다. 癸가 巳월에 生하면 정관 정재 정인으로 삼정(三正)이 된다. 水가 비록 巳에서 絶하더라도 金이 長生하여 水는 결국 絶하지 않으니 생부(生扶)가 필요하지 않는 것이다. 흡취(翕聚:합하고 모이면)하면 氣가 하나로 발산(發散)하니 투출하여 노출됨이 필요하지 않는 것이다. 혹 財 官 印을 생부(生扶)함을 가리키는데 만약 일간이 衰弱하면 불가불(不可不) 생부(生扶)할 뿐이다. (解.六壬生四月,巳中戊爲偏官,丙爲偏財,長生金爲偏印,故謂之三偏.癸生巳月,則爲正官,正財,正印,乃三正也.水雖絕巳,金長生則水不終絕,是以不必生扶也.翕聚則氣專,發散,是以不必透露也.或以生扶指財官印言,若日干衰弱,則不可不生扶耳.)

金聲玉振賦[금성옥진부]-3

[人生]길을 달리면 죽기도하고, 대체로 수기(秀氣)가 번잡하여 어지럽히기 때문인데, 영어(囹圄=감옥)에 앉아서 죽을 命이니 단지 比肩이 쟁투(爭鬪)하기 때문이다. (奔道途而喪生,蓋因秀氣繁亂.坐囹圄以亡命,只爲比肩爭鬥.)

해석. 가령 1木에 3寅이거나, 1丙에 3戌이나, 1辛에 3丙이면, 祿 庫 관성이 매우 많아 수기(秀氣)가 없는 것이다. 만일 3壬에 1亥이거나, 3庚에 1丑이나, 3己에 1甲이면 수기(秀氣)를 나누어 탈취하기에 이기지 못한다. 나머지는 이것을 모방하라. (解.如一甲三寅.一丙三戌,一辛三丙,祿庫官星太多,無秀氣也.如三壬一亥,三庚一丑,三己一甲,秀氣不勝其分奪也.餘倣此.)

刃이 重한데 官이 輕하면 시정(市井)에서 도살(屠殺)업을 한다. 馬가 피곤하여 刃을 破하면 공당(公堂=관아)에서 도필(刀筆)[51]을 다룬다. (刃重官輕,業屠沽於市井.馬疲印破,弄刀筆於公堂.)

해석. 관성이 刃을 지니면 본래 吉하지만, 官煞이 실시(失時)하면 刃이 용사(用事=權을 잡아)하니 그 자리가 賤하다. 무릇 이 格을 만나면 도살업을 틀림없이 한다고 단정한다. 가령 寅 午 水의 馬는 申인데 刑 衝 破 害가 있으면 馬가 피로하다. 甲木은 壬 癸가 印인데 庚 辛의 生은 없고, 戊 己가 파괴(破壞)하면 아전의 무리이다. 혹 이르길, 馬는 財를 가리키는 말인데 피로하면 병(病)이다. 財가 病地에 임하면 馬가 피로하다고 한다. 고찰하면, 낙록자는 馬의 피로함을 주해(註解)한 것은 왕 정광이 앞에서 설명한 것이다. (解.官星帶刃本吉.官煞失時,而刃用事,玆其所以賤也.凡遇此格,斷爲屠沽無疑.如寅午戌馬居申,有刑衝破害則馬疲.甲木以壬癸爲印,無庚辛生之,有戊己破壞,乃吏胥之徒也.或云,馬指財言,疲,病也.財臨病地,謂之馬疲.考珞琭子馬疲註,王廷光以前說爲是.)

삼기(三奇)에 다시 戌 辰을 범하면 깎고 다듬는 장인(匠人=기술자)이 된다. (三奇再犯戌辰,作斲削裁縫之匠.)

해석. 地삼기는 甲 戊 庚이고, 天삼기는 乙 丙 丁이고, 人삼기는 辛 壬 癸이다. 干에 삼기를 얻고, 地支에 辰 戌의 相衝이 있으면 貴가 도리어 賤하게 된다. 이것을 만나면 목공예 및 옷을 만드는 장인으로 단정할 수 있다. 寅 辰을 만나면 그렇지 않고, 혹 戌의 合이 있거나, 辰의 合이 있는 각각 두 局으로 나눈다. 수화기제하면 그렇지 않다. (解.地三奇,甲戊庚.天三奇,乙丙丁.人三奇,辛壬癸.干得三奇,地支有辰戌相衝,乃貴反爲賤之造.遇此者,可斷爲木匠及裁衣匠矣.遇寅辰則不然,或戌有合,辰有合,各分二局.則水火既濟,亦不然也.)

사주에서 祿位가 돌아오면 장수(長壽)와 큰 복(福)을 누리는 사람이다. (四柱盡歸祿位,享眉壽景福之人.)

[해석]
예) 명조
己 乙 甲 丙
卯 巳 午 寅
丙의 祿이 巳에 있고, 甲의 祿은 寅에 있고, 乙의 祿은 卯에 있고, 己의 祿이 午에 머무니 天干이 각각 돌아갈 곳이 있다. 이 사람은 일생토록 부유하였고, 또 長壽하였다. 곧 소식賦에서, 五行이 귀록(歸祿)하면 福을 누리는데, 장수(長壽)하고 팔자가 고르게 머문다는 뜻이다. (解.如丙寅甲午乙巳己卯,丙祿居巳,甲祿居寅,乙祿居卯,己祿居午,天干各有所歸,此人一生富而且壽.即消息賦享福五行歸祿,眉壽八字均停之意.)

木이 쇠약하고 火가 旺盛한데 다시 西[方]으로 行하면 수명(壽命)은 요절(夭折)한다. (木衰火旺復行西,天年夭折.)

---

51) 도필(刀筆):중국(中國)에서 종이가 발명되기 전에 대나무에 문자를 새기는 데에 썼던 칼.

해석. 가령 甲午일이 4~5月에 生하여 木이 南[方]으로 달리지 않고, 또 金이 벌목(伐木)하면 마땅히 요절(夭折)한다. 東北의 運으로 行하면 그렇지 않다. (解.如甲午日,生四五月,木不南奔,又見金砍伐,夭折固宜.行東北運則否.)

금한수냉(金寒水冷)한데 아울러 北을 껴안으면 신세(身世)가 부침(浮沈)한다. (水冷金寒兼拱北,身世浮沉.)

해석. 금수상관[52]은 단지 東南의 運으로 行하여야 吉하다. (解.金水傷官,只宜東南運行吉.)

金聲玉振賦[금성옥진부]-4

甲이 春절이고 乙이 秋절이면 마땅히 官煞이 중첩하여 치우쳐야한다. (甲春乙秋,偏宜官煞重疊.)

해석. 甲이 春절에 生하면 木이 旺하니 金으로 깎아야 비로소 그릇을 이룬다. 乙이 秋절에 生하면 혹 化하거나 혹 煞이어도 모두 吉하다. 이것은 마땅히 煞이 많아야한다. 가령 甲이 秋절에 生하면 거듭 剋을 받으니 반드시 主는 大凶하다. 乙이 春절에 生하여 煞이 많으면 역시 좋지 않다. (解.甲生春,木旺,賴金斲削方成器.乙生秋,或化或煞,皆吉.是以宜多煞.假若甲生秋而重受剋,必主大凶.乙生春而煞多,亦不宜.)

丙火가 卯월이면 印綬이나 생부(生扶)하기 어렵다. (丙火卯月,難資印綬生扶.)

해석. 습한 木은 火가 불타지 않아 生하지 못하는데 이치가 참으로 그러하다. 乙卯 癸卯는 더욱 심하고, 丁卯는 조금 덜하다. (解.濕木不生無焰火,理固然也.乙卯癸卯尤甚,丁卯庶幾.)

水가 번성한데 制하지 못하면 방광(膀胱)에 병(病)이 생긴다. 金이 번성한데 化하지 못하면 목구멍과 혀에 병(病)이 있다. (水繁而不制,病生於膀胱.金繁而不化,疾在於喉舌.)

해석. 水는 정(精)에 속하고, 金은 성(聲=소리)에 속하는데 水는 제방(隄防)을 손실하며 土의 制가 없으면 그 사람이 음란(淫亂)하고, 水가 많아 크게 범람한다. 金이 크게 견강(堅剛;야무지고 단단함)한데 火의 제화가 없으면 그 사람은 벙어리이고, 금실무성(金實無聲)[53]이다. (解.水屬精,金屬聲,水失隄防而無土制,則其人淫,水多太泛也.金太堅剛而無火化,則其人啞,金實無聲也.)

---

52) 金水傷官은 喜見官을 말함.
53) 금실무성(金實無聲);金이 견실하면 소리가 없다.

재관쌍미(財官雙美)한데 투출하여 노출하면 지극히 영화롭다.(또 이르길, 印綬를 만나면 지극히 영화롭다.) 목화통명(木火通明)한데 土를 만나면 貴하다. (財官雙美,透露極榮.[一云遇印極榮]火木通明,見土則貴.)

해석. 재관쌍미(財官雙美)는 辰 戌 丑 未월생이거나, 혹 壬午 癸巳일 等이다. 진실로 財官이 天干에 투출하여야 妙하게 된다. 목화통명(木火通明)은 모름지기 春절생이 가장 吉하다. 土로 인해 火를 숙(宿)하고, 木을 배양하므로 반드시 만나야 貴하다. (解.財官雙美,是辰戌丑未月生,或壬午癸巳等日.固宜財官透天爲妙.木火通明,須春生最吉.土所以宿火培木,故須見之方貴.)

壬추간과 甲추건은 반드시 財와 印이 도와야 福이 된다. 子요巳 丑요巳도 역시 財와 印으로 보완해야한다. (壬趨艮,甲趨乾,須以財印助福.子遙巳,丑遙巳,亦以財印相成.)

해석. 이상의 4格은 모두 財와 印이 보좌(輔佐)하여야 비로소 大貴하다. (解.以上四格,皆賴財印輔佐,而始大貴.不宜見官煞.)

三奇가 歲支이 아래에 복장(伏藏)하면 젊어서 한림(翰林=예문관)에 든다. 삼기(三奇)가 시위(侍位)에 있으면 노년에 대각(臺閣)에 속한다. (三奇伏歲支之下,少入翰林.三奇在時位之間,晩歸臺閣.)

해석. 6甲의 일주가 己丑년을 만난 것인데, 己丑중에 辛金 癸水 己土는 財 官 印의 三奇가 된다. 가령 6丁일이 辛亥시를 만나면 亥중의 壬水는 官이고 甲木은 印이 되고 또 辛金은 財인데, 이를 만나면 어찌 극품(極品)에 머물지 않겠는가? 대저, 三奇는 하나로 貴는 노소(老小)의 구분이 있고, 年이 먼저이며 時가 나중이고, 年은 가까우며 時는 멀다. (解.如六甲日主,見己丑年者是,己丑中,辛金癸水己土,爲財官印之三奇也.如六丁日見辛亥時,亥中壬水爲官,甲木爲印,又辛金乃財也,遇之豈不居極品乎?夫三奇一也.而貴有老少之分,以年先而時後,年近而時遠也.)

金聲玉振賦[금성옥진부]-5

관성이 득령(得令)하였는데 제복(制伏)하면 모두 凶하다. 貴人이 身을 도우면 수많은 재앙을 벗어난다. (官星得令,制伏諸凶.貴人扶身,解脫百厄.)

해석. 이 말은, 命중에 관성 귀인이 있으면 凶神이나 惡煞을 꺼리지 않는데 대체로 사(邪)는 정(正)을 이길 수 없기 때문이다. 반드시 득령하고 身을 도운다면 賦의 문장에 准한다. 만약 官이 실령(失令)하고 손상을 받으면 산만(散漫)하여 원망하면 그렇지 않다. (解.此言命中有官星貴神,不忌凶神惡煞,蓋邪不勝正也.須得令扶身,方准賦文.若官失令受傷,貴人散漫生嗔,則否.)

煞 刃이 간두(天干)에 둘 다 나타나면 반드시 말로 책망을 받는다. 刑 衝을 歲運에서 한번 만나면 불측(不測)의 위태로움으로 두려워한다. (煞刃兩現干頭,定受言責之寄.一遇刑衝歲運,恐蹈不測之危.)

해석. 煞刃은 권성(權星)인데 刑 衝이 가장 두렵다. (解.煞刃爲權星,刑衝最忌.)

丙이 子 申에 임하고 戊가 [干]頭가 되면 貴가 왕사(王謝)에 비견된다. 辛이 羊(未) 兎(卯)를 타고 乙이 투출하면 富가 도주(陶朱)에 비견된다. (丙臨子申,戊當頭而貴擬王謝.辛騎羊兎,乙透出而富比陶朱.)

해석. 貴는 食神이 生旺하다는 말이다. 富는 재성이 祿 庫라는 말이다. (解.貴以食神生旺言.富以財星祿庫言.)

8월의 관성이 子 辰을 만나면 暗으로 煞을 合해온다. (八月官星,見子辰,合來暗煞.)

해석. 가령 甲이 酉월에 生하면 정관인데, 歲 時의 아래에 子 辰이 있으면 申金을 만나서 나타나니 관살혼잡이 되는 것이다. (解.假如,甲生酉月爲正官,歲時下有子辰,則會出申金,斯爲官煞混雜矣.)

三春의 丙火가 猴(申) 鼠(子)를 만나면 정관을 化하게 된다. (三春丙火逢猴鼠,化作正官.)

해석. 丙火는 辰土가 본래 食神인데 子 申이 있으면 水局을 이루니 官이 어찌 아니겠는가? 이 두 구절은 불견지형(不見之形)이다. (解.丙火辰土,本是食神,有子申會成水局,非官而何?此二句乃不見之形.)

金水는 참으로 총명한데 土가 있으면 도리어 아둔하고 나약하게 된다. (金水固聰明,有土反成頑懦.)

해석. 土는 水를 濁하게 할 수 있으며 金을 매몰하기 때문이다. (解.土能濁水,埋金故也.)

梟가 食은 비록 가난하거나 요절할지라도 財를 얻으면 홀연히 亨通한다. (梟食雖貧夭,得財忽變亨通.)

해석. 食神은 財의 근원이고, 또 수성(壽星)인데 효(梟)印이 食神을 破하면 가난하거나 요절함이 틀림없다. 財地로 한번 行하면 효신을 제거하니 凶중에 도리어 吉하다. 이런 종류의 命은 대부분 他人에 의해 부유하게 된다. (解.食神乃財源,又爲壽星,梟印破之,貧夭無疑.一行財地,逐去梟

神,凶中反吉.此等命,多依他人取富.)

金聲玉振賦[금성옥진부]-6

6乙서귀[格]은 食神을 보면 좋다. 6陰조양[格]은 어찌 비견 劫을 꺼리는가? 금신이 煞을 지니면 오대(烏臺;사헌부)에 들고, 상관이 刃을 지니면 헌부(憲府;사헌부)에 居한다. (六乙鼠貴,愛見食神.六陰朝陽,何妨肩劫.金神帶煞入烏臺,偏官帶刃居憲府.)

해석. 금신 양인은 모두 惡星인데 官 煞이 제복(制伏)함을 좋아하고, 人命에서 이를 얻으면 간사함과 폐단을 제거하는 象이 되므로 이 직책을 한다고 결단한다. (解.金神羊刃皆惡星,喜官煞制伏,人命得之,爲除奸去弊之象,故斷居此之職.)

戊土가 寅宮을 중첩하면 財를 좋아하나 印을 좋아하지 않는다. (戊土疊臨寅宮,善財而不喜印.)

해석. 戊寅은 비록 煞에 坐할지라도 견실한 長生地로 火를 보면 煞 印을 진창하다고 해서는 안 되고, 화증(火蒸)으로 土를 그을린다. 財를 좋아하는데, 財가 편관을 生하니 官이 有氣할 뿐이다. (解.戊寅雖坐煞,實長生地也,見火勿泥煞印,是火蒸焦土.喜財者,財生偏官,官爲有氣耳.)

壬水의 아래에 陽土가 坐하면 煞은 투출하여도 절대 官이 투출해서는 안 된다. (壬水坐下陽土,透煞切勿透官.)

해석. 水는 진실로 土에 의해 멈추고, 또한 혼잡(混雜)하여도 좋지 않다. (解.水固賴土止,亦惡混雜也.)

편재가 官과 아울러 食神을 보면 영화(榮華)가 확실하다. 신주나 용신이 혹 입묘(入墓)하면 다가올 인연이 없다. 木火가 상조(相照)하면 흉중(胸中=마음속)에 만곡(萬斛;아주 많은 분량)의 구슬이 있다. 金水가 상함(相涵)하면 필체는 여러 문장에서 비단에 수를 놓은 듯하다. (偏財見官兼食神,榮華有準.身主用神或入墓,進取無緣.木火相照,胸中萬斛珠璣.金水相涵,筆下千篇錦繡.)

해석. 앞에서 본 格을 다시 들추면 그 재화(才華)가 탁월(卓越)함이 분명하다. (解.格見前,重舉之,以明其才華之卓越.)

三刑이 合을 하지 못하면 용모가 망가지고 몸을 손상한다. 六害를 많이 만나면 은혜와 옳은 일을 져버린다. (三刑失合,破相傷軀.六害多逢,辜恩負義.)

해석. 무릇 三刑은 만약 合이 있으면 刑이 되지 않는다. 만일 사람이 다투는데 화해(和解)하는 사람이 있으면 그렇지 않고 편안히 이 근심을 벗어난다. 六害를 많이 지니고 있으면 위인(爲人)이 반드시 은혜를 배반하니, 배은망덕(背恩忘德)한 부류이다. (解.凡三刑,若有合則不成刑.如人爭鬥而有和解之者,不然,寧免此患.帶六害多者,爲人必以恩爲怨.忘恩負義之流.)

공망은 오히려 妻子를 손실하고, 격각은 兄弟를 어렵게 한다. (空亡卻損於妻子,隔角難爲乎兄弟.)

해석. 공망은 가령, 甲子순(旬)중이면 없는 戌 亥가 된다. 격각은 가령, 丑 寅으로 角의 方位를 隔하는데, 日時에서 보면 重하다. (解.空亡,如甲子旬中無戌亥.隔角,如丑寅乃隔角方位也,日時見者重.)

金聲玉振賦[금성옥진부]-7

임기용배[格]이 刃을 지니면 오획(烏獲)[54]이나 맹분(孟賁)처럼 용감한 무리이다. 庚이 戌支에 坐하고 火가 많으면 형후(邢侯)와 옹자(雍子)처럼 송사를 좋아한다. (壬騎龍背,帶刃者,類烏獲孟賁.庚坐戌支,火多者,是邢侯雍子.)

해석. 辰중에 龍이 있고 양강(陽剛)한 物이다. 재차 양인을 만나면 여력(膂力)이 絶한 사람이다. 經에서 이르길, 辰이 많으면 싸움을 좋아한다. 戌은 火庫인데 庚일이 戌에 坐하고, 다시 火를 거치면 단련(鍛鍊)이 太過하여 무정(無情)함이 심하게 된다. 하물며 그 중에 금구(金狗)를 감추니 이 수(宿=성수)는 교활(狡猾)한 物이다. 經에서 이르길, 戌이 많으면 소송을 좋아한다. 형후와 옹자는 춘추 때에 경작지로 다투었다. (解.辰中有龍,陽剛之物也.更逢羊刃,膂力絶人矣.經云,辰多好鬥.戌爲火庫,庚日坐之,再經火則煆煉太過,其爲無情甚矣.況其中藏婁金狗,此宿乃狡猾之物.經云,戌多好訟.刑侯雍子,在春秋時,爭鄐田者也.)

우아한 향기가 도로에 가득하면, 富하고 禮를 좋아한다. (滿路異香,富而好禮.)

해석. 연월일시의 天干이 地支의 4位에서 貴人을 만난 것이다. (解.年月日時之天干,見地支四位貴人者是也.如壬申辛亥己巳丙寅,壬以巳爲貴,辛以寅爲貴,己以申爲貴,丙以亥爲貴也.)

예) 명조

丙 己 辛 壬

54) 오획(烏獲):전국시대 진나라 무왕을 섬겼는데, 능히 3만근을 들 정도로 힘이 장사였다. 맹분(孟賁):춘추 때 위나라의 장사 이름이다

寅 巳 亥 申
壬은 巳가 貴人이고, 辛은 寅이 貴人이고, 己는 申이 貴人이고, 丙은 亥가 貴人이 된다.

일순(一旬)이 화기(和氣)로우면 즐거워 근심을 잊는다. (一旬和氣,樂以忘憂.)

해석. 연월일시가 일순(一旬)에 모두 나타나는데, 甲子순중에서 모두 나온 것이다. (解.年月日時,共出一旬,如甲子壬申己巳癸酉,俱出甲子旬中也.)

예) 명조
癸 己 壬 甲
酉 巳 申 子
[참고] 甲子 乙丑 丙寅 丁卯 戊辰 己巳 庚午 辛未 壬申 癸酉.

歸祿은 재성을 좋아하지만 官을 보면 수명(壽命)을 손실한다. (歸祿愛財星,見官則損壽.)

해석. 財는 양명의 근원인데, 귀록[格]으로 신왕하면 財를 좋아한다. 관성을 꺼리는 것은 財氣를 훔쳐가기 때문이다. (解.財爲養命之源,歸祿之格,身旺愛財.直忌官星,竊財氣故也.)

정관이 시령(時令)을 얻으면 印은 財보다 못하다. (正官得時令,有印不如財.)

해석. 官印은 참으로 양전(兩全)하면 묘(妙)하지만 단지 재성이 없으면 官은 그 생의(生意)를 잃으니 印도 또한 어찌 用하리오? (解.官印固妙兩全,苟無財星,官失其生意,印亦何用焉?)

金聲玉振賦[금성옥진부]-8

종혁에 삼기가 다시 드러나면 혈식(血食=제사)이 천년(千年)에 이르러도 멈추지 않는다. (從革復出乎三奇,血食迄千年而未艾.)

해석. 일간은 庚 辛이고, 地支가 巳 酉 丑 혹은 申 酉 戌이 완전하면 종혁의 象이다. 庚일 간두(干頭)에 다시 甲 戊가 있고, 辛일 간두에 다시 壬 癸가 있으면 그 사람은 죽어서 종묘나 사당에서 백대(百代)에 걸쳐 제사를 받는다. 어떻게 이것을 말하겠는가? 대저 金을 用하면 剛하고, 그 質은 견고하다. 剛하면 의기(義氣)가 발(發)하고, 固하면 오랜 道라 할 수 있다. 사람이 義를 잡으면 살아서는 忠臣이 되고, 죽어서는 반드시 명신(明神)이 된다. 이 이치는 달사(達士)가 論할 수 있다. (解.日干庚辛,地支巳酉丑,或申酉戌全者,乃從革之象.庚日干頭,再有甲戊,辛日干頭,再有壬癸,其人死當廟食於百世矣.何以言之?夫金之爲用也剛,而其爲質也固.剛者義氣之發,固者可久之道.人

之仗義者,生爲忠臣,死必爲明神矣.此理可與達士論之.)

곡직에 아울러 印綬가 도우면 어진소리가 구주(九州)에 퍼져 무궁(無窮)하다. (曲直兼資乎印綬,仁聲播九有以無窮.)

해석. 곡직은 木의 象이다. 甲 乙일주가 만약 地支에 寅 卯 辰 혹은 亥 卯 未가 완전하고, 다시 印綬의 相生을 만나면 그 사람은 반드시 어진마음으로 어질다는 소리를 듣는다. 이치로 추리하면 仁은 天地에 物을 生하는 마음인데, 때로써는 春이 되고, 五行으로는 木이 된다. 이 木은 생의(生意)의 物이고, 그리고 仁은 사실 生을 좋아하는 德인데 다시 印綬를 만나면 생생불식(生生不息)하게 된다. 이를 얻으면 덕택이 많은 사람에게 미치니 은혜가 서민에게 더해진다. 따라서 말하길, 어진소리가 구주(九州)에 퍼져 무궁(無窮)한 것이다. (解.曲直者,木象也.甲乙日主,倘見地支寅卯辰,或亥卯未全者是,更逢印綬之相生,其人必有仁心仁聞矣.以理推之,仁者,天地生物之心,於時爲春,於五行爲木.是木者,有生意之物.而仁者,實好生之德.更逢印綬,則生生而不息矣.得之者,澤被群生,恩沾黎庶.故曰,仁聲播九有而無窮.)

지천태[卦]인 이 사람은 뛰어나게 태어나고, 운뇌둔이면 경륜(經綸)을 갖추고 명성이 있다. (地天泰,故斯人挺生,雲雷屯,則經綸顯設.)

해석. 위에 두 格의 사람을 가리키는데 태어나면 이미 소유한 곳으로부터 헛되게 살아가지 않고, 나타나면 반드시 소유(所有)하게 되어 구차함을 나타내지 않는다. 혹 이르길, 지천태는 戊申이 辛亥를 만난 것이고, 운뇌둔은 壬子가 乙卯를 만난 것이니, 곧 묘선에서 지천교태(地天交泰), 뇌우영춘(雷雨迎春)의 두 格이다. (解.此指上兩格之人,其生也,既有所自而不虛生,其出也,必有所爲而不苟出也.或云,地天泰,乃戊申見辛亥.雲雷屯,乃壬子見乙卯.即妙選地天交泰,雷雨迎春二格.)

술수(術數)의 무궁(無窮)함을 알지만 실제로 일리(一理)를 남기지 않았으니 언사(言辭=말)로는 깨닫기 어렵다. 내가 특별히 그 한 부분을 들추어서 숨을 것을 자세하게 밝혔으나, 옛 선현들을 따르고, 어떤 한 가지 사물의 원칙을 좇아 같은 부류의 사물로 확대시켜 나아가는 일로써 후인(後人)에게 있다. (是知術數無窮,實則不遺一理,言辭難悉.吾特舉其一隅,顯微闡幽,遵彼往哲,引伸觸類,存乎後人.)

4. 金鼎神秘賦(금정신비부)-1 (育吾著,육오 저)

人生에는 命이 있는데, 득실(得失)이 다르다. 부귀빈천이 어찌 같을 수 있겠는가? 홍광(紅光)이 집에 가득차면 五行이 貴鄉에 도취(都聚)한다. 가기(佳氣)가 오두막집에 가득차면 四柱가 복지(福地)에 나란히 모인다. 선빈후부는 生時가 록마동향(祿馬同鄉)에 놓인다. 처음은 吉하나 결국 凶한 것은 日時가 공망이나 破를 犯한 것이다. 평생토록 순탄하지 못한 것은 터전이 척박하고 凶運이 서로 섞였다. 일생토록 영화로운 것은 命이 높은데 好運을 거듭 만난 것이다. 剛한 金이 火方을 만나면 그릇을 이루니 반드시 무리들 속에서 뛰어나다. 旺盛한 火가 水를 얻으면 기제(旣濟)를 이루니 반드시 출중(出衆)하다. (人生有命,得失頓殊.富貴貧賤,那能一體.紅光滿室,五行都聚於貴鄕.佳氣充廬,四柱並集於福地.先貧後富,生時値祿馬同鄕.始吉終凶,日時犯空破之處.平生坎坷,基薄與凶運交雜.一生榮華,命高逢好運疊至.剛金遇火方成器,決定超群.旺火得水爲旣濟,必然出衆.)

木은 金으로 인해 무성하지 않고, 水는 土에 의해 흩어지지 않는다. 戊 己가 寅 卯를 보면 구진(句陳)에 得位한다. 壬 癸가 巳 午에 坐하면 현무(玄武)에 당권(當權)한다. 貴人이 命에 들어 기의(奇儀)함을 만나면 반드시 공경(公卿)이 된다. 화개가 時에 임하고 고신 과숙이 있으면 반드시 僧이나 道가 된다. 옥당(玉堂)에 임명되는 것은 염염(炎炎)한 火가 빼어나 이궁(離宮)에 있다. 금궐조원은 양양(洋洋)한 水의 德은 宅 坎位이다. 水位를 거듭 만나면 운수(雲水;구름과 물처럼 정처 없이 떠돌다.)의 신선으로 단정한다. 순양(純陽)을 여러 번 犯하면 반드시 공문(空門)의 子[佛子]가 된다. 長生을 만나면 총명(聰明)하고 지혜(智慧)롭다. 死 敗를 만나면 어리석고 완고하다. (木須金而不繁,水賴土而不散.戊己見寅卯,得位於勾陳.壬癸坐巳午,當權於玄武.貴神入命遇奇儀,必是公卿.華蓋臨時値孤寡,定爲僧道.玉堂拜相,炎炎火秀在離宮.金闕朝元,洋洋水德宅坎位.重逢水位,斷爲雲水之仙.累犯純陽,定作空門之子.遇長生而聰明智慧.逢死敗而蒙蠢愚頑.)

父母에게 의지하기 어려운 것은 年 月이 모두 공망에 해당한다. 妻子가 쉽게 이지러지는 것은 月 時이 나란히 고신 과숙이다. 卯 酉생이 전극(戰剋)을 만나면 문호(門戶)를 敗하고 재앙이 많다. 子 午가 死 墓에 전부 居하면 타향으로 달아나서 客이 된다. 子 午는 巳 亥를 가장 혐의하고, 卯 酉는 寅 申을 절대로 꺼린다. 宅 墓가 煞을 맞으면 문호(門戶)가 破함이 많다. 時가 천중(공망)이면 자식이 드물고, 간두[天干]에서 合을 만나면 妻는 많다. (父母難靠,年月俱陷空亡.妻子易虧,月時倂臨孤寡.卯酉生逢剋戰,敗門戶而多災.子午全居死墓,走他鄕而爲客.子午最嫌巳亥,卯酉切忌寅申.宅墓受煞,門戶多破.時落天中子少,合逢干頭妻多.)

年이 無氣하면 어릴 때 처음의 터전을 산실(散失)한다. 月에서 공망을 만나면 문호(門戶)가 소실되어 이루지 못한다. 日이 絶[位]에 임하면 비록 妻가 별탈(질병)은 없더라도 이별이 많다. 時가 墓에 있으면 후사(後嗣)가 있지만 불순(不順)하다. 合하는 地支가 빼어나면 貴하고, 天時를 얻으면 영달한다. 五行이 無氣하면 가난하고, 四柱에 손상하는 것이 있으면 천(賤)하다. 陰陽이 순일(純一)하면 고독하고, 支[藏]干이 刑 害하면 질병이 있다. 용신이 休 囚하면 부귀하기 어렵다. 수기(秀氣)가 천박(淺薄)하면 대부분 예술(藝術)이다. (年中無氣,幼而散失元基.月內逢空,門戶消索不立.日臨絕位,縱妻無恙亦多離.時在墓中,後嗣有時也不順.合地秀者貴,得天時者榮.五行無氣者貧,四柱有傷者賤.陰陽純一者孤,支干刑害者疾.用神休囚者,難求富貴.秀氣淺薄者,多是藝術.)

刑 剋을 서로 만나 신왕하면 반드시 군인이 된다. 辰 戌이 서로 더하고 손실이 있으면 옥리(獄

吏=교도관)가 된다. 金水가 한만하면 곤궁하고 청빈(淸貧)한 사람이다. 역마(驛馬)가 충격(衝擊)하면 속되 세상을 돌아다니는 객(客)이다. 괴강을 거듭 범하면 도살(屠殺)하는 집에서 태어난다. 酉戌을 거듭 만나면 노복(奴僕)으로 아랫사람이 된다. 柱중에 子 午가 쌍포(雙包)하면 높은 관청에 머문다. 命안에 干支가 一氣면 貴가 왕후(王侯)에 이른다. 한 조각의 純陽이 오직 命을 剋하면 죽지 않지만 손상한다. 가득한 印綬가 함께 身을 生하면 貴하지 않으면 富하다. (刑剋互見,身旺定作軍徒.辰戌相加,有損斷爲獄吏.金水閑慢,落魄清貧之人.驛馬衝擊,驅馳紅塵之客.魁罡重犯,生於屠宰之家.酉戌重逢,身作奴僕之下.柱中子午雙包,尊居垣省.命內干支一氣,貴至侯王.一片純陽獨剋命,不死也傷.滿盤印綬俱生身,不貴即富.)

年 月이 나란히 손상되면 父母와 妻妾이 어렵게 된다. 年 時가 나란히 손상되면 父母와 후사(後嗣)가 보호되지 못한다. 年이 日을 衝하면 父母는 왕성하나 妻妾은 존재하기 어렵다. 時가 年을 衝하면 아녀(兒女)는 왕성하나 父母는 손실하기 쉽다. 命을 破하면, 어려서 양친(兩親)을 잃는다. 月을 破하면, 큰 형을 剋한다. 日을 破하면, 자신이 홀로 선다. 時를 破하면 늙도록 결과가 없다. 胎를 破하면, 모씨(母氏)가 혼자서 담당한다. 이것으로 그 대략(大略)을 論하며 정밀하고 자세하게 언급하지 않는다. (年月併傷,父母妻妾難爲.年時併傷,怙恃繼嗣不保.年衝日兮,父母旺妻妾難存.時衝年兮,兒女旺父母易損.破命者少失雙親.破月者長剋昆季.破日者一身獨立.破時者老無結果.破胎者母氏獨當.此則論其大略,尚未及乎精細.)

金鼎神秘賦(금정신비부)-2

먼저 官貴가 끌어오면 상류(常流)에 많이 다르다. 甲 戊 庚이 丑 未에 이르면 貴人이 유기(有氣)하다. 乙 丙 丁은 酉 亥에서 나타나고 天乙에 임한다. 己가 坎[位]를 만나고 乙이 坤方에 있으면 6辛은 寅 午를 기뻐한다. 壬 癸는 巳 卯에서 좋은데 이는 暗中으로 貴를 얻게 된다. 다시 印의 强弱을 살핀다. 甲이 酉[位]를 만나고, 乙이 申方에 이르거나 丙이 子宮을 얻으면 반드시 현달하는데, 丁이 亥위에 있으면 영화가 창성한다. (先提官貴,迴異常流.甲戊庚引至丑未,貴神有氣.乙丙丁出於酉亥,天乙加臨.己逢坎位,乙在坤方.六辛喜乎寅午.壬癸宜於巳卯,此謂暗中得貴.更看印弱強.甲逢酉位,乙到申方.丙得子宮必顯,丁加亥上榮昌.)

戊가 卯를 보면 빼어나고, 己가 艮에 임하면 명성을 드날린다. 庚이 이궁(離宮)에 이르면 得氣하고, 辛이 巽[位]에 임하면 편안하다. 壬이 午위에 투간하면 기제(旣濟)이고, 癸는 巳중의 財官을 向한다. 이것이 정관 정인인데 다시 官 祿馬 朝元을 살펴본다. 만약 刑 衝 剋 破하지 않으면 반드시 정내신선(鼎鼐神仙)이 된다. (戊見卯而能秀,己臨艮而聲揚.庚到離宮得氣,辛臨巽位安然.壬投午上既濟,癸向巳內財官.此爲正官正印,更看官祿馬朝元.若無刑衝剋破,必作鼎鼐神仙.)

다음으로 財와 富를 論하면 양명(養命)의 근원이다. 먼저 財命이 有氣함을 살펴보고, 다음에

祿 馬가 나타나면 가난하지 않다. 木이 사계(四季)에 임하면 祿은 자연히 向하니 풍족하다. 水가 午상에 있으면 財旺하여 반드시 풍성하다. 土가 윤하를 만나고, 金이 곡직을 만나고, 火가 金局을 만나면 三合하여 祿 庫 食神을 만나니 五行으로 천주(天廚) 재기(財氣)를 두게 된다. 四柱가 손상함이 없고 日時에서 得地하면 신왕하여 有氣하니 財를 만나면 관성으로 化하게 된다. 身이 衰弱하고 失時하는데 財가 많으면 도리어 빈한(貧寒)하게 된다. 만약 煞地에 있으면 대부분 흉악한 무리이다. (次論財富,養命之源.先看財命有氣,次觀祿馬不貧.木臨四季,向祿自然充裕.水到午上,財旺必定豊隆.土逢潤下,金遇曲直,火遭金局.三合逢祿庫食神,五行值天廚財氣.四柱無傷,日時得地.身旺有氣,逢財化作官星.身衰失時,財多翻爲貧漢[貧寒].若居煞地,多是凶徒.)

사람은 공리 군융 상가 예술이 있으며 넷이 동일하지 않고 각각 머무는 곳이 있다. 공리의 命은, 剋과 刑을 많이 지닌다. 東西는 전투(戰鬪)하고 南北은 충격(衝擊)한다. 長生[處]는 파괴되고, 死絶[處]는 生을 일으킨다. 五行이 착잡하면 象이 순수하지 못하다. 도식이 財를 만나고, 협귀가 破하고, 財와 印이 相刑함을 인용(引用)하면 無氣하다. 빼어난 가운데 鬼를 지니고, 貴氣가 손상하고, 干支에 거듭 모이고, 제강이 현침인 이런 종류는 공문(空門)을 떠나지 못한다. 만약 官祿을 지니면 福을 얻고, 貴人을 만나면 진보(進步)하는데 곧 출사(出仕)하여 현달(顯達)하는 것이다. (人有公吏,軍戎,商賈,藝術,四者不同,各有所居.公吏之命,多帶剋刑.東西戰鬥,南北衝擊.長生處破了,死絕處生起.五行錯雜,象不純一.倒食逢財,夾貴逢破.財印相刑,引用無氣.秀中帶鬼,貴氣損傷.干支重會,提綱懸針.此等之命,不離公門.至若帶官祿而可獲福.遇貴神而可進步,則又有出仕顯達者也.)

병졸의 命은, 리(吏)와 대체로 같다. 局중에 煞이 重하며 干支가 고르지 않다. 象에서 貴가 輕하며 主와 本이 破傷한다. 甲이 卯支를 보며 丙이 3丁의 地支에 임한다. 辛이 亥[地]를 향하고 壬家 2癸의 곳이다. 乙 丁이 사(蛇=巳)를 만나고 戊土가 馬로 달린다. 이것이 현침 양인이고 다시 剋 破 刑 衝을 범한다. 또 福氣를 지니고 凶중에 吉이 있다. 현침이 吉한 煞을 만나 서로 돕고, 양인은 貴人이 있어 서로 돕는다. 이로 말미암아 항오(行伍=군대)를 따르며 權과 祿이 있고, 병졸로 항상 군대를 맡는다. 그러나 煞이 重하여도 무고(誣告)하는 것은 안 된다. (兵卒之命,與吏大同.局中煞重,而干支不等.象內貴輕,而主本破傷.甲見卯支,丙臨三丁之地.辛向亥地,壬家二癸之鄉.乙丁逢蛇,戊土奔馬.此乃懸針羊刃,更犯剋破刑衝.又帶福氣,凶中有吉.懸針遇吉煞相扶,羊刃有貴神相助.由是從行伍而有權祿,自兵卒而任總戎.然以煞爲重,則不可誣焉者也.)

다시 상가(商賈)를 살피면 그 命은 무엇을 근거로 하는가? 日時에 나란히 子 午가 임하고, 三元이 모두 寅 申에 해당한다. 馬앞에 고삐가 없고 劫위에 財를 만난다. 혹 편재와 身이 왕성한데 다시 財運으로 行한다. 혹 六合하여 財로 모이고 다시 馬[鄕]에 坐한다. 壬인이 南方 運이고, 丙인이 北方 運이면 매매(買賣)하여 경영(經營)하는 사람이다. 甲인이 西方으로 行하고, 庚인이 東方으로 行하면 무역하여 유무(有無)를 옮기는 무리이다. 甲 乙이 坎[方]에서 壬 癸를 犯하면 부평초 같은 타향살이를 면하지 못한다. 현무(玄武)가 亥를 만나며 戊 己가 없으면 반드시 용(龍)은 외주(外主)에서 단정한다. 득리(得利)와 부득리(不得利)에는 전적으로 財의 旺함과 旺하지 못함을

論하여 결정하는 것이다. (再看商賈,其命何憑?日時併臨子午,三元都値寅申.馬前無轡,劫上逢財.或偏財身旺,復行財運.或六合會財,更坐馬鄕.壬人運南,丙人運北,經營買賣之人.甲人行西,庚人行東,貿遷有無之輩.甲乙居坎犯壬癸,未免萍梗他鄕.玄武遇亥無戊己,諒必龍斷外主.至於得利不得利,則專論財之旺與不旺而決之也.)

金鼎神秘賦(금정신비부)-3

다시 예술을 살펴보면, 상업은 아니다. 命에서 德秀를 만나고 刑 衝을 범하면 소도(小道)로 볼 수 있다. 時에서 학당을 만나고 공망이면 기량은 뛰어나도 비루(鄙陋)하다. 乙 庚은 坎 艮[宮]에서 化金하고, 丁 壬은 兌 乾[宮]에서 化木하고, 辛 丙이 四季에 있고, 戊 癸가 하나의 宮에 머물면 이것은 빼어나도 부실(不實)하고 化하여도 이루지 못하고, 格局이 파손(破損)하며, 祿馬가 완전하지 않다. 원래 부(賦)에서 주관하는 총명(聰明)함이 대부분 生으로 말미암아 학당을 만난다. 성취(成就)가 희미한 것은 命에서 本이 무근(無根)한 것이다.(本이 無根한 것은, 가령 水인은 金이 없고, 火인은 木이 없는 종류이다.) 만약 四柱에서 서로 왕래가 없으면 더군다나 五行은 無氣한 象이다. 天乙이 한만(閑漫)하고 화개를 거듭 만나면 방랑하여 심유(尋幽;학문의 깊은 도를 연구함)하는 선비가 되지는 않고, 반드시 구류술업(九流術業)하는 사람이 된다.(天乙閑慢은 가령 甲戊 庚이면 상반년은 未로써 貴人이 한만하지 않다. 하반년은 丑으로써 貴人이 한만하지 않고, 그러나 六壬에서는 반대로 본다.) (再看藝術,又非商賈.命遇德秀犯刑衝,小道可觀.時逢學堂見空亡,多能可鄙.乙庚化金於坎艮,丁壬化木於兌乾.辛丙臨乎四季,戊癸居乎一宮.此乃秀而不實,化而不成.格局破損,祿馬不全.原夫秉賦聰明,多因生遇學堂.至於成就淡薄,乃是命無根本.(無根木[本],如水人無金,火人無木之類)若四柱不相往來,更五行再無氣象.天乙閑慢,華蓋疊逢.不作飄蓬尋幽之士,必爲九流藝業之人.[天乙閑慢,如甲戊庚,上半年以未爲貴人不閑.下半年以丑爲貴人不閑,與六壬反看])

다시 僧 道를 살펴보면, 예술은 아니다. 五行이 無氣한 곳에 있고, 十干이 死 墓의 地支에 임한다. 年 月에 다만 고신 과숙을 만나고, 日 時에서 전부 원진(元辰)을 만난다. 자주 공망을 범하고, 화개에 거듭 임한다. 妻子는 衰 絶하고, 신왕하여 의지할 데가 없다. 火가 왕성하면 심신(心身)을 참선하여 삼매에 이르고, 水가 많으면 마음대로 돌아다닌다. 만약 貴格에 부합하여도 死絶하면 마음이 청허(淸虛)함을 즐거워한다. 命에 貴氣가 없어도 生旺하면 성품은 공문(空門)을 좋아한다. (再看僧道,又非藝術.五行在無氣之鄕,十干臨死墓之地.年月盡逢孤寡,日時全見元辰.累犯空亡,重臨華蓋.妻子衰絶,身旺無依.火盛而身心禪定,水多而自在逍遙.若命合貴格而死絶,心樂淸虛.命無貴氣而生旺,性好空門.)

月상의 五行이 평온하고 화목하면, 도행(道行)이 고결(高潔)하고, 교문(敎門;교리를 연구하는 방면)이 더욱 증가한다. 時상의 五行이 안정(安靜)하면 행과(行果)를 서로 도와 같은 무리의 수효가 많다. 月상의 福神이 도움을 얻으면 같은 동료들을 선(善)하게 화합하고 함께 칭송한다. 日상이

刑 衝하고 煞을 지니면 化를 구할 수 없어 떠돌아다닌다. 煞 印을 보면 권력을 담당하는 무리이고, 상문 조객을 만나면 고행(苦行)하여 身을 손상한다. 화개 협귀와 三奇가 비록 吉한 煞이라 할지라도 自死 自絶 自生旺하면 吉한 도움이 없다. 만약 生旺이 太過하고 아울러 [天]干에 鬼가 있으면 명리(名利)에 대한 마음을 잊지 않는다. (月上五行恬和,道行高潔,而教門增重.時上五行安靜,行果相輔,而徒衆數多.月上福神得助,則善和法眷,而同衣讚美.日上刑衝帶煞,則求化無緣,而行脚飄流.見煞印則當權服衆,遇喪吊則苦行傷身.華蓋夾貴與三奇,雖云吉煞.自死自絶自生旺,則無吉助.若生旺太過,而兼帶干鬼,則名利之心不忘.)

剋 害가 너무 심한데 다시 凶煞을 만나면 대체로 환속(還俗)을 피하지 못한다. 함지(咸池)는 주색의 星인데 이를 범하면 탐욕(유혹)을 자제하지 못한다. 양인은 곧 흉악한 物인데 이를 만나면 재물의 이익을 도모한다. 歲 運에서 상문 조객 복음 반음을 만나면 속인(俗人)은 凶하지만 僧 道는 吉하다. 元命에 고신 과숙 망신 겁살을 만나면 보통사람은 해로우나 僧이나 道는 害가 없다. (值剋害太甚,而更遇凶煞,則凡俗之還不免.咸池爲酒色之星,犯之則耽迷不檢.羊刃乃凶惡之物,遇之則財利是圖.歲運見喪吊伏返,在俗人則凶,而僧道則吉.元命遇孤寡亡劫,在常人有妨,而僧道無害.)

金鼎神秘賦(금정신비부)-4

고가(古歌)에서 이르길, 두 종류의 父母의 星을 보면 고독하고, 四季에 天上祿이 없다. 辰 戌 丑 未가 더해져 있으면 대부분 도사(道士)나 승려(僧侶)의 무리이다. 또 이르길, 三合하여 辰 戌시에 태어난 사람은 僧이나 道인 것을 의심할 필요가 없다. 만약 다시 화개가 墓에 있으면 주머니가 풍성하고 자의(紫衣)를 입는다. 무릇 僧 道를 論하면 마땅히 이것을 바탕으로 한다. (古歌云,兩般父母見星孤,四季天上祿也無.辰戌丑未加臨著,多是道士及僧徒.又云,三合生人辰戌時,定爲僧道不須疑.若還華蓋併臨墓.囊橐豐隆定紫衣.凡論僧道,又當以是質之.)

또한 선빈후부(先貧後富)와 선부후빈(先富後貧)이 있으니 둘은 구별하여 나누는데 전부 月 日을 살펴본다. 日이 生旺하여 福이 모이면 만경(晩景;늦은 나이)에 영화롭다. 월령(月令)이 有氣하여 재물이 쌓이면 젊은 나이에 부귀하다. 만약 月이 吉하여도 用하는 것이 더욱 輕하면 먼저는 부유하나 나중에는 가난하다. 日이 强하여도 本의 根이 불리(不利)하면 먼저는 가난하지만 나중에 부유하다. 태어난 후부터 음덕(蔭德=조상의 덕)을 받는 것은 年 月에 財 官이 있기 때문이다. 말년에 主가 쓸쓸하고 가난한 것은 日 時에서 공망 破하는 地支이기 때문이다. 年 月에서 財를 만나도 無氣하면 어린 시절에 몹시 궁색하다. 日 時에 食神을 만나고 有氣하면 노년이 기쁘다. 四柱가 쇠미(衰微)하면 평생토록 뜻대로 되지 않는다. (又有先貧後富,先富後貧,二者隔別,全看月日.日是生旺聚福兮,晩景榮華.月令有氣儲財兮,早年富貴.若月吉而引用多輕,先富後貧.日強而本根不利,先貧後富.生來受蔭,年月在財官之鄕.末主孤寒,日時犯空破之地.年月逢財無氣,幼年窘迫.日時遇食有氣,老景歡忻.四柱衰微,平生不遂.)

배록축마(背祿逐馬)는 일생이 적막하고 두렵다. 만약 간두(天干)에 財가 노출하고 支안에 암장(暗藏)하지 않으면 劫이 실제로 손상하니 祿馬가 허부(虛浮)하다. 신왕한데 印이 도우면 일생토록 破敗하여 財를 모으지 못한다. 身弱한데 財가 많으면 겉으로는 마치 여유가 있는 것 같으나 안으로는 부족(不足)하다. 혹 四柱의 원국에 財官이 없으나 歲 運에서 만나면 홀연히 출세한다. 이와 같은 命은 유명무실하다. (背祿逐馬,一世悽惶.若夫干頭財露,支內不藏,傷劫實地.祿馬虛浮.身旺印助,一生破敗不聚財.身弱財多,外似有餘內不足.或四柱原無財官,遇歲運忽然發跡.似此之命,有名無實.)

또한 고향을 포기하고 우물을 버리는 것이 있으니, 土(땅)을 잃어 집을 떠난다. 年이 月을 剋하여 서로 제복(制伏)하고, 日이 時를 衝하는 子 午에 있다. 四煞이 身과 命을 衝하면 반드시 타향을 떠돌아다닌다. 삼한(三限)이 다시 死 絶에 임하면 바깥으로 떠도는 것을 면하지 못한다. 鬼의 害가 거듭하고, 刑과 공망에 얽힌다. 運이 졸렬하고 時가 어긋나면 마을을 떠나서 여정(旅程)에 오른다. 命이 건체하고 日이 쇠약하면 친척(親戚)에게 하소연하는 기로(岐路)를 왕래(往來)한다. (又有拋鄉去井.失土離家.乃年剋月兮相制伏,日衝時兮在子午.四煞若衝身命,定應遊走他鄉.三限再臨死絕,未免飄泊外處.重重鬼害,纍纍刑空.運拙時乖兮,別閭里而跋陟程途.命蹇日衰兮,辭親戚而往來歧路.)

다시 형제 妻子를 論하면, 木인이 春절에 태어나서 寅 亥 卯에 이르면 반드시 형제가 많지만 만약 西南에 태어나면 반드시 적다. 金命이 秋절에 태어나서 巳 申 酉에 임하면 형제가 집안에 가득하나, 만약 東地(亥 寅 卯)를 만나면 그렇지 않다. 水가 윤하에 머물고 乾 坎[宮]을 만나면 동기(同氣)로 영화[형제]가 많고, 辰 戌이 오고가면 사라진다. 火가 염상(炎上)을 향하고 離 巽[宮]에 居하면 형제자매가 훌륭하고, 酉 亥에 이르면 조령(凋零;보잘 것 없이 된다.)한다. 土가 四季에 임하면 백숙(伯叔)이 성행(成行)하는데, 만약 득력(得力)과 부득력(不得力)을 論하면, 三元이 공망이 되지 않고, 四柱에 고신 과숙을 범하지 않아야한다. (再論兄弟,以及妻子.木人春降,到寅亥卯,昆仲必多.若生西南必少.金命秋生,臨巳申酉,兄弟盈門.若逢東地不靠.水居潤下遇乾坎,同氣多榮,往來辰戌瀟灑.火向炎上居離巽,連枝共美.到於酉亥凋零.土臨四季,伯叔成行.若論得力不得力,三元不落空亡,四柱不犯孤寡.)

金鼎神秘賦(금정신비부)-5

청룡(青龍)이 자식이 되려면 백호(白虎)의 妻에게 혼인을 그만둔다. 火의 德으로 男(자식)을 이루면 亥 子의 아내에게 장가들지 못한다. 水가 生하여 계승한 자식은 母가 中央을 꺼린다. 年이 時 日을 合하고 戊 癸를 범하면 절대로 妻가 셋이다. 甲이 두 개의 己를 만나고 巳 午에 이르면 두 아내에 멈추지 않는다. 丙이 거듭 辛을 만나고 酉 子에 居하면 많은 애첩(愛妾)을 구한다. 庚

이 乙과 合하고 卯 午에 生하면 반드시 妾을 둔다. 壬이 거듭 丁을 만나고 巳 酉가 있으면 중혼(重婚)하여 별실(別室=작은집)을 둔다. 陽이 旺盛한 陰을 合하면 妻와 서로 굽히지 않고, 陽이 衰弱한 陰을 合하면 妻가 재취(再娶)다. (青龍作子,休婚白虎之妻.火德成男,莫娶亥子爲婦.水生子嗣,母忌中央.年合時日犯戊癸,決主三妻.甲逢二己到巳午,不止兩婦.丙逢重辛居酉子,多招寵妾.庚與乙合生卯午,定有偏房.壬逢重丁在巳酉,重婚別室.陽合陰盛妻雙立,陽合陰衰,妻再娶.)

또 자식이 많으며 영귀(榮貴)함이 있고, 자식이 적으며 어리석고 완고함이 있는데, 이 이치는 지극히 적으니 매우 자세히 論해야한다. 金이 離[位]에 居하며 炎火을 만나면 자손이 앞으로 그득하다. 火가 坎[戶]에 臨하고 順下를 만나면 후대(後代)가 창성할 수 있다. 木이 庚 辛을 만나고 巳 申에 이르고, 土가 甲 乙을 生하여 寅 卯를 보고, 水가 四季에 있으면 戊 己를 보는 것이 좋다. 태어난 時와 日이 剋 制를 만나지 않으면 子孫에게 영화가 많다. 官 煞을 거듭 만나는데 財의 生을 보면 후손들이 반드시 貴하다. 그런데 日에 衰 墓 死 敗가 임하면 아들과 딸이 반드시 손상하고, 時가 공망인데 剋이 있으면 子孫이 반드시 드물다. 木을 後代로 삼으면 申 午의 방위를 만나는 것을 꺼린다. (又有子多榮貴.亦有子少愚頑.是理極微,要多詳論.金居離位逢炎火,兒孫滿前.火臨坎戶遇順下,後代克昌.木逢庚辛到巳申,土生甲乙見寅卯.水臨四季,喜見戊己.時日生逢無剋制,子孫多榮.官煞重逢見財生,嗣繼必貴.若夫日臨衰墓死敗,男女須傷.時犯空亡有剋.兒孫必少.木爲爲後代,忌逢申午之方.)

火가 男(자식)이 되면 休한 酉 亥의 地支를 만난다. 金이 子(位)이면 坎 寅을 만나는 것이 두렵다. 水가 男(자식) 官이 되면 卯 巳를 보는 것을 꺼린다. 土가 후사(後嗣)가 되면 진(震) 東[方]에 임하는 것을 꺼린다. 남자는 剋하는 干이 後嗣이고, 여자는 干에서 生하는 것이 자식으로 삼는다. 四柱가 敗 絶에 돌아오면 五行은 모두 상관에 있다. 비록 干支가 暗合하더라도 반드시 양자(養子)가 후사(後嗣)를 잇게 된다. 설령 편출(偏出)이라도 실제로 성(姓)을 정하기 어렵다. 예전은 妻에게 기대어 자식이 편안하니 그 이치가 심히 현묘(玄妙)하다. (火若爲男,休逢酉亥之地.金爲子位,怕見坎寅.水作男官,忌見卯巳.土爲後嗣,怕臨震東.男取剋干爲嗣,女取干生爲子.四柱歸於敗絕,五行都在傷官.雖有干支暗合,也須螟蛉作嗣.縱有偏出,實難定姓.古有借妻安子,其理甚玄.)

木의 兒[남아]가 鬼를 만나고 北方의 坎[宮]을 얻으면 여아가 많다. 水의 자식이 煞을 만나면 西方의 兌[宮]에 힘입어 妻가 양육할 수 있다. 水가 火의 男을 制하면 青龍을 빌려 유모로 삼는다. 木이 土의 兒를 손실하면 주작(朱雀)을 찾아 계모(繼母)로 삼는다. 五行은 손상이 있으면 반드시 상생을 의지한다. 四柱가 비록 剋할지라도 많은 害가 없다. 만약 母에게 의지한 자식이 편안하지 않는데 어찌 후사(後嗣)가 모자라지 않겠는가? (木兒見鬼,得北方坎女多存.水子遇煞,賴西方兌妻可養.水制火男,借青龍爲乳母.木損土兒,覓朱雀爲繼娘.五行有損,須借相生.四柱雖剋,亦多無害.若不借母安子,豈能後嗣不乏?)

金鼎神秘賦(금정신비부)-6

두루 여자의 命을 論하면, 夫(남편)를 刑하는 것을 가장 두려워한다. 日이 木蛇(乙巳)에 태어나면 혼인을 기약하기 어렵다. 己가 金鷄(酉)를 用하면 반드시 남편을 잃은 여자이다. 土가 남편인데 寅 卯가 많으면 과부(寡婦)이다. 木이 혼기(婚期)가 되면 이궁(離宮)이 반드시 害로운데, 다시 고란[煞]을 범하면 더욱 심하고, 게다가 팔전(八專)[55]을 만나면 무엇이 좋은가! 아내가 청결(淸潔)하려면 生하고 貴의 合을 범하지 않아야 한다. 만약 성품이 굳건한 정조를 가지려면 성장하여도 煞傷을 만나지 않아야 한다. (至論女命,最怕刑夫.日生木蛇,難成婚配之期.己用金雞,定是失夫之婦.土爲夫婿,寅卯多寡.木作婚期,離宮須害.再犯孤鸞尤甚,更遇八專何說.至於爲婦淸潔,生而不犯貴合.若要秉性堅貞,長而不逢煞傷.)

丁壬이 無氣하면 반드시 음란하여 창기(娼妓)가 된다. 戊癸가 休囚하면 대부분 혼탁이 지나치다. 四柱에 祿이 合하면 三元이 순일(純一)하다. 日時에 合이 있으면 남편은 사사로운 情으로 헤어지지 않는다. 도화 劫煞은 五行으로 墓이고, 財祿이 목욕(沐浴)이면 남편을 배반하고 달리 은밀하게 약속을 맺는다. 陰이 陽干의 合을 많이 만나면 창녀가 아니면 기생이다. 비겁이 분쟁(分爭)하여 身弱하면 妾이 아니면 노비이다. 五行이 실위(失位)하면 四柱가 休囚하다. 十干의 上下가 교전(交戰)하고 運이 無氣하거나 공망으로 行한다. 三元이 목욕(沐浴)地 중에 있고, 五行이 死墓의 地支에 있을 경우, 태어나면 노비(奴婢)인데 장차 누구를 원망하고 탓하랴? (丁壬無氣,必犯娼淫.戊癸休囚,多有濁濫.四柱祿合,三元純一.日時有合,有夫不離私情.桃花劫煞,五行居墓.財祿沐浴,背夫別成暗約.陰遇陽干合多,不娼即妓.比劫分爭身弱,非妾即奴.至有五行失位,四柱休囚.十干上下交戰,運行無氣空亡.三元在沐浴之中,五行居死墓之地.生爲奴婢,將誰怨尤?)

命에 도식은 있어도 食神이 없으면 다른 사람에게 福을 줄 수 있다. 편재가 비겁을 만나서 신왕하면 기꺼이 부잣집으로 하인을 두게 된다. 男子가 집에 居하면 이성(異姓)이 데릴사위가 된다. 金이 金位에서 寅 卯를 만나고, 木이 木鄕에서 丑 未를 만난다. 日時가 月의 鬼를 犯하여 파문(破門)하고, 丙 壬이 다른 조상의 墓에 든다. 괴강이 命에 있는데 화개를 보면 일생토록 妻를 따라 생활한다. 丑 未가 거듭 있는데 과숙을 만나면 반평생을 아내를 따라 집에 들어간다. 四柱가 往來하여 유정(有情)하면 손을 맞잡고 혼인한다. 三元이 陰의 合을 거듭 범하면 중매쟁이 없이 가정을 꾸린다. 陽이 衰弱한데 陰이 旺盛하면 다른 성(性)의 자식을 구하여 아들로 삼는다. 命이 배합하면 혼인을 하고, 休 敗 剋 滯한데 나중에 相生을 보면 다른 사내를 많이 불러들인다. (間有命犯倒食而無食,能與別人作福.偏財遇比而身旺,甘爲富室幹僕.男子舍居,異姓入贅.金居金位遇卯寅,木到木鄕逢丑未.日時犯月鬼破門,丙壬別祖宗入墓.魁罡臨命見華蓋,一生就妻爲活.丑未重犯遇寡宿,半世從婦入舍.四柱往來有情,攜手爲婚.三元重犯陰合,不媒作室.陽衰陰旺招別姓子爲男.命配成婚,休敗剋滯,後看相生,多招外婿.)

---

55) 팔전(八專);壬子에서 癸亥까지의 12일 중(中) 丑, 辰, 午, 戌의 나흘을 제한 나머지 8일 동안을 일컬음.

支에 剋滯가 많으면 반드시 파도(波濤)가 일렁이고, 아래와 위가 生함이 없으면 한 가정을 어찌 굳건히 지킬 수 있겠는가? 身이 化하여 스스로 無氣하면 본성(本姓)을 전부 잃어버린다. 만약 이것이 가합(假合)하여 다른 象을 이루면 이성(異性)이나 고아(孤兒)이다. 평생토록 궁색한데 어찌 조상의 재물을 받을 수 있겠는가? 만약 풍성하다면 별방(別房;작은집, 다른 집)의 부모에게 의탁되었기 때문이다. 이것은 단지 그 대강을 論하였는데 아직 그 정미(精微)함을 얻지 못하였다. 命의 이치가 미묘(微妙)하니 심득(心得)으로 깨달아야한다. 그런데 질병(疾病)사절(死絶), 빈천(貧賤) 흉악(凶惡), 歲運의 회현(晦顯)이 각각 도리(道理)가 있는데, 이미 앞에서 저술하였으니 이곳이 거듭된 부(賦)는 아니다. (支多剋滯,定應知汝波濤,下上無生,一戶豈能堅守?身如顯化自無氣,本姓全虧.若是假合別成象,孤兒異姓.平生窘迫,豈能得祖宗之財?若得興豊,因托別房父母.此只論其大槪,尚未得其精微.命之理微,悟在心得.若夫疾病死絕,貧賤凶惡,歲運晦顯,各有道理.已著以前,玆不重賦.)

5. 玄機賦(현기부)-상

태극이 나뉘어져서 天地가 되고, 一氣를 나누니 陰陽이 있다. 일간이 主로 하여 오직 財 官을 論하며 月支에서 格을 취하고, 貴賤을 나눈다. 格이 있어도 바르지 않는 것은 敗하고, 格이 없어도 用할 것이 있으면 성공한다. 官이 있으면 格局을 찾지 않고, 格이 있으면 관성을 좋아하지 않는다. 관성 인수 재성 식신이 破하지 않으면 청고(淸高)하다. 칠살 상관 효신 양인도 用하면 가장 吉하다. 善惡이 서로 어울리면 惡을 제거하고 善을 중시함을 좋아한다. (太極判爲天地,一氣分有陰陽.日干爲主,專論財官,月支取格,乃分貴賤.有格不正者敗,無格有用者成.有官莫尋格局,有格不喜官星.官印財食,無破淸高.煞傷梟刃,用之最吉.善惡相交,喜去惡而崇善.)

吉凶이 혼잡하면 길신을 害치고 흉신으로 向하는 것을 꺼린다. 官과 煞이 있으면 신왕함이 마땅한데 煞을 制하여야 기이(奇異)하게 된다. 煞이 있는데 印이 있으면 財가 흥성(興盛)함을 두려워하는데 煞을 도와 재앙이 되기 때문이다. 신강한데 煞이 얕으면 煞運이라도 무방(無妨)하다. 煞은 重한데 身이 輕하면 制하는 곳이 福이 된다. 신왕한데 印綬가 많으면 財地로 行하여야 좋다. 財가 많은데 身弱하면 財鄕으로 行하는 것을 두려워한다. 남자는 비겁과 상관을 만나면 妻를 剋하고 자식을 해친다. 여자는 상관과 편인을 범하면 자식을 잃고 남편을 刑한다. (吉凶混雜,忌害吉而向凶.有官有煞,宜身旺制煞爲奇.有煞有印,畏財興助煞爲禍.身强煞淺,煞運無妨.煞重身輕,制鄕爲福.身旺印多,喜行財地.財多身弱,畏入財鄕.男逢比劫傷官,剋妻害子.女犯傷官偏印,喪子刑夫.)

어려서 양친(兩親=父母)을 잃는 것은 재성이 태중(太重)한 것이고, 사람이 孤剋한 것은 신왕한데 의지할 데가 없기 때문이다. 年이 月令을 衝하면 고향을 떠나서 성가(成家)한다. 日이 제강의 衝을 받으면 줄이 끊어져 다시 잇듯이 [再婚한다]. 時와 日이 衝하면 妻를 손상하고 자식을 剋한다. 日이 月氣에 通[根]하면 조상의 德으로 일신이 편안하다. 木은 봄이 돌아오면 성장하지만 庚辛을 만나면 반대로 빌려서 權으로 삼는다.[가살위권] 火가 夏절에 生하여 壬 癸[水]를 보면 福이 두텁게 된다. 土가 辰 戌 丑 未를 만나고 木이 重하면 명성을 이룬다. 金이 申 酉 巳 丑에 生하면 火鄕에서 발복(發福)한다. 水가 亥 子에 居하면 戊 己[土]가 침범하기 어렵다. 身이 休 囚[地]에 坐하면 평생토록 성공하지 못한다. (幼失雙親,財星太重,爲人孤剋.身旺無依.年衝月令,離祖成家.日被提衝,弦斷再續.時日對衝,傷妻剋子.日通月氣,得祖安身.是以木歸春長,遇庚辛反假爲權.火居夏生,見壬癸能爲福厚.土逢辰戌丑未,木重成名.金生申酉巳丑,火鄕發福.水居亥子,戊己難侵.身坐休囚,平生未濟.)

玄機賦(현기부)-하

신왕하면 祿馬로 行해야 좋고, 身弱하면 財官을 꺼린다. 得時하면 모두 旺하다고 論하고, 失令하면 衰弱하다고 본다. 四柱가 無根하여도 得時하면 旺하게 된다. 일간이 無氣한데 [比]劫을 만나면 强하게 된다. 身弱하면 印綬를 좋아하고, [日]主가 旺하면 官이 좋다. 甲 乙이 秋절에 生하여 金이 투출하면 水 木 火運에 영화가 창성한다. 丙 丁이 冬절에 태어나고 水가 왕양(汪洋;끝없이 넓다.)하면 火 土 木방에 지위가 높고 貴하다. (身旺者喜行祿馬,身弱者忌見財官.得時俱爲旺論,失令更作衰看.四柱無根,得時爲旺.日干無氣,遇劫爲强.身弱喜印,主旺宜官.甲乙秋生金透露,水木火運榮昌.丙丁冬降水汪洋,火土木方貴顯.)

戊己가 春절에 生하면 서남방은 구원된다. 庚辛이 夏절에 나면 水土運이 무방(無妨)하다. 壬癸가 土旺함을 만나면 金木[運]이 마땅히 영화가 된다. 身弱한데 印綬가 있으면 煞이 旺해도 손상이 없으나 財地로 行하는 것을 꺼린다. 상관이 상진하면 官運으로 行하여도 무방(無妨)하다. 상관용인하면 財를 제거해야하고, 상관용재하면 印을 제거해야하고, 상관[格]에 財 印이 모두 드러나면 장차 어찌 발복(發福)하겠는가? (戊己春生,西南方有救.庚辛夏長,水土運無妨.壬癸逢於土旺,金木宜榮.身弱有印,煞旺無傷.忌行財地.傷官傷盡,行官運以無妨.傷官用印宜去財,傷官用財宜去印,傷官財印俱彰,將何發福?)

신왕하면 用財하고, 身弱하면 用印한다. 用財하면 印을 제거하고, 用印하면 財를 제거하여야 비로소 그 福을 發한다. 올바름은 소위 좋은 것은 남아야하고, 나쁜 것은 제거해야한다. 財多身弱하면 신왕運에 영화롭다. 신왕한데 財가 衰弱하면 財旺한 運에 발복(發福)한다. 관성을 거듭 범하면 다만 제복(制伏)해야 한다. 食神이 거듭하면 반드시 官鄕을 꺼린다. (身旺者用財,身弱者用印.用財去印,用印去財,方發其福.正所謂喜者存之,憎者去也.財多身弱,身旺運以爲榮.身旺財衰,財旺鄕而發福.重犯官星,只宜制伏.食神疊至,須忌官鄕.)

완고한 金은 火가 없으면 크게 쓰이지 못한다. 强한 木은 金이 없으면 淸한 명성을 드러내기 어렵다. 木이 많은데 土를 얻으면 재물이 후하다. 화염(火焰)이 물결을 만나면 祿位가 높다. 官과 印綬가 있는데 破가 없으면 영화가 된다. 印綬와 官이 없어도 格을 이루면 貴를 취한다. 양인은 편관을 지극히 좋아하고, 금신은 제복됨이 가장 좋다. 잡기재관은 刑衝되면 발달한다. 官貴가 크게 성하면 [官]旺한 곳에서 반드시 기운다. 身이 태왕하면 財官을 좋아하고, 主가 크게 유약하면 祿馬가 마땅하지 않다. 官印과 財가 모두 旺한데 墓에 들면 재앙이 있다. 상관 食神과 아울러 신왕한데 庫를 만나면 재앙이 일어난다. (頑金無火,大用不成.强木無金,淸名難著.木多得土財帛厚.火焰逢波祿位高.有官有印,無破爲榮.無印無官,有格取貴.羊刃極喜偏官,金神最宜制伏.雜氣財官,刑衝則發.官貴太盛,旺處必傾.身太旺喜見財官,主太柔不宜祿馬.旺官旺印與旺財,入墓有禍.傷官食神併身旺,遇庫興災.)

運은 地支에서 取한 것이 귀중하고, 歲는 天干에서 구하는 것이 소중하다. 印이 많으면 財로 行해야 발달하고, 財가 旺하면 비겁을 만나도 무방(無妨)하다. 格과 局이 청정(淸正)하면 부귀영화(富貴榮華)를 누린다. 印이 旺한데 官이 투출하면 명성(名聲)이 특별히 뛰어나게 된다. 官을 合하면 貴하지 않지만, 煞을 合하면 凶하다고 추리하지 못한다. 도화가 煞을 지니면 음란한 행동을 좋아하고, 화개를 거듭 만나면 대부분 剋하고 손상한다. (運貴在於支取,歲重向乎干求.印多者行財而發,財旺者遇比無妨.格淸局正,富貴榮華.印旺官明,聲名特達.合官非爲貴取,合煞莫作凶推.桃花帶煞喜淫奔,華蓋重逢多剋剝.)

평생 불발(不發)하는 것은 팔자가 休囚함이다. 일생토록 권세가 없는 것은 身이 쇠약한데 鬼를 만난 것이다. 신왕하면 마땅히 泄하거나 剋傷해야한다. 身이 衰弱하면 부조(扶助)함이 좋다. 중화(中和)한 氣를 받고, 令이 太過 불급해서는 안 되는데, 만약 이 법칙을 따라서 자세히 추리하면 화복(禍福)의 증험함이 그림자처럼 따를 것이다. (平生不發,八字休囚.一世無權,身衰遇鬼.身旺則宜泄宜傷.身衰則喜扶喜助.務稟中和之氣,莫令太過不及,若遵此法推詳,禍福驗如影響.)

6. 絡繹賦(낙역부)-상

天地의 오묘(奧妙)함을 헤아리고, 조화의 심오함을 예측하여 인생의 귀천(貴賤)을 분별하고 生死의 吉凶을 결정한다. 방법은 일간을 취하여 흥망성쇠를 월지에서 論한다. 甲乙은 木에 속하며 春절에 태어나야 가장 좋다. 壬癸는 水에 속하며 冬절에 旺함이 마땅하다. 丙丁火는 夏절에 밝고, 庚辛金은 秋절에 예리하다. 戊己 두 干의 土는 四季(辰 戌 丑 未)의 기간에 旺하다. (參天地之奧妙,測造化之微幽.判人生之貴賤,決生死之吉凶.法則取於日干,興衰論乎月支.甲乙屬木,最喜春生.壬癸屬水,偏宜冬旺.丙丁火而夏明,庚辛金而秋銳.戊己兩干之土,要旺四季之期.)

日은 자신인데 반드시 强弱을 연구한다. 年은 本主가 되니 마땅히 자세히 살펴야한다. 年의 干은 父이며 支는 母이고, 日의 干은 자신이며 支는 妻이고, 月의 干은 형이며 支는 동생이고, 時의 支는 딸이며 干은 아들이다. 뒤의 煞이 年을 剋하면 父母를 일찍 잃고, 앞의 煞이 뒤를 剋하면 자식이 반드시 손해를 당한다. 馬가 妻宮에 들면 반드시 능력 있는 가정의 아내를 얻는다. 煞

이 子位(자식 궁)에 있으면 반드시 패역(悖逆)하는 자식을 둔다. 祿이 妻宮에 들면 妻의 祿으로 먹고 산다. (日乃自身,須究強弱.年爲本主,宜細推詳.年干父兮支母,日干己兮支妻.月干兄兮支弟,時支女兮干兒.後煞剋年,父母早喪.前煞剋後,子息必虧.馬入妻宮,必得能家之婦.煞臨子位,當招悖逆之兒.祿入妻宮,食妻之祿.)

印綬가 子位에 있으면 자식의 영화를 받는다. 효신이 조상宮에 있으면 조상의 터전을 破한다. 財官이 月에서 旺하면 부모의 재물을 받는다. 財가 손상하며 祿이 박(薄)한 것을 꺼리고, 鬼는 旺한데 身이 衰弱한 것을 가장 꺼린다. 食神이 암장하여 있으면 사람이 비대(肥大)하다. 효신이 거듭 生하면 조상의 재물이 흩어진다. (印臨子位,受子之榮.梟居祖位,破祖之基.財官月旺,得父資財.所忌財傷祿薄,最嫌鬼旺身衰.食神暗見,人物豊肥.梟印重生,祖財漂蕩.)

함지인 財가 노출하면 主가 음란하고 사치스럽다. 凶煞이 年을 合하면 칼로 자살하는 것을 막아야한다. 도화가 合하는 神을 거듭 있으면 화가유항(花街柳巷;사창가, 유흥가)의 사람이다. 역마가 衝物을 만나면 모초조진(暮楚朝秦;저녁에는 초나라 아침에는 진나라로, 줏대 없고 변덕이 심한 것을 비유)한다. 金火가 서로 다투면 예의(禮義)가 없다. 印과 財를 둘 다 잃으면 소년시절에 父母를 손실한다. 도화가 祿을 회합하면 酒色으로 身을 망친다. 財가 旺한데 효신이 쇠약하면 財로 인해 수명을 다한다. (咸池財露主淫奢.凶煞合年防自刃.桃花重帶合神,花街柳巷.驛馬若逢衝物,暮楚朝秦.金火交爭,斷無禮義.印財兩失,少損爺娘.桃花會祿,酒色亡身.財旺梟衰,因財喪命.)

身이 목욕[地]의 年에 임하면 수액(水厄)을 당하는 것이 두렵다. 主가 전투(戰鬪)하는 地支에 들면 반드시 화상(火傷)을 당한다. 財가 官을 生하면 뇌물로써 벼슬을 구한다. 財가 印을 파괴하면 재물을 탐하여 직책이 떨어진다. 財가 旺하여 官을 生하면 자신이 영화롭고 현달한다. 財가 煞의 무리를 生하면 어린나이에 요절한다. 하나의 煞이 衝破하면 쓸모없는 사람이다. 모든 煞은 刑을 만나면 흉악한 무리이다. (身臨沐浴之年,恐遭水厄.主入戰鬥之地,必逢火傷.財生官者,用賄求官.財壞印者,貪財卸職.財旺生官,自身榮顯.財生煞黨,夭折童年.獨煞衝破廢閑人,諸煞逢刑凶狠輩.)

絡繹賦(낙역부)-하

天干에 煞이 많은데 유년(流年)의 干에서 [煞을] 만나면 반드시 요절한다. 地支에 鬼[煞]이 많은데 유년(流年)의 支에서 만나면 반드시 凶한 재앙을 당한다. 財가 官을 生하고, 官이 印을 生하고, 印이 身을 生하면 富貴雙全한다. 상관이 財의 무리가 되고, 財가 煞의 무리가 되어 煞이 身을 剋하면 凶과 곤궁함이 둘 다 닥친다. 酉 寅이 刑이나 害가 이어지면 혼인이 손상된다. 巳와 卯는 풍뢰(風雷)로 매우 성급(性急)하다. 官煞이 섞여 만나면 기예(技藝)방면으로 흐른다. 財祿이 馬에 坐하면 상인이 된다. 馬가 공망이 되면 거처를 옮기고 떠돌아다닌다. 祿이 衝破를 만나면 고향을 떠난다. 陰이 많으면 여인에게 이롭고, 陽이 盛하면 남자에게 좋다. 陰이 陽보다 왕성하면 여자가 집안을 일으킨다. 陽이 陰보다 왕성하면 남자가 곳간을 세운다. 순수한 陽인 남자는 반드시 외롭고 가난하며, 순수한 陰인 여자는 반드시 곤궁하다. (天干多煞,遇干年須當夭折.地支多鬼,遇支年必見凶災.財生官,官生印,印生身,富貴雙全.傷黨財,財黨煞,煞剋身,凶窮兩逼.酉寅刑害繼傷婚.巳卯風雷多性急.煞官混逢,乃技藝之流.財祿坐馬,爲經商之客.馬落空亡,遷居漂泊.祿遭衝破,離鄉萍梗.陰多利於女人,陽盛宜於男子.陰盛於陽,女主興家.陽盛於陰,男當建府.純陽男必孤寡,純陰女必困窮.)

官貴가 生年이고, 凶煞을 化하면 명성이 만고(萬古)에 드리운다. 포태(胞胎)가 日에 임하고 印綬를 만나면 祿은 천종(千鍾;1鍾이 여섯 섬 너말)을 누린다. 一氣가 根이 되면 빼어난 여러 영웅을 나타낸다. 양간부잡(兩干不雜)하면 명성이 출중하여 선비를 뛰어넘는다. 목수화명(木秀火明;木이 빼어나고 火가 밝다)하면 매화열매를 솥으로 다루는 객(客)에 비견된다. 水가 깊은데 土가 두터우면 큰 냇물에 주즙(舟楫)이 있어야한다. 元命에 煞을 生하고 신왕하면 반드시 主가 권세를 더한다. 임관한 歲에 貴人을 만나면 중요한 벼슬자리로 나아간다. 상관은 官의 제거를 다하는 것이 가장 중요하고, 制煞이 化煞보다 좋지 못하다. (官貴生年,化凶煞而名垂萬古.胞胎臨日,遇印綬而祿享千鍾.一氣爲根,秀出群英之表.兩干不雜,名出衆彥之先.木秀火明,擬作鹽梅調鼎客.水深土厚,當爲舟楫巨川才.命元生煞逢身旺,必主加權.臨官歲遇値貴人,重宜進秩.傷官最要去官盡,制煞無如化煞高.)

그런데 화신이 弱하고 제신이 强하면 은혜를 베풀어도 부족하다고 원망한다. 화신은 旺하고 제신이 쇠약하면 일처리에 결단력이 없다. 煞이 있는데 印이 없으면 문채(文彩)가 부족하고, 印은 있는데 煞이 없으면 위풍(威風)이 부족하다. 煞과 印이 양전(兩全)하면 문무(文武)를 겸비(兼備)한다. 衰한 運에 발달하면 旺한 運에 멈추고, 旺한 運에 발달하면 衰한 運에 마친다. 이것이 춘추대사(春秋代謝;봄가을이 서로 교체함)하므로 天運이 순환하는 만고(萬古)에 변하지 않는 이치인 것이다. (倘若化神弱,制神強,施恩有不足之怨.化神旺,制神衰,臨事無決斷之能.有煞無印欠文彩,有印無煞少威風.煞印兩全,文武兼備.衰運發而旺運止,旺運發而衰運終.此乃春秋代謝,天運循環,萬古不易之理也.)

7. 金玉賦(금옥부)-1

八字를 탐구하면 오직 財官을 論하고, 다음에 五行을 연구하며 반드시 기후(氣候)를 찾아야한다. 財官의 향배(向背)와 輕重을 論하고 기후의 천심(淺深)과 生死를 살핀다. 다른 것이 와서 나를 剋하면 官鬼이고, 신왕하면 반드시 권력이 된다. 내가 가서 다른 것을 剋하면 妻와 財인데 [日]干이 강왕하면 부유하다. 年이 일주를 극상하면 父子간에 친하지 않다. 時가 日辰을 剋하면 이 자식은 아버지의 명령을 따르지 않는다. 年이 日을 剋하면 上(윗사람)이 下(아랫사람)를 깔본다. 日이 年을 剋하면 下가 가서 上을 침범한다. 만약 딴 것이 일간을 制하면 惡을 化하여 상서롭게 된다. 또한 本主가 희신(喜神)을 만나면 장래에 凶이 변하여 吉이 된다. (搜尋八字,專論財官.次究五行,須求氣候.論財官之向背重輕,察氣候之淺深生死.他來剋我官鬼,身旺必權.我去剋他爲妻財,干強則富.年傷日主,乃父與子而不親.時剋日辰,是子不遵於父命.年剋日兮上能淩下.日剋年兮下去犯上.若得有物制日干,則可化惡爲祥.更要本主逢喜神,則將變凶爲吉.)

희신(喜神)이 회합하면 자산(資産)이 풍성해지는 것을 알아야한다. 四柱가 무정하면 반드시 禍의 실마리가 함께 시작하는 것을 보게 된다. 혹 本主를 相衝하며 三刑이 중첩하고 歲運에서 기만하여 깔보면 반드시 부정한 일을 초래한다. 순수한 五行으로 格을 이루면 높은 관직에 淸한 사람이다. 신강하여 칠살을 제복하면 변방을 진압하여 다스린다. 財官이 없어도 格局을 이루면 벼슬을 얻는다. 格局이 없어도 財官이 있으면 장원급제하여 명예를 이룬다. 財官과 格局이 모두 손상하면 가난하진 않아도 공명(功名)이 좌절할 사람이다. (喜神慶會,當知資產豐隆.四柱無情,定見禍端並作.或見本主相衝,三刑重疊.歲運欺淩,必招橫事.純粹五行入格,臺閣風清.身強七煞逢伏,藩垣鎮守.無財官而有格局,青雲得路.無格局而有財官,黃甲成名.財官格局俱損,不貧寒乃功名蹭蹬之夫.)

일간과 월영이 모두 强하면 곤궁하지 않으면 반드시 야인으로 속세에 숨어 지내는 선비이다. 丙 丁이 남방의 離宮에 坐하고 制가 없으면 예법을 지키지 않는 흉포한 사람이다. 壬 癸가 戊己의 상응(相應)함을 만나면 德과 재능을 지닌 총명하고 지혜로운 사람이다. 辛이 乙木을 南方墓에서 만나면 비록 부자일지라도 어질지는 않다. 丙이 辛金을 북진(北鎭=북쪽지방)에서 만나면 설령 가난하더라도 덕(德)이 있다. 年 月 時令에 편인이 있으면 吉凶이 아직 발생하지 않으나 大運 歲君에서 수성(壽星=食神)을 만나면 재앙이 바로 발생한다. 어린나이에 젖이 부족한 것은 食神이 刑 剋하는 宮을 만나기 때문이다. (日干月令俱強,非困窮,必草茅隱逸之士.丙丁坐南離而無制,是不遵禮法,凶暴之徒.壬癸遇戊己之相應,乃懷德抱材,聰慧之士.辛逢乙木於南墓,雖富而不仁.丙逢辛金於北鎮,縱貧而有德.年月時令有偏印,吉凶未萌.大運歲君逢壽星,災殃立至.幼年失乳,食神逢刑剋之宮.)

장년(壯年)에 영달하는 것은 財官이 순수한 자리에 머물기 때문이다. 陽日의 食神이 得지하여 衝으로 손실이 없으면 관성을 암합한다. 陰日의 食神이 파손함이 없으면 반드시 계합(契合=符合)하니 身은 印綬와 친해진다. 편재는 수명을 더 늘일 수 있고, 양인은 선한 財를 빼앗아 鬼[煞]로 化한다. 재성이 破하면 조업(祖業)을 허비하고 타향에서 자립한다. 印綬가 손상을 당하면 조업을 버리고 고향을 떠난다. 人命에 貴神이 있으면 福인데, 극함(剋陷)을 만나면 凶이나 재앙으로 좋지 못하고, 五行이 회합하여 凶이 비치면 재앙이 되고, 식신이 合殺하면 貴하게 된다. (壯歲崢嶸,財官居純粹之位.陽日食神得地無衝損,則暗合官星.陰日食神無破虧,須契合,則身親印綬.偏財能益算延年,羊刃善奪財化鬼.財星有破,費祖風別立他鄉.印綬被傷,失祖業拋離故里.人命以貴神爲福,遭剋陷則凶禍不祥,五行會凶曜爲災,喜合煞併食神爲貴.)

命은 손실하고 煞이 旺하면 천사(天赦)와 이덕(二德)이 있어야 길조(吉兆)를 나타낸다. 身弱한데 財가 풍성하면 양인 형제(비겁)가 도움이 된다. 월영에 있는 食神이 건왕하면 음식을 좋아하고 체질이 풍성하다. 四柱에 吉星이 도우면 金과 玉이 산처럼 쌓인다. 五行에 凶殺의 침범이 없으면 명성(名聲)을 세상에 드날린다. 寅 申 巳 亥를 거듭 범하면 총명하여 생기(生氣)를 발생시키는 마음이 있다. 子 午 卯 酉를 거듭 만나면 酒色을 즐기고 황음(荒淫)하다. 도화가 煞을 지니면 마음과 뜻이 몹시 사납다. 二德이 印을 만나면 덕성(德性)이 자상(慈祥)하다. 食神이 많으면 음식을 탐한다. 정관이 旺하면 좋은 맛을 더한다. 효신이 흥성하면 어린나이에 요절한다. 작성(爵星)이 旺하면 매우 장수한다. (命虧煞旺,要天赦二德呈祥.身弱財豐,喜羊刃兄弟爲助.月令值食神健旺,善飲食而姿質豐盈.四柱有吉曜相扶,堆金積玉.五行無凶煞侵犯,名顯聲揚.寅申巳亥疊犯,有聰明生發之心.子午卯酉重逢,耽酒色荒淫之志.桃花帶煞,心意猖狂.二德逢印,德性慈祥.食神多而好貪飲食.正官旺而略沾滋味.梟神興,早年夭折.爵星旺,老壽彌高.)

金玉賦(금옥부)-2

女命에서 혼인이 어려운 것을 알려면 運이 夫의 자리를 배반한 것이다. 남아(男兒)가 일찍 장가드는 것을 알려면 반드시 運이 財鄕을 合하는 것이다. 자식을 거듭거듭 剋하는 것은 煞은 없고 官이 쇠약한데 食神 상관만 重하기 때문이다. 妻를 거듭하여 손상하는 것은 財는 輕한데 신왕하며 형제(비겁)가 많기 때문이다. 만약 이러하지 않다면 필시 妻妾의 자리를 刑 衝한 것이다. 재성을 暗合하면 妻妾이 많다. 財의 자리를 허조(虛朝)하면 主는 妻가 많다. 재성이 入墓하면 반드시 妻를 刑한다. 支의 아래에 財가 굴복하면 첩실인 妾을 총애(寵愛)한다. 妻星이 명랑(明朗)하면 교목(喬木=큰 나무)을 서로 구한다. (要知女命難婚,運入背夫之位.欲識男兒早娶,定是運合財鄕.子剋重重,煞沒官衰傷食重.傷妻疊疊,財輕身旺兄弟多.若不如斯,定是刑衝妻妾位.暗合財星妻妾衆.虛朝財位,主妻多.財星入墓,必定刑妻.支下伏財,偏房寵妾.妻星明朗,喬木相求.)

大運과 流年이 財鄕을 三合하면 반드시 主는 홍란(紅鸞)의 吉兆이다. 혹 財의 敗宮에 임하면 집안의 재물이 줄어들고, 妻妾을 손상하니 혼인하기 어렵다. 妻星과 夫位가 어떤 宮에 있는지 확실히 구해야한다. 官祿 천주가 두터운 자리에 居하면 반드시 근원(根源)을 살펴야한다. 格 局이 순수하여도 갑자기 惡物과 相衝을 하면 역시 主가 사망한다. 財祿이 천박(淺薄)하고, 혹 歲運에서 旺相함을 만나면 빠르게 발달한다. 日에서 升[卦]과 合을 구하는 것은 食神이 旺한 곳에 겁재가 많기 때문이다. (大運流年,三合財鄕,必主紅鸞吉兆.或臨財敗之宮,家資淩替,傷妻損妾,婚配難成.妻星夫位在何宮,要求端的.官祿天廚居甚位,須察根源.有格局純粹,忽遇惡物相衝,亦主死亡.有財祿淺薄,或逢歲運旺相,亦當驟發.日求升合,食神旺處劫財多.)

태어난 이후에 가난하거나 요절하는 것은 財 食神이 득지하여도 효신이 重하기 때문이다. 官이 쇠약하고 煞이 强한데 制가 없으면 요절한다. 日은 쇠약한데 財가 重하고 黨煞하면 궁핍하다. 또한 歲 運에서 무엇이 凶하고 무엇이 吉한가를 살펴본다. 身과 官이 衝破하여 의지할 데가 없으면 祖業을 버리지 않아도 반드시 타향으로 나간다. 乾 坤 艮 巽이 서로 바꾸어 만나면 바삐 돌아다니는 것을 좋아하여 마음을 정하지 못한다. 柱중에 만약 화개를 만나고 二德을 보면 청귀(淸貴)한 사람이다. 관성이나 칠살이 혹 공망이 되면 구류(九流)로 헛된 한직(閑職)을 맡는다. (生來貧夭,財食得地梟印重.官弱煞強,無制則夭.日衰財重,黨煞則窮.更看歲運何凶何吉.身官衝破無依倚,不離祖必出他鄕.乾坤艮巽遇互換,好馳騁心無定主.柱中若逢華蓋,遇二德乃淸貴之人.官星七煞或落空亡,在九流任虛閒之職.)

五行이 戰 剋하여도 일주를 손상하지 않으면 재앙이 되지 않는다. 歲 運에서 나란히 임하여 만약 용신을 손상하면 반드시 재앙이 있다. 재성이 墓에 들어 刑 衝을 조금하면 반드시 발달한다. 상관상진(傷官傷盡)하는데 혹 관성을 보면 凶하다. 18格은 마땅히 善惡을 찾는다. 모두 五行을 연결하면 각각 쇠왕(衰旺)과 소식(消息)을 취한다. 신왕한데 어찌 印綬가 고달프고, [日]干이 衰弱하면 財官을 좋아하지 않는다. 中和하면 福이 되고, 편당(偏黨)하면 재앙이 된다. (五行剋戰,非傷日主不爲災.歲運倂臨,若損用神必有禍.財星入墓,少許刑衝必發.傷官傷盡,或見官星則凶.有十八格,當從善惡推求.總係五行,各取衰旺消息.身旺何勞印綬,干衰不喜財官.中和爲福,偏黨爲災.)

단지 貴神을 공협하고, 록마가 비천하고, 요합 虛格을 만날 경우, 刑 衝으로 合을 얻지 못하고, 모두 칠살 관성을 꺼리며, 각각 기반을 싫어하고, 전실하면 凶하다. 홀연히 運이 官鄕에 이르면 당연히 관직에서 물러나게 된다. 馬가 지치고 官이 破하면 곤궁한 처지가 된다. 祿이 旺하고 財가 풍성하면 높은 벼슬길이다. 만일 喜神에 임하여 禍를 얻는 것은 三合하여도 凶星을 감추었기 때문이다. 혹 凶神을 만나도 도리어 吉한 것은 노출하여 吉을 비추기 때문이다. (但見貴神朝拱,祿馬飛天,遙合虛格.不得刑衝逢合,皆忌七煞官星,各嫌羈絆,塡實則凶.忽然運到官鄕,當以退身避職.馬疲官破,困守窮途.祿旺財豐,崢嶸仕路.如臨喜處以得禍,是三合而隱凶星.或逢凶處而返祥,乃九宮而露吉曜.)

金玉賦(금옥부)-3

관직의 품계가 높고 낮음을 알려면 마땅히 運[神]의 향배를 구해야한다. 청기(淸奇)하면 젊은 나이에 명성을 얻고, 흠결(欠缺)이 있으면 노년에 得地한다. 진로(津路)에 형통하면 권세가 크고 작위가 현달한다. 정도(程途;한정된 運)가 정체하면 祿이 적고 관직이 낮다. 子位(자식宮)를 찾으려면 먼저 妻宮을 살펴본다. 死絶하면 적자(嫡子)와 서자(庶子)가 생존하기 어렵다. 태왕하면 다른 가문에서 [양자를] 찾아야한다. 子星이 드러나면 자식은 반드시 많다. 자식궁을 刑 害하면 자식이 드물다. 만약 형제의 많고 적음을 물으면 四柱의 干支를 자세히 조사해야한다. 월영이 비록 強하더라도 또한 運의 향배를 살펴보아야 한다. (要知職品高低,當求運神向背.淸奇則早歲成名,玷缺則晚年得地.津路通亨,權高爵顯.程途偃蹇,祿薄官卑.推尋子位,先看妻宮.死絶者嫡庶難存.太旺者別門求覓.子星顯露,子息必多.刑害嗣宮,男女罕得.若問兄弟多寡,細檢四柱干支.月令雖強,更看運神向

背.)

死絶 刑傷하면 형제 중에 동생이 먼저 죽는다. 相生하여 會合하면 형제가 함께 영화한다. 형제가 있어 신왕하면 父母가 이지러진다. 재백宮이 많으면 모친이 일찍 사망한다. 그러나 官鬼가 나타나면 母는 도리어 장수한다. 만일 탈기(脫氣=食神)가 배열하여 연이으면 父는 도리어 장수한다. 壬이 午에 임하고, 癸가 巳宮에 坐하면 中和를 받은 록마동향인데, 休 囚를 만나면 胎元의 絶地가 된다. 丙이 申[位]에 임하고, 庚이 寅에 坐하고, 己[土]가 巽宮이나 乾宮에 들고, 乙이 쌍녀(雙女)宮에 임하고, 金이 火位에 올라타고, 甲이 坤宮에 坐하면 부르길, 休 囚라 하니 剋 制를 가장 싫어한다. 칠살을 만나면 꺼리며 상백(喪魄)이라 말하고, 수성(壽星=食神)을 만나면 기뻐하며 환혼(還魂)이라 말한다.[56] (死絶刑傷,雁行失序.相生慶會,棣萼聯榮.兄弟身旺,父母有虧.財帛宮多,母年早喪.若見官鬼出見,母反長年.如逢脫氣排連,父還有壽.壬臨午位,癸坐巳宮.稟中和兮祿馬同鄕,遇休囚也胎元絶地.丙臨申位,庚坐燕寅,己入巽乾,乙臨雙女.金乘火位,甲坐坤宮,名曰休囚,最嫌剋制.七煞忌逢言喪魄,壽星欣遇曰還魂.)

천명(天命)은 베풀 수 있고, 지력(智力)은 나타내기 어렵다. 강유(綱維)와 造化로 음공(陰功;숨은 공덕)을 탈취할 수 있다. 빈한(貧寒)이 장차 다하면 백옥(白屋=초가집, 서민)에서 공경(公卿)으로 나아간다. 사치(奢侈)가 지나치면 도리어 벼슬아치 집에서 태어나도 굶어죽는다. 집안의 재물을 장차 소비하면 반드시 불초(不肖)한 아들이 태어난다. 혼인하여 子刑하면 반드시 수명이 짧은 妻妾을 아내로 맞는다. 四宮이 배록(背祿)하면 망령되이 구해서는 안 된다. 官이 장래 이루지 못하면 財는 마땅히 소비하게 된다. 八字에 財가 없으면 반드시 본분(本分)이 필요하다. 본분을 초월하여 탐하면 반드시 흉사(凶事)를 부른다. 아! 가난함을 달게 여기고 서툰 것을 기르는 것은 원래 법령에 재능이 없는 것이 아니다. 배불리 먹고 퉁소를 부는데 어찌 오원(伍員)의 뜻을 꺾겠는가! 命이 아닌 것이 없으니, 중요한 것은, 마땅히 순리에 따라야할 뿐이다. (天命能施,智力難出.綱維造化,陰功可奪.貧寒將盡,能令白屋出公卿.奢侈太過,還使朱門生餓殍.家資將費,定生不肖之兒男.婚媾自刑,必娶無壽之妻妾.四宮背祿,不可妄求.官將不成,財當見費.八字無財,須要本分.越外若貪,必招凶事.噫,甘貧養拙,非原憲之無才.鼓腹吹簫,豈伍員之挫志.莫非命也,要當順之而已.)

8. 心鏡五七賦(심경오칠부)-상

人生에서 부귀는 모두 이전에 정해졌으니 술사는 반드시 자세히 論해야한다. 천상성진(天上星辰)을 더할 수 있으면 이 설명은 또한 어긋남이 없다. 時가 月建에 더해져서 명위(命位)를 만나면 바로 복원(福原)地이다. 수원(壽元)이 合하는 곳이 참이라는 이 설명은 헛된 말이 아니다. 官祿과

56) 丙申, 庚寅, 己巳또는 己亥, 乙巳, 庚午, 甲申은 모두 休囚한 地支이다.

貴馬가 合과 刑을 만나면 일거(一擧=단번에)에 명성을 이룬다.(삼간이 서로 연이어져 있음) (人生富貴皆前定,術士須詳論.天上星辰有可加,此說更無差.時加月建逢命位,正是福原地.壽元合處是其眞,此說不虛陳.官祿貴馬見台形[合刑],一舉便成名.(三干相連))

日[干]이 貴地를 만나고 祿馬를 보면, 장년(壯年)에 장원급제로 등과한다. 時와 日에서 만약 협록[位]을 만나면 관직이 반드시 청귀(淸貴)하다. 五行이 日과 時에서 서로 잡란하지 않으면 관직이 대부분 현달(顯達)한다. 양인이 거듭한데 煞을 보면 장원급제로 등과하여 대귀하다. 만약 三奇가 運에서 祿馬를 만나면 명예(名譽)를 천하에 떨친다. 日에 坐한 地支가 食神이고 다시 干과 合하면 구경(九卿)삼공(三公)이 된다. (日逢貴地見祿馬,壯歲登科甲.時日若逢夾祿位,爲官必清貴.五行時日無相雜,爲官多顯達.羊刃重重又見煞,大貴登科甲.若逢三奇運祿馬,名譽揚天下.日坐食支又合干,九卿三公看.)

甲子 己巳는 또한 하나의 說이 天地가 德合한다. 丙子 癸巳가 앞과 동일한데 관직은 三公이 된다. 木이 金을 만나도 主가 손상되지 않으면 文武의 재상이 된다. 火가 水를 만나면 장수의 권력인데, 장수로 변방을 진압한다. 金이 火를 만나면 큰 권력으로 자사(刺史) 방면의 벼슬이다. 水가 土를 만나 官局에 들면 시종(侍從)의 벼슬을 한다. (甲子己巳又一說,天地德合訣.丙子癸巳與前同,官職拜三公.木若逢金主不傷,兩府坐中堂.火若遇水主將權,爲將鎭戎邊.金若逢火主大權,方面刺史官.水若逢土入官局,宜作侍從職.)

土가 木을 얻으면 정록인데, 팔좌(八座=상서) 삼태(三台=三公)로 복록이 있다. 年에서 月의 祿을 얻으면 좋아하지 않고, 日貴를 取함이 主가 된다. 生하여 貴人을 만났으나 고신 과숙을 두면 승려(僧侶)가 되기로 결정한다. 官祿이 공망인데 貴人을 만나면 치의(緇衣)를 입은 고승(高僧)이 된다. 五行이 無氣하고 고신 과숙이 있으면 반드시 행자(行者;수행하는 사람)가 된다. 공망 刑 害하고 또 囚하면 승려가 된다. (土若得木爲正祿,八座三台福.年得月祿不爲喜,日貴取爲主.生逢貴人值孤寡,決定爲僧也.空亡官祿遇貴人,緇衣作高僧.五行無氣守孤寡,必定作行者.空亡刑害又逢囚,爲僧及裹頭.)

人命에서 권세가 있음을 알고자하면 食神이 旺하여야 반드시 [권세가]완전하다. 相刑 양인과 아울러 煞이 손상하면 반드시 主는 법장(法場=사형장=단두대)에 오른다.(일지에 자좌하면 반족이 된다.) 협각(夾角)에서 함께 세성(歲星)을 만나면 도형(徒刑)과 유형(流刑)이 분명하다. 六害가 당권하는데 刃 煞을 만나면 소년시절에 대부분 요절한다. 日이 官鬼를 만나면 중형(重刑)을 받고, 나쁘게 죽는 심한 두려움을 감내해야한다. (欲知人命主有權,食神旺必全.相刑羊刃並煞傷,必主上法場.的煞若逢盤足坐,惡鬼死刑獄.(日支自坐,爲盤足)夾角相逢共歲星,徒流定分明.六害當權逢刃煞,少年多夭折.日逢官鬼見重刑,惡死甚堪驚.)

心鏡五七賦(심경오칠부)-하

양인과 겁살이 양두(兩頭=天干)에 居하면 젊은 나이에 천구(天衢)를 꿈꾼다. 祿馬를 함께 만나고 絶地로 行하면 노곤(勞困)함을 피하기 어렵다. 月이 만약 時와 刑 衝하면 근기(根基)가 반드시 헛된 것이다. 時에서 관성을 만나 生旺하면 자손(子孫)이 매우 많다. 祿을 향하고 財官이 임하면 더욱 吉하다. 지위가 높고 貴한 사람은 집안에 재물이 있다. 日 月에 官이 순수하고 財[位]가 없으면 도리어 主는 관직으로 貴가 없다. (刃神劫煞兩頭居,早歲夢天衢.祿馬俱逢行絶地,勞困難逃避.月若逢時與刑衝,根基定一空.時遇官星生旺位,子孫成行隊.向祿臨財官更吉,貴顯有家資.日月純官無財位,反主無官貴.)

卯는 子를 刑하고 子가 卯를 刑하니 癸와 乙의 相生을 어지럽힌다. 未가 와서 丑을 刑하고, 丑이 戌을 刑하며, 戌이 未를 刑하니 같은 원리이다. 祿馬를 尅生하면 主가 發財하는데 人元을 尅하여 오고가기 때문이다.(甲 乙이 寅 卯를 보면 祿馬가 모두 絶한다. 甲申 乙酉는 이 논리에 있지 않다.) 하나를 얻어 셋의 祿으로 나누는 어떤 설명이 비천록마格이다. 歲가 日 時를 合하면 양두(兩頭)로 나누고 반드시 자세히 찾아야 한다. (卯刑子位子刑卯,癸乙相生撓.未來刑丑丑刑戌,戌刑未同律.祿馬尅生主發財,人元尅出來.(甲乙見寅卯,祿馬皆絶.甲申乙酉,不在此論)得一分三祿何說,飛天祿馬格.歲合時日分兩頭,切須仔細求.)

군자가 만약 이로움을 만나면 임금을 뵙고, 평민은 재앙으로 암울하다. 마음으로 후회하고 물러나는 어떤 일을 거듭 犯하면 관직을 벗는다. 柱중에 祿이 있는데 運에서 財를 만나면 금옥(金玉)이 하늘에서 자연히 온다. 앞에서 말했듯이 귀천(貴賤)을 설명하려면 반드시 運[限]을 살펴보아야한다. 대체로 行運에서 祿馬를 만나면 입신출세하여 벼슬을 한다. 천월이덕으로 구원하면 모든 재앙은 凶이 되지 않는다. (君子若逢利奏對,常人主災晦.心懷悔退緣何事,重犯剝官位.柱中有祿運逢財,金玉自天來.前言能說貴與賤,亦須看運限.大凡行運逢祿馬,發跡爲官也.天月二德爲救神,百災不爲凶.)

祿을 향하고 財가 임하면 매우 희기(希奇)한데 귀하고 명성이 높은 벼슬을 한다. 命중에 록마와 貴人이 함께하면 복록이 대단하다. 君子에게 貴人이 刑 煞에 坐하면 소년 시절에 發하여 명예를 이룬다. 陰陽과 귀천(貴賤)은 마땅히 소식(消息)인데 가슴속에 익히고 깨달아야한다. 日時와 신명(身命)은 매우 많으니 하나의 구결(口訣)도 많은 변화를 살펴보아야 한다. (向祿臨財甚希奇,貴顯有官資.命中祿馬同貴人,福祿進珠珍.貴人君子坐刑煞,名成少年發.陰陽貴賤宜消息,熟曉在胸臆.日時身命許多般,一訣千變看.)

9. 造微論(조미론)-상

양의(兩儀)[57]가 처음 열려서 六十甲子가 생겨난 것이다. 삼원(三元)의 도움으로 삼재(三才)가 되는데, 四時를 세워서 四柱가 되었다. [天]干은 祿의 근본으로 일생동안 직위의 고저(高低)를 정한다. [地]支는 命의 토대를 만들므로 삼한(三限)수원(壽元)종시(終始)를 배포(配布)한다. 태어나 年은 근(根)이고, 月建은 묘(苗)가 된다. 日은 관리(管理)와 경영(經營)으로 中年의 휴구(休咎)를 결정한다. 時는 결과(結果)로써 말년의 영고(榮枯)를 결정한다. 먼저 태식(胎息)의 유래를 추리하고, 다음에 변통(變通)의 道를 行한다. 官이 되고 貴가 되는 것은 上下가 모두 화목하기 때문이다. 정체(停滯)와 위기(危機)가 많은 것은 본래 근원이 相剋하기 때문이다. 따라서 格이 깨끗하고 局이 올바르면 마땅히 대각(臺閣)의 신하가 된다. (兩儀肇闢,六甲攸生.將三元而作三才,建四時而爲四柱.干爲祿本,定一生職位高低.支作命基,布三限壽元終始.年生爲根,月建爲苗.日管經營,斷中年之休咎.時爲結果,定晚歲之榮枯.先推胎息之由,次入變通之道.爲官爲貴,緣上下以咸和.多滯多危,本根元而相剋.是故,格清局正,當爲臺閣之臣.)

印이 旺하고 官이 生하면 반드시 균형(鈞衡)의 임무를 맡는다. 마두대검(馬頭帶檢)은 위엄이 변방을 진압한다. 印綬가 화개를 만나면 존경받는 한원(翰苑)에 居한다. 祿이 비록 많더라도 害가 있으면 福이 상서롭지 않다. 煞이 비록 重할지라도 손상이 없으면 凶이 재앙이 되지는 않는다. 三奇를 만나지 아니하면 재능이 높아도 명예를 이루기 난해(難解)하다. 六合을 바로 만나면 집안이 부유하고 또 사업을 증대할 수 있다. 공망이 과숙에 임하면 고독(孤獨)하고 용종(躘踵)이다. 長生이 공망에 빠지면 빈한(貧寒)하며 불행하다. (印旺官生,必秉鈞衡之任.馬頭帶劍,威鎮邊疆.印綬逢華,尊居翰苑.祿雖多而有害,福不爲祥.煞雖重而無傷,凶不爲禍.三奇弗遇,才高難解成名.六合正逢,家富又能增業.空亡親於寡宿,孤獨躘踵.長生陷於空亡,貧寒偃蹇.)

도화가 만약 제좌(帝座)에 있으면 여색(女色)으로 망신(亡身)한다. 함지가 다시 日宮을 會合하면 妻로 인해 부자가 된다. 근원이 천박(淺薄)하면 生旺하여도 영화롭지 않다. 本主가 흥륭(興隆)하면 休 囚를 만나도 도리어 吉하다. 양인이 오귀(五鬼)에 임하면 반드시 중범죄로 유배를 간다. 구교[煞]가 三刑에 겹쳐지면 빈번히 도형(徒刑)과 유형(流刑)을 당한다. 그래서 벼슬길에 오르면, 탄담[煞]은 작록(爵祿)이 휴(休)정(停)하니 [탄담[煞]을] 만나지 않아야한다. 병권(兵權)을 맡으면, 천중[煞]은 身이 권세에서 물러나 잃으니 [천중[煞]을] 만나지 말아야한다. (桃花若臨帝座,因色亡身.咸池更會日宮,緣妻致富.根元淺薄,逢生旺而不榮.本主興隆,遇休困而反吉.羊刃臨於五鬼,定須重犯徙流.勾絞疊於三刑,應是頻遭編配.是以登仕途者,莫逢吞啗,爵祿虧停.當兵權者,勿遇天中,身權退失.)

---

57) 양의(兩儀) ; 陰陽을 말한다. 兩儀는 二儀라고도 하므로 '二五'는 陰陽五行을 일컫는 말이다.

造微論(조미론)-하

마음에 품은 생각이 맑고 깨끗한 것은 대개 水가 강호(江湖)를 돕기 때문이다. 학문의 근원은 본래 水가 壬 癸에 머물기 때문이다. 자상(慈祥)하고 화평한 것은 木이 甲 乙을 탄(乘) 것이다. 초조하고 포악(暴惡)한 것은 火가 丙 丁의 地支에서 盛한 것이다. 명성이 높고 祿이 重한 것은 乾金(亥)이 庚 辛을 會合한 것이다. 돈 꾸러미가 부패할 만큼 곡식이 많은 것은 土가 진중(鎭重)하여 戊 己를 친합(親合)한 것이다. 木이 번성하여도 金이 깎고 다듬지 않으면 설령 영화로울지라도 말년에는 외롭고 곤궁하다. 화염(火焰)하여도 水로 도용(陶鎔)함이 없으면 비록 발달하더라도 젊은 나이에 요절한다. 만약 水가 범람하면 오직 土로써 제방해야한다. (胸襟澄澈,蓋因水濟江湖.學問淵源,本是水居壬癸.慈祥愷悌,木乘甲乙之鄕.焦燥暴惡,火盛丙丁之地.名高祿重,乾金早會庚辛.貫朽粟陳,鎭土重親戊己.木繁而無金斲削,縱榮而末歲孤窮.火炎而無水陶溶,雖發而早年夭折.粤若水之浮泛,惟憑土以隄防.)

土가 重한데 木이 소통시키지 않으면 결국 우둔하게 된다. 金이 견고한데 火가 단련(鍛鍊)하지 않으면 흉악하고 아둔하다. 그런데 金이 무르고 화염(火焰)이 심하면 자신을 손상한다. 木은 유약한데 金이 重하여 날카로우면 身을 손상한다. 水가 淸하면 많은 土를 빌리지 않아도 되고, 土가 衰弱하면 木이 旺盛한 것을 견디지 못한다. 火가 강하여 조(燥)하면 미천하고, 水가 기제(旣濟)하면 너그럽고 온화하다. 반드시 고르고 배합하여야 아름답게 되고, 고르게 조절되면 상격이 된다. 크게 현달함은 貴가 깊이 숨어있다. 크게 굴복함은 貴가 비열하다. (土重而無木疏通,逐歸愚濁.金堅而無火煅煉,終是凶頑.至若金脆火炎,多則損己.木柔金重,利則傷身.水清不假土多,土弱不禁木盛.火強燥而微眇,水既濟以寬和.須將勻配爲佳,亦以均調爲上.大顯者,貴乎深隱.大屈者,貴乎卑伸.)

수명이 매우 긴 것은 모두 祿이 帝旺에 임한 것이다. 직위(職位)가 높고 현달하는 것은 馬가 관성과 회합한 것이다. 화개가 공망을 만나면 僧道가 되기 쉽다. 학당이 貴를 만나면 오직 스승이나 선비에 이롭다. 五行이 無氣한 것은 三命이 낮고 약하기 때문이다. 日이 공망과 과숙을 만나면 妻와 생이별이 많다. 時가 공망에 놓이면 그 자식이 있을지라도 불초(不肖)한다. 絶宮은 고분(鼓盆;아내의 죽음)의 煞이고, 胎宮은 白虎의 [凶]神이다. 天空이 자식의 宮에 임하면 말년에 이룬 가정의 자식을 손실한다. (壽永年高,皆是祿臨帝旺.職崇位顯,爲緣馬會官星.華蓋逢空,偏宜僧道.學堂遇貴,惟利師儒.五行若也蕭索,三命因而低弱.日逢空寡,其妻多致生離.時值空虛,其子縱有不肖.絕宮爲鼓盆之煞,胎宮爲白虎之神.天空臨嗣續之宮,末歲損成家之子.)

運에서 吉星을 만나도 本主에 없으면 기뻐하기에 미흡하다. 運이 凶神이라도 根苗가 있으면 두려워하지 않는다. 歲君에 惡이나 弱한 것이 임하면 일생이 머뭇거린다. 生時에서 休 囚를 만나면 일생이 근심으로 탄식한다. 근원이 淸하면 그 흐름이 반드시 길다. 本이 탁하면 하는 일을 이룰 수 없다. 八字가 무리 속에서 뛰어나면 貴하지 않으면 당연히 大富이다. 五行이 박잡(駁雜)하면 편안히 머물러도 위태로움을 염려하지 않겠는가! 休 囚하면 身의 성품이 미천하다. 旺相하면 명리(名利)가 견실하다. (運逢吉宿,無本主,未足歡娛.限守凶神,有根苗,則不畏懼.歲君若臨惡弱,一歲迍邅.生時若遇休囚,一生愁歎.源清者,其流必遠.本濁者,所作無成.八字超群,不貴即當大富.五行駁雜,居安可不慮危.休囚者,身性卑微.旺相者,名利壯實.)

먼저는 强하고 뒤에 弱하면 반드시 먼저는 吉하여도 뒤에는 凶하다. 처음은 弱하지만 결국 强하면 역시 처음은 凶하여도 결국 吉하다. 처음 貴와 吉을 만난다면 貴하다고 추리할 수 없지만, 중간에 凶强함을 만나면 어찌 쉽게 흉조(凶兆)가 될 수 있겠는가! 대저 文貴는 장생의 地支를 요하고, 刑 煞은 마땅히 死絶하는 宮이라야한다. 이것으로 근심인지 근심이 아닌지, 좋은지 좋지 않은지를 알고, 그 본말(本末;처음과 끝)을 자세히 알고 그 영허(盈虛)를 살핀다. 영욕(榮辱)은 궁통(窮通)하면 말하지 않아도 안다. 吉凶은 회린(悔吝;후회하고 탐하고)하면 참고하여 알 수 있다. 이름하여 조미라 말하는데, 어찌 조그마한 보조라 말하겠는가? (先強後弱,必先吉而後凶.始弱終強,亦始凶而終吉.乃若初逢貴吉,未可便作貴推.中遇凶強,豈可便作凶兆.大抵文貴要長生之地,刑煞宜死絕之宮.是以當憂不憂,聞喜不喜,詳其本末,察其盈虛.榮辱窮通,不言而喩.吉凶悔吝,可考而知.名曰造微,豈云小補?)

10. 人鑑論(인감론)-상

홍몽(洪濛=혼돈)이 나누기 시작하여 甲子가 생겨난 것이다. 스물두 글자가 쓰임이 무궁(無窮)하고, 모든 사람의 命에 참고할 수 있다. 日은 主가 되고, 年은 君이 된다. 먼저 근본의 허실(虛實)을 論하고, 다음에 歲運의 강약을 論한다. 三才를 나열하면 오묘함이 권형(權衡)의 輕重에 있다. 팔괘를 나열하면 방원(方圓)을 정하는 법칙이 스스로 존재한다. 天道는 오히려 영휴(盈虧=영허)가 있는데, 人事에 어찌 반복(反覆)이 없겠는가? 혹 처음은 가난하여도 결국에는 부유하고, 혹 먼저는 실패하여도 나중에는 성공한다. 마땅히 단점은 버리고 장점을 따르고, 저것을 취하여도 이것을 버려서는 안 된다. 四柱에서는 전부 한 글자를 싫어하는데, 매우 순수하고 또한 작은 결점도 찾아야한다. 그 근원을 자세히 살펴보고 가볍게 단정하여서는 안 된다. (洪濛肇判,甲子攸生.二十二字之用無窮,百千萬人之命可考.日生爲主,年長爲君.先論根本虛實,次論歲運強弱.森列三才,妙在權衡輕重.包羅八卦,自存規矩方圓.天道尚有盈虧,人事豈無反覆.或始貧而終富,或先敗而後興.當捨短而從長,勿取彼而棄此.四柱俱嫌一字,大醇亦求小疵.詳察其源,勿輕以斷.)

官이 祿[鄕]에 있으면 이윤(伊尹)[58]이 아형(阿衡=재상벼슬)의 직위를 부여 받음이다. 時에 貴地가 居하면 부열(傅說)[59]이 재상이 되어 성공한 것에 비유된다. 生하여 貴格을 만나면 벼슬길에 올라 대각(臺閣)의 존귀한 사람이 된다. 鬼局을 거듭 만나면 道를 즐기며 은거하여 興함이 있다.

58) 이윤(伊尹); 家奴 출신으로 은나라의 탕왕에게 불려가서 재상이 되어 하의 걸왕을 토벌함으로써 은이 천하를 평정하는데 공헌했다. 탕왕을 뒤이은 외병·중임 두 왕에게서도 벼슬을 했으며, 그 뒤 태갑의 재상이 되었다.

59) 부열(傅說);은나라 고종 때 어진 재상이었다.

官 貴에 居하면 五行이 순수하며 결점이 없고, 정체와 근심이 많으면 八字가 잡란하며 전극(戰剋)함을 알아야한다. 조상은 좋았으나 후손의 고난은 가의(賈誼)[60]가 장사(長沙)에서 굴복함에 비유된다. 원탁류청(源濁流清)하면 태공(太公)[61]이 위수(渭水)에서 흥성(興盛)함에 비유된다. 록마동향(祿馬同鄕)이면 태정(台鼎=삼정승)에 오르고, 煞 印이 重旺하면 일찍 과거에 급제한다. (官在祿鄕,伊尹負阿衡之位.時居貴地,傅說興作相之臣.生逢貴格,入仕爲臺閣之尊.重遇鬼局,樂道有山林之興.是知居官居貴,五行醇而不疵.多滯多憂,八字雜而又戰.根甘裔苦,賈誼屈於長沙.源濁流清,太公興於渭水.祿馬同鄕,而會登台鼎.煞印重旺,而早入科名.)

비견을 거듭 만나면 범자(范子)가 가난을 탄식하고, 印綬를 중첩하여 만나면 노팽(老彭)이 長壽한 것에 비교할 수 있다. 官과 貴를 공협하여 日時에 있으면 높은 대들보에 화려한 집에 거주하고, 겁재가 馬를 탈취하는 것을 歲 時에서 만나면 쑥대와 깨진 항아리로 엮은 문에서 살 만큼 보잘 것 없다. 자식의 位가 剋 絶을 만나면 까치집에 비둘기가 머문다.[入養] 妻의 位가 煞이나 상관을 범하면 난새가 외롭고 백조가 홀로이듯 하다.[寡婦] 운행이 祿을 등지면 지난날은 부자이나 지금은 가난하다. 命에서 旺한 財를 만나면 어제는 슬프지만 오늘은 웃는다. (比肩重遇,宜嗟范子之貧.印綬疊逢,可比老彭之壽.夾官夾貴,日時值而峻宇雕梁.劫財奪馬,歲時逢雨蓬門甕牖.嗣位逢剋絕,鵲之巢而鳩之居.妻位犯煞傷,鸞之孤而鵠之寡.運行背祿,昔日富而今日貧.命遇旺財,昨日悲而今日笑.)

四柱에 학당이 있으면 안회(顔回)가 어리석지 않음이다. 삼원(三元)이 墓 庫를 도우면 공자(孔子)가 학문을 좋아함이다. 年이 官 貴를 손상하면 재능이 뛰어나도 어찌 명예를 이루겠는가! 時에 편관을 두면 집은 부자이고 또 자식이 훌륭하다. 庚이 丙地로 行하면 지신(地神)에게 기도하는 사람이고, 壬이 戊[鄕]에 들면 어찌 빨리 죽지 않겠는가? 백우(伯牛)가 질병이 있는 것은 전극(戰剋)이 교차하기 때문이다. 사마(司馬)의 근심이 무엇인가? 대체로 비견이 많아 지위(地位)가 없어진 것이다. (四柱坐學堂之上,回也不愚.三元助墓庫之中,子之好學.年傷官貴,才高那解成名.時值偏官,家富又添好子.庚行丙地,禱爾於祇,壬入戊鄕,胡不遄死?伯牛有疾,緣戰剋以交差.司馬何憂,蓋比和而無位.)

人鑑論(인감론)-하

身이 衰弱하면 吉運을 만나도 凶이 된다. 命이 견실하면 재앙인 유년(流年)을 만나도 도리어 福이 된다. 煞이 비록 重할지라도 合이 많으면 어찌 日月의 밝음을 손상하겠으며, 祿이 비록 나타날지라도 손실하면 풍운(風雲)이 제회(際會)하기 어렵다. 만나도 만나지 않은 것은 庚 辛이 壬 癸[鄕]이 있기 때문이다. 근심이라도 근심이 아닌 것은 甲 乙이 丙 丁의 地支로 行하기 때문이다. 만약 生하여 敗 絶[運]을 만나면 정곡(鄭谷)이 귀향하여 농사를 짓는 것과 같다. 祿馬가 病

60) 가의(賈誼);중국 한대(漢代) 정치개혁의 제창자이자 이름난 시인이다.
61) 태공(太公); 강태공이라는 이름으로 널리 알려졌다. 주나라 문왕을 도와 주나라를 건국한 일등공신으로 은나라를 격파하고 제나라의 후로 봉해졌다.

衰[運]을 만나면 풍당(馮唐)이 흰머리가 되도록 낮은 관직에 있었던 것에 비유된다. (身中衰弱,逢吉運以爲凶.命坐堅實,遇禍年而反福.煞雖重而多合,何傷日月之明.祿雖顯而有失,難際風雲之會.遇而不遇,庚辛在壬癸之鄉.憂而不憂,甲乙行丙丁之地.或若生逢絶敗,鄭谷歸耕.祿馬病衰,馮唐皓首.)

구궁이 旺相하면 남여의 불륜(不倫)을 피하기 어렵다. 사주가 합화(合和)하면 나뭇잎위에 시(詩)쓰는 것을 면할 수 없다. 서시(西施)[62]의 아름다운 미모는 자신이 長生을 많이 지니기 때문이다. 녹주(綠珠)[63]가 누각에서 뛰어내린 것은 흉악한데 칠살을 만난 것이다. 고란[煞]이 命에 들면 남편은 妻를 잃어 곡(哭)하며 妻는 남편을 잃어 곡(哭)한다. 연화(煙花=도화)가 身을 合하면 여자는 남자를 찾고 남자는 여자를 찾는다. 머리와 눈이 함몰하고 지체(肢體)가 어그러지는 것은 재백(財帛)이 소모되고 전택(田宅)에 害가 있다. 生時에서 刑 衝을 만나면 一生토록 어려운 처지에 놓인다. 歲 月에서 만약 겁탈(劫奪)함이 있으면 평생토록 외롭고 가난하다. 財가 財鄕에 들면 貴하지 않으면 마땅히 큰 부자가 된다. 煞이 太歲에 居하면 편안하여도 위태로움을 잊지 않아야한다. (九宮旺相,難逃邀我於桑中.四柱合和,未免題詩於葉上.西施貌美,自身多帶長生.綠珠墜樓,凶惡又逢七煞.孤鸞入命,夫哭婦而婦哭夫.煙花絆身,女求男而男求女.頭目陷而肢體相虧.財帛耗而田宅有害.生時若遇刑衝,一生屢空.歲月若臨劫奪,百歲孤寒.財入財窠,不貴即當大富.煞居太歲,居安可不慮危.)

관성이 투출하여도 반드시 貴하다고 추리할 수 없다. 살성이 암장(下攻)하여도 어찌 반드시 凶하다고 단정할 수 있겠는가? 대저, 貴祿은 印綬를 만나는 것을 좋아하고, 刑 煞은 마땅히 制나 合이 있어야한다. 이것이 근심도 근심이 아닌 것이고, 좋아도 좋지 않음을 알게 된다. 그 根을 고찰하여 實을 밝히고[根,苗,花,實], 그 시작을 論하며 그 끝을[生 死] 연구해야한다. 妻宮에 剋이 있으면 소년시절에 일찍 장가드는 사람이 없다. 자식宮이 손상을 당하면 말년에 성가(成家)한 자식을 손실한다. (乃若官星透露,未可便作貴推.煞星下攻,曷可便爲凶斷?大抵貴祿喜逢於印綬,刑煞宜値於制合.是以當憂不憂,聞喜不喜.考其根而明其實,論其始而究其終.是以妻宮有剋,少年無早娶之人.兒位逢傷,末歲損成家之子.)

평생토록 吉하지 않아도 수명이 참죽이나 송백나무처럼 길기도 하고, 財祿이 많아도 福이 부들이나 버들처럼 짧기도 한다. 근원이 淸하면 그 흐름이 반드시 길고, 木(나무)이 웅장하면 그 잎이 반드시 영화롭다. 三命이 출중하면 貴하지 않으면 큰 부자가 된다. 九宮이 함몰하고 약하면 凶한 運을 두려워하고, 凶한 年을 꺼린다. 천조만서(千條萬緖)[64]하면 마땅히 보이지 않는 形을 구해야 한다. 많은 물줄기도 근원이 같은 것은 貴는 身의 地支에 두루 얻어야한다. 본말(本末)을 자세히 서술하고 영휴(盈虧=盈虛)를 모두 살핀다. 맑은 정신과 안정된 생각으로 고찰하면 알 수 있다. 생략이 많고 기틀을 숨겼으나 말하지 않아도 깨우쳐야한다. 후대에 君子는 바라건대 모든 것을 소홀히 하지 말아야한다. (平生不吉,而壽算椿松.財祿帶多,而福委蒲柳.源淸者其流必遠.木壯者,其葉必

62) 서시(西施):중국 춘추시대 월나라의 미녀.
63) 녹주(綠珠):부자의 대명사인 석숭의 애첩.
64) 천조만서(千條萬緖)일이 복잡하게 꼬여 두서를 잡지 못함.

榮.三命冠群,不至貴即當大富.九宮陷弱,怕凶運又忌凶年.千條萬緒,當求不見之形.百派一源,貴得彌身之地.詳陳本末,備察盈虧.澄神定慮,可考而知.深略沈機,不言而喩.後之君子,幸勿忽諸.)

11. 玄妙論(현묘론)-상 (一名,벽연부.一名,천리마)

일찍이 듣기에, 二氣[陰陽]로 나누어져 三才(天地人)를 정하여 四時를 펼쳐서 萬物을 이룬다. 人命의 영고(榮枯)와 득실(得失)은 五行의 生剋에 전부 존재한다. 부귀영화(富貴榮華)도 八字의 中和를 초월하지 못한다. 먼저 節氣의 심천(深淺)을 관찰하고, 다음에 財官의 향배를 살펴본다. 무릇 人命에서 실로 財官을 얻기 어려운데, 내가 格중에서 관찰하니 단지 虛로 祿馬를 맞이하는 것이 필요하였다. 선현(先賢)이 이미 만들었으니 후학들은 반드시 변통(變通)해야 한다. 태과한데 剋制가 없으면 빈천하고, 불급한데 생부(生扶)가 없으면 형벌이나 요절한다. (嘗聞分二氣以定三才,播四時而成萬物.人命榮枯得失,盡在五行生剋之中.富貴榮華,不越八字中和之外.先觀節氣之淺深.次看財官之向背.凡人命內,難得實有財官,余觀格中,只要虛邀祿馬.先賢已有成式,後學須要變通.太過無剋制者貧賤.不及失生扶者刑夭.)

마땅히 向해야하는데 運이 배반하면 빈천하다고 결정하고, 배반해야하는데 運이 向하면 곤궁(困窮)하다고 정하는 것이다. 生을 좋아하는데 生을 만나면 貴를 취할 수 있고, 剋을 좋아하는데 剋을 받으면 吉하다고 말할 수 있다. 木이 왕성하면 金을 만나야 동량(棟梁)의 인재가 된다고 단정한다. 水가 많으면 土를 만나야 제방을 만드는 功으로 뛰어나다. 火가 秋절의 金을 단련하면 주조하여 칼날의 기물을 만들어 낸다. 木이 季土를 소통하면 벼농사를 배양(培養)한다. 화염에 水가 있으면 기제(旣濟)로 아름답게 된다. 水가 적은데 金이 많으면 체전지상(體全之象)이라 말한다. (宜向之而運背,決知貧賤.宜背之而運向,定是困窮.喜生而逢生,貴而可取.愛剋而受剋,吉而堪言.木盛逢金斷作棟梁之材.水多遇土,妙爲隄岸之功.火煉秋金,鑄出劍鋒之器.木疏季土,培成稼穡之禾.火炎有水,名爲旣濟之佳.水淺金多,號曰體全之象.)

亥 卯 未가 甲 乙을 만나면 부귀함이 틀림없다. 寅 午 戌이 丙 丁을 만나면 영화(榮華)가 틀림없다. 庚 辛이 巳 酉 丑으로 局이 완전하면 지위가 중요하고 권세가 높다. 壬 癸가 申 子 辰으로 格을 얻으면 祿이 넉넉하고 財가 풍족하다. 戊 己가 四季로 局이 완전하면 모든 관청에 영광스런 관을 쓰고, 다시 덕수(德壽)와 三奇가 있으면 명성을 사악(四嶽)에 떨친다. 木이 寅 卯 辰의 방국이 완전하면 功名이 자연히 있다. 金이 申 酉 戌의 地支를 갖추면 부귀가 부족함이 없다. 水가 亥 子 丑의 근원으로 돌아오면 명리(名利)의 객(客)이 된다. 火가 巳 午 未의 구역에 임하면 현달(顯達)하는 사람이다. 木이 왕성하면 마땅히 火와 서로 빛나니 추위(秋闈)에 응시할 수 있다. 金이 견고하면 水의 상함(相涵)을 좋아하여 문학(文學)이 자랑할 만하다. (亥卯未逢於甲乙,富貴無疑.寅午戌逢於丙丁,榮華有准.庚辛局全巳酉丑,位重權高.壬癸格得申子辰,祿優財足.戊己局全四季,榮冠諸曹.更値德秀三奇,名揚四岳.木全寅卯辰之方,功名自有.金備申酉戌之地,富貴無虧.水歸亥子丑之

源,利名之客.火臨巳午未之域,顯達之人.木旺宜火之交輝,秋闈可試.金堅愛水之相涵,文學堪誇.)

火를 쓰면 水를 근심하고, 木을 쓰면 金을 두려워한다. 봄의 木은 중중한데 休하면 太旺하니 의지할 데가 없다. 여름의 火가 염염(炎炎)하면 태조(太燥)하니 억제하여서는 안 된다. 가을의 金은 매우 예리하니 가장 기이(奇異)하게 된다. 겨울의 水는 풍부하니 오직 아름다울 수 있다. 나를 생부(生扶)하면 꺼리게 되고, 나를 剋制하면 功이 있다. 五行이 배합하면 강(康) 치(治) 화(和)라 말한다. 四柱가 무정(無情)하면 란(亂) 상(傷) 화(禍)가 된다. 合하는 중에 다툼을 만나면 태평한 데 난리(亂離)를 만난 것과 같다. 死地에서 生을 만나면 지극히 좋지 않은데 다시 풍성한 세대와 같다. 일치(一治) 일란(一亂)하면 柱중에 곤랑(滾浪)이 刑 衝하고, 갑자기 旺하고 갑자기 衰하면 命안에 갑자기 破 害가 오고간다. 유분(劉蕡)이 급제하지 못한 것은, 단지 글공부하다 나이 들어 쇠약하기 때문이다. 이광(李廣)이 제후가 아닌 것은 대체로 사람은 강(强)하였으나 馬가 용열하기 때문이다. (用火愁水,用木怕金.春木重重,休爲太旺無依.夏火炎炎,莫作太燥有壓.秋金銳銳最爲奇.冬水洋洋專可美.生我扶我爲忌,剋我制我有功.五行有配,曰康曰治曰和.四柱無情,爲亂爲傷爲禍.合中逢戰,如大治之遇亂離.死地逢生,若極否更以盛世.一治一亂,柱中滾浪刑衝.乍旺乍衰,命裏交橫破害.劉蕡不第,只因文學年衰.李廣非侯,蓋爲人強馬劣.)

玄妙論(현묘론)-중

평생의 귀천을 알려고 하면 마땅히 과갑(科甲)의 星을 추리해야한다. 직분(職分)의 고저(高低)를 물으면 財官의 위치를 자세히 살펴야한다. 官을 구해도 이루지 못하는 것은 命에서 貴인 등과(登科)를 衝으로 손상하기 때문이다. 공명(功名)을 이루었으면 다시 상관으로 破하지 않아야한다. 魁가 官보다 뛰어나면 종신(終身)토록 급제하지 못하고, 官이 印보다 뛰어나면 쉽게 명예를 이룬다. 木이 火를 밝히면 마땅히 갑제(甲第)에 오른다. 금한수냉(金寒水冷)하면 결국 빈한(貧寒)한 사람이다. 태원이 일주이면 제강에 印이 旺하여 괴원을 탈취한다. 貴가 歲나 苗(月)에 모이면 높은 옥당(玉堂)에 앉아 한원(翰苑)에서 영화롭다. 병(病)이 괴성(魁星)인데 병을 제거하여야 비로소 성취할 수 있다. 문(文)은 갑수(甲首)인데 관직이 오면 비로소 승진하게 된다. (欲知平生貴賤,當推科甲之星.要問職分高低,細察財官之位.求官未就,衝傷命貴便登科.功名已成,不可覆臨傷以破.魁勝官則終身不第.官勝印而唾手成名.木相火明,此輩宜登甲第.金寒水冷,斯人終是貧寒.胎元日主,提綱印旺奪魁元.聚貴歲苗,高坐玉堂榮翰苑.病乃魁星,病去方能成就.文爲甲首,官來始見升騰.)

현무(당권)格은 비겁이 많으면 太乙 옥당(玉堂)인데 진실로 갑제(甲第)한다. 주작은 賦에서 食神이 旺하면 官年이나 유년(流年)에 등과(登科)하게 된다. 비견이 많은데 官煞을 보면 印은 魁星인데 歲를 合하고 官을 衝하면 급제(及第)한다. 官煞이 重한데 印綬나 상관을 만나고 甲宿(甲일)이면 食神의 年이나 印綬의 유년(流年)에 이름을 등재한다. 木이 魁星인데 만약 年 月에 임하여 旺하면 장두(狀頭)[65]의 해수(解首)에 이 사람이 속한다. 火[宿]일이 歲의 天干에 화염이 있으면 장원급제하여 돌아온다. 科에 급제하지 못한 것은 단지 財가 文書를 破하기 때문이다. 일거(一擧)에 명성을 얻는 것은 괴성(魁星)이 甲을 띤 지닌 것이다. (玄武格而比劫多,太乙玉堂眞甲第.朱雀賦而食神旺,官年印歲擬登科.比肩多見官煞,印是魁星,合歲衝官及第.官煞重遇印傷,便是甲宿,食年印歲題名.木魁若臨年月旺,狀頭解首屬斯人.火宿如値歲干炎,甲榜狀元歸此輩.數科不第,只因財破文書.一擧成名,乃是魁星帶甲.)

五行이 소장(消長;쇠하여 사라짐과 성하여 자람)하는 것은 모두 鬼로 인해 功을 이룬다. 四柱가 흥륭(興隆)한데 만약 병(病)이 없으면 貴하지 못한다. 비록 鬼인 病을 用하여 기이(奇異)하더라도 결국 제거하여야 福이 된다. 다시 三合 祿馬의 年을 찾으면 반드시 옥당 天乙의 歲를 살펴본다. 丙 丁이 冬月에 生하면 戊 己가 당두(當頭)함으로써 貴하다. 庚 辛이 夏절에 태어나면 壬癸가 득국(得局)하여야 오묘(奧妙)하다. 甲 乙이 秋절에 生하면 마땅히 현무(玄武)가 있어야 貴하다. 庚 辛이 장하(長夏)에 [生하면] 구진(句陳)을 用해야 오묘(奧妙)하다. (五行消長,皆因鬼以成功.四柱興隆,若無病而不貴.雖用鬼病爲奇,終是去之爲福.更尋三合祿馬之年,須看玉堂天乙之歲.丙丁生於冬月,貴於戊己當頭.庚辛產在夏間,妙乎壬癸得局.甲乙秋生,貴宜玄武.庚辛夏長,妙用勾陳.)

丙 丁은 水가 많으면 北地를 싫어하지만 戊 己를 만나면 도리어 貴하다고 추리한다. 庚 辛은 火가 旺盛하면 南方을 두려워하지만 戊 己를 만나면 도리어 貴하다고 단정한다. 甲 乙이 秋절에 生하여 丙 丁이 투출하면 손상된다고 보지 않는다. 戊 己가 夏절에 태어나고 庚 辛이 노출하면 당연히 貴하다고 論한다. 火는 水가 많으면 木運으로 行하여야 貴하다. 土가 木旺함을 만나면 火鄕에 들어야 영화롭다. 庚이 水를 거듭 만나면 금한수냉(金寒水冷)하여 염열(炎熱)을 가장 좋아한다. 戊가 많은 酉를 만나면 身이 탈기(脫氣)하여 쇠약하니 형황(熒煌=火)을 편애(偏愛)한다. (丙丁水多嫌北地,逢戊己反作貴推.庚辛火盛怕南方,遇戊己翻爲貴斷.甲乙秋生透丙丁,莫作傷看.戊己夏產露庚辛,當爲貴論.火帶水多,貴行木運.土逢木旺,榮入火鄕.庚逢水重,水冷金寒,最喜炎熱.戊遇酉多,身衰氣脫,偏愛熒煌.)

玄妙論(현묘론)-하

불급하면 생부(生扶)함이 필요하고, 태과하면 마땅히 줄이거나 제거해야한다. 靑龍은 從革의 金이 온전하면 빈천하다. 白虎가 윤하의 水를 완비하면 부귀영화(富貴榮華)한다. 春절에 木이 많으며 水가 적으면 꿰맨 장삼을 입은 승려이다. 夏절의 火가 화염하며 金이 衰하면 벼슬하는(簪冠) 도인이 된다. 句陳이 윤하의 局이 온전하면 분주한 사람이다. 주작이 현무를 三合하면 곤궁한 사람이다. 金은 견고한데 火가 약하면 행상(行商)으로 판매하는 사람이다. (不及要生扶,太過宜剝削.靑龍全從革之金,且貧且賤.白虎備潤下之水,曰富曰榮.春木多而水淺,補衲之僧.夏火炎而金衰,簪冠之道.勾陳局全潤下,奔波之徒.朱雀三合玄武,困弱之輩.金堅火弱,行商販賣之人.)

---

65) 장두(狀頭);여러 사람이 서명한 소장의 첫머리에 이름을 적는 사람

土가 敗하는데 水가 얼면 조업(祚業)을 破하나 머무는 사람이다. 金이 秋月에 生하고 土가 중중하면 한 마디의 쇠 조각도[아무런 힘도] 없이 가난하다. 火가 장하(長夏=未月)에 金이 매우 중첩하면 富가 천종(千鍾)이다. 春절의 木이 오로지 많은 水를 만나면 빈천한 사람이다. 冬절의 水가 旺盛한 金을 만나면 빈약(貧弱)한 사람이다. 辰 戌 丑 未가 刑 衝을 만나면 불발(不發)하는 사람이 없다. 子 午 卯 酉가 刑이나 合을 지니면 음란함을 범하는 사람이 많다. 夏절의 金이 火가 중첩하거나, 秋절의 水가 金이 重하면 크게 치우친 무리로써 가난하지 않으면 賤하게 된다. 春절의 金이 火가 많거나, 冬절의 水가 金이 旺盛한데 제복(制伏)이 없으면 요절하지 않으면 가난하다. (土敗水凝,破祖淹留之客.金生秋月土重重,貧無寸鐵.火長夏天金疊疊,富有千鍾.春木專遇水多,貧賤之流.冬水獨逢金盛,寒弱之輩.辰戌丑未遇刑衝,無人不發.子午卯酉帶刑合,犯者多淫.夏金疊火,秋水重金,太偏黨非貧即賤.春金多火,冬水盛金,無制伏不夭則貧.)

秋절의 木이 무근(無根)하면 妻福을 따라야 祿貴가 높다. 夏절의 金이 실지(失地)하면 남편의 영화에 배합하여야 功名이 현달(顯達)한다. 火가 春[林]절로 향하여 木의 旺함을 만나면 명성을 구하기에 좋다. 土가 季地[辰 戌 丑 未]에 임하여 많은 金을 보면 장래 출사(出仕)할 수 있다. 甲乙이 번성한 夏와 土星이 두터우면 공명(功名)이 절반이고 전장(田莊;개인이 소유한 논밭)이 풍족하다. 丙 丁이 冬절에 水가 旺盛하고 근원이 淸하면 작록(爵祿)이 온전하고 영화가 비단처럼 좋다. 전록[格]이 식상(食神과 傷官)을 지니면 권력을 변방까지 장악한다. 양인은 官 煞[運]이 들어오면 권위가 변방을 진압한다. 공록, 공귀, 협구[格]은 작록(爵祿)이 풍요(豐饒)하다. 도충, 요합, 정란차[格]은 공명(功名)이 현달(顯達)한다. 壬추간과 甲추건[格]은 명성이 청렴한 사람이다. (秋木無根從婦福,祿貴崇高.夏金失地配夫榮,功名顯達.火向春林逢木旺,好去求名.土臨季地見金多,堪來出仕.甲乙夏榮土星厚,功名半喜足田庄.丙丁冬盛水源清,爵祿全欣榮錦繡.專祿帶食傷,權持外閫.羊刃入官煞,威鎭邊疆.拱祿,拱貴,夾丘,爵祿豐饒.倒衝,遙合,欄叉,功名顯達.壬趨艮而甲趨乾,清名之士.)

辛조양, 乙서귀[格]은 문학(文學=文臣)의 관직이다. 局에 풍(風=辰) 호(虎=寅)가 완전하면 훌륭한 장수의 재목이다. 柱에 雲{壬}龍[辰]을 갖추면 大人의 德을 지닌다. 四庫를 전부 갖추면 龍으로 변화하여 대해(大海)를 만나니 구오[九五大人]의 지존이 된다. 三奇의 局이 빼어나고 봉황[酉]이 비상(飛上)하는데 천문(天門=戌 亥)을 만나면 대각(臺閣)에서 貴하게 된다. 財官이 旺하면 부귀(富貴)하고, 祿馬를 암장하면 영화롭게 된다. 格을 이루면 貴하다고 추리하고, 局을 破하면 貴하지 못하다고 단정한다. 하나의 이치를 연구하여 많은 단서를 살피고 한 마디의 말을 밝혀서 많은 종류를 통달해야한다. 후학의 君子들은 이를 소홀히 하지 말아야한다. (辛朝陽而乙鼠貴,文學之官.局全風虎,良將之材.柱備雲龍,大人之德.四庫全備龍變化,逢大海爲九五之尊.三奇局秀鳳騰翔,遇天門乃台閣之貴.旺財官之貴富,暗祿馬以榮華.入格以貴而推,破局不貴而斷.究一理而察百端,明片言而通萬類.後學君子,勿忽於斯.)

12. 精微論(정미론)-상

무릇 人命을 살펴볼 때는 오로지 6格만을 論한다. 官을 만나면 財를 살펴보고, 財가 보이면 부귀하다. 煞을 만나면 印을 살펴보고, 印을 만나야 영화(榮華)를 누린다. 印을 만나면 官을 살펴보고, 官을 만나면 열에 일곱은 貴하다. 財를 만나면 煞을 꺼리는데 煞이 있으면 열에 아홉은 가난하다. 官은 노출하여야 좋은데, 노출되면 청고(淸高)하다. 財는 암장해야하는데, 암장하면 풍후(豐厚)하다. 관살이 혼잡한데 身弱하면 가난하다. 관살이 상정(相停)하면 合殺하여야 貴하게 된다. 年 月이 관성이면 젊은 나이에 출사(出仕)한다. 日 時가 정귀(정관)이면 말년에 명예를 이룬다. 胞胎가 印綬를 만나면 祿은 천종(千鍾)을 누린다. 財氣가 長生을 만나면 기름진 밭이 아주 넓다. (凡看人命,專論六格.逢官看財,見財而富貴.逢煞看印,遇印以榮華.逢印看官而遇官,十有七貴.逢財忌煞而有煞,十有九貧.官喜露,露則清高.財要藏,藏則豐厚.官煞混雜,身弱則貧.官煞相停,合煞爲貴.年月官星,早年出仕.日時正貴,晩歲成名.胞胎逢印綬,祿享千鍾.財氣逢長生,田肥萬頃.)

秋冬절의 관성은 刃의 손상을 방비하고 현무(玄武)가 온전히 있으면 貴가 틀림없다. 납월(臘月=음력섣달)의 상관은 官을 보면 좋고, 印을 破하여 손상이 重하면 재난으로 죽는다. 財가 旺하여 官을 生하면 貴는 적어도 富는 많다. 상관이 財를 보면 벼슬이 높고 財도 풍족하다. 손상이 없으면 貴하지 않으니 病이 있어야 기이(奇異)하게 된다. 처음에 비록 사용하여 기이하더라도 결국에는 반드시 제거하여야 福이 된다. 이것이 오묘(奧妙)한 이치인데 어찌 달리 구하겠는가! 가령 火는 염열(炎熱)하고 水가 적은데 庚 辛을 만나면 신왕하니 官이 輕하여도 取하게 된다. 혹 土는 重하고 木이 絶한데 壬 癸를 만나면 官은 旺하고 身이 輕하니 결코 감당하기 어렵다. (秋冬官星防刃傷,存全玄武貴無疑.臘月傷官喜見官,破印傷重禍而死.財旺生官者,乃貴少而富多.傷官見財者,又官高而財足.無傷不貴,有病爲奇.始雖用之爲奇,終須去之爲福.理妙於斯,何須外求.如火炎水少遇庚辛,休作身旺官輕而取.或土重木絶逢壬癸,難當官旺身輕而決.)

財가 輕하면 劫地를 만나서는 안 되고, 印이 많으면 財鄕이 가장 좋다. 財旺하여 官을 生하면 뇌물로써 貴를 취한다. 살성이 刃을 制하면 보물을 빼앗아 명예를 얻으려한다. 신왕한데 편재를 취할 수 있으면 반드시 횡재(橫財)한다. 主가 건왕한데 정재가 겁탈당하면 妻가 재난을 자주 만난다. 겁재나 양인이 官煞에 들면 대각(臺閣)의 신하이다. 歸祿이 食神을 衝하고 刃이나 상관을 만나면 조정에서 貴한 사람이다. 신왕하고 煞이 있는데 印綬를 만나면 官을 권력으로 단정한다. 主가 弱하여 印을 만나는데 재성을 보면 평범한 사람이다. 양인이나 편관은 制가 있으면 직책은 병권(兵權) 형권(刑權)을 장악한다. 正官이나 印綬는 손상이 없으면 매우 많은 사람은 다스리는 수령(守令)이 된다. 財旺한 가색(稼穡)은 군량(軍糧)을 공급하는 관직이다. (財輕莫逢劫地,印多最妙財鄕.財旺生官,因賄取貴.煞星制刃,劫寶圖名.身旺偏財可取,必得橫財.主健,正財被劫,頻見妻災.劫財羊刃入官煞,臺閣之臣.歸祿衝食逢刃傷,廊廟之貴.身旺有煞逢印綬,權斷之官.主弱逢印見財星,尋常之客.羊刃偏官有制,膺職掌於兵刑.正官正印無傷,牧黎庶爲守令.財旺稼穡,給餉之官.)

비록(비천록마)이나 조양(육음朝陽)은 시종(侍從;임금을 모시는 신하)의 직책이다. 乾坤이 본래 淸氣하면 나라를 다스리니 영예롭다. 子 午로 지극히 존귀하면 황문(黃門=내시)으로 貴하다. 癸亥일 癸丑시는 장원급제하여 한림원에 에 든다. 壬辰일 壬寅시는 승은(承恩)으로 높은 신분이 되어 어각에 오른다. 日德이 괴강을 만나면 설령 吉할지라도 가난한 선비이다. 괴강이 財官이고 得地하면 衣祿이 있는 사람이다. (飛祿朝陽,侍從之職.乾坤本淸氣,經國之榮.子午爲尊極,黃門之貴.癸日癸時兼丑亥,魁名及第入翰林.壬日壬時疊寅辰,高爵承恩登御閣.日德見魁罡,縱吉遇貧寒之士.魁罡値財官,任得地衣祿之人.)

상관견관(傷官見官)하면 財나 印의 地支를 만나야 오묘(奧妙)하다. 재성이 印을 破하면 비겁으로 行하여야 貴하다. 命에 財가 重한데 運에서 煞을 만나면 吉하다고 말할 수 있다. 命에 煞이 重한데 運에서 財를 만나면 凶하다고 결정한다. 甲 乙은 運이 西方에 들면 身이 旺해야 공명(功名)이 있다. 壬 癸가 南方의 地支를 지나면 主는 財祿이 건재해야 도모할 수 있다. 겁살이 旺地로 行하면 좋지 않고, 食神은 편재가 가장 좋다. (傷官見官,妙遇財印之地.財星破印,貴行比劫之鄕.命重財,運逢煞,吉而堪言.命重煞,運逢財,凶而可決.甲乙運入西方,身旺功名可許.壬癸路經南地,主建財祿堪圖.劫煞不宜行旺地,食神最妙偏財鄕.)

精微論(정미론)-하

女命에서 상관은 歸祿을 얻으면 지극히 吉하다. 男[命]造에서 양인은 身弱하면 뛰어나게 된다. 금신 건록 난차(井欄叉格)는 女命에서 이를 만나면 가장 꺼린다. 양인 상관 칠살은 남자가 이를 만나면 권력을 얻는다. 금신이 火에 들고 煞 刃을 만나면 貴함이 틀림없다. 煞이 중하고 印이 있는데 식상(식신 상관)을 만나면 영화가 있다. 정관 정인이 官에 居하면 드러나지 않는다. 양인 칠살은 출사(出仕)하면 명성을 떨친다. 신왕한데 의지할 데가 없으면 승도(僧道)의 무리이다. 곤랑도화는 창녀나 비첩으로 흐른다. 金이 弱한데 火가 强하면 토목을 다루는 장인(匠人=기술자)이다. 土가 많은데 水가 적으면 마을을 돌아다니며 삯바느질하는 사람이다. 오호운요(五湖雲擾)하면 처음은 영화로우나 결국 욕되어 자신이 가난하다.(寅 申 巳 亥인 것이다.) (女命傷官,歸祿得之極吉.男造羊刃,身弱遇之爲奇.金神,建祿,欄叉,女命逢之最忌.羊刃傷官七煞,男子遇之得權.金神入火逢煞刃,貴而無疑.煞重有印逢食傷,榮而有準.正官正印,官居不顯.羊刃七煞,出仕馳名.身旺無依,僧道之輩.桃花滾浪,娼婢之流.金弱火強,土木銷鎔之匠.土多水淺,行閭針線之工.五湖雲擾,始榮終辱己身貧.(寅申巳亥是也))

편야도화는 일생토록 풍류(風流)하고 주색(酒色)에 빠진다.(子 午 卯 酉인 것이다.) 망신 공살(拱煞)은 도적의 무리다. 수기(秀氣)가 실시(失時)하면 청빈(淸貧)한 선비이다. 印旺하고 신강하면 대부분 술을 즐기고, 丁 壬이 투합하여 化하면 음란하며 잘못된다. 身과 印이 함께 旺하면 평생토록 질병이 적다. 天 月德이 도우면 세상을 살아가는데 재난이 없다. 食神이 生旺하면 財官을 능가하지만 貴는 財煞에서 완전하다. 기명취재(棄命就財)가 있고, 취살 취관하면 부귀가 넉넉하다. 의지할 데가 없이 오직 旺한데 食神이 絶하고 財가 絶하면 한 없이 빈궁(貧窮)하다. 身弱하여 命을 버리고 근(根)이 없으면 관직이 재상에 머문다. [天]干이 衰하여 身이 化하는 그 時를 얻으면 지위가 천정(天庭=궁궐의 중심)에 머문다. 男命은 類 屬 從 化 照 返 鬼 伏을 마땅히 자세히 알아야한다. 女命은 純 和 清 貴 濁 濫 娼 淫을 마땅히 깊이 연구해야한다. (遍野桃花,一世風流多酒色.[子午卯酉是也]亡神,拱煞,賊盜之徒.秀氣失時,清貧之士.印旺身強多嗜酒,丁壬妒化犯淫訛.身印俱旺,平生少病.天月德助,處世無災.食神生旺,勝似財官,貴全財煞.有棄命就財,就煞,就官者,有餘富貴.無依專旺,絕食絕財者,無限貧窮,身弱棄命要無根,官居宰府.干衰身化得其時,位近天庭.男命類屬從化,照返鬼伏,宜細詳之.女命純和清貴,濁濫娼淫,當深究也.)

13. 驚神論(경신론)-상

五行이 生旺하면 조정에서 지체가 높고 貴한 사람이다. 四柱가 休 囚하면 은거하여 청빈(淸貧)한 사람이다. 鬼는 旺한데 身이 衰弱하면 소년(少年)시절에 영화(榮華)를 얻기 어렵다. 祿은 破하고 身이 刑하면 어린나이에 호시(怙恃=부모)를 잃는다. 아들이 적고 딸이 많은 것은 단지 음신(陰神)이 매우 많기 때문이다. 아들이 많고 딸이 적은 것은 순양(純陽)이 있기 때문이다. 逆 剋 현침(懸針)이면 조면타철(雕面打鐵)의 무리다. 괴강 煞 刃은 군인의 대오에 투신한다. 官이 亡劫과 아울러 칠살을 만나면 마땅히 무장(武將)이 된다. 貴는 전실(塡實)하고 財와 印이 二德을 만나면 충신이 된다. 財는 衝하고 祿이 破하면 시장의 백정이다. 祿이 旺하고 身强하면 호걸가문의 귀빈(貴賓)이다. (五行生旺,朝中榮貴之人.四柱休囚,林下清修之客.鬼旺身衰,少年難得榮華.祿破身刑,早歲失其怙恃.男少女多,只爲陰神太重.男多女少,定是純陽有托.逆剋懸針,雕面打鐵之輩.魁罡煞刃,役身軍伍之流.官遇亡劫兼七煞,當爲武將.貴塡財印遇二德,得作忠臣.財衝祿破,市井屠兒.祿旺身強,豪門貴客.)

고진에 화개를 지니면 도사 승려 비구승이다. 겁살이 괴강을 만나면 무당 의사 술사이다. 함지가 旺한 刃에 자리하면 色으로 인해 망신(亡身)한다. 역마가 刑하는데 祿을 차면 상아로 부자가 된다. 命이 길고 부귀하는 것은 대개 天德이 長生을 만나기 때문이다. 의식(衣食)이 풍영(豐盈)함은 재성이 剋 破하지 않은 것이다. 日에 專祿이 머물고 地支가 전부 會合하면 貴가 틀림없다. 地支는 刃이고 天干은 官인데, 時 月에서 거듭 만나면 관직을 반드시 한다. 戊午 戊午는 化刃하여 身을 生하기 때문에 貴하다. 공록 공귀는 太歲로부터 전실(塡實)하면 재난이 된다. 財가 많아 노출하고 나타나면 성패(成敗)가 있다. 財가 적은데 암장하면 돈꿰미가 썩는다. (孤辰值華蓋,道士僧尼.劫煞遇魁罡,巫醫術士.咸池坐旺帶刃,因色亡身.驛馬臨刑帶祿,爲牙致富.命長富貴,蓋緣天德遇長生.衣食豐盈,乃是財星無剋破.日居專祿,支神全會貴無疑.支刃干官,時月重逢官必顯.戊午戊午,貴因化刃生身.拱祿拱貴,禍爲歲來塡實.財多露顯,有敗有成.財少暗藏,爛錢朽貫.)

젊은 시절에 자식이 없는 것은 모두 時 日에서 身을 刑하기 때문이다. 만년(晩年)에 갓난아이를 낳아 기르는 것은 時에 日貴를 얻었음을 안다. 丙申 庚寅 甲巳는 참된 貴人이다. 甲子 己巳 壬辰은 직업이 전적으로 의복(醫卜)이다. 日에서 刃 煞을 만나면 妻가 반드시 애기 낳다가 사망한다. 時가 고허(孤虛)하면 자식은 마땅히 불초(不肖)하다. 子나 卯중에 하나의 癸를 만나면 부자로 가난하지 않다. 干支가 刑合하고 함지가 있으면 사창가를 돕는 사람이다. 시상편관을 制하면 만년에 자식이 영특하고 뛰어나다. 柱중에 財旺하여 官을 生하면 어린나이에 선발된다. 함지 화개가 月 時에 犯하면 主는 외롭고 의지할 데가 없다. 조객 상문이 歲 運에서 아울러 임하면 상복(喪服)을 입는다. 水가 많아 범람(氾濫)하면 하는 일을 이룰 수 없다. (早年無子,皆因時日刑身.晩後添嬰,知緣時得日貴.丙申庚寅甲巳,眞是貴人.甲子己巳壬辰,業專醫卜.日逢刃煞,妻必產亡.時値孤虛,子當不肖.子卯之中逢一癸,富且不貧.干支刑合帶咸池,娼門幫客.時上偏官有制,晩子英奇.柱中財旺生官,早年淸選.咸池華蓋,月時相犯主伶仃.弔客喪門,歲運併臨方孝服.水多則泛濫之輩,作事無成.)

驚神論(경신론)-하

土가 많으면 어리석은 무리로써 화생(化生)하면 반드시 福이 된다. 馬가 많으면 종년(終年) 분주(奔走)하다. 祿이 많으면 살아갈 방도로 한 곳에 머물기 어렵다. 刑이 많으면 결국 잔질(殘疾)이 있다. 破가 많으면 일생토록 괴롭다. 馬는 많고 祿이 적어면 빨리 달리기위해 간교한 무리이다. 財가 旺하고 신강하면 충성하고 올바른 선비이다. 함지가 合하고 鬼[賊]을 만나면 가정이 망하여 사람이 떠난다. (土多乃愚濁之徒,化生須福.馬多則終年奔走.祿多則活計難停.刑多則終有殘疾.破多則一生苦恨.馬多祿少,奔馳詭詐之徒.財旺身強,良顯忠正之士.咸池帶合遇鬼賊,家敗人離.)

劫 亡 煞 刃이 상관을 會合하면 흉악하고 완고하여 禍를 부른다. 편재와 身이 왕성하면 장사꾼이다. 財를 六合하면 물건을 흥정하며 경영하는 사람이다. 공인 공귀하면 삼도옥계금전객(三島玉階金殿客)이다. 공록 공재하면 아주 넓은 뽕나무밭의 주리빈(朱履賓)이다. 印은 있고 官이 없으면 청고(淸高)한 命을 향유한다. 금신이 水를 만나면 빈한(貧寒)하며 질병을 지닌 무리다. (劫亡煞刃會傷官,凶頑招禍.偏財身旺,趁求商賈之人.六合會財,興販經營之輩.拱印拱貴,三島玉階金殿客.拱祿拱財,萬頃桑田朱履賓.有印無官,享見成淸高之命.金神遇水,乃貧寒帶疾之徒.)

어리석고 아는 것이 없는 것은 모두 설기하여 身을 손상하기 때문이다. 무반(武班)으로 文을 할 수 있는 것은 천덕貴人이 印을 生하기 때문이다. 풍류로 방탕하여 破하는 것은 印이 많고 天干이 弱한데 함지에 坐한 것이다. 원정방포(圓頂方袍;둥근 머리에 가사를 걸침=승려)는 고진 과숙의 두 星에 화개가 臨한 것이다. 양인이 가득하면 사지를 찢기어 죽는다. 日 時가 모두 공망이면 妻와 자식이 힘을 기울이지 않는다. 干支에서 官을 거듭 범하면 고질병이 몸을 휘감는다. 天乙의 한 글자가 長生을 만나면 명리(名利)를 겸전하여 누린다. 절름발이와 곱사등이는 단지 살(煞)神이 곡각(曲脚)을 만난 것이다. 난쟁이(왜소증)와 잔질(殘疾)은 대개 鬼는 旺한데 日이 衰弱

하기 때문이다. 地支는 旺한데 天干이 衰하면 집안이 평온하고, 地支가 衰한데 天干이 旺하면 겉으로 화려하지만 헛되다. (愚痴無知,皆因泄氣傷身.知武能文,天德貴人生印.風流破蕩,印多干弱坐咸池.圓頂方袍,孤寡二星臨華蓋.滿盤羊刃,決定分屍.時日俱空,妻兒不力.干支重犯剩官來,痼疾纏身.天乙一字遇長生,利名兼享.跛足駝腰,只爲煞神逢曲腳.侏儒殘疾,蓋由鬼旺日衰柔.支旺干衰家穩實,支衰干旺外虛花.)

四柱가 연주(連珠)하고 官印이 도우면 일품으로 존귀하다. 五行이 연여(連茹)하면 財祿은 천종의 富를 누린다. 身이 강강(剛强)하면 鬼가 나를 剋해도 두려워하지 않는다. 일간이 유약(柔弱)하면 비겁의 도움을 좋아한다. 身弱한데 食神이 많으면 요절한다. 금신이 火를 지니면 貴하다. 강개(慷慨)[66]하는 것은 편재 劫 刃이다. 간린(慳吝=몹시 인색함)하는 것은 정관 정재이다. 칠살은 制[剋]이 없으면 흉악한 무리이다. 상관 함지는 기로(岐路=갈림길)의 객(客)이 된다. 무릇 일간이 크게 弱하면 안으로 弱한 곳을 다시 生해야하고, 만약 旺相이나 相生을 만나도 또한 旺하면 剋破함이 있어야한다. (四柱連珠,官印助一品之尊.五行連茹,財祿享千鍾之富.身若剛強,不怕鬼來剋我.日干柔弱,喜從比劫相扶.身弱食多則夭.金神帶火則貴.慷慨者偏財劫刃.慳吝者正官正財.七煞無制,乃爲凶惡之徒.傷官咸池,定作歧路之客.凡見日干太弱,內有弱處復生.若見旺相相生,亦有旺中剋破.)

14. 明津先生骨髓歌(명진선생골수가)-상

五行으로 生死 [秘]訣을 알고자하면 어찌 범인(凡人)의 설명으로 용이(容易)하리오! 오성(五星)은 다만 운한(運限)에 의지하였고, 자평은 오로지 대운으로써 비결을 삼았다. 태어나면 부귀는 전정(前程)을 찾아서 알고, 죽는 시기가 확실하지 않으면 어떻게 결단하는가? 格局은 단지 용신으로 추리할 뿐이고, 用이 손상되지 않는 사람은 불멸(不滅)한다. 운행은 먼저 12宮을 펼쳐서 무슨 宮에 어느 節에 해당되는가를 살펴본다. 財 官 印綬와 食神은 마땅히 輕重을 살펴서 분명히 알아야한다. (欲知五行生死訣,容易豈與凡人說.五星只在限爲憑,子平專以運中決.生知富貴問前程,死時未審如何截?格局只以用神推,用不受傷人不滅.運行先布十二宮,看於何宮受某節.財官印綬與食神,當知輕重審分明.)

관성은 칠살運으로 行하는 것이 두렵지만, 편관은 정관에 임하는 것을 더욱 두려워한다. 官煞이 섞이어 行하면 당연히 찾아서 알아야하는데, 거살유관은 자세히 평론한다. 유관거살은 煞을 만나면 안 되고, 유살거관은 官을 만나면 안 된다. 官煞이 손상당하는 사람은 自絶하니 다시 財格을 살펴보고 전정(前程)을 정한다. 日 時에서 偏正으로 어떤 財인지 찾고, 또 干頭(天干)에 煞이 있으면 두렵다. 煞運을 거듭 만나는 사람도 또한 요절하는데 누가 偏正이 재앙이 되는 것을 알겠는가? (官星怕行七煞運,偏官尤畏正官臨.官煞混行當知審,去煞留官仔細評.留官去煞莫逢煞,留煞去官官莫逢.官煞受傷人自絕,更看財格定前程.日時偏正問何財,又怕干頭帶煞來.煞運重逢人亦夭,孰

66) 강개(慷慨);의롭지 못한 것을 보고 정의심(正義心)이 복받치어 슬퍼하고 한탄(恨歎)함을 일컫는다.

知偏正是爲災?)

자연히 偏正은 모두 福이 되고, 형제는 같이 재앙의 매개물로 구분한다. 運이 정재에 이르면 반드시 다투니 마땅히 偏正으로 각각 양분(兩分)하여 추리해야한다. 財官運이면 반드시 영화롭고, 官은 財[鄕]運에서 福이 태동한다. 단지 일간은 처음에 [自]弱한 것이 두려운데, 財가 많으면 鬼를 쫓아 生하니 身이 衰할 뿐이다. 재다신약한데 財運으로 行하면 이곳이 천태(泉台=황천길)에 들어가는 것을 알 수 있다. 官이 손상당하지 않고 財가 겁탈되지 않으면 壽命이 산처럼 높이 솟는데 어찌 무너질 수 있겠는가? 첫째 印綬[鄕]을 추리하는데, 運이 身旺으로 行하면 반드시 영화가 창성하다. (自專偏正皆爲福,兄弟同分是禍媒.運到正財必爭競,各宜偏正兩分推.有財官運須榮發,官運財鄕是福胎.只怕日干元自弱,財多生鬼趕身衰.財多身弱行財運,此處方知入泉台.官不受傷財不劫,壽山高聳豈能頹?第一推印綬鄕,運行身旺必榮昌.)

官[鄕]을 會合하면 관직(官職)을 하고, 死地는 당연히 재앙인 것을 알 수 있다. 만약 財를 만나면 印이 害로우니 대들보에 목을 매고 물에 빠지듯이 나쁘게 사망한다. 官이 재임하여 머물면 타향에서 죽고, 경기(經紀=경영)가 이를 만나면 노방(路傍=길 옆)에 존재한다. 印이 財를 만나지 않으면 사람이 죽지 않는데, 만일 앞의 하나를 따르면 자세히 추리한다. 財 官 印綬를 분명히 설명하고, 다시 食神이 있으면 쉬운 [祕]訣이 아니다. 食神이 有氣하면 財官을 능가하는데, 단지 상잔(傷殘)하여 前後가 끊기면 두렵다. 도식(倒食)運을 만나면 도리어 年을 손상하니 마땅히 빨리 황천에 머무름을 알아야한다. (官鄕會合逢官職,死地當知是禍殃.若是逢財來害印,懸梁落水惡中亡.官居在任他鄕死,經紀逢之在路傍.印不逢財人不死,如前逐一細推詳.財官印綬分明說,更有食神非易訣.食神有氣勝財官,只怕殘傷前後截.倒食運遇反傷年,須知早下泉台歇.)

明津先生骨髓歌(명진선생골수가)-하

앞의 格은 君을 가르치며 장단을 설명하고, 뒤의 格은 앞길을 차단한다. 그러나 輕重을 나누어 자세히 추리하고, 財官이 死絶에 임하면 크게 두려워한다. 상관의 命에서 運이 다시 官을 만나면 유배나 재앙이 많다고 단정한다. 日貴 日德이 衝하여 다툼을 만나면 이 命은 위태로워 망할 수 있다고 본다. 비천[祿馬]나 공록은 전실(塡實)을 혐의하는데, 다시 기반하는 神이 天干을 범하는가를 살펴본다. 만약 희기편중에서 단정하면 格局이 손상하여야 요절로 본다. 뒤의 格은 死生의 다른 조짐이 없고, 제일 財官이 긴요(緊要)하다. (前格教君說短長,後格也來前路截.卻分輕重細推詳,大怕財官臨死絕.傷官命運再逢官,斷是徙流禍百端.日貴日德逢衝戰,此命危亡可立看.飛天拱祿嫌塡實,更看絆神來犯干.若依喜忌篇中斷,格局逢傷作夭看.後格死生無異兆,第一財官爲緊要.)

運行에서 만약 財官을 만나지 못하면 이미 財官을 보아도 장소(長少)가 없다. 수명을 묻는다면 반드시 용신을 찾아서 알아야하고, 용신이 制를 당하면 반드시 身을 剋한다. 손상을 받지 않는데

도 禍가 되면 輕重을 반드시 알게 됨으로써 참된 것이다. 용신이 건왕하면 반드시 염려할 것이 없고, 運에서 만약 손상되면 실로 머뭇거린다. 퇴직이나 벼슬이 하락은 例로써 단정하고, 집안이 망하고 패업(敗業)하면 자손을 손실한다. 육친의 권속(眷屬)이 다시 자주 만나면 부모(父母)의 상복(喪服)을 입고 많은 일이 있다. (運行若不遇財官,既遇財官無長少.問壽須知問用神,用神受制定剋身.受傷勿以便爲禍,輕重須教認取眞.用神健旺定無慮,運若逢傷實蹇迍.退職卸官依例斷,亡家敗業損兒孫.六親眷屬還遭累,禮服親喪百事臨.)

무엇으로써 수명이 멈추는 것을 알 수 있는가? 運상에서 자세히 추리하여 찾아야한다. 일간과 같은 運은 煞을 만난 것과 같고, 刑 煞을 만나면 재앙이 침입한다. 외부의 敵으로 말미암아 다시 내부의 敵을 만나면 그 나머지 宮을 구분하여 외방(外方)에서 찾는다. 내부에서 외부의 적을 만나면 재앙이 重하고, 외부에서 내부의 적을 만나면 재앙이 조금 침입한다. 戊 己土는 반드시 사계(四季)로 나누고, 雜氣속은 어렵고도 쉽다. 근년(近年)은 구분하는데 반드시 數중에서 나누고, 制를 받고 손상을 받으면 歲氣를 따른다. 吉凶은 이 運중에서 지정하고 어느年 어느月에 재앙(災殃)이 되는가! 子의 運 歲에서 辰 子 癸를 만나면 太歲 및 月位에 相應할 수 있다. 寅運 丙申이 같은 年을 만나면 巳 丙은 하나같아 화복(禍福)이 비슷하다. (何以知其能住壽?但宜運上細推尋.日干同運如逢煞,逢煞逢刑禍來侵.外敵仍還逢內敵,其餘宮分外方尋.內逢[爲]外敵爲災重,外逢內敵禍微侵.戊己土須分四季,雜氣中間難又易.近年分定數中分,受制受傷隨歲氣.指定吉凶此運中,何年何月殃災至.子運歲逢辰子癸,克應太歲及月位.寅運丙申逢年同,巳丙一同禍福類.)

卯運에 乙木이 서로 만나면 두렵고, 巳중의 戊 庚 丙이 섞여 모인다. 午運은 年상의 午 戊는 凶하고, 丑 未年중에는 반드시 두려운 것이다. 申宮에 庚 亥는 서로 만나서는 안 되고, 酉는 辛 丑을 만나면 모두 꺼린다. 亥運에 壬 甲은 申官을 두려워하는데 단지 이것은 8宮에 四季를 포함한다. 四季의 처음부터 8宮을 혼합하면 대체로 순환(循環)을 가리킴과 같다. 거처(去處)가 무궁(無窮)하여 알지 못하고, 배합하는 干支는 일위(一位)로 동일하다. 輕重을 구분하고 災凶을 정하고, 運이 重하고 歲가 輕한데 마땅히 아울러 論해야한다. 吉凶은 歲가 運을 하나같이 따르는데, 이것은 千金으로 비전(祕傳)하지는 않는다. 내가 세상을 구제하기 위해 남긴 흔적을 옮겨 놓으니 술인(術人)은 장차 망령되이 가볍게 논평해서는 안 된다. (卯運乙木怕相逢,巳中戊庚丙雜會.午運年上午戊凶,丑未年中須是畏.申宮庚亥莫相逢,酉逢辛丑皆爲忌.亥運壬甲怕申官,只是八宮包四季.四季從頭混八宮,大抵循環如指示.不知去處是無窮,配合干支同一位.便分輕重定災凶,運重歲輕宜併論.吉凶歲隨運一同,此是千金不傳秘.予因濟世寫遺蹤,術人且莫妄輕議.)

15. 搜髓歌(수수가)-상

조화는 먼저 반드시 일주를 살피고, 뒤에 제강을 파악한 다음 차례대로 나눈다. 四柱는 오직 財官을 첫 번째로 論하고, 신왕하고 財官이 두터우면 부귀하다. 만약 신왕한데 財官이 손실하면 단지 아침부터 저녁까지 구걸하는 아이일 뿐이다. 財官이 旺할 때 일주가 旺하면 붉은 옷에 금띠를 어찌 의심할 수 있겠는가? 財官은 旺하고 일주가 弱한데 運이 신왕으로 行하면 가장 뛰어나게 된다. 일주는 旺하고 財官이 弱한데 運이 財官에 들면 명리(名利)로 나아간다. 일주의 坐하에 財官이 있고 月令에서 서로 만나면 貴는 어렵지 않다. 전부 財官을 잡는 것이 긴요(緊要)하고, 젊은 나이에 부귀하여 祿이 높이 오른다. (造化先須看日主,後把提綱分次第.四柱專一論財官,身旺財官多富貴.若還身旺財官損,只是朝求暮討兒.財官旺時日主旺,紫袍金帶有何疑?財官旺而日主弱,運行身旺最爲奇.日主旺而財官弱,運入財官利名馳.日主坐下有財官,月令相逢貴不難.總把財官爲緊要,早年富貴祿高攀.)

財官이 미약(微弱)한데 身이 태왕하면 의지할 데가 없어 외롭고 가난하다. 다시 印綬가 있는데 비겁이 도우면 妻를 손상하고 자식을 剋할 수 있다고 본다. 官煞이 태중하고 身이 强한데 한번 제복(制伏)을 만나면 어질고 착하게 된다. 煞과 官이 印을 拱[夾]하면 貴가 적지 않고, 세력이 대단하여 명성을 반드시 떨치고 드날린다. 구하(九夏)에 태어나 火 土가 많은데 이로운 水의 구제를 만나면 중화(中和)하여 貴하다. 水火는 원래 기제(旣濟)가 필요한데 이에 속하면 명리(名利)가 산하(山河)를 진동한다. 火의 熱이 매우 불타오르고 水가 없는데 運이 水[鄕]로 行하면 역시 아름답다. (財官微薄身太旺,太旺無依受孤寒.更有印來比劫助,傷妻剋子可立看.官煞太重身更強,一逢制伏作賢良.煞官拱印貴不小,烜赫威名定振揚.生居九夏火土多,利逢水濟貴中和.水火原來要既濟,管教名利鎮山河.火熱炎炎如無水,運行水鄉亦是美.)

水의 세력이 매우 도도(滔滔=넘치다)하고 만약 土가 없으면 運이 土[鄕]에 들어야 참으로 좋다 할 수 있다. 東方의 木이 많으면 西方의 運이 마땅하고, 西方의 金이 旺하면 東方으로 行하여야 좋다. 五行이 상제(相濟)하면 조화를 이루고, 人命에서 이를 만나면 福이 가볍지 않다. (水勢滔滔若無土,運入土鄉眞可喜.東方木多宜西運,西方金旺愛東行.五行相濟成造化,人命逢之福不輕.)

搜髓歌(수수가)-중

三丘 五墓는 거듭 보면 두려운데, 골육(骨肉)이 서로 떨어져 육친(六親)을 손실한다. 제강이 刑衝되면 父母를 剋하고, 日과 時가 衝하면 妻子가 곤란하다. 비겁 상관이 재차 旺하면 妻를 손상할 뿐만 아니라 자식도 손실한다. 설령 한명의 자식이 있을지라도 불효(不孝)하고, 혹자(或者)는 정성들여 기른다는데 알맞지 않다. 신왕한데 비견이 역마에 坐하면 형제가 떠돌아다니며 소쇄(瀟灑=맑고 깨끗함)를 좋아한다. 八字에 역마가 어지럽게 교차하면 身은 영화롭지만 東西에서 노고(勞苦)한다. 아마 몸은 한가하여도 마음이 안정되지 않으니, 행동하면 풍류(風流)하여도, 휴식하면 근심한다. 만약 재성이 역마에 坐하면 妻가 어질어도 거처가 없어 한가롭지 못하다. 재성이 庫에 들면 主는 財를 모아 재물을 근수(謹守)하지만 좋은 사람은 아니다. (三丘五墓怕見重,骨肉參商損六親.提綱刑衝剋父母,日時對衝妻子迍.比劫傷官若再旺,不但傷妻更損兒.縱有一子亦不孝,或者乞養

總非宜.身旺比肩坐驛馬,兄弟飄蓬好瀟灑.八字驛馬紛交馳,身榮勞苦東西也.倘得身閑心不定,動則風流靜則愁.若是財星坐驛馬,妻賢無處不悠悠.財星入庫主聚財,謹守資財不做人.)

妻子에게 인색하며 善하고 돕는 것에 인색하고, 단지 양인을 암장하여 성내는 것을 두려워할 뿐이다. 官煞이 거듭하고 財가 없으면 妻가 내조할 수 있으나 화목하지는 않다. 시부모를 전혀 공경하지 않고 무례(無禮)하여 오히려 부권(夫權)을 빼앗으니 배척받을 命이다. 관성이 만약 生旺함을 만나고 다시 長生이나 旺이 時에 있으면 자식이 총명하고 매우 준수(俊秀)하여 자손이 모두 비단옷을 입는다. 일주가 칠살에 梟 食을 지니면 妻가 胎가 虛하여 출산이 많아도 자식이 적다. 경맥(經脈)이 고르지 못하여 혈질(血疾)이 되고, 다시 行運이 또 어떠한가를 살핀다. 남자가 梟食을 거듭하여 보고 身弱하면 중독되는 질병이 많다. (妻兒慳吝善持助,只怕暗藏羊刃嗔.官煞重重不帶財,妻能內助不和諧.公姑不敬全無禮,奪卻夫權命所排.官星若也逢生旺,更得長生旺在時.子息聰明多俊秀,兒孫個個著緋衣.日主七煞帶梟食,妻主虛胎小產多.經脈不調成血疾,更看行運又如何.男子梟食重重見,身弱多應癆病隨.)

女人은 梟 食이 吉하지 않는데 난산(難産)으로 사람을 놀라게 하고, 질병 또한 위태롭다. 女子의 命에 官旺하고 아울러 財旺하면 어진 남편과 좋은 자식을 얻는다. 만약 財官이 함께 손실하면 남편을 손상하고 자식을 剋하는데 어찌 의심하리오! 印綬가 身을 生하여 身이 다시 旺하면 사람이 刑 剋되니 主는 외롭고 가난하다. 만약 官이 나타나고 財가 또 나타나서 얻으면 貴人이 도와 보통사람보다 뛰어나게 된다. (女人梟食非爲吉,產難驚人病亦危.女命官旺兼財旺,招得賢夫更好兒.若是財官俱受損,傷夫剋子有何疑.印綬生身身更旺,爲人刑剋主貧孤.若得官顯財又顯,亦爲超邁貴人扶.)

搜髓歌(수수가)-하

女命이 만약 상관이 旺하고 상관을 坐하에서 만나면 남편을 질책한다. 아침저녁으로 재잘거리며 말을 끊지 않고 한평생을 형벌과 초췌함을 만난다. 乙巳 庚午와 辛未의 일간이면 가장 아름답다. 다시 四柱에서 또 어떠한가를 살펴보면 반드시 主의 남편이 어질고 자신도 역시 貴하다. 丙 丁 子 丑 戊 己[丙子 丁丑 戊寅 己卯]가 春절인 이 日생인은 반드시 같지 않다. 甲午 甲申과 함께 乙酉는 坐하에 財官으로 부귀하고 영화롭다. 丁亥 戊子와 아울러 庚寅의 일주는 福이 가볍지 않다. (女命若也傷官旺,坐下傷官會罵夫.朝暮喃喃口不絕,百年終是見刑枯.乙巳庚午與辛未,日干帶之最爲美.再看四柱又何如,定主夫賢己亦貴.丙丁子丑戊己春,此日生人定不同.甲午甲申共乙酉,坐下財官富貴榮.丁亥戊子並庚寅,日主逢之福不輕.)

辛卯 丙申 丁酉의 位는 財 官이 안에 감추어져있어 명성(名聲)을 드러낸다. 己亥 甲申이 庚戌을 보면 印綬 財 官이 암장(暗藏)되어 있다. 다시 丙辰 壬戌을 얻으면 四柱에서 印을 도와 심상

(尋常)치 않다. 甲子 丙寅과 丁卯는 己巳 壬辰 癸巳[일주]는 동일하다. 만약 身과 동일하고 月令이 强하면 허명(虛名)허리(虛利)로 떠돌아다니게 된다. 辛亥 庚申과 아울러 己丑은 財官이 坐하에 없는 것이 있다. 妻와 子女 宮에 허화(虛花)를 지니면 東西南北이 身의 집이다. 甲寅 戊戌 庚子는 여자가 장부(丈夫)를 剋하고 남자는 자식을 剋한다. (辛卯丙申丁酉位,財官內隱顯聲名.己亥甲申見庚戌,印綬財官暗裏藏.更得丙辰壬戌至,四柱扶印不尋常.甲子丙寅與丁卯,己巳壬辰癸巳同.若是身同強月令,虛名虛利任飄蓬.辛亥庚申並己丑,坐下財官並無有.妻宮子女帶虛花,東西南北是身家.甲寅戊戌並庚子,女剋丈夫男剋子.)

己巳 丙午 丁未도 동일하나, 壬子가 거듭하면 主는 외롭고 곤궁하다. 辛酉 乙卯 戊午는 干支가 같은 종류라 妻가 부족(不足)하다. 己未 庚申 및 癸亥는 月令이 재차 旺하면 재앙과 害가 된다. 일주에 財 官 印綬가 온전하고 月과 時에 부합(符合)하면 福이 끊임없다. 干支가 같은 종류인데 신왕하면 자식을 剋하고 妻를 刑하며 조업을 破한다. 四柱는 强弱을 분별해야 좋고, 陰陽은 단지 하나의 말에 집착해서는 안 된다. 이것이 五行의 참된 묘결(妙訣))인데, 지자(知者)를 만나지 않으면 헛되게 전하지 말라. (己巳丙午丁未同,重重壬子主孤窮.辛酉乙卯與戊午,支干同類妻不足.己未庚申及癸亥,月令更旺成禍害.日主財官印綬全,月時符合福綿綿.干支同類並身旺,剋子刑妻破祖田.好將四柱分強弱,莫把陰陽只一言.此是五行眞妙訣,不逢知者莫虛傳.)

16. 四言獨步(사언독보)-1

선천(先天)은 어느 곳이며 후천(後天)은 어느 곳이고, 오는 곳을 알아야하며 가는 곳을 알아야 한다. 四柱를 배정(排定)하여 삼재(三才)를 다음에 나누고, 일간을 主로 삼아 원진(元辰)을 배합한다. 神煞이 서로 기반(羈絆)하면 輕重을 교량(較量)하고, 먼저 月令을 관찰하여 格을 자세히 추론(推論)한다. 日로써 主로 삼아 오직 財官을 論하고, 그 귀천(貴賤)을 구분하면 오묘(奧妙)한 法이 다양하다. 하나면 取하기 쉬우나 혼란하면 밝히기 어렵고, 거류서배(去 留 舒 配)하여 格을 論하면 淸해야한다. 일주가 고강(高强)하며 제강이 得令하고, 財를 취용(取用)하여 표실(表實)하면 바르게 된다. (先天何處,後天何處,要知來處,便知去處.四柱排定,三才次分,日干爲主,配合元辰.神煞相絆,輕重較量,先觀月令,論格推詳.以日爲主,專論財官,分其貴賤,妙法多端.獨則易取,亂則難明,去留舒配,論格要清.日主高強,月提得令,用財爲物,表實爲正.)

연한(年限)은 主가 되며 月令이 중심이고, 日(하루)은 백각(百刻)으로 시왕(時旺)하며 시공(時空)하기도 한다. 긴여지동(干與支同)은 재물을 손실하며 妻를 손상하고, 歲 運이 한 종류면 조업(祖業)을 파기(破棄)한다. 月令이 건록이면 조상의 집에서 살지 못하고, 한번 財官을 만나면 자연히 발복(發福)한다. 火를 취용(取用)하면 水를 근심하며 木을 취용(取用)하면 金을 근심하고, 輕重을 분별하여 論하면 화복(禍福)은 참이라할 수 있다. 五行이 生旺하면 刑이나 囚를 두려워하지 않고, 동서남북(東西南北)으로 운수가 다하면 비로소 休가 된다. 寅 申 巳 亥는 사생(四生)의 局이고, 物을 취용(取用)하여 신강한데 이를 만나면 발복(發福)한다. (年限爲主,月令爲中,日生百刻,時旺時空.干與支同,損財傷妻,歲運一類,破棄祖基.月令建祿,不住祖屋,一見財官,自然發福.用火愁水,用木愁金,輕重論分,禍福能眞.五行生旺,不怕刑囚,東西南北,數盡方休.寅申巳亥,四生之局,用物身強,遇之發福.)

辰 戌 丑 未는 사고(四庫)의 神으로 人元의 셋을 用하는데 투출하고 旺해야 참된다. 子 午 卯 酉는 사패(四敗)의 局으로 남자가 범하면 興하다가 衰하고 여자가 범하면 고독(孤獨)하다. 진기(進氣)와 퇴기(退氣)는 命과 物이 상쟁(相爭)하는데 진기는 死하지 않고 퇴기는 生하지 않는다. 財官이 庫에 임하면 衝하지 않으면 불발(不發)하고, 四柱의 干支가 相合으로 行하는 것을 좋아한다. 제강이 유용(有用)하면 刑 衝을 가장 두려워하고, 運을 衝하면 느리고 用을 衝하면 凶하다. 三奇가 투출하고 일주가 오직 强하면 복록(福祿)이 영화롭고 창성하다. (辰戌丑未,四庫之神,人元三用,透旺爲眞.子午卯酉,四敗之局,男犯興衰,女犯孤獨.進氣退氣,命物相爭,進氣不死,退氣不生.財官臨庫,不衝不發,四柱干支,喜行相合.提綱有用,最怕刑衝,衝運則緩,衝用則凶.三奇透露,日主專強,寄根有力,福祿榮昌.)

十干의 化神은 그림자는 있으나 形이 없고, 무중생유(無中生有)[67]하여 복록(福祿)을 기대하기 어렵다. 십악대패는 格중에서 크게 꺼리는데, 만약 財官을 만나면 도리어 부귀하게 된다. 格과 格을 자세히 추리하면 煞이 중요하고, 煞을 化하면 권귀(權貴)인데 어찌 용신의 손실을 근심하리오! 煞은 印과 떨어져서는 안 되며 印도 煞과 떨어져서는 안 되고, 煞印이 相生하면 공명(功名)이 현달(顯達)한다. (十干化神,有影無形,無中生有,福祿難憑.十惡大敗,格中大忌,若遇財官,反成富貴.格格推詳,以煞爲重,化煞爲權,何愁損用.煞不離印,印不離煞,煞印相生,功名顯達.)

四言獨步(사언독보)-2

官煞을 거듭 만나면 제복(制伏)해야 功이 있고, 만일 제왕으로 行하면 官煞을 만나도 凶하지 않다. 時의 煞이 뿌리가 없으면 煞이 旺한 運에 貴를 취하고, 時의 煞이 뿌리가 두터우면 煞旺한 運에 불리(不利)하다. 8月의 관성은 卯와 丁을 크게 꺼리고, 卯 丁이 剋 破하면 유정(有情)하나 무정(無情)하다. 印綬의 根이 가벼우면 旺한 運에 현달(顯達)하고, 印綬의 根이 두터우면 旺한 運에 불발(不發)한다. 印綬와 比肩은 財[鄕]運으로 行하면 좋고, 印綬는 비견이 없으면 財를 만나 손상하는 것을 꺼린다. 먼저는 財이고 뒤에 印綬가 있으면 도리어 그 福을 이루고, 먼저는 印綬이고 뒤에 財가 있으면 도리어 치욕이 된다. (官煞重逢,制伏有功.如行帝旺,遇之不凶.時煞無根,煞旺取貴.時煞多根,煞旺不利.八月官星,大忌卯丁.卯丁剋破,有情無情.印綬根輕,旺中顯達.印綬根多,旺中不發.印綬比肩,喜行財鄕.印綬無比,忌見財傷.先財後印,反成其福.先印後財,反成其辱.)

---

67) 무중생유(無中生有); 1)억지로 말썽거리를 만들어 일으킴, 2)無중에서 有가 생기다.

財官 印綬는 비견을 크게 꺼리고, 상관 칠살은 도리어 [비견이]도우면 權이 된다. 상관용재는 官이 없어도 자식이 있고, 상관에 財가 없으면 자식宮이 死한다. 시상편재는 형제[비견을]를 만나는 것이 두렵고, 月의 印이 財를 만나면 비견을 꺼리지 않는다. 상관견관은 格중에서 크게 꺼리고, 용신을 손상하지 않으면 어찌 官을 근심하리오! 공록과 공귀는 전실하면 凶하고, 제강에 用이 있으면 論하는 것이 같지 않다. 月令이 財 官이면 발복(發福)하고, 명성과 祿이 고강(高强)하여도 비견은 福을 빼앗는다. (財官印綬,大忌比肩.傷官七煞,反助爲權.傷官用財,無官有子.傷官無財,子宮有死.時上偏財,怕逢兄弟.月印逢財,比肩不忌.傷官見官,格中大忌.不損用神,何愁官至.拱祿拱貴,塡實則凶.提綱有用,論之不同.月令財官,遇之發福.名祿高強,比肩奪福.)

日祿이 時에 머물면 벼슬길로 나아가고, 庚일 申시는 財가 투출하고 歸祿한다. 임기용배는 戌을 보면 무정(無情)하고, 寅이 많으면 富하고 辰이 많으면 영달한다. 天元이 一氣와 地物이 상동(相同)하는데, 人命에서 이를 얻으면 지위가 삼공(三公)이다. 八字가 연주(連珠)하여 支神을 用하는데 조화에서 이를 만나면 명리(名利)가 반드시 重하다. 日德 금신이 月에서 土旺함을 만나면 비록 가벼운 명예가 있을지라도 조업(祖業=고향)을 떠나고 방탕하여 떠돌아다닌다. 금신이 煞을 지니고 신왕하면 기묘(奇妙)한데, 다시 火地로 行하면 명리(名利)가 있다. (日祿居時,青雲得路.庚日申時,透財歸祿.壬騎龍背,見戌無情.寅多則富,辰多則榮.天元一氣,地物相同.人命得此,位列三公.八字連珠,支神有用.造化逢之,名利必重.日德金神,月逢土旺.雖有輕名,祖業漂蕩.金神帶煞,身旺爲奇.更行火地,名利當時.)

甲일의 金神은 마땅히 火로 制해야하고, 己일의 金神은 어찌 火로 制하는 것이 수고롭겠는가! 6甲일이 春절에 生하여 時에 금신을 犯하면 水[鄕]運에 발달하지 않고, 土가 重하면 명예가 참되다. 甲 乙이 丑월인데 時에 금신이 있고, 月干에 煞을 만나면 두 눈이 밝지 않다. 甲寅[日]이 寅이 거듭하고 두 개의 巳가 刑煞하면 종신토록 반드시 손실하고 火를 만나면 발달하기 어렵다. 6甲[日]이 寅월이고 재성이 투출할 때에 運이 西北으로 行하면 구류(九流)의 술업(術業)이다. 乙일이 卯월은 금신이 강열(剛烈)하면 비견으로[도와야] 부귀하고 [금신이]旺하면 갑자기 죽는다. (甲日金神,偏宜火制.己日金神,何勞火制.六甲生春,時犯金神.水鄕不發,土重名眞.甲乙丑月,時帶金神.月干見煞,雙目不明.甲寅重寅,二巳刑煞,終身必損,遇火難發.六甲寅月,透財時節,西北行程,九流藝業.乙日卯月,金神剛烈,富貴比肩,旺橫死絕.)

四言獨步(사언독보)-3

天干에 두 개의 丙이고 地支가 전부 寅인데 다시 印을 生하는 運으로 行하면 죽거나 재앙이 있다. 火旺하며 두 개의 寅이고 壬투출에 申이 坐하여[壬申] 艮[方]祿이 매우 두터우니 水를 만나면 身을 손상한다. 6戊[日]에 거듭 寅이고 月令이 水金이면 火[鄕]運에 구원이 있으나 土를 만나면 身을 刑한다. 己일이 戌월에 [태어나] 火神이 무기(無氣)한데, 金과 水가 많으면 눈이 어둡거나 맹인(盲人)이 된다. 年干에 火가 모이고 日時에 金이 會合하는데, 己[日]干이 印을 用하면 관직이 통하고 명예가 청고하다. 秋절의 金이 午에 生하여 丙火가 투출하고 運이 南方에 이르면 혈질(血疾)로 황천길 간다. (天干二丙,地支全寅,更行生印,死見禍臨.火旺二寅,透壬坐申,艮祿多厚,見水傷身.六戊重寅,月令水金,火鄕有救,見土刑身.己日月戌,火神無氣,多水多金,眼昏目閉.年干會火,日時會金,己干用印,官徹名清.秋金生午,丙火透露,運至南方,血傷泉路.)

金旺한 三秋에 둘의 庚과 丙火가 있는데, 丑[運]에 이르면 상정(傷情)하고 離[宮]運을 만나면 하는 일이 순조롭다. 庚金이 午[月]에 生하거나 辛金이 未[月]에 태어나 煞이 투출하고 양정(兩停)하면 冬절에 태어나야 가장 貴하다. 辛금이 辰월이고 庚金이 丑庫에 태어나면 逆行하는 운수(運數)이면 외롭고 청빈하고, 순행(順行)하면 부호(富豪)이다. 辛이 卯일을 만나고 年 月에서 酉를 보는데 時에 조양(朝陽)을 지니면 승려나 도인으로 추악하다. 辛金이 亥일이고 月에서 戌을 만나는데[辛亥일에 戌월], 처음 水運으로 行하면 반드시 눈병을 방비해야한다. 辛金이 酉에 坐하고[辛酉] 財官을 용신하는데 運이 南方으로 順行하면 명리(名利)가 반드시 진동한다. (金旺三秋,二庚火丙,到丑傷情,逢離順境.庚金生午,辛金生未,透煞兩停,冬生最貴.辛金月辰,庚金丑庫,逆數清孤,順行豪富.辛逢卯日,年月見酉,時帶朝陽,爲僧道醜.辛金亥日,月逢臨戌,水運初行,須防目疾.辛金坐酉,財官用印,順行南方,名利必振.)

辛金이 巳에 坐하고 官印이 祿을 만나는데, 運이 南方으로 순행하면 영화로운 福으로 귀현(貴顯)한다. 酉金이 離[宮]을 만나도 土가 투출하면 무엇을 걱정하며, 土가 없으면 身을 손상하여 오래 살지 못한다. 四季월에 태어나 일주가 庚 辛이면 일주가 弱한들 무엇이 걱정이고 旺地이면 명예를 이룬다. 辛金이 火를 만나는데 土를 보면 刑(형벌)이지만, 陽金이 火를 만나는데 土가 투출하면 명예를 이룬다. 壬일생이 午位[壬午]는 록마동향인데, 거듭하여 火를 만나면 格局이 고강하다. 壬 癸가 金이 많고 酉 申월에 生하여 土旺하면 貴하고 火旺하면 가난하다. (辛金坐巳,官印遇祿,順行南方,貴顯榮福.酉金逢離,透土何慮,無土傷身,壽元不住.月生四季,日主庚辛,何愁主弱,旺地成名.辛金逢火,見土成刑,陽金遇火,透土成名.壬生午位,祿馬同鄕,重重遇火,格局高強.壬癸多金,生於酉申,土旺則貴,火旺則貧.)

四言獨步(사언독보)-4

癸가 巳宮을 향하면 財 官이 印綬를 붙잡는데, 運이 南方에 이르면 명리(名利)가 반드시 진동한다. 癸일이 己亥[月]에 煞과 財가 투출하여 地支에 상관을 合하면 노력해도 富하지 못한다. 癸일이 申제강이고 卯와 亥가 歲와 時인데, 年은 煞이고 月이 劫이면 은거하여 외롭고 처량하다. 癸일간이 己가 있고 陰煞을 거듭 만나는데, 官이 혼탁하지 않으면 명리(名利)가 반드시 형통한다. 상관格은 여인이 가장 꺼리는데, 印綬나 財가 있으면 도리어 부귀하게 된다. 煞이 많아도 制[剋]함이 있으면 여인은 반드시 貴하고, 관성이 거듭 犯하면 불결하고 음란한 무리가 된다. (癸向巳

宮,財官拘印,運至南方,利名必振.癸日己亥,煞財透露,地合傷官,有勞無富.癸日申提,卯亥歲時,年煞月劫,林下孤悽.癸日干己,陰煞重逢,無官相混,名利必通.傷官之格,女人最忌,帶印帶財,反爲富貴.煞多有制,女人必貴,官星重犯,濁濫淫類.)

관성이 도화가 되면 복덕(福德)을 자랑할 만하다. 煞星이 도화가 되면 아침에는 겁탈하고 저녁에는 엉겨 붙는다. 庚일이 申시이며 柱중에 金局으로 地支가 會合이 없으면 官을 손상하고 妻를 겁탈 당한다. 癸일이 寅이 제강이거나 壬일이 亥월이면 제강을 犯해서 안 되는데 화복(禍福)을 추리하기 어렵다. 甲일이 乾(亥월)이 제강인데 煞을 보면 비견을 좋아하고, 金 水가 뿌리를 내리면 寅 卯 未를 싫어한다. 戊 己가 丑월에 비견이 투출하면 거듭 運이 局에 들면 午 未를 만나는 것을 꺼린다. 壬 癸가 坎(子월)宮인데 地支에서 午 戌을 만나고 干頭(天干)에 비견이 있으면 東方으로 行하여야 吉하게 된다. (官星桃花,福德堪誇,煞星桃花,朝劫暮巴.庚日申時,柱中金局,支無會合,傷官劫妻.癸日寅提,壬日亥月,莫犯提綱,禍福難推.甲日乾提,見煞喜比,金水栽根,忌寅卯未.戊己丑月,比肩透出,疊運入局,忌逢午未.壬癸坎宮,支逢午戌,干頭比肩,東行爲吉.)

甲乙이 震(卯월)宮인데 卯가 많으면 반드시 요절하고, 역순(逆順)으로 運行하면 子와 申[運]에 발복(發福)한다. 庚 辛이 巳월은 金이 火旺[節]에 태어난 것인데, 비견이 뿌리를 내리면 양쪽으로 行하여도 象을 이룬다. 丙 丁이 酉월은 비견을 꺼리지 않고, 火가 이궁(離宮)에 들면 비견과 같은 例이다. 곡직(曲直=甲 乙)이 丑월인데 金이 많으면 印綬가 있어야하고, 壬 癸가 丑月인데 土가 두터우면 金이 잠긴다. 食神이 生旺하면 財官을 능가 하는데, 혼탁하면 천(賤)하고 청순하면 뛰어나다. 陽木이 무근(無根)한데 丑월에 生하여 水가 많으면 도리어 貴하지만 金이 많으면 요절한다. (甲乙震宮,卯多須夭,途[逆]順運行,子申發福.庚辛巳月,金生火旺,比肩栽根,兩行成象.丙丁酉月,比肩不忌,火入離宮,比肩一例.曲直丑月,帶印多金,壬癸丑月,土厚金沈.食神生旺,勝似財官,濁之則賤,清之則垣.陽木無根,生於丑月,水多轉貴,金多則折.)

四言獨步(사언독보)-5

乙木이 무근(無根)하고 丑월에 生하여 金이 많으면 도리어 貴하고 火土는 요절한다. 丙火가 무근(無根)하고 子 申을 전부 보는데 制도 없고 生도 없으면 身이 빈천하다. 6甲이 申에 坐하여 셋으로 거듭 子를 보고 運이 북방에 이르면 반드시 횡사(橫死)를 방비해야한다. 丙이 申位에 임하면 陽水는 크게 꺼리는데, 制[剋]이 있고 신강하면 명리(名利)를 크게 이룬다. 己가 亥宮에 들고 陰木을 만나면 두려운데, 月에서 印의 生을 만나면 자연히 발복(發福)한다. 己일이 煞을 만나고 印이 旺하며 財가 숨는데 運이 다시 東南으로 行하면 고귀(高貴)하며 재물이 충분하다. (乙木無根,生臨丑月,金多轉貴,火土則折.丙火無根,子申全見,無制無生,此身貧賤.六甲坐申,三重見子,運至北方,須防橫死.丙臨申位,陽水大忌,有制身強,旺成名利.己入亥宮,怕逢陰木,月逢印生,自然成福.己日逢煞,印旺財伏,運轉東南,貴高財足.)

壬寅과 壬戌[日]이 陽土가 투출하고 관성이 혼탁하지 않으면 福이 크고 祿이 나타난다. 陰水가 무근(無根)하면 火[鄕]은 貴하고, 陽水가 무근(無根)하면 火[鄕]이 두렵다. 丁酉는 음유(陰柔)하니 많은 水를 근심하지 않지만, 비견이 투출하면 格중에서 가장 꺼린다. 戊寅일주는 어찌 煞旺함을 두려워하며, 火가 노출되면 명예를 이루고 水가 오면 방탕하여 떠돈다. 庚午일주는 地支에 火가 불타오르는데 土를 보면 貴하지만 水를 만나면 싫어한다. 辛未[일주]가 身弱한데 卯제강이면 格을 取하고, 癸酉[일주]가 身弱한데 財를 만나면 格에 해롭다. (壬寅壬戌,陽土透出,不混官星,福崇顯祿.陰水無根,火鄕有貴,陽水無根,火鄕即畏.丁酉陰柔,不愁多水,比肩透露,格中最忌.戊寅日主,何愁煞旺,露火成名,水來漂蕩.庚午日主,支火炎炎,見土取貴,見水爲嫌.辛未身弱,卯提取格,癸酉身弱,見財害格.)

癸巳[일주]가 무근(無根)하니 火 土를 거듭 보고 財가 투출하면 명리(名利)가 있고, 根이 드러나면 하천(下賤)하다. 辛酉가 8月에[生하고] 未時는 生을 받는데 人命에서 이를 만나면 평생토록 凶함이 많다.[命을 버려야한다.] 甲 乙이 무근(無根)한데 申 酉를 만나면 두려운데, 煞을 合하면 두 눈이 반드시 멀게 된다. 乙木이 酉월에 水를 보면 기묘(奇妙)하고, 유근(有根)하면 丑이 絶하고 무근(無根)하면 寅이 위태롭다. 乙木이 酉에 坐하고(乙酉일) 庚 丁이 투출하여 두 庫에 귀근(歸根)하면 고신(孤神)이 득실(得失)한다. 丙火가 申제강에 무근(無根)하면 종살(從煞)해야 하고, 根이 南方으로 旺해지면 탈근(脫根)하니 수명을 재촉한다. (癸巳無根,火土重見,透財名利,露根則賤.辛酉八月,未時受生,人命遇此,平生多凶.[棄命]甲乙無根,怕逢申酉,煞合逢之,雙目必朽.乙木酉月,見水爲奇,有根丑絕,無根寅危.乙木坐酉,庚丁透出,二庫歸根,孤神得失.丙火申提,無根從煞,有根南旺,脫根壽促.)

陽火가 무근(無根)하면 水[鄕]은 반드시 꺼리고, 陰火가 무근(無根)하면 水[鄕]은 반드시 구원한다. 陰火가 酉월에 기명취재하고 북방[運]으로 行하면 格에 들지만 남방으로 달리면 재앙이 된다. 戊 己가 亥월에 身弱하면 [命을]버리는데, 卯월도 동일하게 추리하고 根인 겁재와 비견은 싫어한다. 庚金이 무근(無根)하고 寅의 宮이 火局하면 南方은 貴하지만 반드시 짧은 수명을 방비해야한다. 辛巳는 음유(陰柔)하니 水는 官煞을 囚하고 運[限]에서 金을 더하면 총명(聰明)하며 발달(發達)한다. 壬일이 戌제강과 癸干이 未월은 運이 東方이면 좋고, 衝을 만나면 絶한다. (陽火無根,水鄕必忌,陰火無根,水鄕必救.陰火酉月,棄命就財,北行入格,南走爲災.戊己亥月,身弱爲棄,卯月同推,嫌根劫比.庚金無根,寅宮火局,南方有貴,須防壽促.辛巳陰柔,水囚官煞,運限加金,聰明發達.壬日戌提,癸干未月,運喜東方,逢衝則絕.)

기명취재는 반드시 財를 회합해야하고, 기명종살은 반드시 煞을 회합해야한다. 종재하면 煞을 꺼리나 종살하면 財를 좋아하고, 회합하여 根氣를 만나면 손실하여도 꺼리지 않는다. 이 法은 지극히 현묘(玄妙)하여 깨달으면 신선(神仙)이 되는데, 학자(學者)에게 실제로 전수하니 천금(千金)으로 퍼뜨리지 말아야한다. (棄命就財,須要會財,棄命從煞,須要會煞.從財忌煞,從煞喜財,會逢根氣,

會損無猜.此法玄玄,識得神仙,學者實授,千金莫傳.)

17. 五言獨步(오언독보)

병(病)이 있어야 비로소 貴한데 손상이 없으면 기이(奇異)하지 않다. 格중에 만약 병(病)을 제거하면 財祿이 따르니 좋다. 寅 卯가 金과 丑이 많으면 貧富의 고저(高低)로 달린다. 南[方運]地에서 申을 만나면 두렵고, 北方[運]에서 酉를 보면 休한다. 건록이 월령(제강)이면 財官이 天干에 투출하여야 좋고, 身이 다시 旺[運]으로 行하면 마땅하지 않으니 오직 재원(財源)이 무성한 것을 좋아한다. 土가 두터운데 火를 많이 만나면 金旺으로 돌아가니 秋절을 만나야하고, 冬절은 水木이 범람하니 명리(名利)가 모두 헛되고 덧없다. (有病方爲貴,無傷不是奇.格中如去病,財祿喜相隨.寅卯多金丑,貧富高低走.南地怕逢申,北方休見酉.建祿生提月,財官喜透天,不宜身再旺,惟喜茂財源.土厚多逢火,歸金旺遇秋,冬天水木泛,名利總虛浮.)

甲乙이 卯[월]에 生하여 金이 많으면 도리어 길상(吉祥)하다. 煞을 거듭 보는 것은 마땅치 않으니 火地에서는 의식(衣食)을 얻는다. 火는 西方의 酉를 꺼리는데, 金은 水[鄕]에서 가라앉는 것이 두렵다. 木[神]은 午를 만나면 休하고, 水는 卯宮에 이르면 손상한다. 土[宿]는 亥[運]로 行하면 休하며 임관(祿)은 巳宮에 있고, 南方에서는 뿌리가 왕성해지며 西北방은 만나서는 안 된다. 陰日의 조양격(朝陽格)은 월건(月建)이 무근(無根)하면 西方에서 도리어 貴하니 天干에서 火가 침범하는 것을 두려워한다. 乙木이 酉월에 生하면 巳 丑을 전부 만나서는 안 되고, 감리(坎離)宮에서는 부귀하지만 곤간(坤艮)宮에서는 빈궁(貧窮)하다.[68] (甲乙生居卯,金多返吉祥.不宜重見煞,火地得衣糧.火忌西方酉,金沉怕水鄕.木神休見午,水到卯宮傷.土宿休行亥,臨官在巳宮,南方根有旺,西北莫相逢.陰日朝陽格,無根月建辰,西北還有貴,干怕火來侵.乙木生居酉,莫逢全巳丑.富貴坎離宮,貧窮坤艮守.)

煞이 있으면 煞로 論할 뿐이고, 煞이 없어야 비로소 用[神]으로 論한다. 다만 煞성을 제거함이 필요하고, 제강이 重한 것을 두려워하지 않는다. 甲 乙이 만약 申을 만나면 煞印이 暗으로 相生하고, 木이 旺한데 金이 旺함을 만나면 관포(冠袍)를 반드시 몸에 걸친다. 丙火는 거듭 만나는 것을 두려워하지만 北方은 도리어 功이 있다. 비록 水를 보는 것이 마땅하지만 오히려 제강을 衝하는 것이 두렵다. 8월은 관성이 旺한데 甲이 秋절의 깊은 氣를 만난 것이고, 財官이 겸하여 도우면 명리(名利)가 자연히 형통한다. 곡직(曲直)이 春월에 生하여 天干에서 庚 辛을 만나면 南方에서는 부귀하다고 추리하고, 坎(北方)地에서는 오히려 凶하다. (有煞只論煞,無煞方論用.只要去煞星,不怕提綱重.甲乙若逢申,煞印暗相生.木旺金逢旺,冠袍必掛身.丙火怕重逢,北方返有功.雖然宜見水,猶恐對提衝.八月官星旺,甲逢秋氣深,財官兼有助,名利自然亨.曲直生春月,庚辛干上逢.南離推富貴,坎地卻猶凶.)

---

68) 坎離의 宮은 煞印相生과 食神制煞로 貴하고, 艮坤의 宮은 煞을 幇助함으로써 貧窮한 것이다.

甲乙이 3월에 生하여 庚 辛 戌 未가 있고, 丑宮에 壬 癸가 자리하면 어찌 뿌리가 없다고 염려하겠는가! 木이 무성하면 金이나 火가 마땅하고, 身이 衰弱하면 鬼와 관련되고, 시기는 西와 北으로 나누고, 輕重은 東南으로 분별한다. 時上의 포태格은 月에서 印綬를 통하여 만나고, 煞이나 官運으로 행하여 도우면 직위(職位)가 삼공(三公=삼정승)에 이른다. 두 개의 子가 [하나의]午를 衝하지 않고, 두 개의 寅이 [하나의]申을 衝하지 않고, 두 개의 午가 [하나의]子를 衝하지 않으며, 두 개의 申이 [하나의]寅을 衝하지 않는다. (甲乙生三月,庚辛戌未存,丑宮壬癸位,何慮見無根.木茂宜金火,身衰鬼作關,時分西與北,輕重辨東南.時上胞胎格,月逢印綬通,煞官行運助,職位至三公.二子不衝午,二寅不衝申,二午不衝子,二申不衝寅.)

득일삼분格은 財 官 印綬가 온전하다. 運중에서 剋 破를 당하면 목숨을 잃어 황천길로 간다. 진기(進氣)하면 죽어도 죽지 않는 것이고, 퇴기(退氣)하면 살아도 살지 않는 것이다. 종년(終年) 발달하여 旺하지 못하며 오히려 소년시절에 刑하는 것을 꺼린다. 시상편재格은 간두(天干)에서 비견을 꺼린다. 月에서 身을 生하여 主가 旺하면 貴氣와 福이 심히 깊다. 시상일위貴[格]은 암장한 地支중에 있는 것이고, 일주가 강강(剛强)해야 명리(名利)가 비로소 있다. 運은 10年씩 나아가고, 상하로 5年씩 나눈다. 먼저 유년(流年)의 歲를 살피고, 왕래(往來)하는 순(旬)을 심도(深度) 있게 알아야한다. (得一分三格,財官印綬全.運中逢剋破,一命喪黃泉.進氣死不死,退氣生不生.終年無發旺,猶忌少年刑.時上偏財格,干頭忌比肩.月生身主旺,貴氣福重深.時上一位貴,藏在支中是,日主要剛強,名利方有氣.運行十載數,上下五年分.先看流年歲,深知來往旬.)

제12권 終